职业教育机械类专业"互联网+"新形态教材

机械加工技术

第 3 版

主　编　张兆隆　张敬芳
副主编　王金龙　袁　健
参　编　王　超　杨立云　李玉兰
　　　　张倩涵　娄海汇
主　审　杨　锋

机 械 工 业 出 版 社

本书是参照高等职业教育应用型人才的培养目标和高等职业教育教学改革要求，根据编者多年教学、生产实践的经验编写而成的。

本书共分八章，第一章主要介绍机械加工工艺的基础理论知识；第二~五章主要介绍机械加工的基本方法和技术；第六章主要介绍机械装配的基础知识；第七章主要介绍设备的维护方法；第八章主要介绍机械加工的先进技术。

本书遵循职业教育的特点和学生的认知特点，充分体现以"学生为主体、教师为主导"的教育教学理念，内容以"应知""应会"为主，采用现行国家标准（或行业标准），由浅入深，循序渐进，图解直观形象，注重理论联系实际，学以致用，使学生在掌握机械加工的基本技能、具备现场工艺实施能力的基础上，具备制订工艺与实施工作的基本能力，同时注重学生学习能力、创新意识、安全意识、质量意识和环保意识等的培养。为便于学生提高应用技能，本书配备了综合训练，以使学生巩固和深入理解所学知识；还将习题汇集、装订成册，附夹在书后。

本书采用"校企合作"模式，同时运用"互联网+"技术，在重要知识点处添加二维码配套资源，方便理解相关知识，进行更深入的学习。

本书可作为五年制高等职业教育装备制造大类机械相关专业及其他相近专业的教材，还可作为职业培训教材。

图书在版编目（CIP）数据

机械加工技术 / 张兆隆，张敬芳主编. -- 3版. -- 北京：机械工业出版社，2025.5. -- （职业教育机械类专业"互联网+"新形态教材）. -- ISBN 978-7-111-78657-3

Ⅰ. TG506

中国国家版本馆 CIP 数据核字第 2025X2Y930 号

机械工业出版社（北京市百万庄大街 22 号　邮政编码 100037）

策划编辑：黎　艳　　　　　　　　责任编辑：黎　艳
责任校对：潘　蕊　刘雅娜　　　　封面设计：张　静
责任印制：任维东
唐山楠萍印务有限公司印刷
2025 年 11 月第 3 版第 1 次印刷
210mm×285mm・16.75 印张・479 千字
标准书号：ISBN 978-7-111-78657-3
定价：55.00 元（含练习册）

电话服务　　　　　　　　　　　网络服务
客服电话：010-88361066　　　机　工　官　网：www.cmpbook.com
　　　　　010-88379833　　　机　工　官　博：weibo.com/cmp1952
　　　　　010-68326294　　　金　书　网：www.golden-book.com
封底无防伪标均为盗版　　　机工教育服务网：www.cmpedu.com

第3版前言

本书不仅遵循学科规律、贴近生产实际，实现思想性、科学性、趣味性和实践性的有机结合，而且具有合理的内在逻辑和框架结构、清晰的知识发展脉络，体现出先进的教育教学理念。本书第2版自2016年出版以来，受到职业院校广大师生的好评，累计销量达27000余册。随着科学技术的不断进步、国家标准的陆续更新、职业教育教学改革的不断深入，又考虑到社会对学生综合能力的新要求以及用书学校提出的修改意见，对本书进行了修订。本次修订主要体现了以下特色。

1) 保持第2版教材的框架结构及探究学习特色、科普特色和文化特色，对书中的相关内容、标准和图表进行了补充、修改、完善和优化，使内容更具知识性、可读性和学科特色，全书内容系统性增强，知识体系更加科学完整。

2) 贯彻全面发展和全面培养的教育教学理念，针对目前职业教育发展过程中教育与生产实践结合不紧密、基础理论知识与实际操作培训设置比例不合理，过于注重技术培训理论教育不够的问题，本书注重加强对学生进行"宽基础，复合职业能力和职业素养"的培养。

3) 立足职业院校学生的认知特点、思维特点、学习特点，配套综合训练与习题册，帮助学生巩固、深入理解学习重点，突破学习难点。

4) 运用了"互联网+"技术，在部分知识点处设置了二维码，学生可以扫描二维码，获取相关知识内容的微课视频等资源，方便理解相关知识，进行更深入的学习。

本书由河北机电职业技术学院张兆隆、张敬芳任主编，邢台现代职业学校王金龙、阿克苏职业技术学院袁健任副主编，参加编写的还有河北机电职业技术学院王超、杨立云、李玉兰、张倩涵、娄海汇，全书由杨锋主审。其中，第一章和第五章由张兆隆编写；第二章由王超编写；第三章由王金龙、杨立云编写；第四章由李玉兰编写；第六、七章由张敬芳、袁健编写；第八章由张倩涵、娄海汇编写。

由于编者水平有限，书中难免有错误和不妥之处，恳请广大读者批评指正。

编 者

第2版前言

为贯彻《国务院关于大力发展职业教育的决定》精神，落实《教育部关于进一步深化中等职业教育教学改革的若干意见》关于"加强中等职业教育教材建设，保证教学资源基本质量"的要求，确保新一轮中等职业教育教学改革顺利进行，全面提高教育教学质量，保证高质量教材进课堂，教育部对中等职业学校德育课、文化基础课等必修课程和部分大类专业基础课教材进行了统一规划并组织编写。本书是中等职业教育国家规划教材之一，是根据教育部最新发布的《中等职业学校机械加工技术教学大纲》，在本书第1版的基础上修订而成的。

本书按照"工学结合"的总体思路，根据培养目标要求增加了学生工艺能力培养的内容，从而使毕业生在掌握机械加工的基本技能、具备现场工艺实施能力的基础上，具备从事工艺制订与实施工作的基本能力。本书全面推行职业资格证书与教学内容相融合的模式，将职业资格证书要求的"应知""应会"内容融入教学体系与教学内容中。本着"实际、实用、实效"的原则，本书突出概念、基本原理、基本方法和基本训练，力求做到结构合理、内容充实、文字精练，深入浅出。

本书适用于3年制中职，教学学时为160学时。教学建议围绕岗位技能培养开展，以任务驱动、项目导向方式设计教学组织体系，以理论与实践教学合一的教学模式完成教学过程。

本书共分八章，第一章主要介绍机械加工工艺的基本知识、基本理论；第二、三、四、五章主要介绍机械加工的基本方法和技术；第六章主要介绍机械装配的基础知识；第七章主要介绍设备的维护方法；第八章主要介绍机械加工的新技术等。

本书由河北机电职业技术学院张兆隆、张敬芳担任主编，河北机电职业技术学院孙建莉、阿克苏职业技术学院袁健任副主编。前言和第一章、第五章由张兆隆编写；第二章由李格平编写；第三章由杨锋、杨立云编写；第四章由孙建莉、李玉兰编写；第六章、第七章由张敬芳、袁健编写；第八章由娄海汇编写。本书由王明耀主审。

在本书的编写过程中，编者参阅了国内外出版的有关教材和资料，得到了马丽霞、周宏甫的有益指导，在此一并表示衷心感谢！

由于编者水平有限，书中不妥之处在所难免，恳请读者批评指正。

编　者

第1版前言

随着科学技术的迅速发展，21世纪中职人才的培养目标是使学生成为面向基层、面向生产和服务于第一线的既懂技术又能操作的高素质劳动者和中高级专门人才。中等职业教育教材模式必须进行改革，打破旧有的学科性的课程内容结构，建立新型的综合课程模式，这对全面提高劳动者的综合素质，将有深远的意义。职业教育的课程目标要从侧重工艺技术、纯专业能力向着培养综合职业能力和全面素质的方向转变。培养具有综合素质的人才要通过课程的综合化来实现。实践证明，课程综合化是使学生的知识全面发展的有效途径，可以增强职业教育在人的发展和社会进步中的活力。《机械加工技术》一书是按上述指导思想，根据教育部审批通过的面向21世纪中等职业教育重点专业，机械加工技术专业教学改革整体方案和机械加工技术课程教学大纲编写的，是由机械职业教育机械制造专业教学指导委员会组织编审的国家规划教材。

本书依据21世纪对中等职业人才的知识和能力结构要求，以能力为本位，以培养学生的创新精神和实践能力为核心，以综合职业能力为基点，融汇金属切削机床、金属切削原理及刀具、机床夹具设计、机械制造工艺学等知识为一体，建立了机械加工技术专业教材新体系。教材本着"实际、实用、实效"的原则，突出基本概念、基本原理、基本方法和基本训练，力求做到结构合理、内容充实、文字精炼、深入浅出。

本书编写的指导思想是：注重学生的能力提高和素质培养；在教材体系上，打破学科界限，将相关知识有机地综合；精选内容，保证重点，剔除与职业能力联系不大的、陈旧的、重复的、过深的理论知识，从而节约课时用于增加新知识与加强实践环节。

本书的编写特点如下：

（1）突出应用　不强调理论的系统性、完整性与学科性，避开有关的公式推导，重视理论的实际应用，使学生所学的知识和技能紧贴职业岗位。

（2）注重时代性　本书注重新工艺、新技术、新标准的应用，介绍了先进加工技术、特种加工、精密和超精密加工等。

（3）综合性强　本书以典型零件的工艺为主线，将机床、刀具、夹具、工件等进行了有机的综合。

（4）注重学生创新能力的培养　本书在部分章节编写了综合训练课题，课题灵活，其目的之一就是通过训练潜移默化地培养学生的创新意识和创新能力。

（5）适应性强　本书特别重视不同层次中等职业教育培养目标的需要，教材内容综合性强、伸缩性大。

（6）直观性强　本书图文并茂，简洁明了。

本书共分八章，第一章主要介绍机械加工的概念；第二章主要介绍金属切削的基本知识；第三章介绍机械加工工艺系统的有关知识；第四章介绍机械加工工艺规程；第五章介绍典型零件加工；第六章介绍装配的基础知识；第七章介绍设备的维护知识；第八章介绍先进机械加工方法等。本书第三、

五、六章后编写了综合训练。

本书适用于3年制中职，教学时数为160学时。本书由王明耀、张兆隆担任主编。参加编写的有李格平、王增春、刘淑敏、李玉兰、章学愚、孙建莉。本书由福建职业技术学院周宏甫副教授担任主审。

参加审稿的有吴国华、张普礼、华坚、权月华、彭跃湘、张远平、孙燕华、马丽霞、张武荣等，他们提出了许多好的建议，在此表示衷心感谢！

由于编者水平有限，书中错误和缺点在所难免，恳请读者提出宝贵意见，以便修改。

编　者

中等职业教育国家规划教材出版说明

为了贯彻《中共中央国务院关于深化教育改革全面推进素质教育的决定》精神，落实《面向 21 世纪教育振兴行动计划》中提出的职业教育课程改革和教材建设规划，根据教育部关于《中等职业教育国家规划教材申报、立项及管理意见》（教职成〔2001〕1 号）的精神，我们组织力量对实现中等职业教育培养目标和保证基本教学规格起保障作用的德育课程、文化基础课程、专业技术基础课程和 80 个重点建设专业主干课程的教材进行了规划和编写，从 2001 年秋季开学起，国家规划教材将陆续提供给各类中等职业学校选用。

国家规划教材是根据教育部最新颁布的德育课程、文化基础课程、专业技术基础课程和 80 个重点建设专业主干课程的教学大纲（课程教育基本要求）编写的，并经全国中等职业教育教材审定委员会审定。新教材全面贯彻素质教育思想，从社会发展对高素质劳动者和中初级专门人才需要的实际出发，注重对学生的创新精神和实践能力的培养。新教材在理论体系、组织结构和阐述方法等方面均做了一些新的尝试。新教材实行一纲多本，努力为教材选用提供比较和选择，满足不同学制、不同专业和不同办学条件的教学需要。

希望各地、各部门积极推广和选用国家规划教材，并在使用过程中，注意总结经验，及时提出修改意见和建议，使之不断完善和提高。

教育部职业教育与成人教育司
2001 年 10 月

二维码索引

名称	二维码	页码	名称	二维码	页码	名称	二维码	页码
车削运动和三个表面		9	金属切削刀具材料的种类		59	装配的组织形式		165
切削运动与切削要素		10	车床卡盘的装卸方法		75	完全互换法		169
刀具的几何角度		13	机械加工质量及其控制		76	螺纹连接的装配		175
机床型号		20	百分表的使用		77	机械制造技术的发展		201
铣床与铣削加工		44	机械加工工艺规程设计		82	电火花加工		208
铣床与铣削加工安全操作规程		44	常用机械零件毛坯成形方法的选择		88	电火花加工原理		209
钻床与钻削加工		54	尺寸链		101	电解加工		211
镗床与镗削加工、镗孔		54	减速器的用途、构造及工作原理		110	电解研磨工艺		213
磨床与磨削加工、磨削外圆		54	游标卡尺的使用		113	超声波加工		214
磨床与磨削加工安全操作规程		54	千分尺的读数方法		113	激光加工		215
刨床与刨削加工		56	螺纹加工和攻螺纹		115			
认识金属材料		59	齿轮加工		155			

目录

第 3 版前言
第 2 版前言
第 1 版前言
二维码索引

第一章　机械加工的概念 ………………… 1
第一节　基本概念 ……………………… 1
第二节　基准 …………………………… 4
第三节　机械加工的生产率 …………… 5
【知识与技能拓展】 ……………………… 8

第二章　金属切削基础知识 ………………… 9
第一节　切削运动与切削要素 ………… 9
第二节　刀具切削部分的基本定义 …… 11
第三节　切削过程及其物理现象 ……… 14
第四节　切削液 ………………………… 18
【知识与技能拓展】 ……………………… 19

第三章　机械加工工艺系统 ……………… 20
第一节　机床 …………………………… 20
第二节　刀具 …………………………… 57
第三节　夹具 …………………………… 62
第四节　工件 …………………………… 75
第五节　机械加工工艺系统综合训练 … 78
【知识与技能拓展】 ……………………… 79

第四章　机械加工工艺规程 ……………… 81
第一节　机械加工工艺规程概述 ……… 81
第二节　零件的工艺分析 ……………… 86
第三节　毛坯选择 ……………………… 88
第四节　定位基准的选择 ……………… 90
第五节　机械加工工艺路线的拟订 …… 93
第六节　加工余量和工序尺寸的确定 … 98
第七节　机床与工艺装备的选择 ……… 106
第八节　切削用量与工时定额的确定 … 106

【知识与技能拓展】 ……………………… 107

第五章　典型零件的加工 ………………… 108
第一节　轴类零件加工 ………………… 108
第二节　套类零件加工 ………………… 122
第三节　箱体类零件加工 ……………… 134
第四节　齿轮加工 ……………………… 151
【知识与技能拓展】 ……………………… 162

第六章　机械装配工艺基础 ……………… 163
第一节　机械装配概述 ………………… 163
第二节　装配尺寸链 …………………… 166
第三节　保证产品装配精度的方法 …… 169
第四节　典型零部件的装配 …………… 175
第五节　装配工艺基础综合训练 ……… 178
【知识与技能拓展】 ……………………… 179

第七章　设备的维护 ……………………… 180
第一节　设备的使用和维护保养制度 … 180
第二节　设备操作维护规程与完好标准 … 183
第三节　设备维修的修理类别 ………… 187
第四节　设备维修工艺基础 …………… 189
第五节　判断、分析和排除设备常见故障的
　　　　方法 …………………………… 198
【知识与技能拓展】 ……………………… 200

第八章　先进加工技术简介 ……………… 201
第一节　机械零件的精密加工技术 …… 201
第二节　机械零件的特种加工技术 …… 208
第三节　柔性化制造系统 ……………… 216
第四节　绿色制造 ……………………… 220
【知识与技能拓展】 ……………………… 221

参考文献 …………………………………… 222
练习册

第一章 机械加工的概念

【学习目标】

1. 准确理解生产过程、工序、装夹、工位、工步、走刀等概念。
2. 理解生产过程的组成、基准的分类、提高机械加工生产率的工艺措施等。
3. 学会区分设计基准与工艺基准。
4. 理解时间定额的组成和各项含义。

【素养目标】

1. 围绕知识点，激发学习兴趣，培养良好的职业道德。
2. 培养勤奋创新、爱岗敬业、争分夺秒、惜时如金的优良品质。

第一节 基本概念

一、生产过程和工艺过程

1. 生产过程

生产过程是指从产品投产前一系列生产技术组织工作开始，直到把合格产品生产出来的全部过程。生产过程分为自然过程和劳动过程。机械产品的生产过程是指把原材料变成产品的各种相互关联的全部劳动过程的总和。它包括：

（1）生产技术准备过程　生产技术准备过程包括产品投产前的市场调查、预测，新产品开发鉴定、产品设计、标准化审查等。

（2）基本生产过程　基本生产过程是指对构成产品实体的劳动对象直接进行工艺加工的过程，具体划分为工艺过程、检验过程和运输过程，分别由各自的工序组成。

（3）辅助生产过程　辅助生产过程是指为了保证基本生产过程的正常进行所必需的辅助生产活动，如工艺装备的制造、能源供应和设备维修等。

（4）生产服务过程　生产服务过程是指原材料的组织、运输、保管、储存、供应及产品包装、销售等过程。

为了便于组织生产和提高劳动生产率，取得更好的经济效益，现代工业趋向于专业化协作，即将一种产品的若干个零部件分散到若干专业化厂家进行生产，总装厂只生产主要零部件及进行总装调试。如汽车、电动自行车行业大都采用这种模式进行生产。

2. 工艺过程

工艺过程是指生产过程中直接改变生产对象的形状、尺寸、相对位置和性质等，使之成为成品或半成品的过程，如毛坯制造、机械加工、热处理、表面处理及装配等。它是生产过程的主体。

二、工艺过程的组成

零件的机械加工工艺过程是比较复杂的,往往是根据零件的不同结构、不同材料、不同技术要求,采用不同的加工方法、加工设备、加工刀具等,并通过一系列的加工步骤,完成由毛坯到零件的转变过程。机械加工工艺过程由一个或若干个按顺序排列的工序组成,每个工序又可依次细分为安装、工位、工步和走刀。

(1) 工序 一个或一组工人,在一个工作地或一台机床上对一个或同时对几个工件所连续完成的那一部分工艺过程称为工序。划分工序的依据是工作地点是否变化和工作是否连续。如图 1-1 所示的阶梯轴,当加工数量较小时,其工序划分见表 1-1;当加工数量较大时,其工序划分见表 1-2。

在表 1-1 的工序 2 中,先车一个工件的一端,然后掉头装夹,再车另一端。如果先车好一批工件的一端,然后掉头再车这批工件的另一端,这时对每个工件来说,两端的加工已不连续,所以即使在同一台车床上加工,也应算作两道工序。

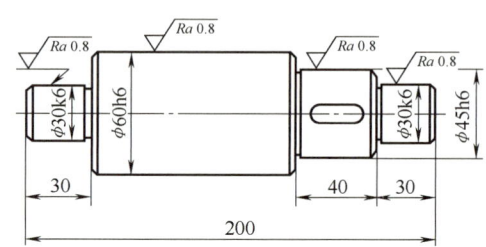

图 1-1 阶梯轴简图

表 1-1 阶梯轴工艺过程(单件小批生产类型)

工序号	工序内容	设备
1	车一端面,钻中心孔;掉头,车另一端面,钻中心孔	车床
2	车外圆,车槽和倒角	车床
3	铣键槽,去毛刺	铣床
4	磨外圆	磨床

表 1-2 阶梯轴工艺过程(大批生产类型)

工序号	工序内容	设备
1	两端同时铣端面,钻中心孔	铣端面、钻中心孔机床
2	车一端外圆,车槽和倒角	车床
3	车另一端外圆,车槽和倒角	车床
4	铣键槽	铣床
5	去毛刺	钳工台
6	磨外圆	磨床

(2) 装夹 工件在机床上或夹具中完成定位并夹紧的整个过程称为装夹,也称为安装。在一道工序中,工件可能被装夹一次或多次,才能完成加工。表 1-1 中的工序 1 要进行两次装夹:先装夹工件的一端,为安装Ⅰ,用以完成车端面、钻中心孔;再掉头装夹,为安装Ⅱ,用以完成车另一端面、钻中心孔。

(3) 工位 为了减少工件的装夹次数,常采用各种回转工作台、回转夹具或移动夹具,使工件在一次装夹中,先后处于几个不同的位置进行加工。工件相对于机床或刀具每占据一个加工位置所完成的那部分工艺过程,称为工位。例如,表 1-2 中工序 1 铣端面、钻中心孔,就有两个工位。如图 1-2 所示,工件装夹后,先在工位Ⅰ铣端面,然后移动到工位Ⅱ钻中心孔。

(4) 工步 工步是指在加工表面、切削刀具和切削用量(仅指机床主轴转速和进给量)都不变的情况下,连续完成的那一部分工序。如图 1-3 所示,在工件上钻 4 个 φ15mm 的孔,用一个钻头顺序进行加工,则可算作一个工步。

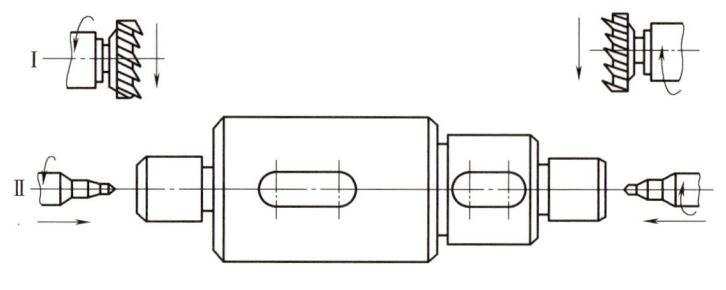

图 1-2 铣端面、钻中心孔

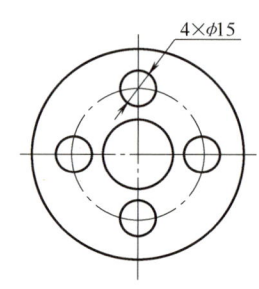

图 1-3 钻 4 个相同孔的工步

为了提高生产率，用几把刀具同时加工几个表面的工步，称为复合工步，也可看作一个工步，如图1-4所示。

（5）走刀 有些工步由于加工余量较大或其他原因，需要用同一把刀具对同一表面进行多次切削。这时，刀具对工件的每一次切削就称为一次走刀。

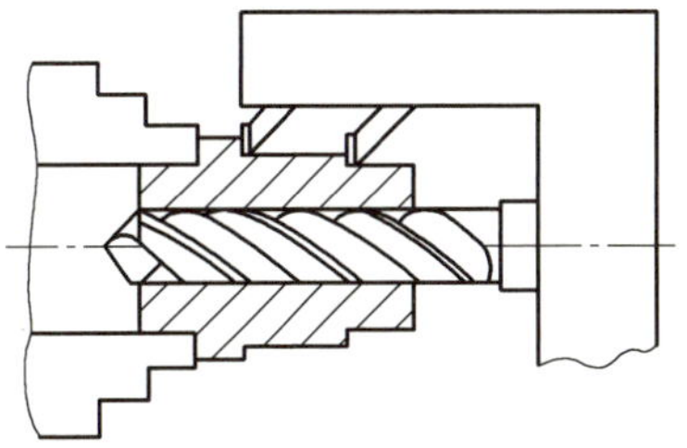

图 1-4 复合工步

三、生产类型及工艺特征

1. 生产纲领

生产纲领是企业在计划期内应生产的产品产量。零件生产纲领是指企业根据产品生产量在计划期内生产的零件数量。其计算公式为

$$N = Qn(1+\alpha)(1+\beta)$$

式中 N——零件的生产纲领；

Q——产品的生产纲领；

n——每台产品中该零件的数量；

α——备品的百分率；

β——废品的百分率。

2. 生产类型

生产类型是企业（或车间、工段等）生产专业化程度的分类。企业的生产类型取决于生产纲领。生产类型对工艺过程的规划与制订有较大的影响。根据生产的特点，企业的生产可分为三种基本类型：单件生产、大量生产和成批生产。

（1）单件生产 单件生产是指产品品种多，而每一品种的结构、尺寸不同且产量很少，各个工作地的加工对象经常改变且很少重复的生产类型。如各种试制产品、机修零件、专用工夹量具等的生产均属于这一生产类型。

（2）大量生产 大量生产是指产品数量很大，大多数工作地点长期地按一定节奏重复地进行某一个零件的某一个工序的加工。如汽车、轴承及标准件等通常以大量生产的方式进行生产。

（3）成批生产 成批生产是指一年中分批轮流地制造几种不同的产品，每种产品均有一定的数量，工作地点的加工对象周期性地重复。

通常企业并不是把全年产量一次投入车间生产，而是根据产品的生产周期、销售以及车间生产的均衡情况，按一定期限分次、分批投产。一次投入或产出的同一产品或零件数量称为生产批量，简称批量。成批生产中，按照批量不同，可分为小批生产、中批生产和大批生产三种。

在一个企业中，生产纲领决定了生产类型。但产品的大小和结构复杂程度对生产类型也有影响。表1-3是不同类型产品的生产类型与生产纲领的关系；表1-4是不同机械产品的零件质量型别。

3. 工艺特征

生产类型不同，产品和零件的加工工艺、所用设备及工艺装备、采取的技术措施、达到的技术经济效果也不一样。各种生产类型的工艺特征见表1-5。工艺过程的制订必须结合现有生产条件、生产类型等各方面的因素全面考虑，才能在保证产品质量的前提下，制订出技术先进、经济合理的工艺方案。

表 1-3 生产类型与生产纲领的关系

生产类型	生产纲领/(台/年或件/年)		
	小型机械或轻型零件	中型机械或中型零件	重型机械或重型零件
单件生产	≤100	≤10	≤5
小批生产	>100~500	>10~150	>5~100
中批生产	>500~5000	>150~500	>100~300
大批生产	>5000~50000	>500~5000	>300~1000
大量生产	>50000	>5000	>1000

注：小型机械、中型机械和重型机械可分别以电钻机床和盾构机为代表。

表 1-4 不同机械产品的零件质量型别

机械产品类型	零件的质量/kg		
	轻型零件	中型零件	重型零件
小型机械	≤4	>4~30	>30
中型机械	≤15	>15~50	>50
重型机械	≤100	>100~2000	>2000

表 1-5 各种生产类型的工艺特征

工艺特征	生产类型		
	单件、小批生产	中批生产	大批、大量生产
零件的互换性	用修配法,钳工修配,缺乏互换性	大部分具有互换性。装配精度要求高时,灵活应用分组装配法和调整法,同时还保留某些修配法	具有广泛的互换性。少数装配精度要求较高处,采用分组装配法和调整法
毛坯的制造方法与加工余量	木模手工造型或自由锻造。毛坯精度低,加工余量大	部分采用金属模铸造或模锻。毛坯精度和加工余量中等	广泛采用金属模机器造型、模锻或其他高效方法。毛坯精度高,加工余量小
机床设备及其布置形式	通用机床。按机床类别采用机群式布置	部分通用机床和高效机床。按工件类别分工段排列设备	广泛采用高效机床及自动机床。按流水线和自动线排列设备
工艺装备	大多采用通用夹具、标准附件、通用刀具和万能量具。靠划线和试切达到精度要求	广泛采用夹具,部分靠找正装夹达到精度要求。较多采用专用刀具和量具	广泛采用专用夹具、复合刀具、专用量具或自动检验装置。靠调整法达到精度要求
对工人技术要求	需要技术水平较高的工人	需要一定技术水平的工人	对调整工人的技术水平要求高,对操作工人技术水平要求较低
工艺文件	有工艺过程卡,关键工序要求有工序卡	有工艺过程卡,关键零件要求有工序卡	有工艺过程卡和工序卡,关键工序要求有调整卡和检验卡
成本	较高	中等	较低

随着科学技术的发展和生产技术的进步,产品更新换代周期越来越短,品种规格不断增多,多品种小批量的生产类型将会越来越多。

第二节 基准

一、基准的概念

基准的广义含义是"依据"。机械加工中的基准是指用来确定生产对象上几何要素间的几何关系所依据的那些点、线、面。

二、基准的分类

根据作用和应用场合不同,基准可分为设计基准和工艺基准两大类,工艺基准又可分为工序基准、定位基准、测量基准和装配基准。

1. 设计基准

零件图上用以确定零件上某些点、线、面位置所依据的点、线、面,称为设计基准。图 1-5a 所示零件,对于尺寸 20mm 而言,A、B 面互为设计基准;图 1-5b 所示零件,ϕ50mm 外圆的轴线是 ϕ30mm 外圆轴线同轴度的设计基准;图 1-5c 所示零件,圆柱面下素线 D 是槽底面 C 的设计基准;图 1-5d 所示主轴箱箱体,顶面 F 的设计基准是底面 D,孔Ⅲ和孔Ⅳ中心线的设计基准是底面 D 和侧面 E,孔Ⅱ中心线的设计基准是孔Ⅲ和孔Ⅳ的中心线。

2. 工艺基准

零件加工与装配过程中所采用的基准称为工艺基准,包括以下几种:

(1) 工序基准 工序图上用来标注本工序加工的尺寸和几何公差的基准称为工序基准。就其实质来说,与设计基准有相似之处,只不过是工序图的基准。工序基准大多与设计基准重合,有时为了加

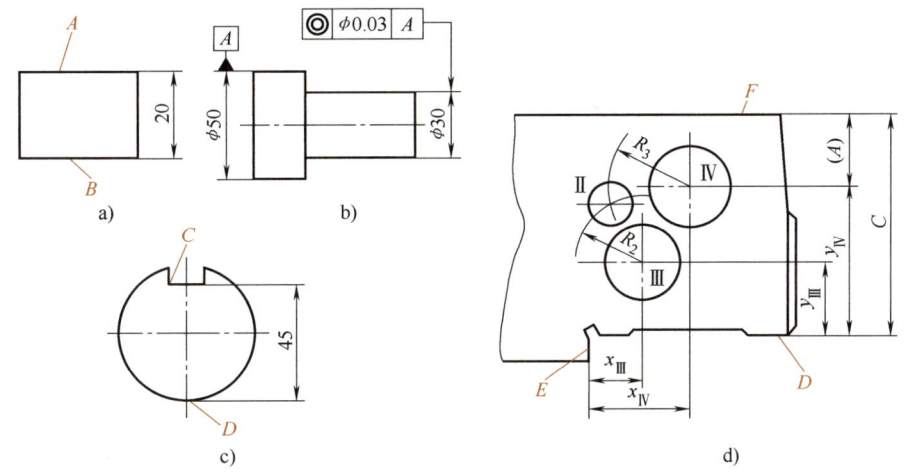

图 1-5 基准实例

工方便,也有与设计基准不重合而与定位基准重合的情况。

(2) 定位基准　加工中,使工件在机床上或夹具中占据正确位置所依据的基准称为定位基准。如用直接找正法装夹工件,找正面是定位基准;用划线找正法装夹,所划的线为定位基准;用夹具装夹工件,工件上与定位元件相接触的面是定位基准。作为定位基准的点、线、面,可能是工件上的某些表面,也可能是工件上看不见、摸不着的中心线、中心平面、球心等。定位基准往往需要通过工件某些定位表面来体现,这些表面称为定位基准面。例如用自定心卡盘夹持工件外圆,体现以中心线(轴线)为定位基准,外圆表面为定位基准面。

(3) 测量基准　在加工中或加工后测量工件时所用的基准称为测量基准。

(4) 装配基准　装配时,用以确定零件在部件或产品中的相对位置所采用的基准称为装配基准。图 1-5d 所示的主轴箱箱体的 D 面和 E 面,就是确定箱体在床身上相对位置的装配基准。

第三节　机械加工的生产率

劳动生产率是指工人在单位时间内制造出合格产品的数量,或者是指制造单件产品所消耗的劳动时间。

一、时间定额

工艺设计中的一个重要内容是确定劳动定额,它是劳动生产率的指标。劳动定额可表现为时间定额和产量定额两种基本形式。时间定额又称工时定额,是在一定生产技术组织条件下,规定生产一件产品或完成一道工序所需的时间。产量定额是在一定生产技术组织条件下,规定在单位时间内生产合格产品数量的标准。目前,多数企业采用时间定额这一劳动定额形式。

时间定额是安排生产计划、计算产品成本和企业进行经济核算的主要依据,也是新设计或扩建工厂时决定设备、人员数量和车间布置的依据。采用合理的时间定额,能促进工人生产技术的不断提高,发挥他们的积极性和创造性,从而促进生产发展。

在机械加工中,完成一个工件的一道工序所需的时间,称为单件时间 t_d,它由下述部分组成:

(1) 基本时间 t_j　基本时间是直接改变生产对象的尺寸、形状、相对位置、表面状态或材料性质等工艺过程所消耗的时间。对机械加工而言,基本时间是直接切除工序余量所消耗的时间(包括刀具的切入和切出时间)。基本时间可由计算公式求出。例如,车削时的基本时间 t_j 为

$$t_j = \frac{L_\text{计} Z}{nfa_p}$$

式中 t_j——基本时间（min）；

$L_\text{计}$——工件行程的计算长度，包括加工表面的长度、刀具切入和切出长度（mm）；

Z——工序余量（mm）；

n——工件的旋转速度（r/min）；

f——刀具的进给量（mm/r）；

a_p——背吃刀量（mm）。

（2）辅助时间 t_f　辅助时间是为了保证完成基本工作而执行的各种辅助动作所需要的时间。它包括装卸工件的时间、开动和停止机床的时间、机床工作中变换刀具（如刀架转位）的时间、改变加工规范（如改变切削用量）的时间、试切和测量工件等所消耗的时间。

辅助时间的确定方法随生产类型而异。大批、大量生产时，为使辅助时间规定得合理，需将辅助动作进行分解，再分别确定各分解动作的时间，最后予以综合；中批生产则可根据以往的统计资料来确定；单件、小批生产则常用基本时间的百分比进行估算。

（3）布置工作地时间 t_b　布置工作地时间是指在工作进行期内消耗在照管工作地的时间，一般包括更换刀具、润滑机床、清理切屑、收拾工具等的时间。一般按作业时间的2%~7%估算。

（4）休息和生理需要时间 t_x　休息和生理需要时间是指工人在工作班内为恢复体力和满足生理上的需要所消耗的时间。对于机床操作工人，一般按作业时间的2%估算。

以上四部分时间的总和即为单件时间，即

$$t_d = t_j + t_f + t_b + t_x$$

在成批生产中，每加工一批工件的开始和终了时，工人需做以下工作：开始时，工人需熟悉工艺文件，领取毛坯、材料，领取和安装刀具和夹具，调整机床及其他工艺装备等；终了时，工人要拆下和归还工艺装备，送交成品等。工人为了生产一批产品或零部件，单件进行准备和结束工作所消耗的时间为 t_z/N，将这部分时间加到单件时间上去，即为成批生产的单件核算时间 t_h，即

$$t_h = t_d + t_z/N$$

式中 t_z——准备与终结时间（min）；

N——该批产品或零部件的数量。

大批、大量生产时，每个工作地始终完成某一固定工序，故不考虑准备与终结时间 t_z，即

$$t_h = t_d$$

二、提高机械加工生产率的工艺措施

提高劳动生产率不单纯是一个工艺技术问题，而是一个综合性问题，涉及产品设计、制造工艺和生产组织管理等方面。这里仅就通过缩短单件时间来提高机械加工生产率的工艺途径做简要说明。

1. 缩短基本时间

大批、大量生产中，基本时间在单件时间中占有较大比重。缩短基本时间的主要途径有以下几种：

（1）提高切削用量　增大切削速度、进给量和背吃刀量都可缩短基本时间，但切削用量的提高，受到刀具寿命和机床刚度的制约。随着新型刀具材料的出现，切削速度得到了迅速提高。目前硬质合金刀具的切削速度可达300m/min，近年来出现的聚晶人造金刚石和聚晶立方氮化硼新型刀具材料，其切削速度可达1500m/min。

采用高速磨削和强力磨削可大大提高磨削生产率。目前，国内生产的高速磨削磨床的砂轮磨削速度已达80m/s，部分先进设备可达更高；国外已达90~120m/s。强力切削的切入深度可达6mm以上。

（2）缩短或重合切削行程长度　缩短切削行程长度也可以缩短基本时间。例如，用几把刀同时加工同一表面或几个表面，或采用切入法加工，如图1-6所示。采用切入法加工时，要求工艺系统具有

足够的刚性和抗振性,要适当减小横向进给量以防止振动,同时要求增大主电动机的功率。

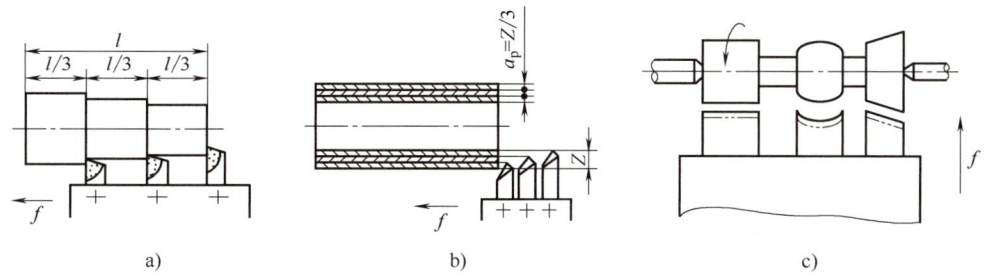

图 1-6 缩短或重合切削行程长度的方法
a) 合并工步　b) 多刀车削　c) 横向切入法车削

(3) 采用多件加工　这种方法是通过减少刀具的切入、切出时间或使基本时间重合,从而缩短每个零件加工的基本时间,来提高生产率,如图1-7所示。其中图1-7a所示为多件顺序加工;图1-7b所示为多件平行加工;图1-7c所示为平行顺序加工。

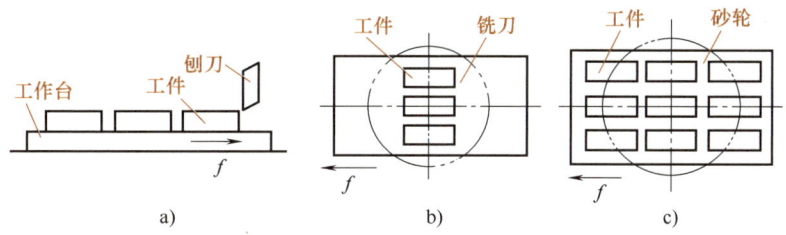

图 1-7 多件加工示意图

2. 缩减辅助时间

随着基本时间的减少,辅助时间在单件时间中所占比重越来越高,此时提高切削用量,对提高生产率就不会产生显著的效果。因此,必须从缩减辅助时间着手。

(1) 直接缩短辅助时间　采用先进的高效夹具,不仅减轻了工人的劳动强度,而且大大地减少了工件的装夹时间。

采用主动检验法可减少加工中的测量时间。主动检验装置能在加工过程中测量工件加工表面的实际尺寸,并根据测量结果控制机床进行自动调整。目前该装置在磨床上应用较普遍。

另外,在各类机床上配备数字显示装置,以光栅等为检测元件,能够直观地反映在加工过程中刀具的位移变化情况,节省了停机测量的辅助时间。

(2) 间接缩短辅助时间　间接缩短辅助时间,即使辅助时间与基本时间重合,从而减少辅助时间。图1-8所示为采用多工位连续加工,工件的装卸时间完全与基本时间相重合。前面提到的主动检验或数字显示装置也能起到同样的作用。

(3) 缩短布置工作地时间　缩短布置工作地时间的主要方向是:缩短刀具调整和每次更换刀具的时间,延长刀具或砂轮的使用寿命,目的是使在一次刃磨和修整后可以加工更多的零件。

采用各种快换刀夹、自动换刀装置、刀具微调装置、专用对刀样板或刀块等,可减少刀具的调整、装卸、定位和夹紧等工作所需的时间。

采用高耐磨性的不重磨硬质合金刀片,可以大大地缩短刀片的装卸、对刀及刃磨时间。

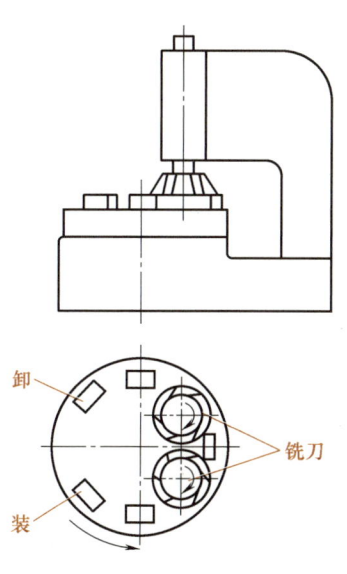

图 1-8 采用多工位连续加工

（4）缩短准备与终结时间　成批生产中，除设法缩短安装刀具、调整机床等的时间外，应尽量扩大制造零件的批量，减少分摊到每个零件上的准备与终结时间。中、小批生产中，由于批量小、品种多，准备与终结时间在单件时间中占有较大比重，使生产率受到限制。因此，应设法使零件通用化和标准化，以增加工件的批量，或采用成组技术。

提高机械加工生产率的工艺措施还有很多，如在大批、大量生产中广泛采用的组合机床和组合机床自动线，在单件、小批生产中广泛采用的各种数控和柔性制造系统等，都可以缩短单件时间，有效地提高劳动生产率。

【知识与技能拓展】

1-1　生产类型有哪几种？根据什么确定产品的生产类型？各种生产类型的主要工艺特征是什么？

1-2　简述成批生产中，工序单件时间定额的组成和各项含义。

1-3　提高机械加工生产率的工艺措施有哪些？

第二章 金属切削基础知识

【学习目标】

1. 准确理解切削运动、切削用量、积屑瘤、切削力、切削热等有关概念。
2. 理解切削三要素、车刀的组成、刀具静态坐标参考系、切屑的类型、切削液的种类等。
3. 熟知车刀几何角度，会选择切削液。
4. 熟知切屑的形成及切屑类型、积屑瘤产生原因以及对切削加工的影响。

【素养目标】

1. 围绕知识点，树立职业素养理念，培养严谨的治学态度，养成良好的职业道德。
2. 拥有自信自豪、自强不息、精益求精、为国争光的优良品质与情怀。

金属切削加工是指用刀具从工件上切除多余金属材料的加工方法。常用的刀具有车刀、铣刀、刨刀、钻头、齿轮刀具等，常见的切削加工方法有车削、铣削、刨削、钻削、齿轮加工等。切削加工虽有多种方式，但它们在很多方面（如切削时的运动、切削刀具以及切削过程的实质等）都有着共同的规律。

第一节 切削运动与切削要素

一、切削运动

1. 切削运动的基本概念

切削运动是指切削加工时刀具和工件之间的相对运动。

如图 2-1 所示，车削时工件的旋转运动是切除多余金属的基本运动。车刀平行于工件轴线的直线运动，保证了切削连续进行。由这两个运动组成的切削运动，完成了工件外圆表面的加工。

一般按运动在切削加工中所起的作用不同，分为主运动和进给运动两大类。

车削运动和三个表面

2. 主运动和进给运动

（1）主运动 主运动是由机床或人力提供的主要运动，是使刀具和工件之间产生相对运动，从而切下切屑所必需的最基本的运动。它也是切削加工中速度最高、消耗功率最多的运动。

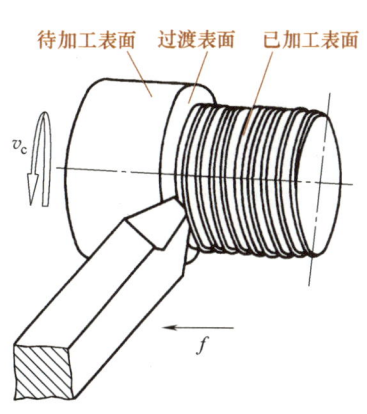

图 2-1 车削运动

如图2-2所示，车削时工件的旋转运动、钻削时刀具的旋转运动、刨削时刀具的往复直线运动、铣削时刀具的旋转运动、磨削时砂轮的旋转运动等都是主运动。

（2）进给运动　进给运动是由机床或人力提供的运动，是使刀具与工件之间产生附加的相对运动，连续切下切屑并得到所需的已加工表面的运动。一般进给运动是切削加工中速度较低、消耗功率较少的运动。

如图2-2所示，车削时刀具的直线运动、钻削时刀具的轴向运动、刨削时工件的间歇直线运动、铣削时工件的直线运动、磨削时工件的旋转运动及其往复直线运动等都是进给运动。

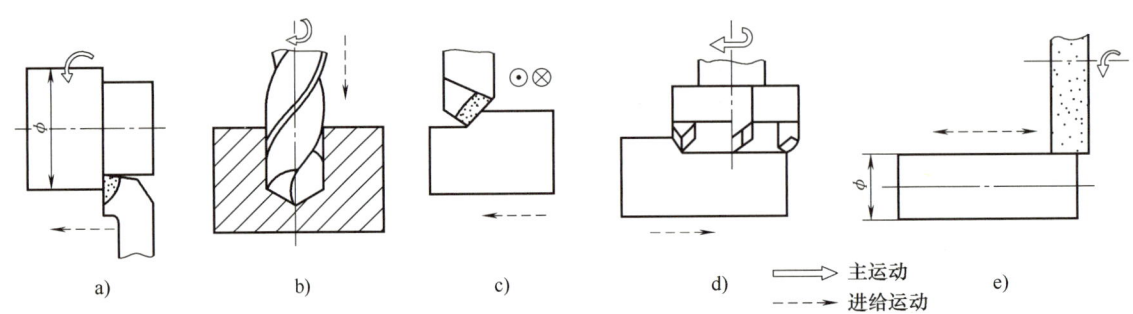

图 2-2　切削运动

a）车削　b）钻削　c）刨削　d）铣削　e）磨削

各种切削加工，都具有特定的切削运动。切削运动的形式有旋转的、直线的、连续的、间歇的等。一般主运动只有一个，进给运动可有一个或几个。主运动和进给运动可由刀具和工件分别完成，也可由刀具单独完成。

二、切削用量和切削层参数

1. 切削过程中工件上的表面

如图2-1所示，在切削运动的作用下，工件上产生了三个不断变化的表面：

待加工表面——加工时即将切除的工件表面。

已加工表面——已被切去多余金属而形成的工件新表面。

过渡表面——工件上切削刃正在切削的表面，并且是切削过程中不断变化着的表面。

2. 切削用量

切削用量是切削过程中切削速度 v_c、进给量 f（或进给速度 v_f）和背吃刀量 a_p 的总称。

（1）切削速度 v_c　切削速度是指切削刃选定点相对于工件主运动的瞬时速度。若主运动为旋转运动，切削速度则为其最大的线速度。计算公式为

$$v_c = \frac{3.14 dn}{1000}$$

式中　v_c——切削速度（m/min）；

　　　d——工件待加工表面处直径（mm）；

　　　n——工件或刀具的转速（r/min）。

（2）进给量 f　进给量是指刀具或工件在进给运动方向上相对于工件或刀具移动的距离，常用每转或每行程的位移量来表示。

车削时：f 为工件每转一转车刀沿进给方向移动的距离，单位为 mm/r，如图2-3所示。

钻削时：f 为钻头每转一转钻头沿进给方向（轴向）移动的距离，单位为 mm/r。

铣削时：f 可用每齿进给量 f_z（单位为 mm/z）、每转进给量 f（单位为 mm/r）、进给速度 v_f（单位为 mm/min）表示。

$$v_f = fn = f_z zn$$

式中 z——铣刀齿数；

n——铣刀转速。

(3) 背吃刀量 a_p　背吃刀量是指工件上已加工表面与待加工表面间的垂直距离。

如图 2-3 所示，车削圆柱面时，a_p 为该次切除余量的一半；刨削平面时，a_p 为该次的切削余量。

3. 切削层要素

切削层是指工件上正被刀具切削刃切削的一层金属，如图 2-3 所示，车削时工件转过一转，车刀主切削刃移动一个 f 距离。车刀切下来的金属层即为切削层。切削层参数是在与主运动方向垂直的平面内度量的切削层截面尺寸。

(1) 切削层公称宽度 b_D　车削时 b_D 是车刀主切削刃参加工作的长度在切削层横截面内的投影。若车刀主切削刃的投影与工件轴线之间的夹角为 κ_r，计算公式为

$$b_D = a_p / \sin\kappa_r$$

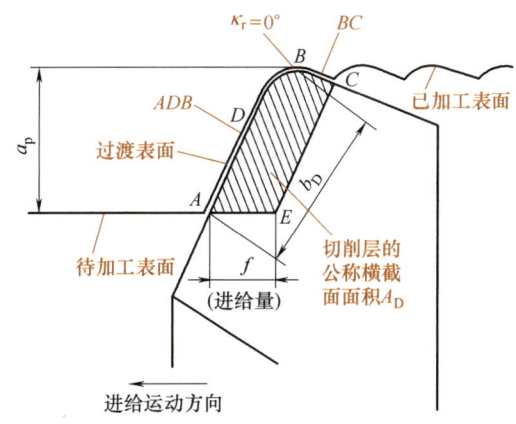

图 2-3　切削层尺寸平面上的视图

(2) 切削层公称厚度 h_D　车削时 h_D 是车刀每移动一个 f 距离，主切削刃相邻两个位置间的垂直距离。计算公式为

$$h_D = f\sin\kappa_r$$

(3) 切削层公称横截面面积 A_D　车削时 A_D 为切削层在切削层尺寸平面内的实际横截面面积，它的大小反映了切削刃所受载荷的大小，影响加工质量、生产率及刀具寿命等。A_D 近似等于背吃刀量与进给量的乘积或切削层公称厚度与切削层公称宽度的乘积。计算公式为

$$A_D = a_p f = b_D h_D$$

第二节　刀具切削部分的基本定义

切削刀具种类繁多，构造各异。其中较典型、简单的是车刀，如图 2-4 所示，其他刀具的切削部分都可以看成是以车刀为基本形态演变而来的。

一、刀具切削部分的组成

图 2-5 所示为普通外圆车刀，由刀体和刀柄两部分组成，刀柄用于夹持刀具，刀体用于切削，又

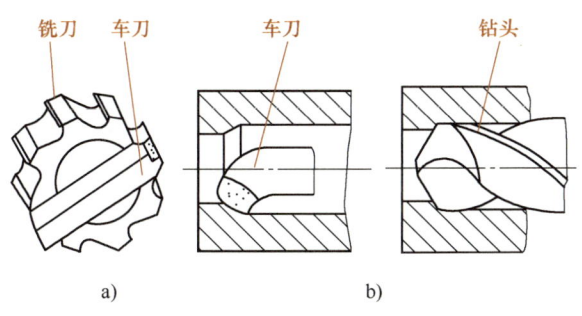

图 2-4　几种刀具切削部分的形状比较
a) 铣刀与车刀　b) 钻头与车刀

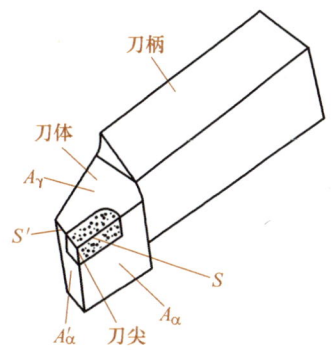

图 2-5　车刀的组成

称切削部分。切削部分一般由三个表面、两个切削刃和一个刀尖组成，分述如下。

前面 A_γ，即刀具上切屑流过的表面。

后面 A_α，即刀具上与过渡表面相对的表面。

副后面 A_α'，即刀具上与已加工表面相对的表面。

主切削刃 S，即前面和后面的交线。

副切削刃 S'，即前面和副后面的交线。

刀尖，即主切削刃和副切削刃的交点。

刀尖一般用短直线或圆弧替代。不同类型的刀具，其刀面、切削刃的数量不完全相同。

二、刀具静态坐标参考系

为了确定刀具切削部分各几何要素（切削刃和刀面）的位置，需要建立平面参考系，组成坐标系的基准。刀具静态参考系是刀具设计、制造、刃磨和测量几何参数时使用的参考系。由于刀具的几何参数是在切削过程中起作用的参数，因此，建立刀具静态坐标参考系，应以切削运动为依据，预先给出假定条件，即假定运动条件和假定安装条件。在该坐标系中确定的几何参数（角度）称为刀具静态参数（角度），即标注参数（角度）。

（1）假定运动条件　以主运动代替合成运动，忽略进给运动，如图 2-6 所示。

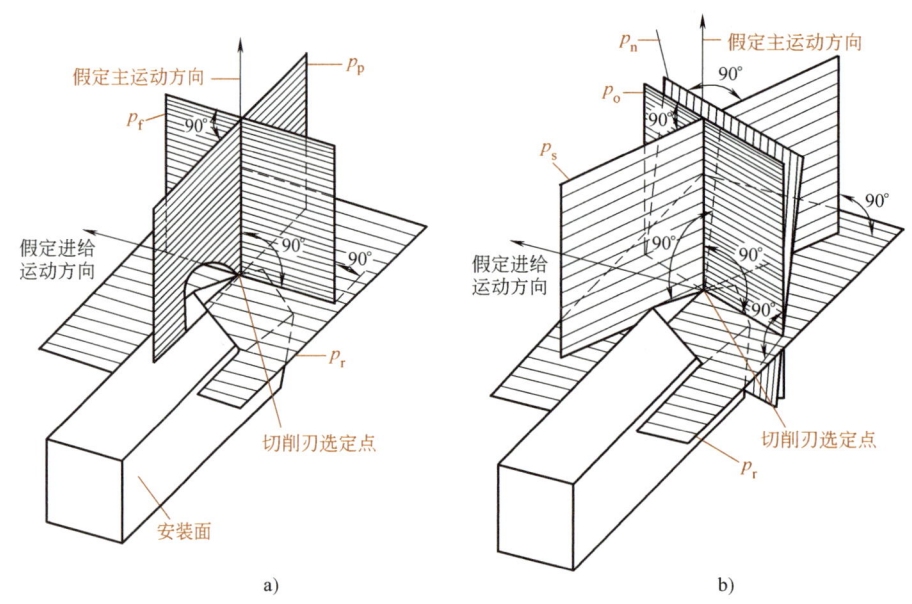

图 2-6　刀具静态角度参考系

（2）假定安装条件　刀具的设计、制造基准与安装基准重合，即刀具的底面或轴线与组成参考系的辅助平面平行或垂直。

（3）刀具静态参考系的辅助平面

1）基面 p_r 是过切削刃上选定点垂直于假定主运动方向的平面。

2）主切削平面 p_s 是过主切削刃上选定点与主切削刃相切并垂直于基面的平面，如图 2-6 所示。

（4）刀具静态角度参考系

1）正交平面参考系（p_r-p_s-p_o）。正交平面 p_o 是过切削刃选定点垂直于切削刃在基面上投影的平面，即垂直于基面和切削平面的平面。如图 2-6 所示，p_r-p_s-p_o 组成正交平面参考系。

2）法平面参考系（p_r-p_s-p_n）。法平面 p_n 是过切削刃选定点垂直于切削刃的平面。如图 2-6 所示，p_r-p_s-p_n 组成法平面参考系。

3）工作平面和背平面参考系（p_r-p_s-p_f，p_p）。工作平面 p_f 是过切削刃选定点平行于进给运动方向，并垂直于基面的平面。

背平面 p_p 是过切削刃选定点垂直于进给运动方向，并垂直于基面的平面。如图 2-6 所示，p_r-p_s-p_f 和 p_r-p_s-p_p 组成工作平面和背平面参考系。

三、车刀的几何角度

刀具的几何角度是在刀具静止参考系内度量的，如图 2-7 所示。

1. 在正交平面 p_o 内测量的角度

（1）前角 γ_o　前面与基面在正交平面内的投影之间的夹角称为前角，如图 2-7 所示。

（2）后角 α_o　后面与切削平面在正交平面内的投影之间的夹角称为后角，如图 2-7 所示。

（3）正交楔角 β_o　前面与后面在正交平面内的投影之间的夹角称为楔角。

前角、后角和楔角三者之间的关系为

$$\gamma_o+\alpha_o+\beta_o = 90°$$

2. 在基面 p_r 内测量的角度

（1）主偏角 κ_r　主切削刃在基面内的投影与进给运动方向之间的夹角称为主偏角，如图 2-7 所示。

（2）副偏角 κ_r'　副切削刃在基面内的投影与进给运动反方向之间的夹角称为副偏角，如图 2-7 所示。

（3）刀尖角 ε_r　主、副切削刃在基面内的投影之间的夹角称为刀尖角。

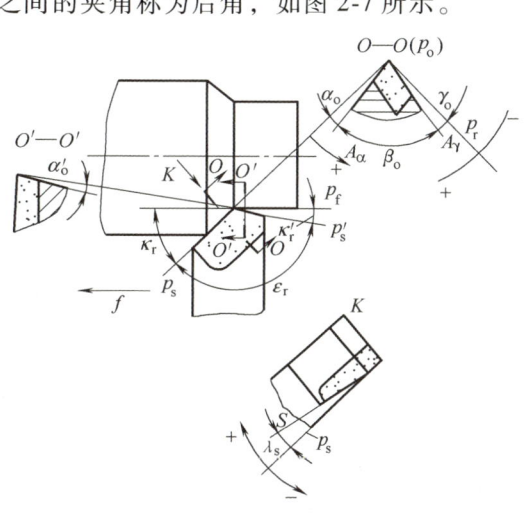

图 2-7　车刀的标注角度

主偏角、副偏角和刀尖角三者之间的关系为

$$\kappa_r+\kappa_r'+\varepsilon_r = 180°$$

3. 在主切削平面 p_s 内测量的角度

刃倾角 λ_s，即主切削刃和基面在主切削平面内的投影之间的夹角，如图 2-8 所示。当刀尖为主切削刃上的最低点时刃倾角为负值，当刀尖为主切削刃上的最高点时刃倾角为正值，当主切削刃为水平时刃倾角为零。

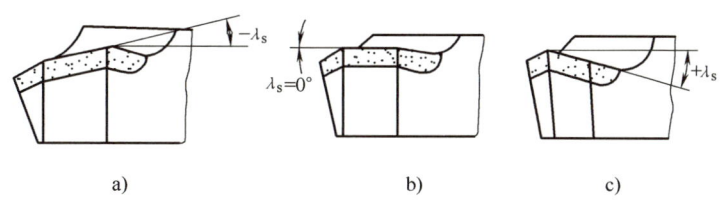

图 2-8　刃倾角

a）$\lambda_s<0°$　b）$\lambda_s=0°$　c）$\lambda_s>0°$

四、车刀的工作角度

工作时，由于与理想条件不符，其实际角度并不等于标注角度，这种变化了的角度称为实际工作角度。通常进给速度远小于主运动速度，刀具的工作角度近似等于标注角度，可不考虑其影响。但在一些特殊情况（如车螺纹或丝杠、铲削加工等）下，实际角度变化较大，需计算工作角度。一般，当刀尖安装得高于工件轴线时，其工作前角 γ_{oe} 增大，工作后角 α_{oe} 减小；当刀尖安装得低于工件轴线时，其工作前角 γ_{oe} 减小，工作后角 α_{oe} 增大，如图 2-9a、b 所示。若刀具轴线安装方向不正确，则工作主偏角 κ_{re}、工作副偏角 κ_{re}' 的变化情况如图 2-10 所示。

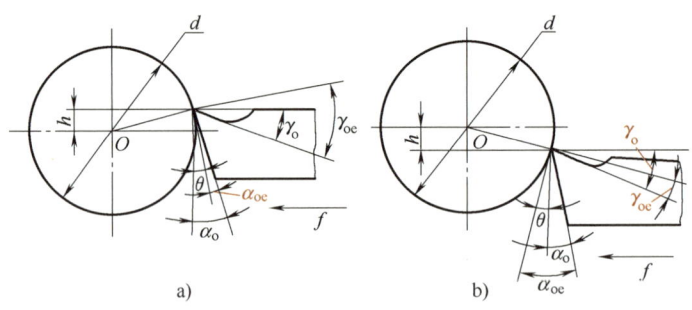

图 2-9 车刀安装高度对工作角度的影响

a)刀尖高于工件轴线 b)刀尖低于工件轴线

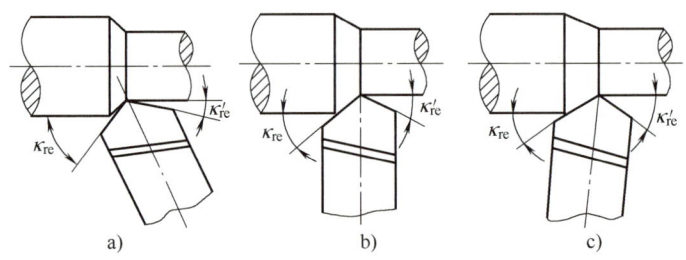

图 2-10 车刀刀柄偏斜对主、副偏角的影响

a)刀柄右偏 b)刀柄与进给方向垂直 c)刀柄左偏

第三节 切削过程及其物理现象

金属切削过程实质上是一种挤压过程,是刀具与工件相互作用又相对运动的过程。切削时,切削层金属受刀具的挤压而产生变形是切削过程中的基本问题。金属切削过程中产生的积屑瘤、切削力、切削热和刀具磨损等物理现象,都是由切削过程中的变形和摩擦引起的。

一、切屑的形成及切屑类型

1. 变形区的划分

金属切削过程实质上是一个变形的过程。被切削金属的质点在切削过程中的变形如图 2-11 所示,可大致分为三个区域。

(1) 第一变形区 从 OA 线开始变形到 OM 线晶粒的剪切滑移基本完成,这一区域(Ⅰ)称为第一变形区。其变形特征是:刀具前面挤压切削层金属,切削层金属剪切滑移,切削层金属被切削刃切离母体。

(2) 第二变形区 切屑沿刀具前面流出时,进一步受到刀具前面的挤压和摩擦,切屑底层的金属在刀具前面上产生黏结而滞留,切屑底层的金属与上层金属之间产生二次滑移变形,该区域(Ⅱ)称为第二变形区。其变形特征是:刀具前面与切屑挤压摩擦,由于机械作用将刀具前面上的油膜和氧化膜磨掉,由于冶金作用将刀具前面上的峰磨去谷填平,形成新的面接触,切屑与刀具前面在高温高压下产生黏结,切屑产生滞留。如黏结强度大于材料的强度极限时,由于切削的继续进行,切屑的相对运动将发生在切屑底层和上层金属之间,这称为二次滑移变形。

(3) 第三变形区 已加工表面受到切削刃钝圆部分和刀具后面

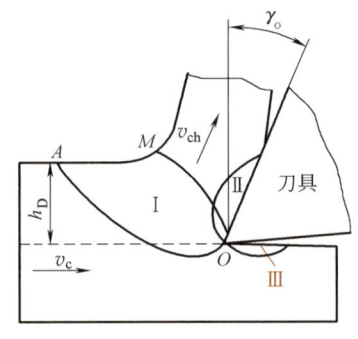

图 2-11 切削变形区的划分

的挤压、摩擦与回弹，造成纤维化与加工硬化，该区域（Ⅲ）称为第三变形区。

2. 切屑的类型

当工件材料的性能、切削条件不同时，会产生不同类型的切屑，并对切削加工产生不同的影响，如图 2-12 所示。

（1）带状切屑　使用较大前角的刀具并选用较高切削速度、较小的进给量和背吃刀量来切削硬度较低的塑性材料时，切削层金属经过终滑移面虽然产生了较大的塑性变形，但尚未破裂即尚未被切离母体，从而形成连绵不断的图 2-12a 所示的带状切屑。切屑缠绕在刀具或工件上，会损坏切削刃，刮伤工件，且清除和运输也不方便，常成为影响正常切削的关键。为此，常在刀具前面上磨出各种形状和尺寸的卷屑槽或断屑槽。形成带状切屑的切削过程比较平稳，切削力波动也较小，加工表面较光洁，精度好。

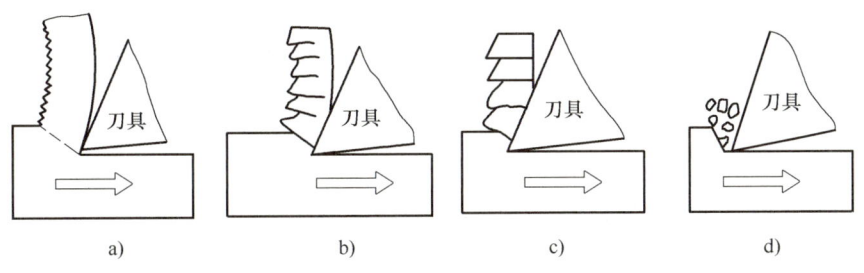

图 2-12　切屑的类型
a）带状切屑　b）节状切屑　c）单元切屑　d）崩碎切屑

（2）节状切屑　一般用较小的前角、较低的切削速度切削中等硬度的塑性材料时，容易得到图 2-12b 所示的节状切屑。当切削层金属到达终滑移面时，材料已达到破裂程度，被一层一层地挤裂而呈锯齿形，越过终滑移面后，被切离母体而形成节状切屑。由于变形较大，切削力大，且有波动，加工后工件表面较粗糙。

（3）单元切屑　切削塑性很大的材料，如铅、退火铝、纯铜时，切屑易在刀具前面上形成黏结块不易流出，产生很大变形，使材料达到断裂极限，形成很大的变形单元，而成为图 2-12c 所示形状的切屑。

（4）崩碎切屑　在切削铸铁和黄铜等脆性材料时，切削层金属发生弹性变形后，一般不经过塑性变形就突然崩碎，形成不规则的碎块屑片，即为图 2-12d 所示的崩碎切屑。工件越是硬脆，越容易产生这类切屑。产生崩碎切屑时，切削热和切削力都集中在主切削刃和刀尖附近，刀尖容易磨损，并产生振动，从而影响表面质量。

切屑的类型随切削条件的不同而改变，在生产中，常根据具体情况采取不同的措施来得到需要的切屑，以保证切削加工的顺利进行。例如，增大前角、提高切削速度或减小切削厚度可将节状切屑转变成带状切屑。

3. 积屑瘤

在一定范围的切削速度下切削塑性金属时，在刀具前面靠近切削刃的部位黏附着一小块很硬的金属，这块金属就是切削过程中产生的积屑瘤，或称刀瘤，如图 2-13 所示。

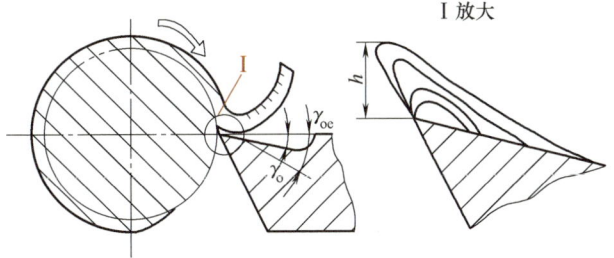

图 2-13　积屑瘤

（1）积屑瘤的形成　积屑瘤是由于切屑和刀具前面剧烈的摩擦、黏结而形成的。当切屑沿刀具前面流出时，在高温和高压的作用下，切屑底层受到很大的摩擦阻力，致使这一层金属的流动速度降低，形成"滞流层"。当滞流层金属与刀具前面之间的摩擦力超过切屑本身分子间的结合力时，就会有一部分金属黏结在切削刃附近形成积屑瘤。积屑瘤形成后不断长大,达到一定高度又会破裂,而被切屑带下或嵌附在工件表面上,影响工件表面质量。此过程是重复进行的。积屑瘤的形成主要取决于切削温度,如在300~380℃切削碳素钢时易产生积屑瘤。

（2）积屑瘤对切削加工的影响　积屑瘤由于在形成过程中经过剧烈变形而被强化,其硬度远高于被切金属,因此可以代替切削刃进行切削,起到保护切削刃、减小刀具磨损的作用。另外,如图2-13所示,积屑瘤的存在增大了刀具的工作前角,使切屑变形和切削力减小。但由于积屑瘤不断地产生和脱落,会在已加工表面上留下不均匀的沟痕,并有一些黏附在工件表面上,从而影响尺寸的精度和表面粗糙度值。由此可知,粗加工时产生积屑瘤有好处,但精加工时必须避免积屑瘤的产生。

（3）影响积屑瘤产生的因素　工件材料和切削速度是影响积屑瘤产生的主要因素。塑性好的材料,切削时的塑性变形较大,容易产生积屑瘤。塑性差、硬度较高的材料,产生积屑瘤的可能性相对较小。切削脆性材料时,形成的崩碎切屑与刀具前面无摩擦,一般无积屑瘤产生。

切削速度 v_c 较低（$v_c<5\text{m/min}$）时,切屑流动较慢,切屑底面的新鲜金属被充分氧化,摩擦因数小,切削温度低,切屑分子间的结合力大于切屑底面与刀具前面之间的摩擦力,因而不会出现积屑瘤。切削速度 v_c 在5~50m/min范围内时,切屑底面的新鲜金属与刀具前面间的摩擦因数较大,切削温度高,切屑分子间的结合力降低,因而容易产生积屑瘤。当切削速度 v_c 很大（$v_c>100\text{m/min}$）时,由于切削温度很高,切屑底面呈微熔状态,摩擦因数明显降低,也不会产生积屑瘤。

此外,增大前角以减小切屑变形或用磨石仔细打磨刀具前面以减小摩擦,或选用合适的切削液以降低切削温度和减小摩擦,都有助于防止积屑瘤的产生。

二、切削力

切削力来源于切削层金属的变形抗力、刀具前面与切屑之间的摩擦力以及刀具后面与过渡表面之间的摩擦力。

1. 切削力的分解

总切削力 F 是一个空间力。为了便于测量和计算,以适应机床、刀具设计和工艺分析,常将 F 分解为三个互相垂直的切削分力,如图2-14所示。

（1）主切削力 F_c　主切削力是总切削力 F 在主运动方向上的正投影,也称切向力。主切削力是三个分力中最大的,消耗的机床功率也最多（95%以上）,是计算机床动力和主传动系统零件（如主轴箱内的轴和齿轮）强度和刚度的主要依据。

（2）进给力 F_f　进给力是总切削力 F 在进给运动方向上的正投影,车削外圆时与主轴轴线方向一致,又称轴向力。进给力一般只消耗总功率的1%~5%,是计算进给系统零件强度和刚度的依据。

（3）背向力 F_p　背向力是总切削力 F 在垂直于进给运动方向上的正投影,也称径向力或吃刀抗力。因为切削时在此方向上的运动速度为零,所以 F_p 不做功,但会使工件弯曲变形,还会引起振动,对表面质量产生不利影响。

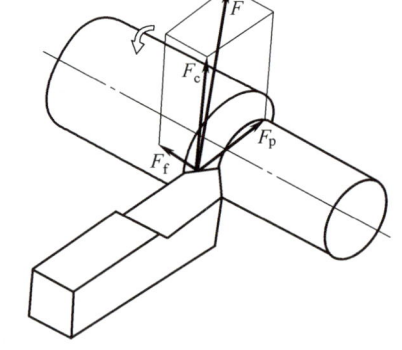

图2-14　总切削力的分解

2. 主切削力、切削功率的计算

（1）主切削力计算　由于切削过程十分复杂,影响因素较多,生产中常采用下列经验公式计算,即

$$F_c = k_c A_D = k_c a_p f$$

式中　F_c——主切削力（N）；

k_c——切削层单位面积切削力（N/mm^2）；

A_D——切削层公称横截面面积（mm^2）。

k_c 与工件材料、热处理方法、硬度等因素有关，其数值可查《切削手册》。

(2) 切削功率计算　切削功率是三个切削分力消耗功率的总和。在车外圆时背向力方向速度为零，进给力又很小，消耗的功率忽略不计，因此切削功率 P_m（kW）可按下式计算，即

$$P_m = F_c v_c \times 10^{-3}$$

式中　v_c——切削速度（m/s）。

机床电动机功率为

$$P_E \geq P_m / \eta$$

式中　η——机床传动效率，一般取 0.75~0.85。

3. 影响切削力的因素

工件材料是影响切削力的主要因素。工件材料的强度和硬度越高，变形抗力越大，切削力也越大。在强度、硬度相近的材料中，塑性大、韧性高的材料切削时产生的塑性变形大，使之发生变形或破坏所需的功和消耗的能量较多，故切削力较大。

刀具角度中对切削力影响最大的是前角，切削各种材料时增大刀具的前角都会使切削力减小。切削塑性大的材料时，增大前角可使切削力降低得更多一些。主偏角对 F_f、F_c、F_p 都有影响，但对 F_p 的影响最大。为了减小 F_p，防止工件的弯曲变形和振动，在车削细长轴时常选用较大的主偏角（90°或75°）。

切削用量对切削力的影响主要表现在背吃刀量和进给量上。当增大背吃刀量和进给量时，被切削的金属增多，切削力明显增大。试验表明，当其他切削条件一定时，背吃刀量加大一倍，切削力增大一倍；而进给量加大一倍，切削力只增加 68%~86%。切削速度对切削力的影响不大，一般情况下可不予考虑。

三、切削热与切削温度

1. 切削热及其传散

在切削过程中，由于切削层金属的弹性、塑性变形以及摩擦而产生的热，称为切削热。切削热通过切屑、工件、刀具以及周围的介质传导出去，如图 2-15 所示。在第一变形区内切削热主要由切屑和工件传导出去；在第二变形区内切削热主要由切屑和刀具传导出去；在第三变形区内切削热主要由工件和刀具传出。加工方式不同，切削热的传散情况也不同。车削时，切削热的 50%~86% 由切屑带走，10%~40% 传入刀具，3%~9% 传入工件，1% 左右传入空气。

2. 影响切削热的因素

切削区域（一般指切屑与刀具前面的接触区）的平均温度，称为切削温度。切削温度可用仪器测定，也可通过切屑的颜色判断。例如，切削碳素钢时，切屑的颜色从银白色、黄色、紫色到蓝色，则表明切削温度从低到高。

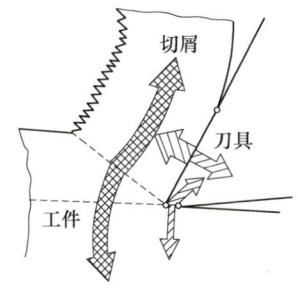

图 2-15　切削热的来源与传散

(1) 工件材料的影响　工件材料对切削温度的影响与材料的强度、硬度及导热性有关。材料的强度、硬度越高，切削时消耗的功越多，切削温度也就越高。材料的导热性好，有利于降低切削温度。

(2) 切削用量的影响　增大切削用量，单位时间内切除的金属量增多，产生的切削热也相应增多，致使切削温度上升。但切削速度、进给量、背吃刀量对切削温度的影响程度是不同的。切削速度增大一倍时，切削温度增加 20%~33%；进给量增大一倍时，切削温度大约只升高 10%；背吃刀量增大一倍时，切削温度大约只升高 3%。因此，为了有效地控制切削温度，选用大的背吃刀量和进给量比选用较大的切削速度有利。

(3) 刀具角度的影响　前角和主偏角对切削温度影响较大。前角增大，变形和摩擦减小，因而切

削热减少。但前角不能过大，否则刀头部分散热体积减小，不利于降低切削温度。如图2-16所示，主偏角减小，将使切削刃工作长度增加，散热条件得到改善，有利于降低切削温度。

3. 切削热对切削加工的影响

传入切屑及介质中的切削热对加工没有影响；传入刀头的切削热虽然不多，但由于刀头体积小，特别是高速切削时切屑与刀具前面发生连续而强烈的摩擦，刀头上切削温度可达1000℃以上，会加速刀具磨损，缩短刀具寿命；传入工件的切削热会引起工件变形，影响加工精度。特别是加工细长轴、薄壁套以及精密零件时，热变形的影响更需注意。所以，切削加工中应设法减少切削热的产生，改善散热条件。

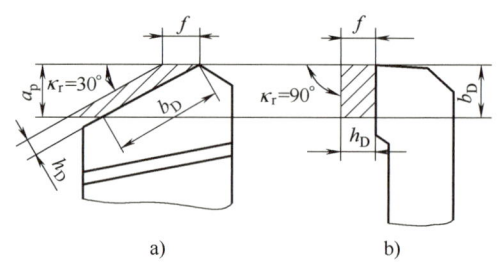

图 2-16　主偏角与切削刃工作长度
a）主偏角小　b）主偏角大

第四节　切削液

一、切削液的作用

1. 冷却作用

切削液通过不同的流动方式进入切削区域后，通过切削热的传导、对流和汽化，使切屑、刀具和工件上的部分热量被带走，使切削区的温度降低而起到冷却作用。

切削液冷却作用的效果取决于其本身的性质（热导率、比热容、汽化热和汽化速度等）和冷却的方法。冷却的方法有浇注法、喷雾法、内冷法等。浇注法由于受切屑排出的影响，切削液很难进入切削区，冷却效果不好，但由于方法简单，使用方便，应用较广泛。喷雾法是使高速喷射到切削区的液体雾化，由于切削热的作用使之汽化而吸收大量的热量，具有较好的冷却作用，但此方法需要另加额外的设备，较为复杂，通常较少使用。内冷法是使切削液通过刀体上的通道流向切削刃部位，此方法需要特殊的刀体结构，一般也较少使用。

2. 润滑作用

切削液的润滑作用是通过切削液渗透到刀具与切屑和工件之间形成润滑膜而达到的。由于切削时各接触表面间具有高速、高温、高压和黏结等特点，切削液的渗透是很困难的。因此，切削液润滑作用的好坏，取决于切削液的渗透性、油性和油膜强度。渗透性决定着切削液能否进入切削区，如进不去，就很难谈润滑效果；油性决定着进入的切削液形成油膜的能力，进入切削区而形不成油膜，润滑效果也很差；油膜强度决定着进入切削区的切削液形成油膜的强度，如果油膜强度较低，在高温、高压下很容易破裂，在刀具与切屑和工件之间形不成连续的润滑膜，其润滑效果也较差。

3. 清洗作用

切削液在流动过程中将冲走切削过程中留下的细碎切屑和磨粒等污物，从而起到清洗的作用。

4. 防腐作用

切削液中加有防腐添加剂，如亚硫酸钠、磷酸三钠、三乙醇胺等，使金属表面形成保护膜，防止机床和工件受空气、水分和酸等介质的腐蚀，起到防腐蚀的作用。

二、切削液的种类及选用

1. 切削液的种类和用途

切削液的种类及用途见表2-1。

表 2-1　切削液的种类及用途

序号	名称	组成	主要用途
1	水溶液	以硝酸钠、碳酸钠等溶于水的溶液，用 100~200 倍的水稀释而成	磨削
2	乳化液	以少量矿物油、主要为表面活性剂的乳化油，用 40~80 倍的水稀释而成	车削、钻孔
		以矿物油为主、少量表面活性剂的乳化油，用 10~20 倍的水稀释而成	车削、攻螺纹
		乳化液中加入极压添加剂	高速车削、钻削
3	切削油	矿物油	滚齿、插齿
		矿物油加植物油（或动物油）	精密螺纹车削
		矿物油（或混合油）中加入极压添加剂形成极压油	高速滚齿、插齿、车螺纹
4	其他	液态二氧化碳	主要用于冷却
		二硫化钼+硬脂酸+石蜡做成蜡笔，涂于刀具表面	攻螺纹

2. 切削液的选用

（1）按加工性质选用　粗加工时，加工余量和切削用量较大，产生大量的切削热，将导致刀具迅速磨损。所以应选用以冷却作用为主并具有一定清洗、润滑和防锈性能的切削液，以便把大量的切削热及时带走，降低切削温度，从而提高刀具寿命。精加工时，主要保证工件的精度和表面质量，以及提高刀具寿命，应考虑减少摩擦，限制积屑瘤的生长，所以要根据切削速度的变化来选用切削油或浓度较大的乳化液。在钻削、拉削、攻螺纹及铰孔时，刀具在半封闭状态下工作，排屑困难，切削热不能及时传散，容易造成切削刃烧伤并严重破坏工件表面质量，特别是在加工某些硬度高、强度好、韧性大、冷硬现象较严重的特殊材料时尤其如此。此时，除合理选择刀具几何参数，保证顺利地分屑、断屑和排屑之外，还要选用乳化液、极压乳化液或极压切削油，进行冷却、润滑，并把切屑冲出来，以降低切削温度，提高刀具寿命和工件表面质量。

（2）按刀具材料选用　用高速钢刀具粗加工时，用乳化液或水溶液。对钢料进行粗加工时，可用极压乳化液或极压切削油，减小摩擦，提高表面质量和精度，提高刀具寿命。硬质合金刀具一般不加切削液。因为如果供应的切削液流量不足，会造成硬质合金刀片因冷热不均而碎裂。但在加工某些硬度高、强度好、导热性差的特殊材料和细长轴时，可加以冷却为主的切削液（如质量分数为 3%~5% 的乳化液）。

（3）按工件材料选用　钢件粗加工时一般用乳化液，精加工时用极压切削油。加工铸铁、铜及铝等脆性材料时，由于切屑碎末会堵塞冷却系统，容易使机床磨损，一般不加切削液。但精加工时为了降低表面粗糙度值，可采用质量分数为 10%~20% 的乳化液、煤油或煤油和矿物油的混合液。加工铜或铜合金时，不能用含硫的切削液，以免腐蚀工件。

【知识与技能拓展】

2-1　切削力产生的原因是什么？车削时切削力如何分解？

2-2　简述切削热的来源和传出情况。

2-3　切削液有哪几种？如何选用？

第三章 机械加工工艺系统

【学习目标】

1. 准确理解刀具寿命、工件、机床夹具、机械加工精度等有关概念。
2. 理解金属切削机床的分类、工件定位与夹紧以及车床、铣床与钻床等机床组成及传动特点等。
3. 学会区分机床型号，会选择刀具材料。
4. 理解机床传动装置、工件定位原理以及加工误差产生的原因。

【素养目标】

1. 围绕知识点，树立职业素养理念，培养创新精神和实践能力。
2. 拥有虚心学习、勤奋钻研、攻坚克难、无私奉献的优良品质。

在机械加工过程中，机床、刀具、夹具和工件构成的统一体，称为机械加工工艺系统。机床是对刀具和工件提供运动和动力的机器，刀具用来对工件进行切削加工，夹具用来装夹工件。在机械加工过程中，机床、刀具、夹具和工件的相对运动、相互作用及其相互关系直接影响工件的加工质量和生产率。

第一节 机床

一、机床传动基础知识

1. 金属切削机床的分类与型号

金属切削机床是用刀具对工件进行切削加工的机器，它是切削加工的主要设备，在机械制造业中，它担负的劳动量占 40%~60%。因为它是制造机器和生产工具的机器，所以又称工作母机，简称机床。常用的金属切削机床有车床、铣床、钻床、镗床、刨床、磨床、专门化机床和组合机床等。

机床型号

（1）机床的分类

1）基本分类方法。机床可按不同特征进行分类，最基本的是按加工方式及主要用途进行分类，目前我国机床分为 11 大类：车床、钻床、镗床、磨床、齿轮加工机床、螺纹加工机床、铣床、刨插床、拉床、锯床及其他机床。

2）其他分类法。

① 按工件大小和重量不同，机床可分为仪表机床、中小型机床、大型机床（10~30t）、重型机床（30~100t）和超重型机床（100t 以上）。

② 按加工精度不同，机床可分为相对精度级和绝对精度级两种。大部分车床、磨床和齿轮加工机

床有 3 种精度产品，即 3 个相对精度级。相对精度级在机床型号中分别用汉语拼音字母 P（普通精度级，在型号中 P 省略）、M（精密级）、G（高精度级）表示。有些用于高精度精密加工的机床要求加工精度很高，即使是普通精度级产品，其绝对精度级也超过Ⅳ级，这些机床通常称为高精度精密机床，如坐标镗床、坐标磨床、螺纹磨床等。

③ 按自动化程度不同，机床可分为手动操作机床、半自动机床和自动机床三种。半自动和自动机床在机床型号中分别用汉语拼音字母 B 和 Z 表示。

④ 按自动控制方式不同，机床可分为仿形机床、数控机床和加工中心等，在机床型号中分别用汉语拼音字母 F、K、H 表示。

⑤ 按适用范围不同，机床可分为通用机床、专门化机床和专用机床三种。

⑥ 按结构布局形式不同，机床可分为立式、卧式、龙门式等。

（2）机床型号的编制方法　金属切削机床的品种和规格很多，为了便于区别、管理和使用，需要对每种机床编制一个型号。机床型号不仅是一个代号，还必须能反映出机床的类别、结构特征、特性和主要的技术规格。我国机床型号的编制，按 GB/T 15375—2008《金属切削机床　型号编制方法》实施，机床型号由基本部分和辅助部分组成，中间用"/"隔开，读作"之"。型号构成如下：

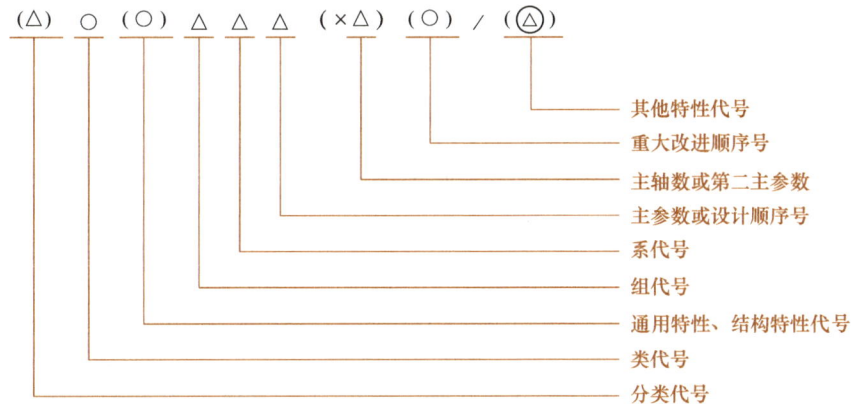

注：有"△"符号的，为阿拉伯数字；有"○"符号的，为大写的汉语拼音字母；有"（ ）"的代号或数字，当无内容时，则不表示，若有内容则不带括号；有"⊿"符号的，为大写的汉语拼音字母，或阿拉伯数字，或两者兼有之。

1）机床的类代号。机床的类代号用汉语拼音字母（大写）表示，必要时，每类可分为若干分类。分类代号在类代号之前，居型号的首位。我国机床分为 11 大类，见表 3-1，其中如有分类者，在类代号前用数字表示区别（第一分类不表示），如第二分类的磨床，在"M"前加"2"，写成"2M"。

表 3-1　机床的分类和代号

类别	车床	钻床	镗床	磨床			齿轮加工机床	螺纹加工机床	铣床	刨插床	拉床	锯床	其他机床
代号	C	Z	T	M	2M	3M	Y	S	X	B	L	G	Q
读音	车	钻	镗	磨	二磨	三磨	牙	丝	铣	刨	拉	割	其

2）通用特性、结构特性代号。当某类型机床除有普通型式外，还具有表 3-2 所列的通用特性时，则在类代号之后，加通用特性代号予以区分。例如，精密车床在"C"后面加"M"。

表 3-2　机床通用特性代号

通用特性	高精度	精密	自动	半自动	数控	加工中心（自动换刀）	仿形	轻型	加重型	柔性加工单元	数显	高速
代号	G	M	Z	B	K	H	F	Q	C	R	X	S
读音	高	密	自	半	控	换	仿	轻	重	柔	显	速

对主参数值相同而结构、性能不同的机床，在型号中加结构特性代号予以区分。根据各类机床的具体情况，对某些结构特性代号可以赋予一定含义。但结构特性代号与通用特性代号不同，它在型号

中没有统一的含义，只在同类机床中起区分机床结构、性能不同的作用。当型号中有通用特性代号时，结构特性代号应排在通用特性代号之后。结构特性代号用汉语拼音字母（通用特性代号已用的字母和I、O两个字母不能用）A、B、C、D、E、L、N、P、T、Y表示，当单个字母不够用时，可将两个字母组合起来使用，如AD、AE等，或DA、EA等。

3) 机床的组、系代号。每类机床按其用途、性能、结构等分为若干组（组别），如车床分为10组，用阿拉伯数字"0~9"表示，见表3-3。每组又可分为若干系（系别），如"落地及卧式车床组"中有7个系别，用阿拉伯数字"0~6"表示。在机床型号中，第一位数字代表组别，第二位数字代表系别。

表3-3 机床的组别与系别代号（摘录 GB/T 15375—2008）

机床类别及代号		系别　　组别														
		0	1	2	3	4	5	6							7	8	9
		仪表小型车床	单轴自动车床	多轴自动、半自动车床	回转、转塔车床	曲轴及凸轮轴车床	立式车床	落地及卧式车床							仿形及多刀车床	轮、轴、辊、锭及铲齿车床	其他车床
								0	1	2	3	4	5	6	7	8	9			
车床	C							落地车床	卧式车床	马鞍车床	轴车床	卡盘车床	球面车床	主轴箱移动型卡盘车床						

4) 机床的主参数和主轴数。型号中的主参数用折算值（一般为机床主参数实际数值的1/10或1/100）表示，位于组、系代号之后。表3-4列出了常用机床的主参数及其折算系数。如C6150车床，主参数折算值为50，折算系数为1/10，即主参数（床身上最大回转直径）为500mm。

表3-4 机床主参数代号

机床名称	主参数	主参数折算系数	机床名称	主参数	主参数折算系数
卧式车床	床身上最大回转直径	1/10	立式升降台铣床	工作台面宽度	1/10
摇臂钻床	最大钻孔直径	1	卧式升降台铣床	工作台面宽度	1/10
卧式坐标镗床	工作台面宽度	1/10	龙门刨床	最大刨削宽度	1/100
外圆磨床	最大磨削直径	1/10	牛头刨床	最大刨削长度	1/10

主轴数加在主参数后面，用"×"分开，如C2150×6表示最大棒料直径为50mm的六轴平行作业棒料自动车床。

5) 机床重大改进顺序号。当机床的结构、性能有重大改进和提高时，按其设计改进的次序，分别用汉语拼音字母"A、B、C、D……"表示，附在机床型号的末尾，以示区别。如C6140A是C6140型车床经过第一次重大改进的车床。

2. 机床的运动

各种类型的机床在进行切削加工时，应使刀具和工件做一系列的运动。这些运动的最终目的是保证刀具与工件之间具有正确的相对运动，以便刀具按一定规律切除毛坯上多余金属，而获得具有一定几何形状、尺寸精度、位置精度和表面质量的工件。如图3-1所示车削圆柱表面，将工件安装于自定心卡盘并起动之后，首先通过手动让车刀在纵、横向靠近工件（运动Ⅱ和Ⅲ）；然后根据所要求的加工直径 d，将车刀横向切入一

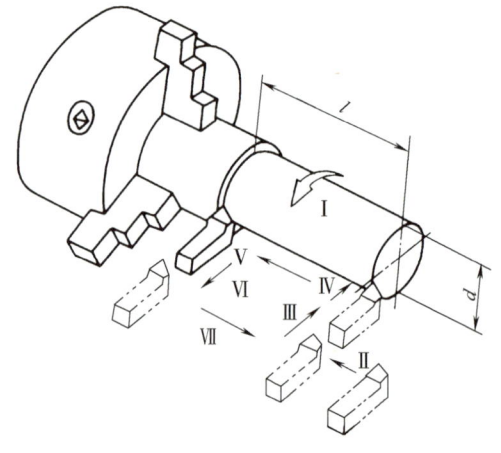

图3-1 机床的运动

定深度（运动Ⅳ）；接着通过工件旋转（运动Ⅰ）和车刀的纵向直线运动（运动Ⅴ），车削出圆柱表面；当车刀纵向移动至长度 l 时，横向退离工件（运动Ⅵ）并纵向退回至起始位置（运动Ⅶ）。除了上述运动外，尚需完成开车、停车和变速等动作。

机床在加工过程中所需的运动，可按其功用不同而分为表面成形运动和辅助运动两类。

（1）表面成形运动　机床在切削过程中，使工件获得一定表面形状所必需的刀具和工件间的相对运动称为表面成形运动。如图 3-1 所示，工件的旋转运动Ⅰ和车刀的纵向运动Ⅴ是形成圆柱表面的成形运动。机床加工时所需表面成形运动的形式、数目与工件加工表面形状、所采用的加工方法和刀具结构有关。根据切削过程中所起的作用不同，表面成形运动又可分为主运动和进给运动。

（2）辅助运动　除了表面成形运动外，机床在加工过程中还需完成一系列其他的运动，即辅助运动。如图 3-1 所示，除了工件旋转和刀具直线移动这两个成形运动外，还有车刀快速靠近工件、径向切入、快速退离工件以及退回起始位置等运动。这些运动与外圆柱表面的形成无直接关系，但也是整个加工过程中必不可少的。上述这些运动均属于辅助运动。辅助运动的种类很多，主要包括刀具接近工件、切入和退离工件、快速返回原点的运动，为使刀具与工件保持相对正确位置的对刀运动，多工位工作台和多工位刀架的周期换位以及逐一加工多个相同局部表面时，工件周期换位所需的分度运动等。另外，机床的起动、停车、变速、换向以及工件的夹紧、松开等的操纵控制运动，也属于辅助运动。总之，除了表面成形运动外，机床上其他所需的运动都属于辅助运动。

3. 常用机械传动装置

为获得加工过程中所需的各种运动，机床应具备执行件、运动源和传动装置三个部分。执行件是直接执行机床运动的部件，如刀架、主轴、工作台等。工件或刀具装夹于执行件上，并由其带动，按正确的运动轨迹完成一定的运动。运动源是给执行件提供运动和动力的装置，最常用的是三相异步电动机，有的机床也采用直流电动机、步进电动机等。传动装置是把运动源的运动和动力传递至执行件，并使其获得一定速度和方向的装置。传动装置还可将两个执行件联系起来，使执行件间具有一定的相对运动关系。

传动装置一般有机械、液压、电气、气压等形式，现介绍常用的机械传动装置。

（1）典型分级变速传动机构　机床的变速可分无级变速、分级变速两种。由于机械传动的无级变速装置的变速范围小，结构又较复杂，故很少采用，而代之以液压或电气控制的无级变速。这里介绍几种典型的机械分级变速传动机构。

1）滑移齿轮变速机构。如图 3-2a 所示，轴Ⅰ上安装有三个轴向固定的齿轮 z_1、z_2 和 z_3，由 z_1'、z_2' 和 z_3' 组成的三联滑移齿轮，通过花键与轴Ⅱ连接。当滑移齿轮分别滑移至左、中、右三个啮合位置时，使传动比不同的齿轮副 z_1/z_1'、z_2/z_2'、z_3/z_3' 依次啮合。因而，当轴Ⅰ的转速不变时，轴Ⅱ可得到三级不同的转速。除以上介绍的三联滑移齿轮变速外，常用的还有双联滑移齿轮变速。滑移齿轮变速机构结构紧凑，传动效率高，传递力大，变速比较方便（但不能在运转中变速），在机床中得到广泛应用。

2）离合器变速机构。如图 3-2b 所示，齿

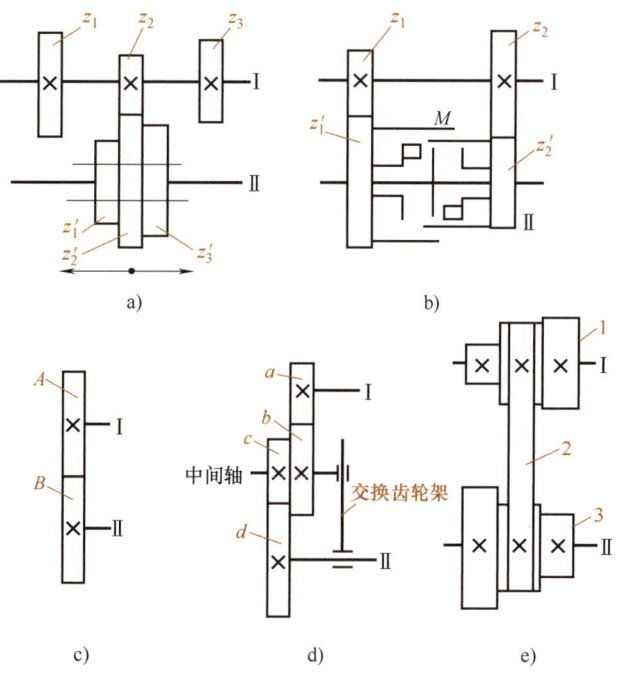

图 3-2　典型分级变速机构

1、3—带轮　2—传动带

轮 z_1 和 z_2 固定安装于主动轴Ⅰ上,并分别与空套在轴Ⅱ上的齿轮 z_1' 和 z_2' 保持啮合。端面齿离合器 M 通过花键与轴Ⅱ相连接。离合器 M 向左或向右移动时,可分别与齿轮 z_1' 或 z_2' 的端面齿相啮合,从而将 z_1' 或 z_2' 的运动传给轴Ⅱ。由于 z_1/z_1' 和 z_2/z_2' 的传动比不同,因而在轴Ⅰ转速不变时,可使轴Ⅱ得到两种不同的转速。离合器变速机构变速方便,变速时,齿轮无须移动,适用于斜齿轮传动。如果采用摩擦片式离合器,则可在运转中进行变速。离合器变速机构的主要缺点是齿轮副经常处于啮合状态,磨损较大,传动效率较低。端面齿离合器通常用于重型机床以及斜齿轮传动;摩擦片式离合器常用于自动、半自动车床。

3)配换交换齿轮变速机构。该机构通过更换两轴间齿轮副的齿轮齿数,改变其传动比,而达到变速的目的。图 3-2c 所示为采用一对交换齿轮的变速机构。在轴Ⅰ、Ⅱ上分别装有一个可装卸更换的齿轮 A 和 B,根据不同的传动比,选择并装上一定齿数的齿轮,就可变速。应注意的是,因为轴Ⅰ、Ⅱ的中心距是固定不变的,故在模数不变的情况下,齿轮 A 和 B 的齿数和传动比应保持一定。图 3-2d 为采用两对配换交换齿轮的变速机构。在固定轴Ⅰ、Ⅱ上分别装有齿轮 a 和 d,齿轮 b 和 c 安装在可通过交换齿轮架调整位置的中间轴上。两对齿轮可通过调整中间轴的位置而得到正确啮合。交换齿轮架的结构及工作原理如图 3-3 所示。根据所需传动比选择好齿轮 a、b、c 和 d 后,可先将齿轮 a 和 d 分别固定在轴Ⅰ和轴Ⅱ上,然后将齿轮 b 和 c 通过键与套筒 3 安装在一起。由于套筒 3 空套在套筒 4 上,故齿轮 b 和 c 与套筒 3 可绕中间轴 5 空转。将中间轴 5 沿交换齿轮架直槽移动,使齿轮 c 与齿轮 d 正确啮合,然后拧紧螺母 1,经垫圈 2 和套筒 4 将中间轴夹紧在交换齿轮架 7 上。为使齿轮 b 和 a 正确啮合,只需绕轴Ⅱ摆动交换齿轮架 7 一定角度即可。最后,用螺母通过两个从交换齿轮架弧形槽穿出的螺钉 6,将交换齿轮架紧固在机体上。由于中间轴 5 可在交换齿轮架尺寸允许范围内,任意调整其相对于固定轴Ⅰ、Ⅱ的位置,因此,采用这种机构,可装上各种齿数的配换齿轮,获得准确的传动比。

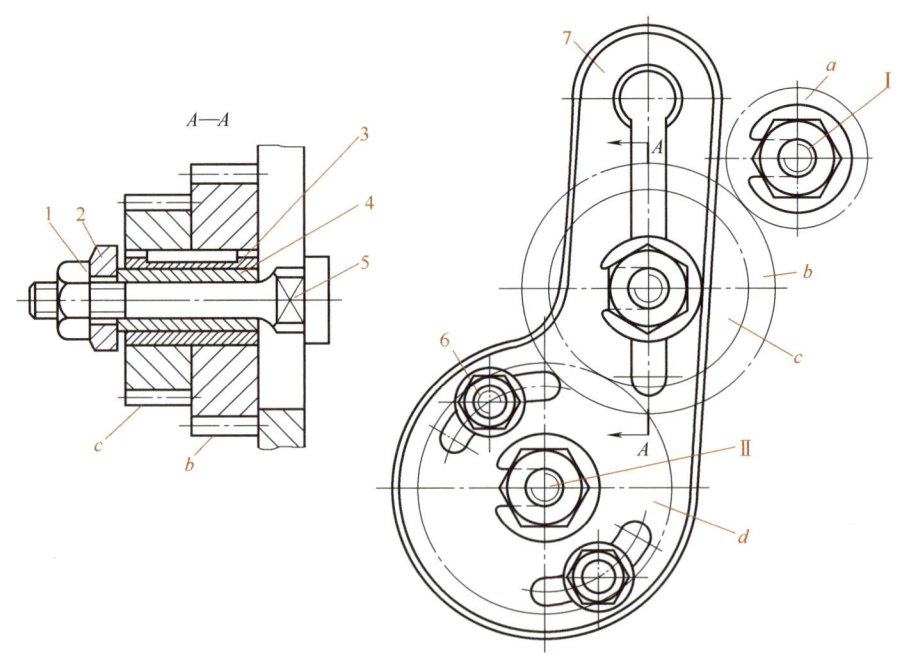

图 3-3 交换齿轮架的结构及工作原理
1—螺母 2—垫圈 3、4—套筒 5—中间轴 6—螺钉 7—交换齿轮架

配换交换齿轮变速机构,结构简单紧凑,但变速调整费时,主要用于不需经常变速的自动、半自动机床。采用交换齿轮架结构时,由于中间轴刚性较差,只适用于进给运动,但采用交换齿轮变速,可获得精确传动比,并能缩短传动链,减少传动误差,故常用于要求传动比准确的场合,如齿轮加工机床、卧式车床等。

4)带轮变速机构。如图 3-2e 所示,在传动轴Ⅰ和Ⅱ上,分别装有塔形带轮(塔轮)1 和 3。当轴

Ⅰ转速一定时,只要改变传动带2的位置,就可得到三种不同的带轮直径比,从而使轴Ⅱ得到三种不同转速。

带轮变速机构通常采用平带或V带传动,其特点是结构简单、运转平稳,但变速不方便,尺寸较大,传动比不准确,主要用于台钻、内圆磨床等一些小型、高速的机床,也用于某些简式机床。

(2)离合器　在机床上常采用离合器来使安装在同轴线的两轴或轴与空套其上的齿轮、带轮等传动件保持接合或脱开,以传递或断开运动,从而实现机床运动的起动、停止、变速、变向等。常见的离合器有啮合式离合器、摩擦式离合器、超越离合器和安全离合器等。

1)啮合式离合器。啮合式离合器可根据其结构形状不同分为牙嵌离合器和齿形离合器两种。图3-4a所示为牙嵌离合器。图3-4b所示空套在轴4上的齿轮1和用导键(或花键)3与轴4连接的离合器2的端面上都加工有齿爪,用操纵机构使离合器2向左移动,就可使其齿爪与齿轮的端面齿啮合,传递运动和转矩,使轴4与齿轮1一起旋转。离合器向右移动,则断开运动联系,使齿轮与轴的传动联系脱开。

图3-4c、d所示为齿形离合器,由具有直齿圆柱齿轮形状的两个零件组成。两者的齿数和模数完全相同,但一个为外齿轮,一个为内齿轮。通过操纵机构使两个齿轮相互啮合时,便可将空套齿轮与轴(如图3-4c)或同轴线的两轴(如图3-4d)连接而一起旋转。齿轮脱离啮合,则运动联系断开。

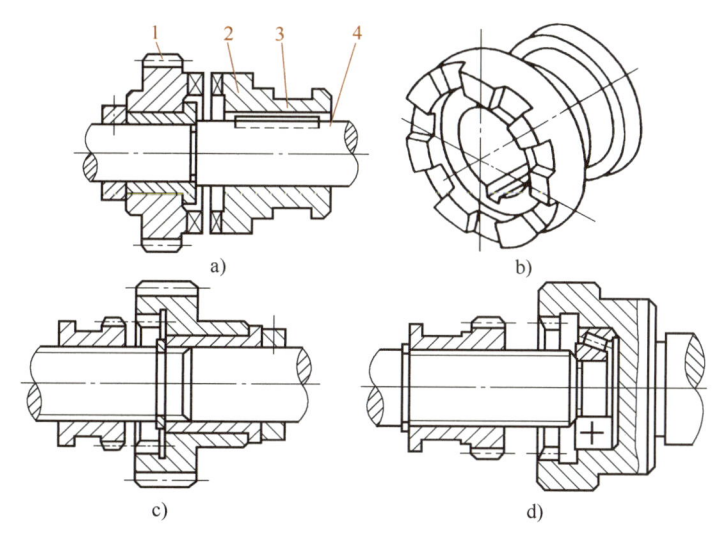

图3-4　啮合式离合器
1—齿轮　2—离合器　3—导键　4—轴

啮合式离合器结构简单、紧凑,传递转矩大,传动比准确,但为避免接合时发生冲击,只能在停转或低速时进行接合。因此,这种离合器常用于要求保持严格运动关系或速度较低的传动中。

2)摩擦式离合器。摩擦式离合器通过压紧的两个零件接触面之间的摩擦力来传递运动和转矩。当零件接触面被压紧贴合或松开时,运动就被接通和断开。摩擦式离合器种类很多,以下介绍一种机床中常用的机械式多片离合器,如图3-5所示。

花键轴1上安装有两组摩擦片。一组是内摩擦片5,通过花键孔与轴1相连接;另一组是外摩擦片4,其内孔是光滑圆孔,空套在轴1花键外圆上,其外圆上相间开有四个凸爪,卡在空套齿轮2右端套筒的四个缺口内。内外摩擦片相间安装,在未被压紧时,不能传递运动。当用操纵机构使滑套9左移后,滑套左端内锥面把钢球8压入固定套10左端外锥面与加压套7右端面之间,使钢球在锥面作用下,推压加压套7,并通过螺母6把内外摩擦片压紧,从而利用内、外摩擦片之间的摩擦力,接通轴1与空套齿轮2之间的运动联系。

空套齿轮2与摩擦片组间装有一对止推环3a及3b,其形状与内摩擦片相似,也有花键孔。安装时,先将止推环3b推到花键轴1的光滑环槽处,然后将环转动半个花键齿距,使其轴向固定,接着将止推环 3a 装入，与止推环 3b 靠紧，最后用定位销将两环连接在一起。这样，这组止推环既不能轴向移动，又不能相对于轴 1 转动，从而可承受摩擦片传递过来的轴向力。

加压套 7 上的弹簧销 11 卡在螺母 6 右端的槽内，以防止螺母 6 转动。按下弹簧销 11，转动螺母 6，使其相对加压套 7 做微量轴向移动，可改变摩擦片间的压紧力，从而调整了离合器传递的转矩大小。

离合器接合后，滑套 9 内孔的圆柱部分压住钢球，即将钢球锁在楔形空间内，因而不需继续施加操纵力。

3) 超越离合器。超越离合器主要用于由两个速度不同的运动源传递给同一根轴的场合，其作用是避免运动干涉，实现快、慢速自动转换。

图 3-6 所示为单向超越离合器示意图。该离合器由套筒齿轮 2、星形体 4、三个滚柱 3、三个弹簧销 7 等组成。齿轮 2 空套在轴 II 上，星形体 4 用键与轴 II 连接。平时滚柱 3 在弹簧销作用下，位于齿轮 2 右端套筒 m 及星形体 4 的楔缝中。当慢速运动由轴 I 按图示方向，经齿轮 1 传给齿轮 2 时，齿轮 2 逆时针方向转动，

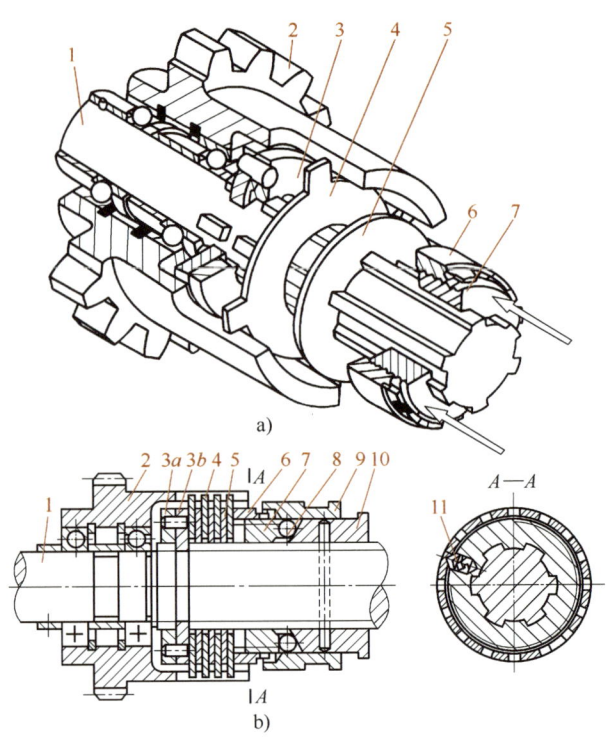

图 3-5 机械式多片离合器
1—轴 2—空套齿轮 3—止推环 4—外摩擦片
5—内摩擦片 6—螺母 7—加压套
8—钢球 9—滑套 10—固定套 11—弹簧销

其右端套筒 m 通过摩擦力带动滚柱滚动，从而使滚柱挤紧于楔缝中，并带动星形体及轴 II 旋转，如图中实线箭头所示。如果此时起动快速电动机，则快速运动经齿轮 6 和 5 传至轴 II，使星形体 4 快速逆时针方向旋转，如图中虚线所示。由于星形体 4 转速高于套筒 m 的转速，滚柱 3 反向滚动，并压缩弹簧销 7，从楔缝中退出来。这样，套筒齿轮 2 与星形体 4 之间的运动联系自动断开。快速电动机停止，滚柱又进入楔缝，轴 II 又以慢速转动。采用这种结构的离合器，快速和慢速运动只能是单方向的，因而输出轴 II 的快慢速运动方向是不变的。

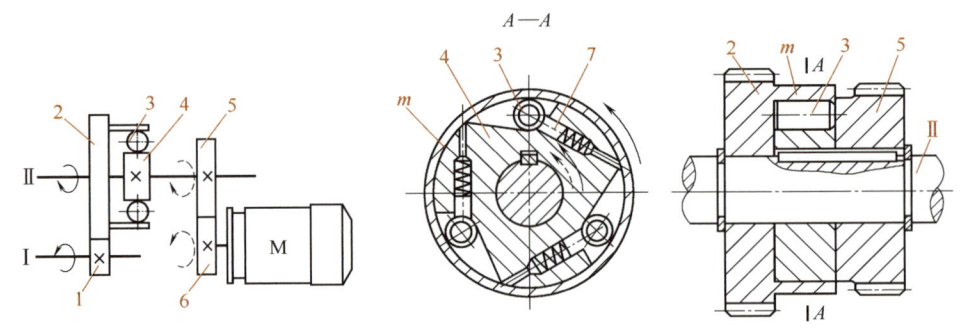

图 3-6 单向超越离合器
1、2、5、6—齿轮 3—滚柱 4—星形体 7—弹簧销

4) 安全离合器。安全离合器是一种过载保护机构，它可使机床的传动零件在过载时，自动断开传动，以免机构发生损坏。图 3-7 所示为一种安全离合器工作原理示意图。安全离合器由两个端面带螺旋形齿爪的结合子 2、3 组成，左结合子 2 空套在轴 I 上，右结合子 3 通过花键与轴 I 连接，并通过弹簧 4 的作用与左结合子紧紧啮合。在正常情况下，运动由齿轮 1 传至左结合子 2 左端的齿轮，并通过

螺旋形齿爪，将运动经右结合子 3 传于轴 Ⅰ。当出现过载时，齿爪在传动中产生的轴向力 $F_{轴}$ 超过预先调好的弹簧力，右结合子压缩弹簧向右移动，并与左结合子脱开，两结合子之间产生打滑现象，从而断开传动，保护机构不受损坏。当过载现象消除后，右结合子在弹簧作用下，与左结合子重新啮合，并使轴 Ⅰ 得以继续转动。

（3）换向机构　换向机构用来改变机床执行件的运动方向。机床上通常采用由滑移齿轮或锥齿轮组成的换向机构。

1）滑移齿轮换向机构。如图 3-8a 所示，轴 Ⅰ 上装有一轴向固定的双联齿轮，齿轮 z_1 与 z_1' 齿数相等。轴 Ⅱ 上有一滑移齿轮 z_2，中间轴上有一空套齿轮 z_0。三轴在空间呈三角形布置。当滑移齿轮 z_2 处于图示位置时，轴 Ⅰ 经中间轮传动轴 Ⅱ，轴 Ⅱ 转向与轴 Ⅰ 一致。当 z_2 滑移至左边与 z_1' 啮合，轴 Ⅰ 直接传动轴 Ⅱ，轴 Ⅱ 转向与轴 Ⅰ 相反。这种换向机构刚度较好，多用于主运动中。

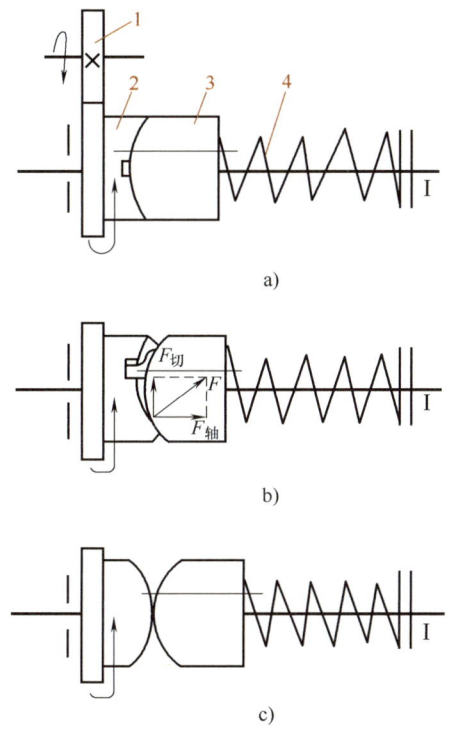

图 3-7　安全离合器工作原理示意图
a）离合器啮合状态　b）过载时离合器开始打滑状态　c）离合器左、右结合子脱开状态
1—齿轮　2—左结合子　3—右结合子　4—弹簧

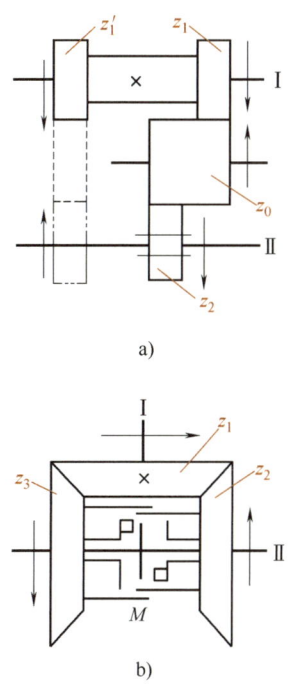

图 3-8　常用换向机构

2）锥齿轮换向机构。如图 3-8b 所示，主动轴 Ⅰ 的固定锥齿轮 z_1 与空套在从动轴 Ⅱ 上的锥齿轮 z_2、z_3 保持啮合。利用花键与轴 Ⅱ 相连接的离合器 M 两端都有齿爪，离合器向左或向右移动，就可分别与 z_3 或 z_2 的端面齿啮合，从而使轴 Ⅱ 的转向改变。这种换向机构的刚性稍差，多用于进给运动或其他辅助运动中。

4. 机床的传动系统及调整计算

（1）传动链　机床在进行加工时，为了获得所需要的运动，需要通过一系列的传动元件，使运动源和执行件，或使两个执行件之间保持一定的传动联系。使执行件与运动源或使两个有关执行件保持确定的运动联系，就要按一定规律把一系列传动元件进行排列，这就构成了传动链。一条传动链由该链的两端件及两端件之间的一系列传动元件或传动机构所构成。例如，车床主运动传动链将主电动机的运动和动力，经过带轮及一系列齿轮变速机构传至主轴，而使主轴得到主运动。该传动链的两端件为主电动机和主轴。传动链中的传动机构可分定比传动机构和换置机构两种。定比传动机构的传动比不变，如定比齿轮副、丝杠副、蜗杆副等。换置机构可根据需要改变传动比或传动方向，如滑移齿轮变速机构、配换交换齿轮机构、换向机构等。

根据传动联系的性质不同，传动链可分为内联系传动链及外联系传动链。内联系传动链用来连接有严格运动关系的两执行件，以获得准确的加工表面形状及较高的加工精度。例如车床的车螺纹运动传动链，其两端件为主轴和刀架，在加工中要求严格保证主轴每转一转，刀架纵向移动一个导程（用字母 P_h 表示），以得到准确的螺纹表面形状及导程。可见内联系传动链要求有准确的传动比，并且在加工过程中保持严格不变。外联系传动链的任务只是把运动和动力传递到执行件上，其传动比大小只影响加工速度或工件表面粗糙度，而不影响工件表面形状的形成，故不要求有严格的传动比。如车床主运动传动链的传动比只影响切削速度而不影响表面形状的形成，即使在车削螺纹时，主轴转速的大小也只影响车削螺纹速度的快慢，而对螺纹表面的形成并无影响。

通常，机床有几种运动，就相应有几条传动链，例如，卧式车床需要有主运动、纵向机动进给运动、横向机动进给运动及车螺纹运动，相应就有主运动传动链、纵向进给传动链、横向进给传动链及车螺纹传动链等。实现一台机床所有运动的传动链就组成了该机床的传动系统。

（2）传动系统图　传动系统图是用以了解及分析机床运动源与执行件或执行件与执行件之间的传动联系及传动结构的一种示意图。传动系统图用规定的简图符号表示传动系统中的各传动元件，并按照运动传递顺序，以展开图形式绘在一个能反映机床外形及主要部件相互位置的投影面上。在阅读传动系统图时，首先要了解该机床所具有的执行件及其运动方式，以及执行件之间是否要保持传动联系，然后分析从运动源至执行件或执行件至执行件之间的传动顺序、传动结构及传动关系。

（3）机床运动的调整计算　机床运动的调整计算一般可分为两种：一种是根据机床传动系统内传动件的运动参数，计算某一执行件的运动速度或位移量；另一种是根据两执行件间应保持的运动关系，确定相应传动链内换置机构（一般为交换齿轮机构）的传动比，以便对其进行调整。

机床运动的调整计算步骤如下：

1）确定传动链的两端件及其运动关系。如 CA6140 型卧式车床车螺纹运动传动链的两个端件一个为主轴，另一个为刀架，运动关系为：主轴转一转，刀架移动一个工件螺纹的导程 P_h（mm）。

2）列出运动平衡式。运动平衡式可根据传动链中各传动元件的运动参数，如齿轮齿数、带轮直径、丝杠导程等，以及传动关系列出。

3）确定变速机构的传动比或交换齿轮变速机构中交换齿轮的齿数。由运动平衡式计算出执行件的转速、进给量或位移量，或者整理出换置机构的换置公式，然后根据加工情况，确定变速机构的传动比或交换齿轮变速机构中交换齿轮的齿数。

二、车床

车床主要用于加工各种带有回转表面的零件。在车床上可以车削外圆、车端面、车槽和切断、钻中心孔、钻孔、镗孔、铰孔、车削各种螺纹、车削内外圆锥面、车削特形面、滚花、盘绕弹簧等。车削加工范围较广，一般情况下，车削过程是连续切削，切削力比较稳定，加工比较平稳，车削加工多用于粗加工或半精加工。

车床的种类很多，按其用途和结构不同可分为卧式车床、落地车床、立式车床、仿形车床、转塔车床、多轴半自动车床、自动车床等，其中卧式车床应用最为广泛。下面介绍 CA6140 型卧式车床。

1. CA6140 型卧式车床的主要技术规格和主要组成部件

（1）CA6140 型卧式车床的主要组成部分　CA6140 型卧式车床适用范围很广，其外形如图 3-9 所示，主要由以下部件组成。

1）床身。床身 4 固定在左、右床腿上，是车床的支承部件，用以支承和安装车床的各个部件，如主轴箱、进给箱、溜板箱、尾座等，并保证各部件之间具有正确的相对位置和相对运动。床身上面有两组平行导轨——床鞍导轨和尾座导轨。

2）主轴箱。主轴箱 1 安装在床身 4 的左上部，箱内有主轴部件和主运动变速机构。调整变速机构可以获得合适的主轴转速。主轴的前端可以安装卡盘或顶尖等夹具，用以装夹工件，实现主运动。主轴是空心的，中间可以穿过棒料，是主运动的执行件。

3）进给箱。进给箱 10 安装在床身 4 的左前侧，箱内装有进给运动变速机构。主轴箱的运动可以通过交换齿轮变速机构 11 传给进给箱。进给箱通过光杠 6 或丝杠 7 将运动传给床鞍或刀架。

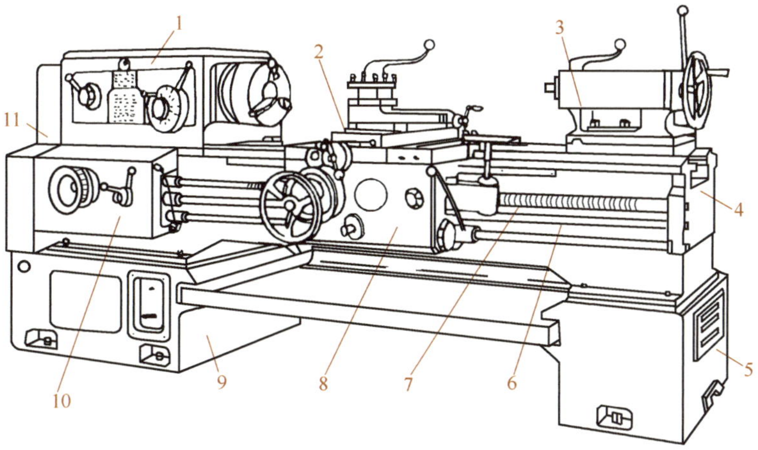

图 3-9 CA6140 型卧式车床外形
1—主轴箱　2—刀架　3—尾座　4—床身　5—右床腿　6—光杠　7—丝杠
8—溜板箱　9—左床腿　10—进给箱　11—交换齿轮变速机构

4）溜板箱。溜板箱 8 安装在刀架部件底部，并通过光杠或丝杠接受进给箱传来的运动，将运动传给刀架部件，实现纵、横向进给或车螺纹运动。床身前方床鞍导轨下安装有长齿条，溜板箱中的小齿轮与其啮合，可带动溜板箱纵向移动。

5）刀架部件。刀架 2 装在床身 4 的刀架导轨上，由小滑板、中滑板、床鞍、方刀架组成。方刀架处于最上层，用于夹持刀具。小滑板在方刀架与中滑板之间，与中滑板以转盘相连，可在水平面内任意转动一个角度，调好方向后带动刀架实现斜向手动进给，用于加工锥体。中滑板处于小滑板与床鞍之间，可沿床鞍上面的导轨做横向自动或手动进给。当把丝杠螺母机构脱开后，用靠模法可自动加工锥体。床鞍处于中滑板与床身之间，可沿床身上床鞍导轨纵向移动，以实现纵向自动或手动进给。

6）尾座。尾座 3 通常安装在床身右上部，并可沿床身上的尾座导轨调整其位置，通过顶尖支承不同长度的工件。尾座可在其底板上做少量横向移动，通过调整位置，可以用前、后顶尖支承的工件上车锥体。

7）交换齿轮变速机构（配换齿轮变速机构）。交换齿轮变速机构 11 装在主轴箱 1 与进给箱 10 的左侧，其内部的交换齿轮连接主轴箱和进给箱。当车削寸制螺纹、径节螺纹、精密螺纹、非标准螺纹时需调换交换齿轮。

8）丝杠与光杠。丝杠与光杠的左端装在进给箱 10 上，右端装在床身 4 右前侧的挂角上，中间穿过溜板箱。通常光杠用于车削一般工件，丝杠主要用于车螺纹。

(2) CA6140 型卧式车床的主要技术参数

床身上最大工件回转直径	400mm
中滑板上最大工件回转直径	210mm
工件最大长度（四种规格）	750mm、1000mm、1500mm、2000mm
主轴中心高度	205mm
主轴内孔直径	48mm
主轴前端锥孔锥度	莫氏 6 号
主轴转速　　正转（24 级）	10~1400r/min
反转（12 级）	14~1580r/min
车削螺纹范围　普通螺纹螺距（44）	1~192mm
寸制螺纹螺距（20）	2~24 牙/in（英寸）
模数螺纹　　（39）	0.25~48mm

	径节螺纹　　（37）	1~96 牙/in
进给量　纵向		64 级
	一般进给量	0.08~1.59mm/r
	小进给量	0.028~0.054mm/r
	加大进给量	1.71~6.33mm/r
	横向	64 级
	一般进给量	0.04~0.79mm/r
	小进给量	0.014~0.027mm/r
	加大进给量	0.86~3.16mm/r
主电动机功率（转速）		7.5kW（1450r/min）
快速电动机功率（转速）		0.25kW（2800r/min）
尾座顶尖套锥孔锥度		莫氏 5 号
机床工作精度　圆度		0.002~0.005mm
	精车端面平面度	0.005~0.01mm
	表面粗糙度	$Ra0.8$~$Ra3.2\mu m$

2. CA6140 型卧式车床的传动系统

由图 3-10 所示的 CA6140 型卧式车床的传动系统可见，整个传动系统由主运动传动链、车螺纹运动传动链、纵横向进给运动传动链及刀架快速移动传动链组成。

（1）主运动传动链　CA6140 型卧式车床的主运动是主轴的旋转运动。

1）传动路线。主运动传动链的两个端件是主电动机和主轴。由图 3-10 可知，主运动从主电动机经 $\phi130/\phi230$ 传动比的带传动，使轴Ⅰ获得 1 种转速。轴Ⅰ上装有多片离合器 M_1，它可控制主轴的正转、反转及停车。离合器左边接合时，运动经轴Ⅰ左边齿轮与轴Ⅱ二联滑移齿轮啮合传到轴Ⅱ，传动比为 56/38、51/43，使轴Ⅱ获得 2 种正转转速。当离合器右边接合时，运动经轴Ⅰ右边齿轮、中间齿轮、Ⅱ轴 z_{30} 的齿轮传到轴Ⅱ，传动比为（50/34）×（34/30），轴Ⅱ获得 1 种反转转速。

轴Ⅱ的运动通过其上的三个固定齿轮与轴Ⅲ上的三联滑移齿轮分别啮合传到Ⅲ轴，传动比为 39/41、30/50、22/58，从而轴Ⅲ获得 6 种正转转速和 3 种反转转速。

轴Ⅲ到主轴Ⅵ的传动路线有两种。

① 高速传动路线。主轴上的滑移齿轮 z_{50} 移至左端，使之与轴Ⅲ上右端的齿轮 z_{63} 啮合。运动由轴Ⅲ经齿轮副 63/50，直接传给主轴，得到 450~1400r/min 的 6 种高转速。

② 低速传动路线。主轴上的滑移齿轮 z_{50} 移至右端，使主轴上的齿形离合器 M_2 啮合。轴Ⅲ的运动经齿轮副 20/80 或 50/50 传给轴Ⅳ，又经齿轮副 20/80 或 51/50 传给轴Ⅴ，再经齿轮副 26/58 和齿形离合器 M_2 传至主轴，使主轴获得 10~500r/min 的低转速。主运动传动路线表达式表示如下：

$$\text{主电动机} \genfrac{}{}{0pt}{}{(7.5\text{kW}}{1450\text{r/min})} - \frac{\phi130}{\phi230} - \text{I} - \begin{bmatrix} M_1(\text{左}) \\ (\text{正转}) \\ M_1(\text{右}) \\ (\text{反转}) \end{bmatrix} \genfrac{}{}{0pt}{}{-\begin{bmatrix}\frac{56}{38}\\\frac{51}{43}\end{bmatrix}-}{-\frac{50}{34}\times\frac{34}{30}-} \text{II} - \begin{bmatrix}\frac{39}{41}\\\frac{30}{50}\\\frac{22}{58}\end{bmatrix} -$$

$$\text{III} - \begin{bmatrix}\begin{bmatrix}\frac{20}{80}\\\frac{50}{50}\end{bmatrix}-\text{IV}-\begin{bmatrix}\frac{20}{80}\\\frac{51}{50}\end{bmatrix}-\text{V}-\frac{26}{58}(M_2\text{右合}) \\ \frac{63}{50}(M_2\text{左离}) \end{bmatrix} - \text{VI}(\text{主轴})$$

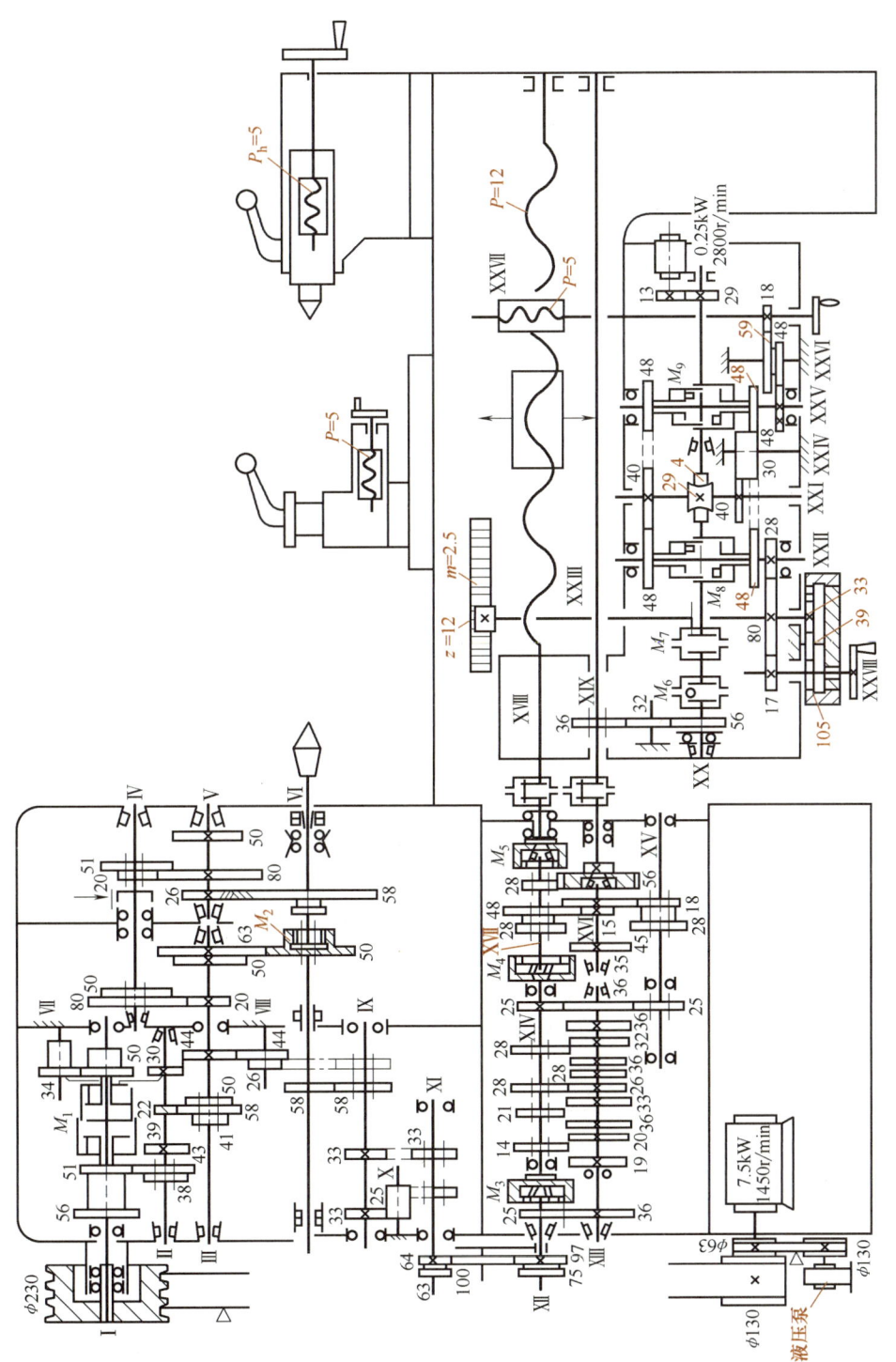

图 3-10　CA6140 型卧式车床的传动系统

2) 运动平衡式。将上述传动路线表达式加以整理，列出计算主轴转速的运动平衡式如下：

$$n_{主轴} = 1450 \times \frac{\phi 130}{\phi 230} \times u_{Ⅰ-Ⅱ} \times u_{Ⅱ-Ⅲ} \times u_{Ⅲ-Ⅵ}$$

式中　　$n_{主轴}$——主轴的转速（r/min）；

$u_{Ⅰ-Ⅱ}$、$u_{Ⅱ-Ⅲ}$、$u_{Ⅲ-Ⅵ}$——分别为轴Ⅰ—Ⅱ、Ⅱ—Ⅲ、Ⅲ—Ⅵ间的齿轮变速传动比。

3) 主轴转速级数和转速。由传动路线表达式可以看出，主轴正转时，可得 2×3=6 种高速和 2×3×2×2=24 种低速。轴Ⅲ—Ⅳ—Ⅴ之间的 4 个传动比为：

$$u_1 = \frac{20}{80} \times \frac{20}{80} = \frac{1}{16}$$

$$u_2 = \frac{20}{80} \times \frac{51}{50} \approx \frac{1}{4}$$

$$u_3 = \frac{50}{50} \times \frac{20}{80} = \frac{1}{4}$$

$$u_4 = \frac{50}{50} \times \frac{51}{50} \approx 1$$

式中，u_2 和 u_3 基本相同，所以实际上只有 3 种传动比。因此，运动经过低速传动路线时，主轴实际上只能得到 2×3×(2×2-1)= 18 级转速。加上由高速路线传动获得的 6 种转速，主轴总共可获得 2×3×[1+(2×2-1)]=6+18=24 级转速。

同理，主轴反转时，有 3×[1+(2×2-1)]=12 级转速。

由运动平衡式可计算出主轴的各级转速。其最低、最高正转转速计算如下：

$$n_{min} = 1450 \times \frac{\phi 130}{\phi 230} \times \frac{51}{43} \times \frac{22}{58} \times \frac{20}{80} \times \frac{20}{80} \times \frac{26}{58} \text{r/min} = 10\text{r/min}$$

$$n_{max} = 1450 \times \frac{\phi 130}{\phi 230} \times \frac{56}{38} \times \frac{39}{41} \times \frac{63}{50} \text{r/min} = 1400\text{r/min}$$

主轴正转时的 24 级转速为 10~1400r/min，反转时的 12 级转速为 14~1580r/min。

（2）车螺纹运动传动链　CA6140 型卧式车床可车削米制、模数制、寸制和径节制四种标准螺纹，另外还可加工大导程螺纹、非标准螺纹及较精密螺纹。

车螺纹运动传动链的两端件是主轴和刀架，它们之间必须保持严格的运动关系，即主轴每转一转，刀具移动一个工件螺纹的导程。

1) 车米制螺纹。米制螺纹是应用最广泛的一种螺纹，在国家标准中规定了标准螺距值。表 3-5 列出了 CA6140 型车床能车削的常用米制螺纹标准导程值（线数 $n=1$）。

表 3-5　CA6140 型车床车削米制螺纹标准导程值表　　　　　　　　　　　　（单位：mm）

$u_倍$	$u_基$							
	$\frac{26}{28}$	$\frac{28}{28}$	$\frac{32}{28}$	$\frac{36}{28}$	$\frac{19}{14}$	$\frac{20}{14}$	$\frac{33}{21}$	$\frac{36}{21}$
$\frac{18}{45} \times \frac{15}{48} = \frac{1}{8}$	—	—	1	—	—	1.25	—	1.5
$\frac{28}{35} \times \frac{15}{48} = \frac{1}{4}$	—	1.75	2	2.25	—	2.5	—	3
$\frac{18}{45} \times \frac{35}{28} = \frac{1}{2}$	—	3.5	4	4.5	—	5	5.5	6
$\frac{28}{35} \times \frac{35}{28} = 1$	—	7	8	9	—	10	11	12

车米制螺纹时如图 3-10 所示，进给箱中离合器 M_3、M_4 脱开，M_5 接合。运动由主轴Ⅵ经齿轮副 58/58，轴Ⅸ—Ⅺ间换向机构，交换齿轮组要用（63/100）×（100/75），然后再经齿轮副 25/36，轴 ⅩⅢ—ⅩⅣ 间滑移齿轮变速机构，齿轮副（25/36）×（36/25），轴ⅩⅤ—ⅩⅦ间的两组滑移齿轮变速机构及离合器 M_5 传动丝杠。丝杠通过开合螺母将运动传至溜板箱，带动刀架纵向进给。车制米制螺纹进给运动的传动路线表达式为：

$$主轴Ⅵ—\frac{58}{58}—Ⅸ—\begin{bmatrix}\frac{33}{33}\\（右旋螺纹）\\\frac{33}{25}×\frac{25}{33}\\（左旋螺纹）\end{bmatrix}—Ⅺ—\frac{63}{100}×\frac{100}{75}—Ⅻ—\frac{25}{36}—ⅩⅢ—u_{基}—$$

$$ⅩⅣ—\frac{25}{36}×\frac{36}{25}—ⅩⅤ—u_{倍}—ⅩⅦ—M_5—ⅩⅧ（丝杠）—刀架$$

运动平衡式为：

$$P_h = nP = 1_{主轴} \times \frac{58}{58} \times \frac{33}{33} \times \frac{63}{100} \times \frac{100}{75} \times \frac{25}{36} \times u_{基} \times \frac{25}{36} \times \frac{36}{25} \times u_{倍} \times 12（P_{h丝}）$$

式中 P_h——螺纹导程（mm）；

P——螺纹螺距（mm）；

n——螺纹线数；

$u_{基}$——基本组传动比；

$u_{倍}$——增倍组传动比。

整理后可得：$\qquad\qquad\qquad\qquad P_h = 7 u_{基} u_{倍}$

该滑移齿轮变速机构由固定在轴 ⅩⅢ 上八个齿轮及安装在轴 ⅩⅣ 上四个单联滑移齿轮构成。每个滑移齿轮可分别与轴 ⅩⅢ 上的两个固定齿轮相啮合，其啮合情况分别为：26/28、28/28、32/28、36/28、19/14、20/14、33/21 及 36/21，相应的八种传动比为：6.5/7、7/7、8/7、9/7、9.5/7、10/7、11/7 及 12/7。这八个传动比近似按等差数列排列。该变速机构是获得各种螺纹导程的基本变速机构，通常称为基本螺距机构，简称基本组，其传动比以 $u_{基}$ 表示。

$u_{倍}$ 的值按倍数排列，用来配合基本组，扩大车削螺纹的螺距值大小，又称该变速机构为增倍机构或增倍组。增倍组有四种传动比，分别为：

$$u_{倍1} = \frac{28}{35} \times \frac{35}{28} = 1$$

$$u_{倍2} = \frac{18}{45} \times \frac{35}{28} = \frac{1}{2}$$

$$u_{倍3} = \frac{28}{35} \times \frac{15}{48} = \frac{1}{4}$$

$$u_{倍4} = \frac{18}{45} \times \frac{15}{48} = \frac{1}{8}$$

通过 $u_{基}$ 和 $u_{倍}$ 的不同组合，就可得到表 3-5 中所列全部米制螺纹的导程值（$k = 1$）。

2）车模数螺纹。模数螺纹的螺距参数为模数 m，螺距值为 $m\pi$，主要用于米制蜗杆中。

车模数螺纹时，交换齿轮组要用（64/100）×（100/97），其余传动路线与车米制螺纹完全一致。车制模数螺纹的运动平衡式为：

$$P_{hm} = n\pi m = 1_{主轴} \times \frac{58}{58} \times \frac{33}{33} \times \frac{64}{100} \times \frac{100}{97} \times \frac{25}{36} \times u_{基} \times \frac{25}{36} \times \frac{36}{25} \times u_{倍} \times 12（P_{h丝}）$$

式中 P_{hm}——模数螺纹导程（mm）；

m——模数螺纹的模数值（mm）；

n——螺纹线数。

整理后得：

$$P_{hm} = n\pi m = \frac{7\pi}{4} u_\text{基} \, u_\text{倍}$$

$$m = \frac{7}{4k} u_\text{基} \, u_\text{倍}$$

改变 $u_\text{基}$ 和 $u_\text{倍}$，就可车削（线数 $n=1$）各种模数螺纹，其模数值，见表3-6。

表3-6 CA6140型车床车削螺纹模数表

$u_\text{倍}$	$u_\text{基}$							
	$\frac{26}{28}$	$\frac{28}{28}$	$\frac{32}{28}$	$\frac{36}{28}$	$\frac{19}{14}$	$\frac{20}{14}$	$\frac{33}{21}$	$\frac{36}{21}$
$\frac{18}{45} \times \frac{15}{48} = \frac{1}{8}$	—	—	0.25	—	—	—	—	—
$\frac{28}{35} \times \frac{15}{48} = \frac{1}{4}$	—	—	0.5	—	—	—	—	—
$\frac{18}{45} \times \frac{35}{28} = \frac{1}{2}$	—	—	1	—	—	1.25	—	1.5
$\frac{28}{35} \times \frac{35}{28} = 1$	—	1.75	2	2.25	—	2.5	2.75	3

3）车寸制螺纹。寸制螺纹的螺距参数为螺纹每英寸长度上的牙（扣）数 a。标准的 a 值也是按分段等差数列规律排列的。寸制螺纹的螺距值为 in/a 时，折算成米制为 25.4mm/a。可见标准寸制螺纹螺距值的特点是：分母按分段等差数列排列，且螺距值中含有 25.4 特殊因子。因此，车削寸制螺纹传动路线与车米制螺纹传动路线相比，应有两处不同：

① 基本组中主、从动传动关系应与车米制螺纹时相反，即运动应由轴ⅩⅣ传至轴ⅩⅢ。这样，基本组的传动比分别为 7/6.5、7/7、7/8、7/9、7/9.5、7/10、7/11 及 7/12，形成了分母成近似等差数列排列，从而适应寸制螺纹螺距值的排列规律。

② 改变传动链中部分传动副的传动比，以引入 25.4 的因子。车制寸制螺纹时，交换齿轮组要用 (63/100)×(100/75)，进给箱中轴Ⅻ的滑移齿轮 z_{25} 右移，使 M_3 接合，轴ⅩⅤ上滑移齿轮 z_{25} 左移与轴ⅩⅢ上固定齿轮 z_{36} 啮合。此时，离合器 M_4 脱开，M_5 保持接合。运动由交换齿轮组传至轴Ⅻ后，经离合器 M_3、轴ⅩⅣ及基本组机构传至轴ⅩⅢ，传动方向正好与车米制螺纹时相反，其基本组传动比 $u'_\text{基}$ 与车米制螺纹时的 $u_\text{基}$ 互为倒数，即 $u'_\text{基} = 1/u_\text{基}$。然后运动由齿轮副 36/25、增倍机构、$M_5$ 传至丝杠。车寸制螺纹的运动平衡式为：

$$P_{ha} = \frac{25.4n}{a} = 1_\text{主轴} \times \frac{58}{58} \times \frac{33}{33} \times \frac{63}{100} \times \frac{100}{75} \times u'_\text{基} \times \frac{36}{25} \times u_\text{倍} \times 12 \, (P_\text{h丝})$$

平衡式中，(63/100)×(100/75)×(36/25) ≈ 25.4/21，包含了 25.4 特殊因子，$u'_\text{基} = 1/u_\text{基}$，代入上式整理后得换置公式：

$$P_{ha} = \frac{25.4n}{a} = \frac{4}{7} \times 25.4 \frac{u_\text{倍}}{u_\text{基}}$$

$$a = \frac{7n}{4} \frac{u_\text{基}}{u_\text{倍}}$$

当线数 $n=1$ 时，a 值与 $u_\text{基}$、$u_\text{倍}$ 的关系见表3-7。

表 3-7 CA6140 型车床车削寸制螺纹牙数表

$u_倍$	$u_基$							
	$\frac{26}{28}$	$\frac{28}{28}$	$\frac{32}{28}$	$\frac{36}{28}$	$\frac{19}{14}$	$\frac{20}{14}$	$\frac{33}{21}$	$\frac{36}{21}$
$\frac{18}{45}\times\frac{15}{48}=\frac{1}{8}$	—	14	16	18	19	20	—	24
$\frac{28}{35}\times\frac{15}{48}=\frac{1}{4}$	—	7	8	9	—	10	11	12
$\frac{18}{45}\times\frac{35}{28}=\frac{1}{2}$	$3\frac{1}{4}$	$3\frac{1}{2}$	4	$4\frac{1}{2}$	—	5	—	6
$\frac{28}{35}\times\frac{35}{28}=1$	—	—	2	—	—	—	—	3

4)车径节螺纹。径节螺纹用于寸制蜗杆,其螺距参数以径节 DP(牙/in)来表示。标准径节的数列也是分段等差数列。径节螺纹的螺距为 π/DP(单位为 in/牙),也可写为 $25.4\pi/DP$(单位为 mm/牙),可见径节螺纹的螺距值与寸制螺纹相似,即分母是分段等差数列,且螺距值中含有 25.4 特殊因子,所不同的是径节螺纹的螺距值中还具有 π 因子。由此可知,车制径节螺纹可采用车寸制螺纹传动路线,但交换齿轮组应与加工模数螺纹时相同,为(64/100)×(100/97)。车径节螺纹时的运动平衡式为:

$$P_{hDP}=\frac{25.4n\pi}{DP}=1_{主轴}\times\frac{58}{58}\times\frac{33}{33}\times\frac{64}{100}\times\frac{100}{97}\times u'_基\times\frac{36}{25}\times u_倍\times 12(P_{h丝})$$

平衡式中,(64/100)×(100/97)×(36/25)≈25.4π/84,$u'_基=1/u_基$,代入整理后得换置公式:

$$P_{hDP}=\frac{25.4n\pi}{DP}=\frac{25.4\pi u_倍}{7u_基}$$

$$DP=7n\frac{u_基}{u_倍}$$

当加工线数 $n=1$ 的标准 DP 值径节螺纹时,$u_基$ 和 $u_倍$ 的关系见表 3-8。

表 3-8 CA6140 型车床车削径节螺纹 DP 值表 (单位:牙/in)

$u_倍$	$u_基$							
	$\frac{26}{28}$	$\frac{28}{28}$	$\frac{32}{28}$	$\frac{36}{28}$	$\frac{19}{14}$	$\frac{20}{14}$	$\frac{33}{21}$	$\frac{36}{21}$
$\frac{18}{45}\times\frac{15}{48}=\frac{1}{8}$	—	56	64	72	—	80	88	96
$\frac{28}{35}\times\frac{15}{48}=\frac{1}{4}$	—	28	32	36	—	40	44	48
$\frac{18}{45}\times\frac{35}{28}=\frac{1}{2}$	—	14	16	18	—	20	22	24
$\frac{28}{35}\times\frac{35}{28}=1$	—	7	8	9	—	10	11	12

由上述可见，CA6140型卧式车床通过两组不同传动比的交换齿轮、基本组、增倍组以及轴Ⅻ、轴ⅩⅤ上两个滑移齿轮z_{25}的移动（通常称这两滑移齿轮及有关的离合器为移换机构）加工出四种不同的标准螺纹。表3-9列出了加工四种螺纹时，进给传动链中各机构的工作状态。

表3-9　CA6140型卧式车床车制各种螺纹的工作调整

螺纹种类	螺距/mm	交换齿轮机构	离合器状态	移换机构	基本组传动方向
米制螺纹	P	$\dfrac{63}{100}\times\dfrac{100}{75}$	M_5 接合 M_3、M_4 脱开	轴Ⅻ $\overleftarrow{z_{25}}$ ⅩⅤ $\overrightarrow{z_{25}}$	轴ⅩⅢ→ⅩⅣ
模数螺纹	$P_m=\pi m$	$\dfrac{64}{100}\times\dfrac{100}{75}$			
寸制螺纹	$P_a=\dfrac{25.4}{a}$	$\dfrac{63}{100}\times\dfrac{100}{75}$	M_3、M_5 接合 M_4 脱开	轴Ⅻ $\overrightarrow{z_{25}}$ ⅩⅤ $\overleftarrow{z_{25}}$	轴ⅩⅣ→ⅩⅢ
径节螺纹	$P_{DP}=\dfrac{25.4n}{\pi}$	$\dfrac{64}{100}\times\dfrac{100}{75}$			

5）车大导程螺纹运动传动链。车削导程更大的螺纹，可将轴Ⅸ上的滑移齿轮z_{58}右移，与轴Ⅷ上的齿轮z_{26}啮合。这是一条扩大导程的传动路线：

$$主轴Ⅵ-\frac{58}{26}-Ⅴ-\frac{80}{20}-Ⅳ-\begin{bmatrix}\dfrac{50}{50}\\\dfrac{80}{20}\end{bmatrix}-Ⅲ-\frac{44}{44}-Ⅷ-\frac{26}{58}-Ⅸ\cdots$$

轴Ⅸ以后的传动路线与前文传动路线表达式相同。从主轴Ⅵ至轴Ⅸ之间的传动比为：

$$u_{扩1}=\frac{58}{26}\times\frac{80}{20}\times\frac{50}{50}\times\frac{44}{44}\times\frac{26}{58}=4$$

$$u_{扩2}=\frac{58}{26}\times\frac{80}{20}\times\frac{80}{20}\times\frac{44}{44}\times\frac{26}{58}=16$$

在正常螺纹导程时，主轴Ⅵ与轴Ⅸ间的传动比为$u=58/58=1$。扩大螺纹导程机构的传动齿轮就是主运动传动链的传动齿轮，所以：①只有当主轴上的M_2右合，即主轴处于低速传动路线时，才能用扩大导程；②当主轴转速确定后，螺纹导程扩大4倍或16倍；③当轴Ⅲ—Ⅳ—Ⅴ之间的传动比为（50/51）×（50/50）时，并不准确地等于1，所以不能用扩大导程。

6）车制非标准螺纹及精密螺纹。车制非标准螺纹或精密螺纹时，不能用车制标准螺纹的传动路线。这时，可将离合器M_3、M_4、M_5全部啮合，把轴Ⅻ、ⅩⅣ、ⅩⅦ和丝杠（ⅩⅧ）联成一体，使运动由交换齿轮直接传给丝杠。螺纹的导程P_h依靠调整交换齿轮架的传动比$u_{挂}$来实现。

（3）纵、横向进给运动传动链　CA6140型卧式车床做机动进给时，从主轴Ⅵ至进给箱轴ⅩⅦ的传动路线与车削螺纹时的传动路线相同。轴ⅩⅦ上滑移齿轮z_{28}处于左位，使M_5脱开，从而切断进给箱与丝杠的联系。运动由齿轮副28/56及联轴器传至光杠ⅩⅨ，再由光杠通过溜板箱中的传动机构，分别传至齿轮齿条机构或横向进给丝杠ⅩⅩⅦ，使刀架做纵向或横向机动进给。纵、横向机动进给的传动路线表达式为：

$$主轴Ⅵ-\begin{bmatrix}米制螺纹传动路线\\寸制螺纹传动路线\end{bmatrix}-ⅩⅦ-\frac{28}{56}-ⅩⅨ（光杠）$$

$$-\frac{36}{32}\times\frac{32}{56}-M_6（超越离合器）-M_7（安全离合器）-ⅩⅩ-\frac{4}{29}-ⅩⅪ$$

$$-\begin{bmatrix} \dfrac{40}{48}-M_9\uparrow \\ \dfrac{40}{30}\times\dfrac{30}{48}-M_9\downarrow \end{bmatrix}-\text{XXV}-\dfrac{48}{48}\times\dfrac{59}{18}-\text{XXVII}（丝杠）—刀架（横向进给）$$

$$-\begin{bmatrix} \dfrac{40}{48}-M_8\uparrow \\ \dfrac{40}{30}\times\dfrac{30}{48}-M_8\downarrow \end{bmatrix}-\text{XXII}-\dfrac{28}{80}-\text{XXIII}-z_{12}—齿条—刀架（纵向进给）$$

溜板箱内的双向齿形离合器 M_8 及 M_9 分别用于纵、横向机动进给运动的接通、断开及控制进给方向。CA6140 型卧式车床可以通过四种不同的传动路线来实现机动进给运动，从而获得纵向和横向进给量各 64 种。当运动由主轴经正常导程的米制螺纹传动路线时，可获得正常进给量。这时的运动平衡式为：

$$f_\text{纵}=1_\text{主轴}\times\dfrac{58}{58}\times\dfrac{33}{33}\times\dfrac{63}{100}\times\dfrac{100}{75}\times\dfrac{25}{36}\times u_\text{基}\times\dfrac{25}{36}\times\dfrac{36}{25}\times u_\text{倍}\times\dfrac{28}{58}\times$$

$$\dfrac{36}{32}\times\dfrac{32}{56}\times\dfrac{4}{29}\times\dfrac{40}{30}\times\dfrac{30}{48}\times\dfrac{28}{80}\times\pi\times2.5\times12$$

化简后可得：

$$f_\text{纵}=0.71u_\text{基}\ u_\text{倍}$$

改变 $u_\text{基}$ 和 $u_\text{倍}$ 可得到从 0.08～1.22mm/r 的 32 种正常进给量。其余 32 种进给量可分别通过寸制螺纹传动路线和扩大螺纹导程机构得到。

横向机动进给量同样通过传动计算获得，横向机动进给量是纵向机动进给量的一半。

（4）刀架快速移动 为了减轻工人劳动强度和缩短辅助时间，刀架可以实现纵向和横向机动快速移动。刀架的纵、横向快速移动由装在溜板箱右侧的快速电动机（0.25kW，2800r/min）传动。快速电动机的运动是由齿轮副 13/29 传至轴 XX，然后沿机动进给传动路线，传至纵向齿轮齿条副或横向进给丝杠。轴 XX 左端的超越离合器 M_6 保证了刀架快速移动与工作进给不发生运动干涉。

3. CA6140 型卧式车床的主要部件结构

（1）主轴箱 主轴箱主要由主轴部件、传动机构、开停与制动装置、操纵机构及润滑装置等组成。为了便于了解主轴箱内各传动件的传动关系，传动件的结构、形状、装配方式及其支承结构，常采用展开图的形式表示。图 3-11 所示为 CA6140 型卧式车床主轴箱展开图。展开图中有些有传动关系的轴在展开后被分开了，如轴Ⅲ和轴Ⅳ、轴Ⅳ和轴Ⅴ等，从而使有的齿轮副也被分开了，在读图时应予以注意。下面介绍主轴箱内主要部件的结构、工作原理及调整。

1）卸荷式带轮。主电动机通过带传动使轴Ⅰ旋转，为提高轴Ⅰ旋转的平稳性，轴Ⅰ上的带轮采用了卸荷结构。如图 3-11 所示，带轮 1 通过螺钉与花键套 2 联成一体，支承在法兰 3 内的两个深沟球轴承上。法兰 3 则用螺钉固定在主轴箱体 4 上。当带轮 1 通过花键套 2 的内花键带动轴Ⅰ旋转时，胶带的拉力经轴承、法兰 3 传至箱体，这样使轴Ⅰ免受胶带拉力，减少轴的弯曲变形，提高了传动平稳性。

2）双向式多片离合器及制动机构。轴Ⅰ上装有图 3-12 所示的双向式多片离合器，用以控制主轴的起动、停止及换向。其左右两部分结构及工作原理与图 3-5 所示的多片离合器基本一样，只是控制方式有所不同。轴Ⅰ右半部为空心轴，在其右端安装有可绕圆柱销 11 摆动的元宝形摆块 12。元宝形摆块 12 下端弧形尾部卡在拉杆 9 的缺口槽内。当拨叉 13 由操纵机构控制，拨动滑套 10 右移时，摆块 12 绕顺时针方向摆动，其尾部拨动拉杆 9 向左移动。拉杆通过固定在其左端的长销 6，带动压套 5 和螺母 4 压紧左离合器的内、外摩擦片 2、3，从而将轴Ⅰ的运动传至空套其上的双联齿轮 1，使主轴得到正转。当滑套 10 向左移动时，元宝形摆块 12 绕逆时针方向摆动，从而使拉杆 9 通过压套 5、螺母 7，使右离合器内外摩擦片压紧，并使轴Ⅰ运动传至齿轮 8，再经由安装在轴Ⅶ上的中间轮 z_{34}，将运动传至轴Ⅱ，如图 3-10 所示，从而使主轴反向旋转。当滑套处于中间位置时，左右离合器的内外摩擦片均松开，主轴停转。

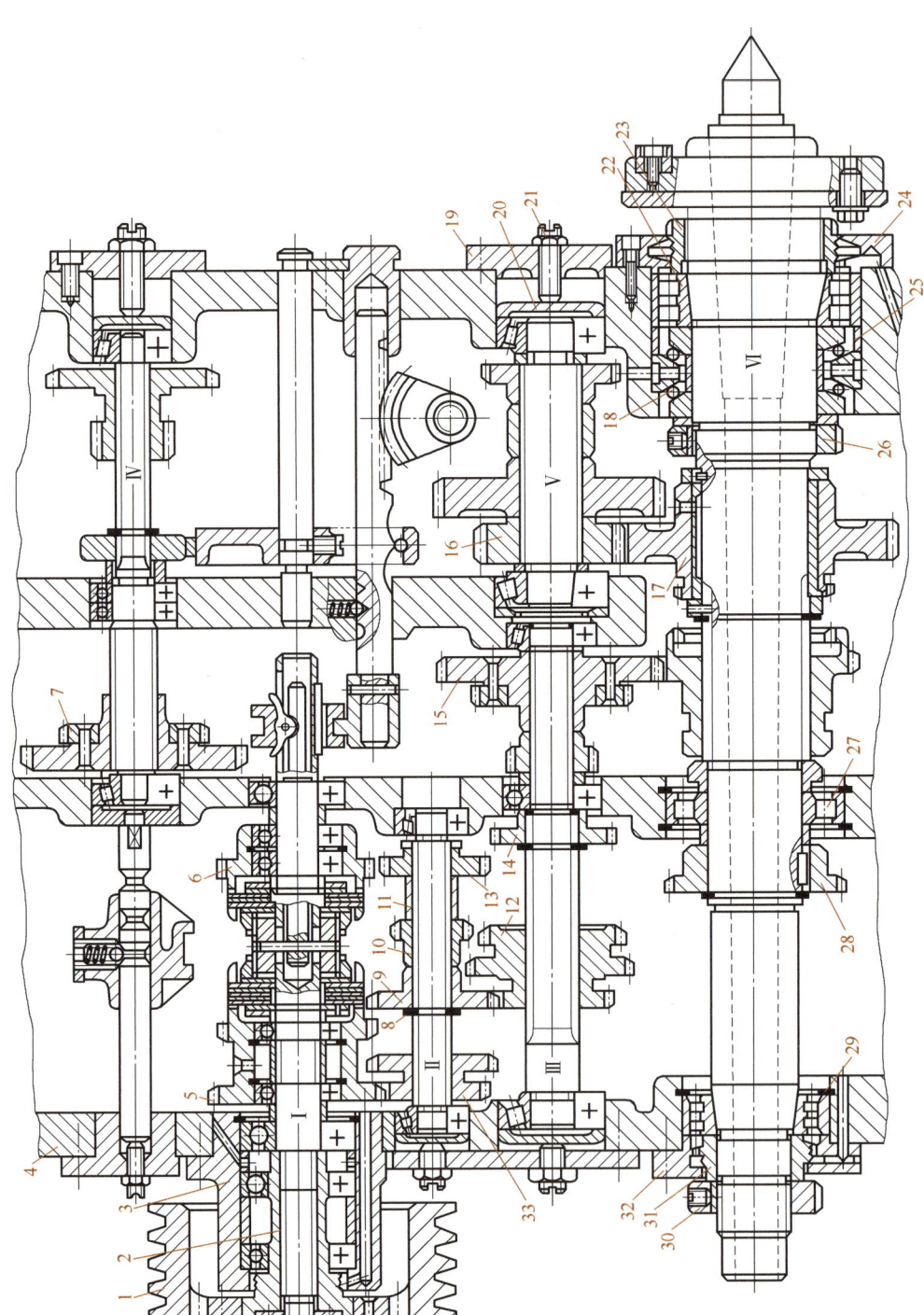

图 3-11 CA6140 型卧式车床主轴箱展开图

1—带轮 2—花键套 3—法兰 4—主轴箱体 5—双联空套齿轮 6—空套齿轮 7、33—双联滑移齿轮 8—半圆环 9、10、13、14、28—固定齿轮 11、25—隔套 12—三联滑移齿轮 15—双联固定齿轮 16、17—斜齿轮 18—双列推力角接触球轴承 19—盖板 20—轴承压板 21—调整螺钉 22、29—双列圆柱滚子轴承 23、26、30—螺母 24、32—轴承端盖 27—圆柱滚子轴承 31—套筒

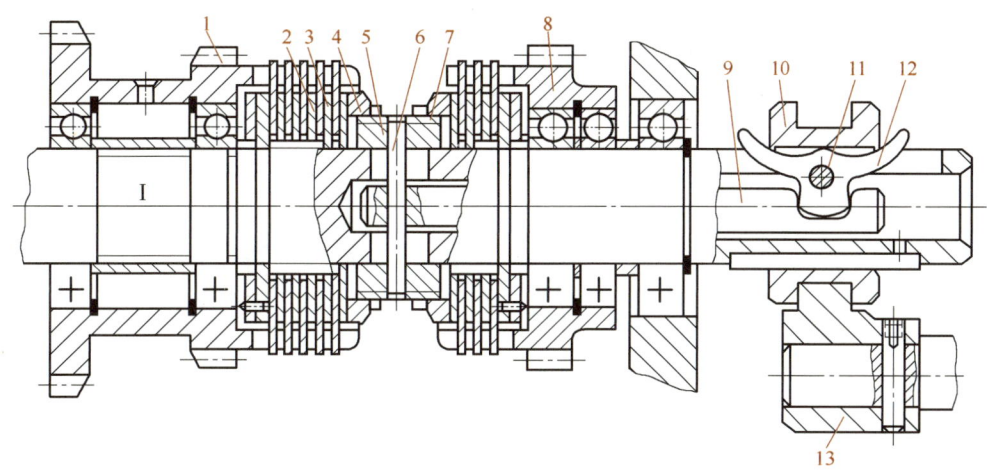

图 3-12 双向式多片离合器
1—双联齿轮 2—内摩擦片 3—外摩擦片 4、7—螺母 5—压套 6—长销
8—齿轮 9—拉杆 10—滑套 11—圆柱销 12—元宝形摆块 13—拨叉

为了在多片离合器松开后，克服惯性作用，使主轴迅速制动，则在主轴箱轴Ⅳ上装有图3-13所示的制动装置。制动装置由通过花键与轴Ⅳ连接的制动轮7、制动钢带6、杠杆4以及调整装置等组成。制动带内侧固定一层铜丝石棉，以增大制动摩擦力矩。制动带一端通过调节螺钉5与箱体1连接，另一端固定在杠杆上端。当杠杆4绕杠杆支承轴3逆时针方向摆动时，拉动制动带，使其包紧在制动轮上，并通过制动带与制动轮之间的摩擦力使主轴得到迅速制动。制动摩擦力矩的大小可用调节螺钉5进行调整。

多片离合器和制动装置必须得到适当的调整。如多片离合器中摩擦片间的间隙过大，压紧力不足，不能传递足够的摩擦力矩，会使摩擦片间发生相对打滑，这样会使摩擦片磨损加剧，导致主轴箱内温度升高，严重时会使主轴不能正常转动；如间隙过小，不能完全脱开，也会使摩擦片间相对打滑和发热，而且会使主轴制动不灵。制动装置中制动带松紧程度也应适当，要求停车时，主轴能迅速制动；开车时，制动带应完全松开。

双向式多片离合器与制动装置采用图3-14所示的操纵机构来协调两机构的工作。当抬起或压下手柄7时，通过曲柄9、拉杆10、曲柄11及扇形齿轮

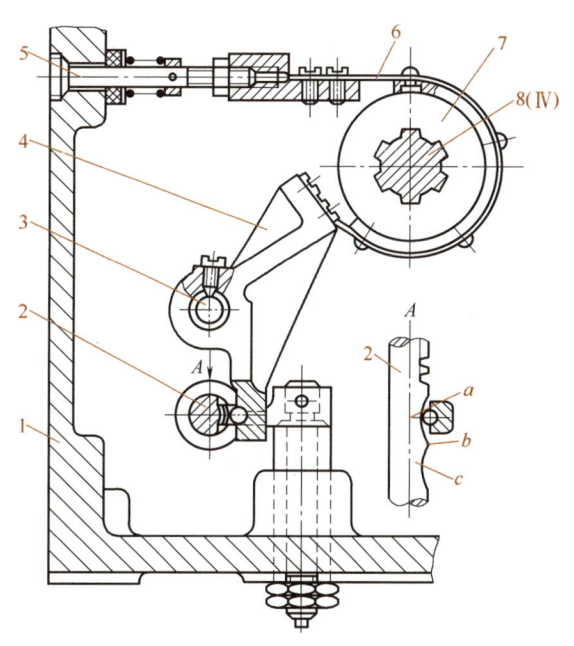

图 3-13 制动装置
1—箱体 2—齿条轴 3—杠杆支承轴 4—杠杆 5—调节螺钉 6—制动钢带 7—制动轮 8—轴Ⅳ

13、齿条轴14向右或向左移动，再通过元宝形摆块3、拉杆16使左边或右边离合器接合（图3-12），从而主轴正转或反转。此时，杠杆5下端位于齿条轴圆弧形凹槽内，制动带处于松开状态。当操纵手柄7处于中间位置时，齿条轴14和滑套4也处于中间位置，摩擦离合器左、右摩擦片组都松开，主轴与运动源断开。这时，杠杆5下端被齿条轴两凹槽间凸起部分顶起，从而拉紧制动带，使主轴迅速制动。

3）主轴部件。主轴部件是车床的关键部分。工作时工件装夹在主轴上，并由其直接带动旋转做主运动，因此主轴的旋转精度、刚度、抗振性等对工件的加工精度和表面粗糙度有直接影响。

如图3-11所示主轴部件采用前、中、后三个支承，前支承用一个短圆柱滚子轴承22（NN3021K/

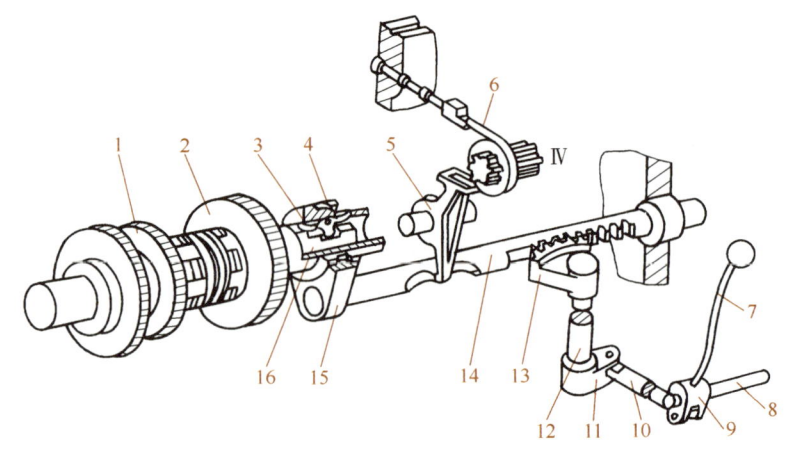

图 3-14 多片离合器及制动装置的操纵机构

1—双联齿轮 2—齿轮 3—元宝形摆块 4—滑套 5—杠杆 6—制动带 7—手柄 8—操纵杆
9、11—曲柄 10、16—拉杆 12—轴 13—扇形齿轮 14—齿条轴 15—拨叉

P5）和一个 60°角接触的双列推力球轴承 18（51120/P5）的组合方式，承受切削过程中产生的背向力和正反方向的进给力。后支承用一个短圆柱滚子轴承 29（NN3015K/P6）。主轴中部用一个短圆柱滚子轴承 27（NN216）作为辅助支承。这种结构在重载荷工作条件下能保持良好的刚性和工作平稳性。

主轴前端采用短圆锥连接盘结构，如图 3-15 所示，用来装夹卡盘或其他夹具。它以短圆锥表面和轴肩端面作为定位面，装夹时，卡盘座 4 上的四个螺钉 5 通过主轴轴肩 3 及锁紧盘 2 的孔，然后将锁紧盘 2 转动一个角度，使螺钉 5 处于锁紧盘 2 的沟槽内（如图示位置），并拧紧螺钉 1 及螺母 6，就可以使卡盘可靠地装夹在主轴前端。这种结构主要是使主轴前端的悬伸长度较短，有利于提高主轴组件的刚度。

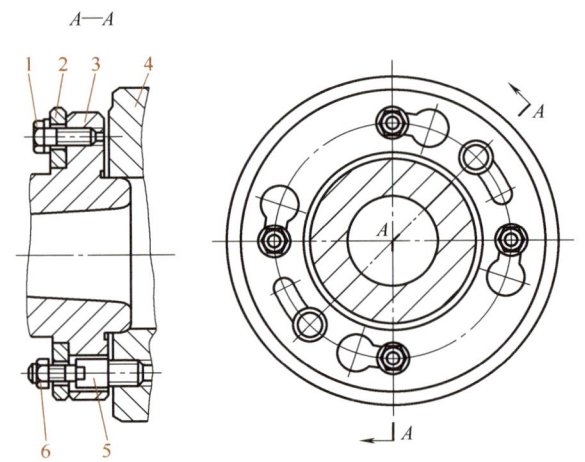

图 3-15 短圆锥连接盘结构

1、5—螺钉 2—锁紧盘 3—主轴轴肩 4—卡盘座
6—螺母

在长期的使用过程中，由于磨损而产生轴承的间隙，当主轴轴承间隙过大时，将降低主轴刚度，切削时产生径向或轴向圆跳动，容易产生振动；间隙太小则会造成主轴高速旋转时发热过高而损坏。如图 3-11 所示，主轴前轴承 22 可用螺母 26 和 23 调整。调整时，先拧松螺母 23 和 26 上的锁紧螺钉，然后拧紧螺母 26，使轴承的内圈相对主轴锥形轴颈向右移动。由于锥面作用，轴承内圈产生径向弹性膨胀，将滚子与内、外圈之间的间隙减小。调整适当后，应将螺母 26 上的锁紧螺钉和螺母 23 拧紧。后轴承 29 的间隙可用螺母 30 调整。调整后，应该检查轴承间隙，转动主轴应灵活，无阻滞现象。一般用外力旋转时，主轴转动在 3～5 圈内自动平稳地停止。

4）变速操纵机构。图 3-11 中，轴Ⅱ上的双联滑移齿轮和轴Ⅲ上的三联滑移齿轮用一个手柄操纵。图 3-16 是其操纵机构。变速手柄每转一转，变换全部 6 种转速，故手柄共有均布的 6 个位置。

如图 3-16 所示，变速手柄装在主轴箱的前壁上，通过链传动至轴 4。轴 4 上装有盘形凸轮 3 和曲柄 2。盘形凸轮 3 上有一条封闭的曲线槽，由两段不同半径的圆弧和直线组成。凸轮上有 1′～6′六个变速位置。在 1′、2′、3′位置，杠杆 5 上端的滚子处于凸轮槽曲线的大半径圆弧处，杠杆 5 经拨叉 6 将轴Ⅱ上的双联滑移齿轮移向左端位置。在 4′、5′、6′位置时，则将双联滑移齿轮移向右端位置。

曲柄 2 随轴 4 转动，带动拨叉 1 拨动轴Ⅲ上的三联齿轮，使它处于左、中、右三个位置。顺次地

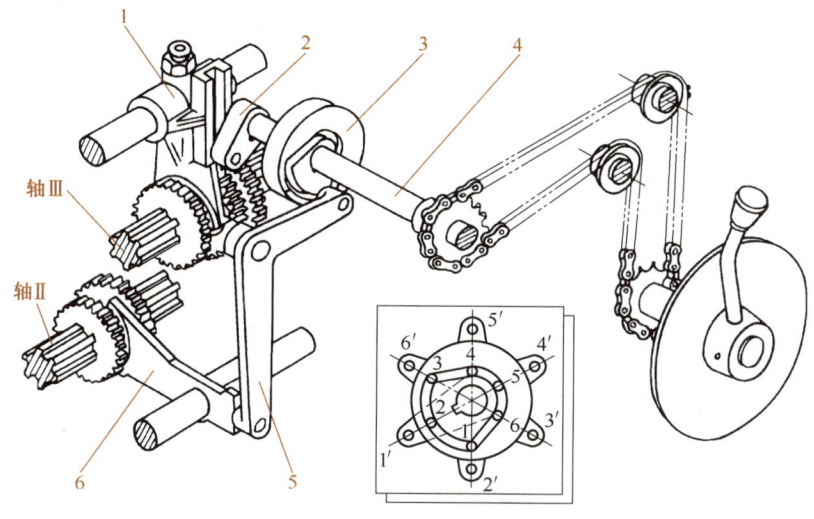

图 3-16　变速操纵机构

1、6—拨叉　2—曲柄　3—盘形凸轮　4—轴　5—杠杆

转动手柄，就可使两个滑移齿轮的位置实现 6 种组合，使轴Ⅲ得到 6 种转速。

滑移齿轮到位后应定位。图 3-11 中轴Ⅰ正上方的轴上由拨叉的定位钢球实现定位。

（2）溜板箱　溜板箱内包含以下机构：实现刀架快慢移动自动转换的超越离合器；起过载保护作用的安全离合器；接通、断开丝杠传动的开合螺母机构；接通、断开和转换纵、横向机动进给运动的操纵机构，以及避免运动干涉的互锁机构等。

1）纵、横向机动进给运动的操纵机构。图 3-17 所示为纵、横向机动进给运动的操纵机构。纵、横向机动进给的接通、断开和换向由一个手柄集中操纵。手柄 1 通过销轴 2 与轴向固定的轴 23 相连接。向左或向右扳动手柄 1 时，手柄下端缺口通过球头销 4 拨动轴 5 轴向移动，然后经杠杆 11、连杆

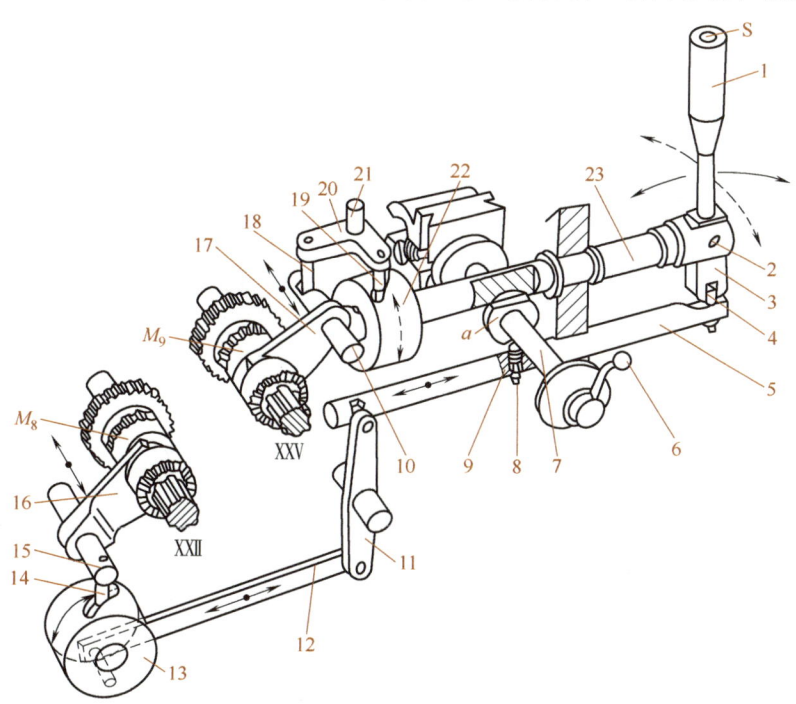

图 3-17　纵、横向机动进给运动的操纵机构

1、6—手柄　2、21—销轴　3—手柄座　4、9—球头销　5、7、23—轴　8—弹簧销　10、15—拨叉轴
11、20—杠杆　12—连杆　13—圆柱形凸轮　14、18、19—圆销　16、17—拨叉　22—凸轮　S—按钮

12，通过偏心销使圆柱形凸轮 13 转动。凸轮上的曲线槽通过圆销 14、拨叉轴 15 和拨叉 16，拨动离合器 M_8 与空套在轴 XXⅡ 上两个空套齿轮之一啮合，从而接通纵向机动进给，并使刀架向左或向右移动。

向前或向后扳动手柄 1 时，通过手柄方形下端部带动轴 23 转动，并使轴 23 左端凸轮 22 随之转动，从而通过凸轮上的曲线槽推动圆销 19，并使杠杆 20 绕销轴 21 摆动。杠杆 20 上另一圆销 18 通过拨叉轴 10 上缺口，带动轴 10 轴向移动，并通过固定在轴上的拨叉，拨动离合器 M_9，使之与轴 XXV 上两空套齿轮之一啮合，从而接通横向机动进给。

纵、横向机动进给运动的操纵手柄扳动方向与刀架进给方向一致，给使用带来方便。手柄在中间位置时，两离合器均处于中间位置，机动进给断开。按下操纵手柄顶端的按钮 S，接通快速电动机，可使刀架按手柄位置确定的进给方向快速移动。由于超越离合器的作用，即使机动进给时，也可使刀架快速移动，而不会发生运动干涉。

2）开合螺母机构。开合螺母机构的作用是接通或断开从丝杠传来的运动。如图 3-18 所示，开合螺母由上、下两个半螺母 1 和 2 组成，装在燕尾形导轨中可上下移动。上、下半螺母的背面各装有一个圆柱销 3，其伸出端分别嵌在槽盘 4 的两条槽中。扳动手柄 6，经轴 7 使槽盘逆时针方向转动时，曲线槽迫使两圆柱销 3 互相靠近，带动上、下半螺母合拢，与丝杠啮合。反向扳动手柄 6 时，两半螺母互相分开与丝杠分离。

开合螺母与镶条要调整适合，不然就会影响螺纹的加工精度，或使开合螺母操纵手柄自动跳位。开合螺母与燕尾导轨的配合间隙（一般应小于 0.03mm）可用螺钉 8 顶紧或用镶条 5 放松来进行调整，调整后用螺母 9 锁紧。

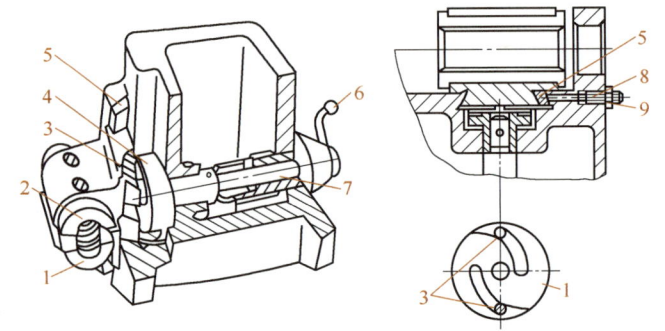

图 3-18　开合螺母机构

1、2—半螺母　3—圆柱销　4—槽盘　5—镶条　6—手柄
7—轴　8—螺钉　9—螺母

3）互锁机构。溜板箱内的互锁机构是为了保证纵、横向机动进给运动和车螺纹进给运动不能同时接通，以避免机床损坏而设置的，其工作原理将图 3-17 和图 3-19 结合起来即可看出。

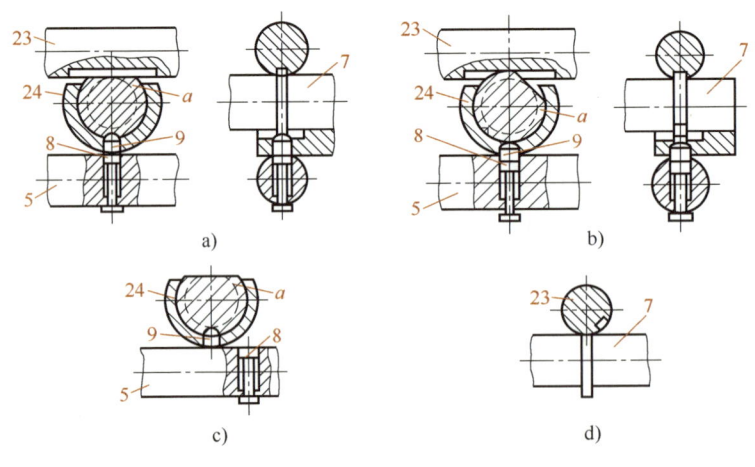

图 3-19　互锁机构工作原理

5、23—轴　7—手柄轴　8—弹簧销　9—球头销　24—支承套

操纵手柄轴 7 的凸肩 a 上带有一削边和一 V 形槽，如图 3-17、图 3-19 所示。轴 23 上铣有能与凸肩相配的键槽；轴 5 的小孔内装有弹簧销 8。在手柄轴 7 凸肩与支承套 24 之间有一球头销 9。当纵、横向进给及车螺纹运动均未接通时，凸肩 a 未进入轴 23 的键槽中，球头销 9 头部与凸肩 a 的 V 形槽相切。球头销 9 与弹簧销 8 的接触界面正好位于支承套 24 与轴 5 相切之处。此时可根据加工要求转动手

柄轴 7 或通过进给操纵手柄转动轴 23 或移动轴 5,以便接通三种进给运动中的一种。

如转动手柄轴 7,合上开合螺母,由于手柄轴 7 上的凸肩 a 进入轴 23 的键槽之中,使轴 23 不能转动。另外,凸肩的圆周部分将球头销 9 下压,使其一部分在支承套 24 内,一部分压缩弹簧销 8 进入轴 5 的小孔中,使轴 5 不能移动。这样就保证了接通车螺纹运动后,不能再接通纵、横向机动进给。如果移动轴 5 接通纵向进给运动,轴 5 小孔中的弹簧销 8 与球头销 9 脱离接触。球头销 9 被轴 5 的圆周表面顶住,其上端又卡在凸肩 a 的 V 形槽中,因此操纵手柄轴 7 被锁住,无法转动,使开合螺母合拢。如果转动轴 23,接通横向进给运动,这时轴 23 上键槽不再对准凸肩 a,于是凸肩 a 被轴 23 顶住,操纵手柄轴 7 无法转动,不能使开合螺母合拢。由此可见,由于互锁机构的作用,合上开合螺母后,不能再接通纵、横向进给运动,而接通了纵向或横向进给运动后,就无法再接通车螺纹运动。

操纵进给方向手柄的面板上开有十字槽,以保证手柄向左或向右扳动后,不能前后扳动;总之,向前或向后扳动后,不能左右扳动。这样就实现了纵向与横向机动进给运动之间的互锁。

4. 车床常见机械故障分析和排除方法

车床在使用过程中,会发生这样或那样的故障,而故障的发生和存在,一方面严重地影响工件的加工质量,甚至使加工无法继续进行下去;另一方面故障将使车床有关部件磨损加剧,甚至导致部件损坏,进而停机修理。因此,当车床出现故障时,应能尽快地分析判断出故障发生部位和产生原因,并进一步分析找出与故障相关的部件,提出排除故障的方法,对一般性的故障自己动手排除。下面介绍卧式车床常见机械故障分析和排除方法。

(1) 切削时主轴转速自动降低或自动停车

1) 故障分析。

① 主轴箱内的多片离合器调整过松;或者是调整好的摩擦片,因机床切削超荷,摩擦片之间产生相对滑动现象,甚至表面被研出较深的沟道;如果表面渗碳硬层被全部磨掉,摩擦离合器就失去了效能。

② 主轴箱变速手柄定位弹簧过松而使齿轮脱开。

③ 主电动机传动 V 带调节过松。

④ 摩擦离合器轴上的弹簧销或调节压力的螺母松动,如图 3-20 所示。

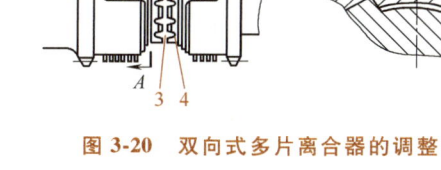

图 3-20 双向式多片离合器的调整
1、3—弹簧销 2、4—调节螺母

⑤ 摩擦离合器轴上的元宝销、滑套和拉杆严重磨损,如图 3-21 所示。

2) 故障排除。

① 调整摩擦离合器,修磨或更换摩擦片。调整时先将图 3-14 中的手柄 7 扳到需要调整到的正转或反转的准确位置上;然后如图 3-20 所示,把弹簧销 1 用一字旋具压入调节螺母 2 的圆口内,旋转调节螺母,直到调节螺母 2 压紧离合器的摩擦片为止,再将手柄 7 扳到停车的中间位置,此时两边的摩擦片均应放松,再将调节螺母 2 向压紧方向拨动 4~7 个圆口,并使弹簧销 1 重新卡入调节螺母 2 的圆口中,防止调节螺母在转动时松动。

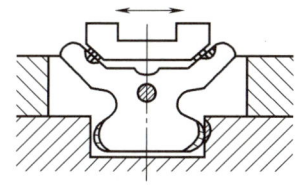

图 3-21 元宝销、滑套和拉杆严重磨损

② 调整变速手柄定位弹簧压力,使手柄定位可靠,确保齿轮啮合传动正常。

③ 主电动机装在前床腿内,打开前床腿上的盖板,通过旋转主电动机底板上的螺母来调整电动机的位置,可使两 V 带轮的距离缩小或增大,如图 3-22 所示,此例中应使两带轮距离增大,使 V 带胀紧。

④ 检查用于定位的弹簧销中的弹簧是否失效,如果缺少弹性就要换新的弹簧,调整好锁紧螺母

后，把弹簧销卡入螺母的圆口中，防止螺母在转动时松动。

⑤ 修焊或更换元宝销、滑套和拉杆。

（2）停车后主轴的自转现象

1）故障分析。

① 摩擦离合器调整过紧，停车后摩擦片仍未完全脱开。

② 制动器过松，制动带不起作用。

2）故障排除。

① 放松摩擦离合器。

② 调紧制动带。如图3-13所示，调整调节螺钉5拉紧制动钢带6，调整后，开动车床使主轴正转（$n_{主轴}=320\text{r/min}$），然后放下手柄，处于中间停车状态，要求停车时主轴能在2~3转内制动，而开车时制动钢带完全松开。

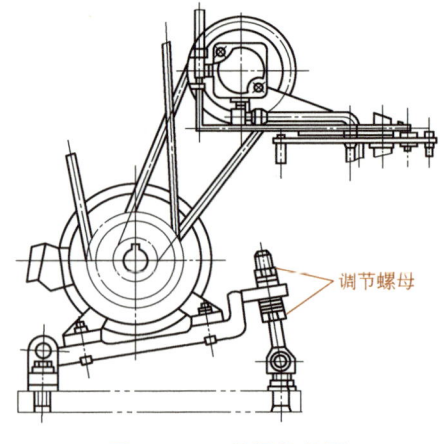

图3-22　V带调整装置

（3）主轴发热（非正常温升）

1）故障原因。

① 主轴轴承间隙过小，使摩擦力和摩擦热增加。

② 主轴轴承供油过少，缺油，润滑差，造成干摩擦，使主轴发热。

③ 主轴在长期的全负荷车削中，刚性降低，发生弯曲，传动不平稳而发热。

2）故障排除。

① 调整主轴轴承，适当放大间隙。

② 控制润滑油的供给，疏通油路。

③ 尽量避免长期全负荷车削。

（4）主轴箱某一档或几档转动噪声特别大

1）故障分析。

① 主轴箱内传递这一档或几档转速的啮合齿轮齿廓有缺损或变形。

② 这一档或几档转速涉及的轴承有异常。

2）故障排除。

① 根据车床主运动传动链的传动路线，对传递这一档或几档转速的传动链中的有关啮合齿轮进行分析，对有关齿轮的齿廓逐一进行检查，明显的缺损能凭肉眼观察到，例如，有异物掉在啮合齿廓间导致齿廓损伤。有的是在修理装拆过程中，齿轮侧面被敲击过猛，齿廓发生肉眼看不到的变形，也会导致噪声增大。调换产生噪声的齿轮，即可解决该问题。

② 如果主运动传动链中有关传动轴的轴承有异常，也可采用上述方法，找出有关的传动轴，参照滚动轴承分布图、明细栏，逐一检查分析，确诊异常轴承所在轴，调换产生噪声的轴承，即可解决问题。

三、铣床

铣床与铣削加工

铣床与铣削加工安全操作规程

在铣床上加工工件时，工件用台虎钳或专用夹具固定在铣床工作台上，而铣刀安装在铣床主轴的前端刀杆上或直接安装在主轴上，铣刀的旋转运动为主运动，工作台的移动为进给运动。

铣床加工范围很广，可加工平面、台阶、各种键槽、V形槽、T形槽、燕尾槽、螺旋槽及切断工件、铣削齿轮和蜗轮齿面等。

铣削加工的特点有：铣削主要用于各种平面及沟槽的加工；铣刀为多刃刀具，铣削时每个刀齿周期性断续地参加切削，所以切削刃散热条件好，生产率较高；铣削时，刀齿交替切削，产生冲击，且切削厚度是变化的，因而铣削力也是不断变化的，使铣刀磨损较快，降低刀具寿命。铣削主要用于粗加工或半精加工。

铣床的种类很多，根据结构和用途的不同可分为：卧式铣床、立式铣床、龙门铣床、仿形铣床和工具铣床，其中最常用的是卧式铣床和立式铣床。卧式铣床和立式铣床的区别在于安装铣刀的主轴与工作台的相对位置不同。立式铣床具有直立的主轴，主轴轴线与工作台台面垂直。卧式铣床具有水平的主轴，主轴轴线与工作台台面平行。下面介绍 X6132 型卧式铣床。

1. X6132 型卧式铣床的组成

X6132 型卧式铣床是目前应用最广泛的一种卧式万能升降台铣床，其外形如图 3-23 所示。X6132 型卧式铣床的主要部件及其作用如下：

（1）底座　底座 1 用来支承铣床的全部重量和存放切削液。在底座上还放有切削液供给电动机。

（2）床身　床身 2 用来安装和连接机床其他部件。床身的前面有燕尾形的垂直导轨，供升降台上、下移动时使用。床身的后面装有电动机。

（3）横梁　横梁 3 用以支承安装铣刀和心轴，以加强刀杆的刚度。横梁可在床身顶部的水平导轨中移动，以调整其伸出长度。

（4）主轴　主轴 5 用来安装铣刀。主轴一端是锥柄，以便装入主轴的锥孔中，另一端可安装在横梁的挂架 4 上来支承，由主轴带动铣刀刀杆旋转。

（5）工作台　工作台 6 用来安装机床附件或工件，并带动它们做纵向移动。台面上有三个 T 形槽，用来安装 T 形螺钉或定位键。三个 T 形槽中，中间一条的精度较高。

（6）床鞍　床鞍 7 是工作台与升降台中间的一部分。它装在升降台的水平导轨上，可带动纵向工作台一起做横向（前、后）移动，还能使纵向工作台向左、右各转动 45°，以便铣削螺旋槽。

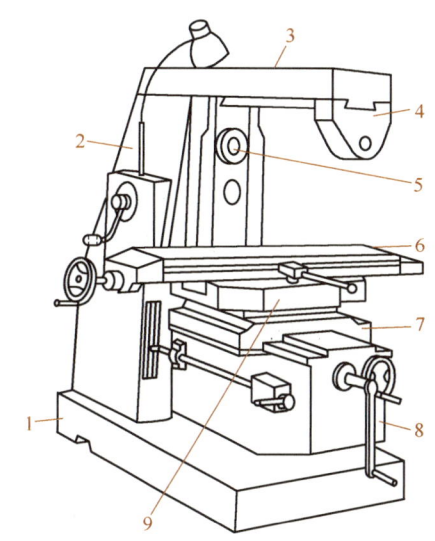

图 3-23　X6132 型卧式铣床外形图
1—底座　2—床身　3—横梁　4—横梁的挂架
5—主轴　6—工作台　7—床鞍
8—升降台　9—回转盘

（7）升降台　升降台 8 用来支承工作台，并带动工作台上下移动。

X6132 型卧式铣床具有功率大、刚性好、操作方便、工作台纵向行程可以实现自动循环和半自动循环等特点，一般用于单件及成批生产。

2. X6132 型卧式铣床的典型操纵机构

（1）工作台及顺铣机构

1）工作台的结构。图 3-24 所示为 X6132 型卧式铣床工作台结构图。整个工作台部件由工作台 6、床鞍 1 及回转盘 2 三层组成，并安装在升降台上（图 3-23）。工作台 6 可沿回转盘 2 上的燕尾导轨做纵向移动，并可通过床鞍 1 与升降台相配的矩形导轨做横向移动。工作台不做横向移动时，可通过手柄 13 经偏心轴 12 的作用将床鞍夹紧在升降台上。工作台可连同回转盘，一起绕锥齿轮轴 XVIII 的轴线回转 ±45°。回转盘转至所需位置后，可用螺栓 14 和两块弧形压板 11 将其固定在床鞍上。纵向进给丝杠 3 的一端通过滑动轴承及前支架 5 支承，另一端由圆锥滚子轴承、推力球轴承及后支架 9 支承。轴承的间隙可通过螺母 10 进行调整。回转盘左端安装有双螺母，右端装有带端面齿的空套锥齿轮。离合器 M_5 以花键与花键套筒 8 相连，而花键套筒 8 又以滑键 7 与铣有长键槽的进给丝杠相连。因此，当 M_5 左移与空套锥齿轮的端面齿啮合，轴 XVIII 的运动就可由锥齿轮副、离合器 M_5、花键套筒 8 传至进给丝杠，使其转动。由于双螺母既不能转动又不能轴向移动，所以丝杠在旋转时，同时做轴向移动，从而带动工作台 6 纵向进给。进给丝杠 3 的左端空套有手轮 4，将手轮向前推，压缩弹簧，使端面齿离合器接合，便可手摇工作台纵向移动。纵向丝杠的右端有带键槽的轴头，可以安装配换交换齿轮。

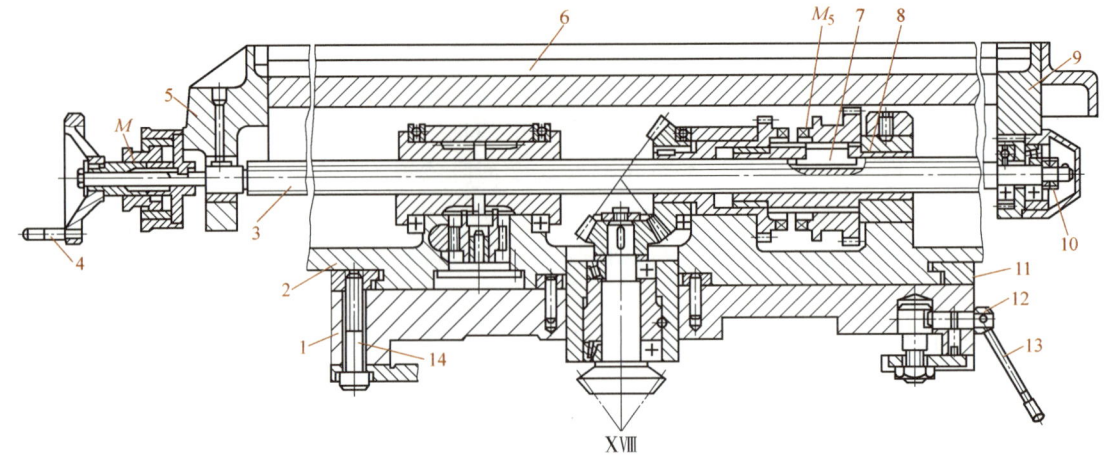

图 3-24 X6132 型卧式铣床工作台结构图

1—床鞍 2—回转盘 3—纵向进给丝杠 4—手轮 5—前支架 6—工作台 7—滑键 8—花键套筒
9—后支架 10—螺母 11—压板 12—偏心轴 13—手柄 14—螺栓

2）顺铣机构。X6132 型卧式铣床设有顺铣机构，其工作原理如图 3-25 所示。齿条 5 在弹簧 6 的作用下右移，使冠状齿轮 4 按箭头方向旋转，并通过左、右螺母 1、2 外圆的齿轮，使两者做相反方向转动（方向如图 3-25c 中箭头所示），从而使螺母 1 的螺纹左侧与丝杠螺纹右侧靠紧，螺母 2 的螺纹右侧与丝杠螺纹左侧靠紧。顺铣时，丝杠的轴向力由螺母 1 承受。由于丝杠与螺母 1 之间摩擦力的作用，使螺母 1 有随丝杠转动的趋势，并通过冠状齿轮使螺母 2 产生与丝杠反向旋转的趋势，从而消除了螺母 2 与丝杠间的间隙，不会产生轴向窜动。逆铣时，丝杠的轴向力由螺母 2 承受，两者之间产生较大摩擦力，因而使螺母 2 随丝杠一起转动，从而通过冠状齿轮使螺母 1 产生与丝杠反向旋转的趋势，使螺母 1 螺纹左侧与丝杠螺纹右侧间产生间隙，减少丝杠的磨损。

（2）主轴变速操纵机构与操纵方法 X6132 型卧式铣床主轴有 18 种转速，为 30~1500r/min，它是靠移动轴Ⅱ和轴Ⅳ上的三个滑移齿轮轴向位置，改变啮合齿轮的传动比实现的。

主轴变速采用的是图 3-26 所示的孔盘变速操纵机构，靠集中控制 3 个拨叉，分别拨动 3 个滑移齿轮起到变速作用。

变速时，首先将变速杆 1 下压左扳，使固定在同轴上的扇形齿轮 2 顺时针方向转动，带动与其啮合的齿条右移，通过齿条右

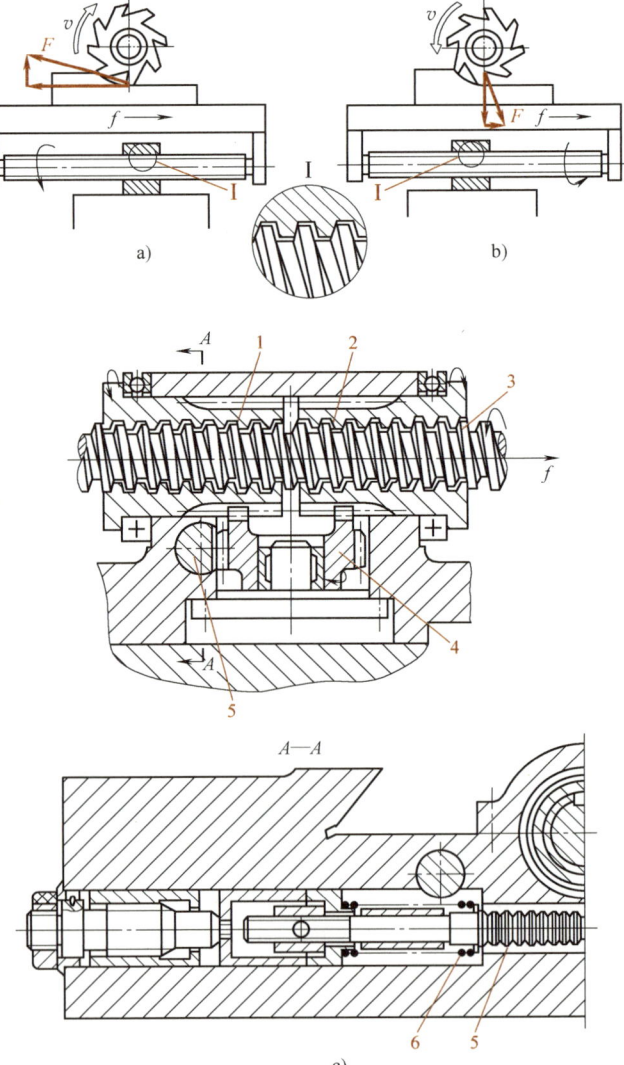

图 3-25 顺铣机构工作原理

a）逆铣 b）顺铣 c）顺铣机构

1—左螺母 2—右螺母 3—右旋丝杠 4—冠状齿轮 5—齿条 6—弹簧

端的拨叉，拨动轴4及固定在右端的变速孔盘5一起向右移动，使与变速孔盘5的孔眼相配合的齿杆全部脱离。此时，可转动转速盘3，使所需转速对准箭头所指的位置。当转动转速盘3时，转速盘轴同转。通过一对齿数相等的锥齿轮带动轴4和变速孔盘5同步转动。在变速孔盘5不同直径的圆周上，有大小不等的两种孔眼，以供齿杆6、8、10右端的台阶销插入。齿杆6、8、10为3组，每组两个齿杆，其中一齿杆装有拨叉，即拨叉7、9、11，分别拨动轴Ⅱ和轴Ⅳ上的三个滑移齿轮。每一组的两个齿杆之间与一圆柱齿轮对称啮合，确保当变速孔盘5从右向左推动某一齿杆时另一齿杆相应右移，以达到拨叉拨动滑移齿轮向左或向右移动，实现啮合的目的。若某一组中的两齿杆中，一个齿杆对准孔盘的大孔，而另一齿杆与孔盘无孔可对，则当孔盘从右向左移动时，必使该组的拨叉拨动滑移齿轮处于左位或是右位，如图3-26中的齿杆6和齿杆10的位置。若某一组中的两齿杆均对准孔盘上的小孔，则当孔盘从右向左移动时，必须使该组的拨叉拨动滑移齿轮处于中位。因此，每一组齿杆均可以通过孔盘从右向左移动，使拨叉拨动滑移齿轮获得三个不同的轴向啮合位置。而轴Ⅳ右边的双联滑移齿轮，只需两个轴向啮合位置，根据该滑移齿轮移动距离的大小，省掉一个位置即可。

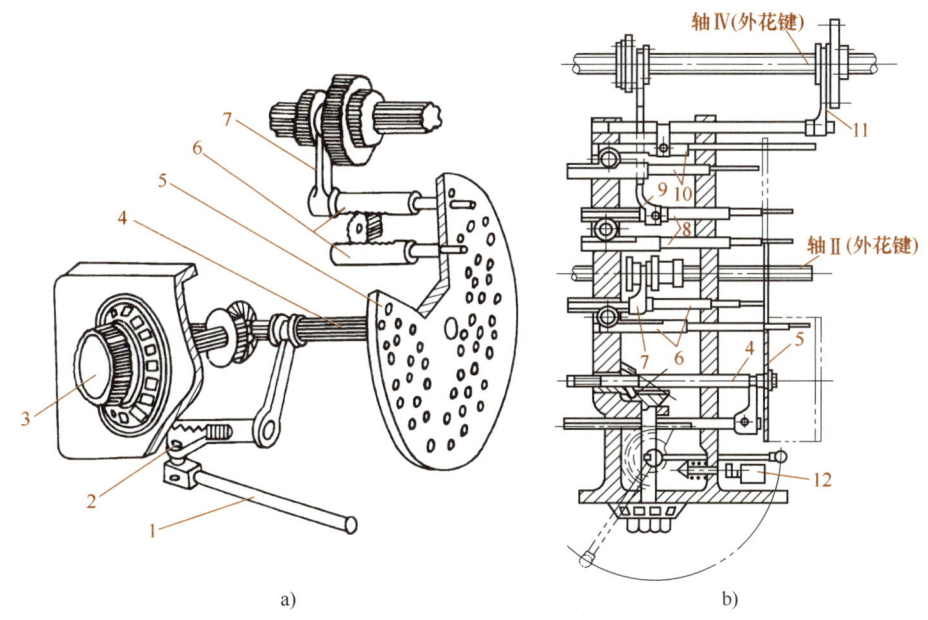

图 3-26 孔盘变速操纵机构

a）结构示意图 b）展开示意图

1—变速杆 2—扇形齿轮 3—转速盘 4—轴 5—变速孔盘 6、8、10—齿杆 7、9、11—拨叉 12—微动开关

转速盘3选好转速后，将变速杆1扳回到右位。这时，通过扇形齿轮2、齿条、拨叉，使轴4和变速孔盘5从右向左移到原位，则变速孔盘5推动3组齿杆6、8、10，连同拨叉拨动三个滑移齿轮向左或向右移动（或保持原位不动），改变齿轮啮合对，达到变速目的。

此外，还有一个与变速杆1和扇形齿轮2同轴的凸轮，当扳动变速杆1时，凸轮便撞击电动机的微动开关12，使电动机瞬时接通（又立即切断）。这时，各轴上的齿轮都会转动起来，使滑移齿轮很顺利地与固定齿轮啮合，使变速容易。

（3）工作台纵向进给运动操纵机构与操纵方法 工作台纵向进给运动操纵机构如图3-27所示。工作台纵向进给运动操纵机

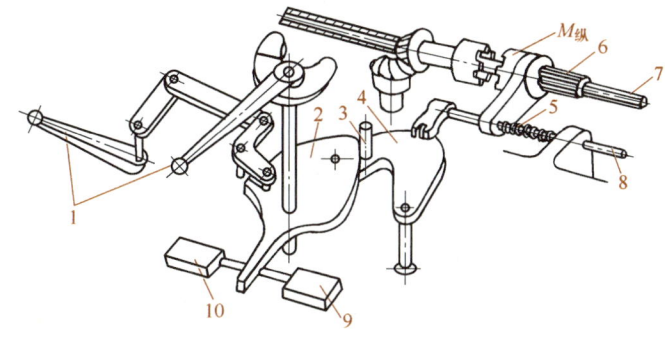

图 3-27 工作台纵向进给运动操纵机构

1—手柄 2—靠板 3—柱销 4—杠杆板 5—弹簧 6—外花键轴
7—纵向丝杠 8—轴 9、10—开关

构的作用是控制进给电动机正、反转开关的压合和离合器 $M_纵$ 的接合,从而获得工作台的纵向进给运动。

手柄 1 处于中间位置时（如图示位置），开关 9、10 断开，进给电动机不转（即无动力），并且离合器 $M_纵$ 处于脱离位置（弹簧 5 受压），故此时工作台无纵向进给运动。

手柄 1 向右扳时，手柄轴带动靠板 2 逆时针方向转过一个角度。靠板 2 尾部压合开关 9，使进给电动机起动，同时靠板 2 不再顶住柱销 3，于是轴 8 上的弹簧 5 向左推动杠杆板 4 逆时针方向转过一个角度，离合器 $M_纵$ 随之接合，则纵向丝杠 7 被带动旋转，并连同工作台一起向右移动，即工作台向右进给。

手柄 1 向左扳时，靠板 2 顺时针方向转过一个角度，其尾部压合开关 10，使进给电动机反向旋转。而此时的离合器 $M_纵$ 仍处于接合状态，故工作台向左进给。

手柄 1 有两个，一个在工作台的前面，一个在工作台的左边，二者是联动的，以便于操作者站在不同的位置上操纵。

3. 铣床附件——万能分度头

分度头是铣床的附件之一。许多机械零件（如花键、离合器、齿轮等）在铣削时，需要利用分度头进行圆周分度，才能铣削出等分的齿槽。下面介绍应用最广泛的万能分度头的使用方法。

FW250 型万能分度头的主要功用是将工件做任意的圆周等分，可把工件轴线装夹成水平、垂直或倾斜的位置。通过交换齿轮，可使分度头主轴随纵向工作台的进给运动做等速连续旋转，用以铣削螺旋槽。

（1）分度头结构　FW250 型万能分度头的外形和传动系统如图 3-28 所示。分度头主轴 9 是空心的，两端均为莫氏 4 号内锥孔，前端锥孔用来安装顶尖或锥柄心轴，后端锥孔用来安装交换齿轮心轴，作为差动分度时用来安装交换齿轮。主轴的前端外部有一段定位锥体，用于与自定心卡盘的连接盘（法兰盘）配合。

装有分度蜗轮的主轴安装在回转体 8 内，可随回转体在分度头基座 10 的环形导轨内转动。因此，主轴除安装成水平位置外，还可在一定范围内任意倾斜，调整角度前应松开基座上部靠主轴后端的两个螺母 4，调整之后再予以紧固。主轴的前端固定着刻度盘 13，可与主轴一起转动。刻度盘上有刻度线，可做分度之用。

分度盘（又称孔盘）3 上有数圈在圆周上均布的定位孔，在分度盘的左侧有一分度盘紧固螺钉 1，用以紧固分度盘，或微量调整分度盘。在分度头的左侧有两个手柄：一个是主轴锁紧手柄 7，在分度时应先松开，分度完毕后再锁紧；另一个是蜗杆脱落手柄 6，它可使蜗杆和蜗轮脱开或啮合。蜗杆和蜗轮的啮合间隙可用偏心套调整。

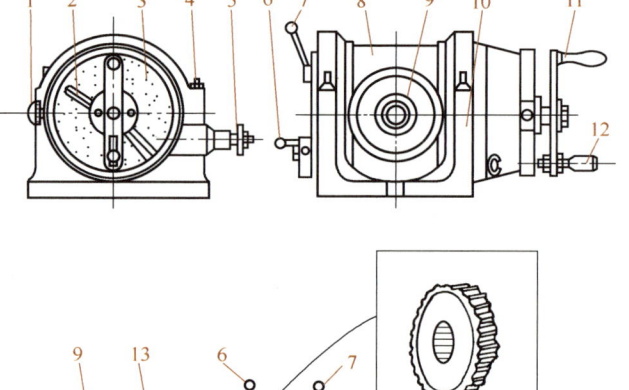

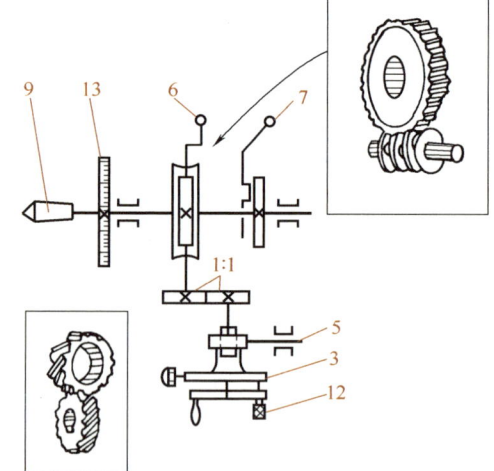

图 3-28　FW250 型万能分度头的外形和传动系统
1—分度盘紧固螺钉　2—分度叉　3—分度盘　4—螺母　5—交换齿轮轴　6—蜗杆脱落手柄　7—主轴锁紧手柄　8—回转体　9—主轴　10—基座　11—分度手柄　12—分度定位　13—刻度盘

在分度头右侧有一个分度手柄 11，转动分度手柄时，通过一对传动比为 1/1 的直齿圆柱齿轮及一对传动比为 1/40 的蜗杆副使主轴旋转。此外，分度盘右侧还有一根安装交换齿轮用的交换齿轮轴 5，它通过一对传动比为 1/1 的交错轴斜齿轮副和空套在分度手柄轴上的分度盘相联系。

分度头基座 10 下面的槽里装有两块定位键。可与铣床工作台台面的 T 形槽相配合，以便在安装分度头时，使主轴轴线准确地平行于工作台的纵向进给方向。

（2）万能分度头的附件

1）分度盘。FW250 型万能分度头备有两块分度盘，正、反面都有几圈均布的孔圈，常用分度盘的孔圈数见表 3-10。

表 3-10　分度盘的孔圈数

第一块	第二块
正面：24、25、28、30、34、47	正面：46、47、49、51、53、54
反面：38、39、41、42、43	反面：57、58、59、62、66

有了分度盘，就能够解决不是整转数的分度的情况，进行一般分度工作。

2）分度叉。在分度时，为了避免每分度一次都要数孔数，可利用分度叉来计数，如图 3-29 所示。

松开分度叉紧固螺钉，可任意调整两叉之间的孔数，为了防止摇动分度手柄 11（图 3-28）时带动分度叉转动，可用弹簧片将它压紧在分度盘上。分度叉两叉的夹角之间的实际孔数，应比所需要孔距数多一个孔，因为第一孔是做起始点而不计数的。图 3-29 所示为每分度一次摇过 5 个孔距的情况。

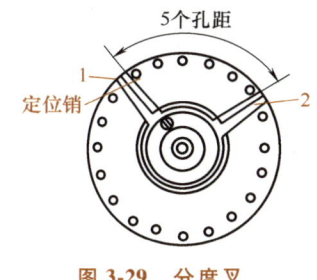

图 3-29　分度叉

1、2—叉脚

（3）分度方法

1）简单分度法。简单分度法是分度中最常用的一种方法。分度时，先将分度盘固定，转动手柄使蜗杆带动蜗轮旋转，从而带动主轴和工件转过所需的角度（转）数。

由图 3-28 可知，分度手柄转过 40 转，主轴转 1 转。分度手柄的转数 n 和工件圆周等分数 z 关系如下：

$$1:40 = \frac{1}{z}:n$$

$$n = \frac{40}{z}$$

式中　n——分度手柄转数（r）；

　　　40——分度蜗轮齿数；

　　　z——工件圆周等分数（齿数或边数）。

例 3-1　在 FW250 型分度头上用三面刃铣刀铣削六角形螺母，求每铣完一面以后，分度手柄应摇多少转再铣第二面？

解　将 $z=6$，代入式 $n=\dfrac{40}{z}$ 得：

$$n = \frac{40}{z} = \frac{40}{6} = 6\frac{2}{3} = 6\frac{16}{24}$$

即每铣完一面后，分度手柄应在 24 孔圈上转过 6 整转再过 16 个孔间距（分度叉之间包含 17 个孔）。

由上例可知，当分度手柄转数带分数时，可使分子分母同时缩小或扩大一个整倍数，使最后得到的分母值为分度盘上所具有的孔圈数。

2）差动分度法。

① 差动分度原理。用简单分度法虽然可以解决大部分的分度问题，但在工作中，有时会遇到工件

的等分数 z 不能与 40 相约的情况，如 63、67、101、127……而分度盘上又没有这些孔圈数，因此就不能使用简单分度法，此时可采用差动分度法来解决。

如图 3-30 所示，差动分度法就是在分度头主轴后面，装上交换齿轮轴，用交换齿轮把主轴和侧轴联系起来。松开分度盘紧固螺钉，这样，在分度手柄转动的同时，分度盘随着分度手柄以相反（或相同）方向转动，因此分度手柄的实际转数是分度手柄相对分度盘与分度盘本身转数之和。

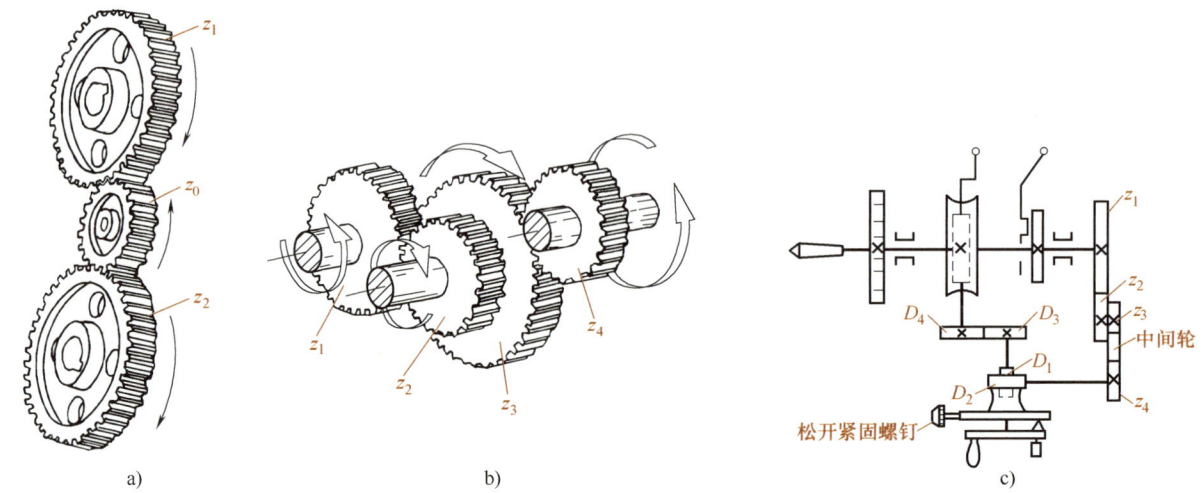

图 3-30 差动分度的传动系统及交换齿轮安装

例如，用 FW250 型分度头加工 $z=63$ 的直齿圆柱齿轮，按简单分度法 $n=\dfrac{40}{z}=\dfrac{40}{63}$，63 与 40 无法相约，而孔盘上又没有 63 的孔圈，就不能用简单分度法，而需采用差动分度法。

先假定 z' 为 60，按 $n'=40/60=44/66$ 摇分度手柄，从图 3-31 中可以看出，它比 $n=40/63$ 多转了一个角度 E。

$$E=\frac{40}{63}-\frac{40}{60}=\frac{40\times(60-63)}{63\times 60}$$

由此结果可以设想，如按 $n=40/60$ 摇分度手柄的同时，使孔盘相应地倒转一个角度 E，即使分度盘上 66 孔圈的第 44 孔从 a 点倒转到 a' 点，所以当分度手柄插入到 44 孔圈中时，分度手柄实质上转了 $40/63$ r。

正确地实现倒转过角度 E 是差动分度的关键。由图 3-30 中分度头的传动系统上看，分度手柄通过 D_3/D_4 的一对直齿圆柱齿轮和一对 1/40 的分度蜗杆副带动主轴进行分度，而主轴在转动时，又可以通过主轴后面的交换齿轮 $z_1z_3/(z_2z_4)$ 传动侧轴内部的一对交错轴斜齿轮副 D_1/D_2 使分度盘转动。

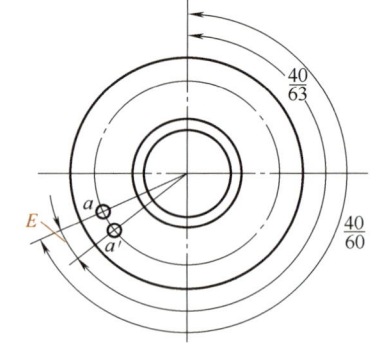

图 3-31 差动分度原理

根据上面的分析，差动分度传动路线如下：

$$主轴-\frac{z_1}{z_2}-\frac{z_3}{z_4}-侧轴-\frac{D_1}{D_2}-孔盘$$

从而可得：$n_主 \dfrac{z_1 z_3 D_1}{z_2 z_4 D_2}=n_盘$

FW250 型分度头中 D_1/D_2 是一对齿数相等的交错轴斜齿轮副，即 $D_1/D_2=1$，因此得：

$$n_主 \frac{z_1 z_3}{z_2 z_4}=n_盘$$

具体应用到 63 齿的差动分度交换齿轮上，每分一齿时，主轴转 $1/63$ r，分度盘要转 $40\times(60-63)/$

（63×60），因此得：

$$\frac{1}{63} \times \frac{z_1 z_3}{z_2 z_4} = \frac{40 \times (60-63)}{63 \times 60}$$

$$\frac{z_1 z_3}{z_2 z_4} = \frac{40 \times (60-63)}{63 \times 60} \times \frac{63}{1} = -\frac{40 \times 3}{60} = -2 = -\frac{60}{30}$$

式中负号表示分度盘与分度手柄转向相反。

那么可用两只交换齿轮，主动齿轮为 60 齿，从动齿轮为 30 齿。为了保证分度盘与分度手柄转向相反，可用适当数目的中间齿轮 z_0，如图 3-30a、b 所示。

② 差动分度交换齿轮计算。差动分度的具体计算步骤：

选取一个能用简单分度法实现的假定齿数 z'，z' 应与分度数 z 相接近。尽量选 $z'<z$，这样可使分度盘与分度手柄转向相反，避免传动中的间隙影响分度精度。

计算分度手柄应转的圈数 n'，$n'=40/z'$，并确定所用的孔圈。

选择交换齿轮，按下式计算：

$$\frac{z_1 z_3}{z_2 z_4} = \frac{40(z'-z)}{z'}$$

交换齿轮应从备用齿轮中选取，并规定

$$\frac{z_1 z_3}{z_2 z_4} = \frac{1}{6} \sim 6$$

以保证交换齿轮能相互啮合。如上述计算中，在备用齿轮中选不到合适齿轮，则应另选 z' 重新计算。

确定中间齿轮数目，当 $z'<z$ 时（为负值），中间齿轮的数目应保证分度手柄和分度盘转向相反；当 $z'>z$ 时（为正值），应保证分度手柄和分度盘转向相同。

例 3-2　用 FW250 型分度头铣削 $z=111$ 的直齿圆柱齿轮，应如何进行分度？

解　$z=111$ 无法进行简单分度，所以采用差动分度。

取 $z'=110$ 计算分度手柄应转的圈数：

$$n' = \frac{40}{z'} = \frac{40}{110} = \frac{4}{11} = \frac{24}{66}$$

即每次分度，分度手柄相对孔盘在孔数为 66 的孔圈上转过 24 个孔距。按下式计算交换齿轮齿数：

$$\frac{z_1 z_3}{z_2 z_4} = \frac{40(z'-z)}{z'} = \frac{40(110-111)}{110} = -\frac{40}{110} = -\frac{25}{55} \times \frac{40}{50}$$

即 $z_1=25$、$z_2=55$、$z_3=40$、$z_4=50$。选取中间齿轮的数目应保证分度盘与分度手柄转向相反。

(4) 利用分度头铣螺旋槽

1) 螺旋线的基本概念。在机器制造中，经常碰到带螺旋线的零件，例如斜齿圆柱齿轮、麻花钻的沟槽、螺旋齿铣刀等。它们的作用虽然不同，但螺旋线（槽）的形成原理却都相同。

如图 3-32 所示，如果将一个三角形的薄纸片 ABC，在直径为 D 的圆柱体上绕一整周，则斜边 AB 在圆柱体上形成的曲线就是螺旋线。当斜边 AB 由左下方绕向右上方时（图 3-32a）称右旋螺旋线；当斜边 AB 由右下方绕向左上方时（图 3-32b）称左旋螺旋线。

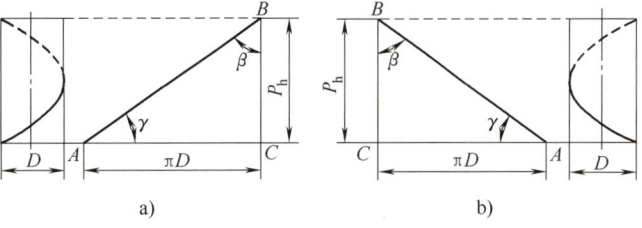

图 3-32　螺旋线形成原理
a) 右旋螺旋线　b) 左旋螺旋线

螺旋线绕轴旋转一周，在轴线方向所移动的距离称为导程，用 P_h 表示。螺旋线的切线与圆柱体轴线所夹的锐角称为螺旋角，用 β 表示。螺旋线的切线和圆柱端面所夹的角称为导程

角,用 γ 表示。它们的关系为:

$$\gamma + \beta = 90°$$
$$P_h = \pi D \cot\beta$$

或

$$\tan\beta = \frac{\pi D}{P_h}$$

有时,在圆柱体上有两条或更多的在圆周上等分的螺旋线,则称为多线螺旋线,图 3-33 所示为双线螺旋线。麻花钻和键槽铣刀就是双线螺旋线工件,而斜齿圆柱齿轮就是多线螺旋线工件。

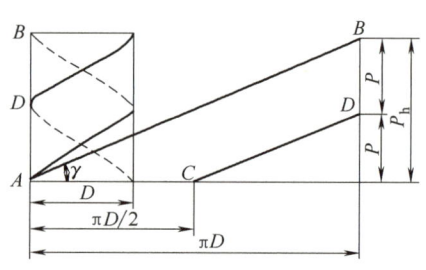

图 3-33 双线螺旋线

2) 螺旋槽的形式。根据螺旋线形成的原理,要得到规定导程的螺旋槽,必须使圆柱体在做等速转动的同时,还要沿着自己的轴线做等速直线移动。

如果要铣削多线螺旋槽,在铣完一条槽后,还必须把工件转过 $1/z$ 转再铣削下一条槽。

在铣床上铣削螺旋槽时,工件应有下列运动:

① 工件在分度头上绕着自身轴线做等角速转动。

② 工作台纵向进给做等速直线移动。

③ 铣削多线螺旋槽时,还要进行分度运动。

用盘形铣刀铣削时,铣刀的旋转平面必须与螺旋槽切线的方向一致,这样才能使铣刀的截面形状和螺旋槽的截面形状一致。因此,必须把万能铣床的工作台转动一个螺旋角 β,工作台的转动方向和转动角度视螺旋槽的方向和角度而定:铣削左螺旋槽时(图 3-34a),工作台顺时针方向转动一个螺旋角;铣削右螺旋槽时(图 3-34b),工作台逆时针方向转动一个螺旋角。

3) 铣螺旋槽的调整计算。根据螺旋槽形成的原理,如图 3-35 所示,要铣削出螺旋槽,还必须把工件的等角速转动和等速直线移动联系起来,所以要在工作台纵向进给丝杠和分度头侧轴间配置一套交换齿轮,要求工件转一转时,工作台必须纵向移动一个导程距离,即纵向丝杠转 $P_h/P_{丝}$,由图中的传动关系可知:

$$\frac{P_h}{P_{丝}} \frac{z_1}{z_2} \frac{z_3}{z_4} \times \frac{1}{1} \times \frac{1}{1} \times \frac{1}{40} = 1$$

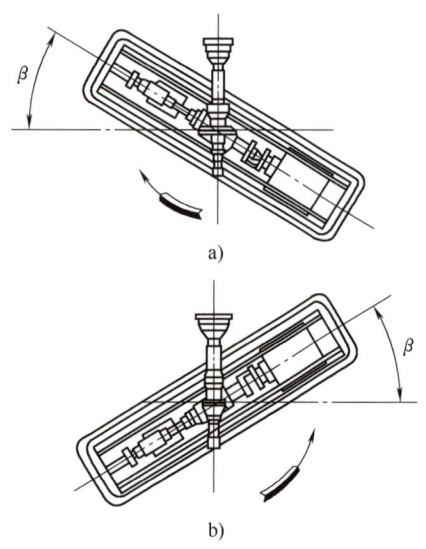

图 3-34 铣螺旋槽工作台转动方向

a) 铣削左螺旋槽 b) 铣削右螺旋槽

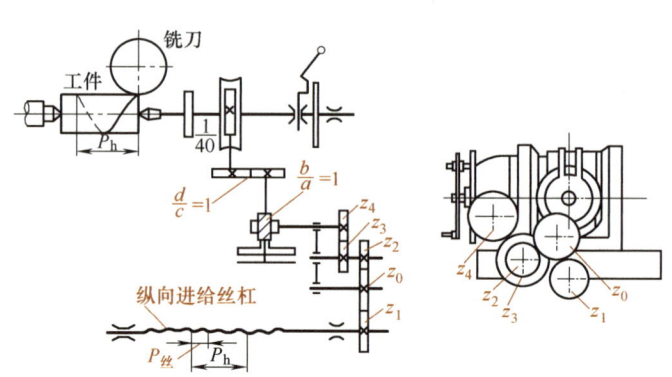

图 3-35 铣螺旋槽的传动系统

即

$$u = \frac{z_1}{z_2}\frac{z_3}{z_4} = \frac{40P_{丝}}{P_h}$$

在实际操作中,为简化计算,通常都用查表法来选取交换齿轮。先计算出工件螺旋槽的导程,再从表 3-11 中查得交换齿轮的齿数。虽然查表法是近似的,但在一般情况下可以满足精度要求。

例 3-3 加工一螺旋槽,其导程 $P_h = 81.67$ mm,试确定交换齿轮。

解 查表 3-11 得:

$$\frac{z_1}{z_2}\frac{z_3}{z_4} = \frac{90}{35} \times \frac{80}{70}$$

即 $z_1 = 90$,$z_2 = 35$,$z_3 = 80$,$z_4 = 70$。

表 3-11 交换齿轮齿数表(部分)

导程 /mm	交换齿轮				导程 /mm	交换齿轮			
	z_1	z_2	z_3	z_4		z_1	z_2	z_3	z_4
80.00	100	50	90	60	82.50	100	50	80	55
81.00	100	30	80	90	83.33	60	25	30	25
81.67	90	35	80	70	83.81	90	40	70	55
81.82	80	25	55	60	84.00	100	90	80	70
82.29	100	30	70	80	84.85	90	25	55	70

四、其他金属切削机床

1. 钻床和镗床

钻床和镗床都是用途广泛的孔加工机床。在钻床上主要是用钻头在实心材料上钻孔,采用不同的刀具还可以进行扩孔、铰孔、攻螺纹、锪沉头孔及锪端面等,如图 3-36 所示。钻孔为粗加工,铰孔为精加工。

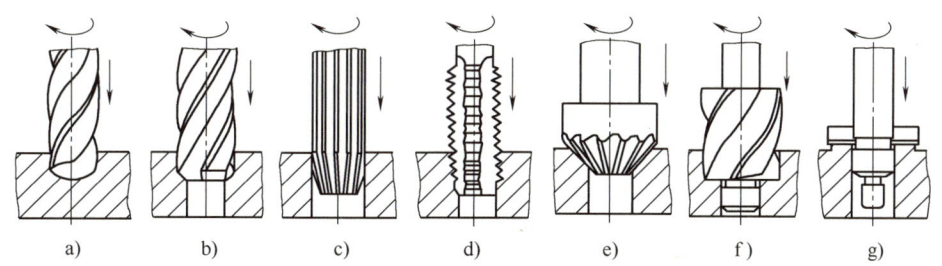

图 3-36 钻削的加工范围

a) 钻孔 b) 扩孔 c) 铰孔 d) 攻螺纹 e)、f) 锪沉头孔 g) 锪端面

在镗床上主要用于镗孔,还可以铣平面、铣沟槽、钻孔、扩孔、铰孔、车端面、车环形槽、车螺纹等。在镗床上加工孔,不仅可以得到较高的尺寸精度和形状精度,而且容易保证孔的位置精度,因此特别适于加工箱体、机架等结构复杂的零件。对于非标准孔、大直径孔、短孔、不通孔,一般也采用镗孔。典型的加工如图 3-37 所示。

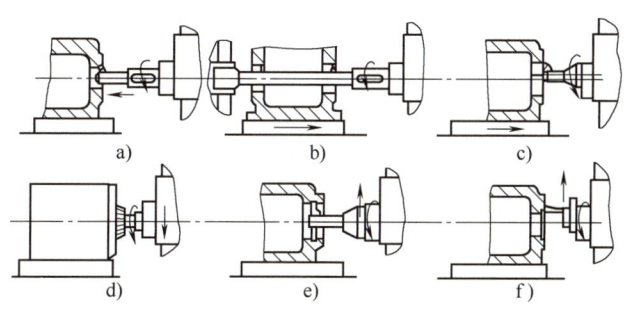

图 3-37 卧式镗床的主要加工方法

a) 镗孔 b) 镗同轴孔 c) 镗大孔
d) 铣端面 e) 车内槽 f) 车端面

(1) 钻床 在钻床上进行孔加工时,刀具安装在机床主轴上。主运动为刀具的旋转运

动，进给运动为刀具的轴向移动。常用的钻床有摇臂钻床、立式钻床、台式钻床等。现以图3-38所示的摇臂钻床为例，做简要介绍。

工件和夹具可安装在底座1或工作台6上，加工时主轴箱4可在摇臂3的水平导轨上移动调整位置，摇臂可沿立柱2上下移动，并可绕立柱在360°范围内转动，因此，可以方便地在一个扇形面内调整主轴5的位置，以便对工件上不同位置的孔进行加工。

（2）镗床　镗床与钻床分属两种机床类型，常用的镗床有卧式镗床、立式镗床、坐标镗床等。图3-39所示为最常用的卧式镗床的外形。加工时，镗轴4和平旋盘5的旋转为主运动，刀具安装在主轴箱8的镗轴4或平旋盘5上，从主轴箱8可获得各种转速和进给量。主轴箱可沿着前立柱7的导轨上下移动。工件安装在工作台3上，可与工作台一起随下滑座11或上滑座12做纵、横向移动。此外，工作台3还可以绕上滑座12的圆导轨在水平面内调整至一定角度的位置，以便加工互成一定角度的孔或平面。装在镗轴上的镗刀还可以随镗轴做轴向移动，实现轴向进给或者调整刀具轴向位置。当镗杆或刀杆伸出较长时，可用后立柱2上的后支承架1来支承其左端，以增加刚性。当刀具装在平旋盘5的径向刀架上时，径向刀架可带动刀具做径向进给，完成车削端面。

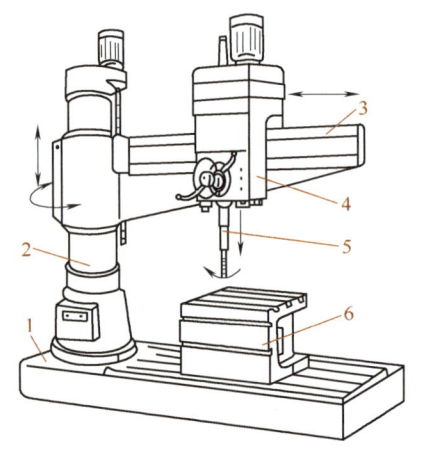

图3-38　Z3040型摇臂钻床

1—底座　2—立柱　3—摇臂　4—主轴箱
5—主轴　6—工作台

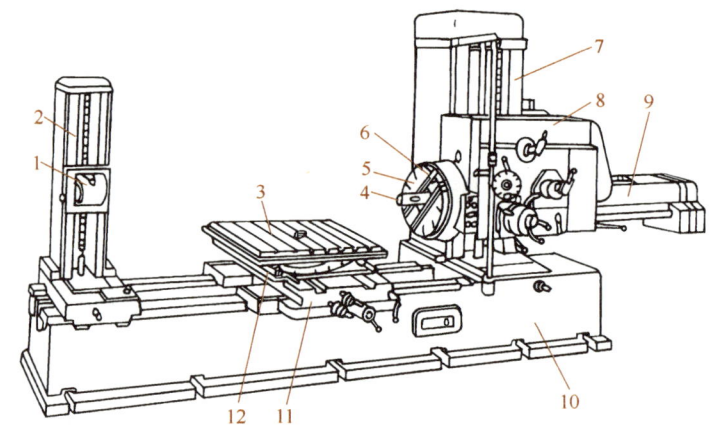

图3-39　卧式镗床

1—后支承架　2—后立柱　3—工作台　4—镗轴　5—平旋盘
6—径向导轨　7—前立柱　8—主轴箱　9—尾筒
10—床身　11—下滑座　12—上滑座

2. 磨床

磨床是以磨料、磨具（砂轮、砂带、磨石、研磨料）为工具进行磨削加工的机床。在磨床上可以加工各种表面，如外圆面、内圆面、平面、成形面、齿廓面、螺旋面等，还可以刃磨各种刀具。磨削加工能获得很高的加工精度和很小的表面粗糙度值；能加工硬度很高的材料；切削效率高；磨削加工一般是半精加工、精加工或最终加工工序，故磨削加工往往在很大程度上影响着机械产品的质量。

磨床的种类很多，常用的有万能外圆磨床、普通外圆磨床、内圆磨床、平面磨床等。下面介绍M1432A型万能外圆磨床。

（1）M1432A型万能外圆磨床的用途

1）M1432A型万能外圆磨床的运动。M1432A型万能外圆磨床主要用于磨削圆柱形或圆锥形的内外圆表面，还可以磨削阶梯轴的轴肩和端面。图3-40所示为M1432A型万能外圆磨床上几种典型表面的加工示意图。由图可知，M1432A型万能外圆磨床应具有下列运动：

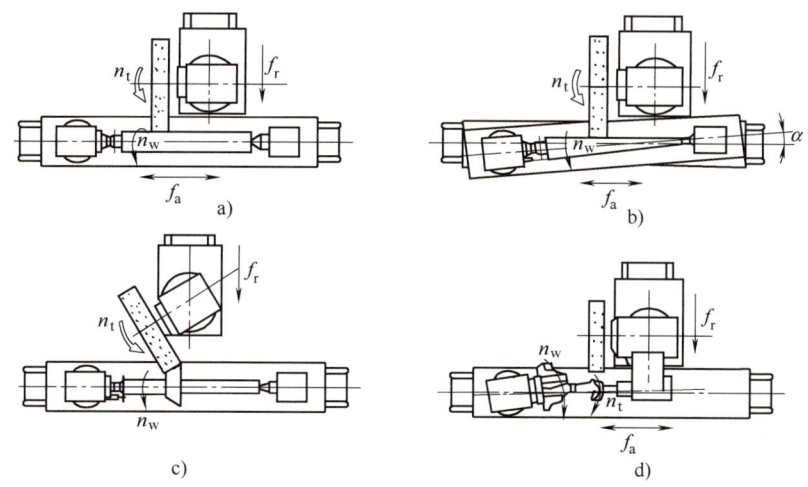

图 3-40 M1432A 型万能外圆磨床典型加工示意图
a）纵磨法磨外圆柱面 b）扳转工作台磨外圆锥面 c）扳转砂轮架用横磨法磨短圆锥面
d）扳转头架用纵磨法磨内长圆锥面

① 磨外圆时砂轮的旋转主运动 n_t。
② 磨内孔时砂轮的旋转主运动 n_t。
③ 工件旋转时做圆周进给运动 n_w。
④ 工件往复时做纵向进给运动 f_a。
⑤ 砂轮横向进给运动 f_r（往复纵磨时，为周期间歇进给；切入磨削时，为连续进给）。

此外，机床还具有两个辅助运动：为装卸和测量工件方便所需的砂轮架横向快速进退运动，为装卸工件所需的尾架套筒伸缩移动。

2）磨外圆面的方法。磨外圆面的方法有两种：即纵磨法（图 3-40a）和横磨法（横磨法又称径向磨削法或切入磨削法，如图 3-40c 所示）。纵磨法磨外圆时，工件旋转并和工作台一起做纵向往复运动，当一次往复行程终了时，砂轮应做周期性的横向进给（最终达到一定的磨削深度），每次磨削深度很小，磨削余量在多次往返运动中磨去。用横磨法磨短圆锥时，工件无纵向进给运动，砂轮以很慢的速度连续地或断续地向工件做横向进给运动，直至把余量全部磨完为止。

（2）M1432A 型万能外圆磨床的组成 如图 3-41 所示，工件支承在头架 2、尾座 6 的顶尖上，或用头架 2 上的卡盘夹持，由头架 2 上的传动装置带动旋转，实现圆周进给运动。尾座 6 在工作台上可左

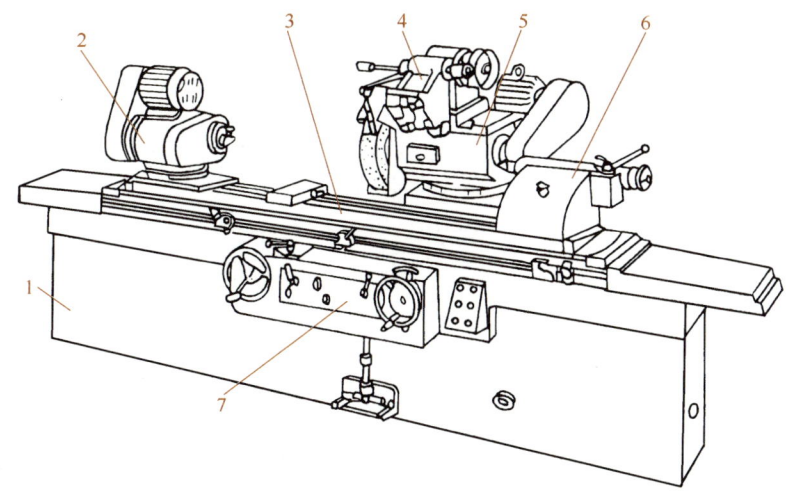

图 3-41 M1432A 型万能外圆磨床
1—床身 2—头架 3—工作台 4—内磨装置 5—砂轮架 6—尾座 7—控制箱

右移动调整位置,以适应装夹不同长度工件的需要。工作台3由液压传动沿床身导轨往复移动,使工件实现纵向进给运动,也可用手轮操纵,做手动进给或调整纵向位置。工作台3由上下两层组成,上工作台可相对于下工作台在水平面内偏转一定角度(一般不大于±10°),以便磨削锥度不大的圆锥面。砂轮架5由主轴部件和传动装置组成,安装在床身1顶面后部的横向导轨上,利用横向进给机构可实现横向进给运动以及调整位移。装在砂轮架上的内磨装置4用于磨削内孔,其上的内圆磨具由单独的电动机驱动。磨削内孔时,应将内磨装置4翻下。万能外圆磨床的砂轮架5和头架2,都可绕垂直轴线转动一定角度,以便磨削锥度较大的圆锥面。

此外,在床身内还有液压传动装置,在床身左后侧有切削液循环装置。

3. 刨床

刨床与刨削加工

刨床的特点是主运动为直线运动。

在刨床上用刨刀对工件进行切削加工时,工件装在工作台上,刨刀安装在刀架上,通过刨刀与工件之间的直线往复运动来完成对工件表面的切削。根据刀具与工件相对运动方向的不同,刨削可分为水平刨削和垂直刨削两种。水平刨削一般称为刨削,垂直刨削则称为插削。

刨床的加工范围很广,安装不同类型的刨刀可以完成水平面、竖直面、台阶面、倾斜面、直槽、燕尾槽、T形槽、V形槽、曲面、齿条、成形表面的加工及切断工件,如图3-42所示。

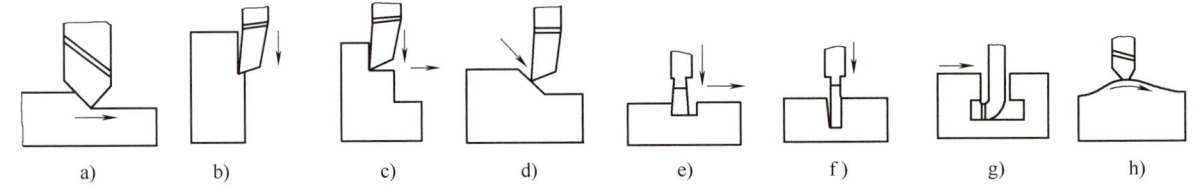

图 3-42 刨削的加工范围

a) 刨平面 b) 刨竖直面 c) 刨台阶面 d) 刨斜面 e) 刨直槽 f) 切断 g) 刨T形槽 h) 刨成形面

刨床主要有龙门刨床、牛头刨床和插床等。

(1) 龙门刨床 图3-43所示为龙门刨床的外形图。它主要由床身1、工作台2、立柱6、横梁3、垂直刀架4、侧刀架9和进给箱7等组成。机床的主运动是工作台沿床身导轨做的水平直线往复运动。床身1的两侧固定有立柱6,两立柱由顶梁5连接,形成结构刚性较好的龙门框架。横梁3上装有两个垂直刀架4,可分别做横向和垂直方向的进给运动及快速调整移动。横梁可沿立柱垂直导轨做升降移

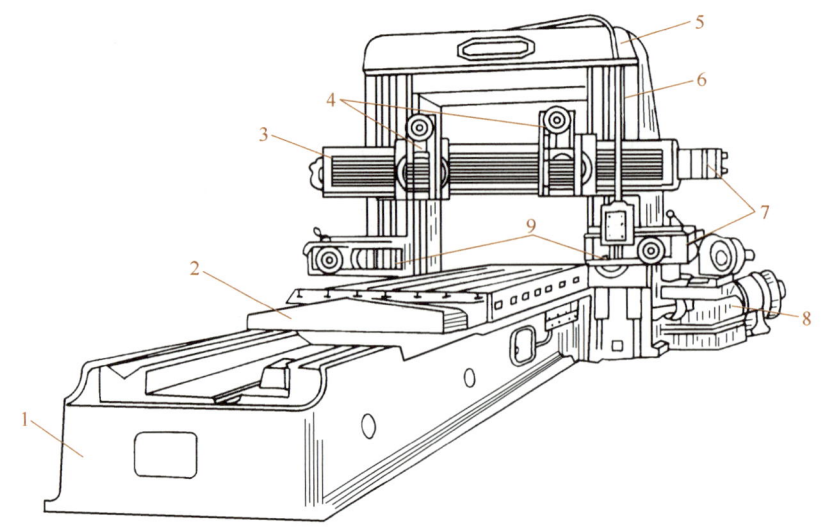

图 3-43 龙门刨床的外形图

1—床身 2—工作台 3—横梁 4—垂直刀架 5—顶梁 6—立柱 7—进给箱 8—减速箱 9—侧刀架

动，以调整垂直刀架的位置，适应不同高度的工件加工。横梁升降位置确定后，由夹紧机构夹紧在两个立柱上。左右立柱分别装有侧刀架，可分别沿垂直方向做自动进给和快速调整移动，以加工大侧平面。

龙门刨床主要用于加工大型或重型零件上的各种平面、沟槽和各种导轨面，也可在工作台上一次装夹数个中小型零件进行多件加工。

（2）牛头刨床　图3-44所示为牛头刨床的外形图，它主要由工作台1、横梁2、刀架3、滑枕4、床身5、底座6等部分组成。牛头刨床的主运动是滑枕4的往复运动；进给运动是工作台1在横梁2导轨上的间歇直线移动。此外，横梁2可连同工作台沿床身垂直导轨做升降调整运动；刀架3可做一定量的上下移动，并可以偏转一定的角度，以适应背吃刀量的调整和刨削角度。

牛头刨床主要刨削中、小型零件的各种平面及沟槽，适用于单件、小批生产的工厂及维修车间。

（3）插床　插床又称立式刨床，如图3-45所示，插床主要由床身（立柱）4、滑座6和7、圆工作台1、滑枕2等部分组成。插床的主运动是滑枕2沿立柱导轨3的上下往复直线运动；圆工作台1可带动工件回转，做周向进给运动，上滑座7和下滑座6可分别做纵向和横向的进给运动。

插床主要用于单件、小批生产中加工各种槽（多用于插削内孔键槽）、平面及成形面。

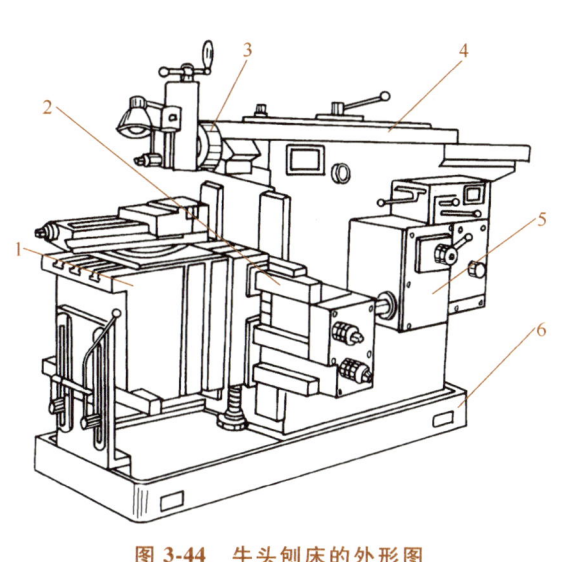

图 3-44　牛头刨床的外形图
1—工作台　2—横梁　3—刀架　4—滑枕
5—床身　6—底座

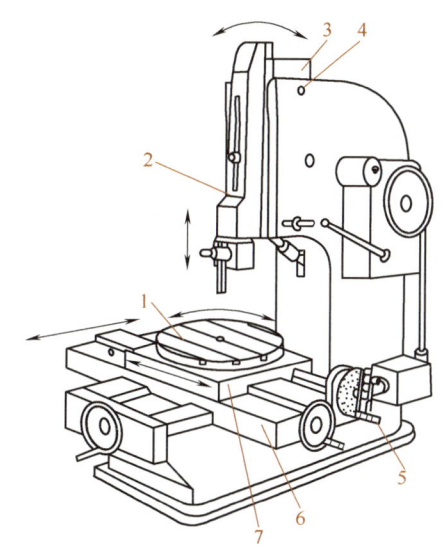

图 3-45　插床
1—圆工作台　2—滑枕　3—立柱导轨
4—床身　5—分度装置　6—下滑座　7—上滑座

第二节　刀具

一、常用刀具的种类及特点

金属切削刀具是完成切削加工的重要工具，它直接参与切削过程，从工件上切除多余的金属层。刀具是切削加工中影响生产率、加工质量和成本的最活跃的因素。在数控机床的自身技术性能不断提高的情况下，刀具的性能直接决定机床性能的发挥。

（1）车刀　车刀是金属切削加工中应用最为广泛的刀具之一。车刀的种类很多，按结构可分为整体式车刀、焊接式车刀、机夹重磨式车刀和可转位式车刀等，如图3-46所示。按用途的不同，可分为外圆车刀、端面车刀、螺纹车刀、镗孔车刀和切断刀等。

（2）孔加工刀具　孔加工刀具是在实体材料上加工出孔或对原有孔扩大孔径的一类刀具，如

a) b) c) d)

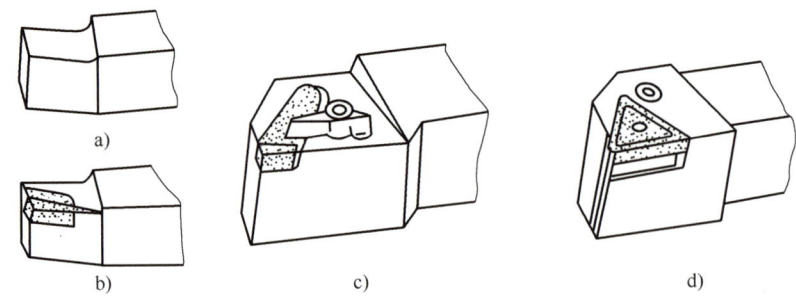

图 3-46 车刀的种类

a）整体式车刀 b）焊接式车刀 c）机夹重磨式车刀 d）可转位式车刀

图 3-47a 所示的麻花钻、图 3-47b 所示的铰刀、图 3-47c 所示的镗刀等。

a) b) c)

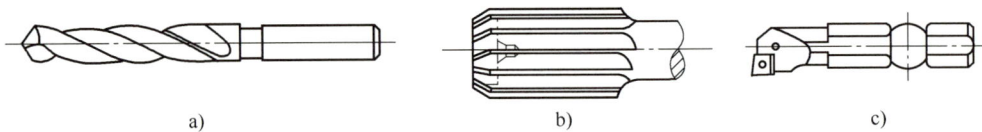

图 3-47 孔加工刀具

（3）拉刀 拉刀是一种在工件上拉削出各种内、外几何表面的刀具，如图 3-48 所示，其生产率高，用于大批量生产，刀具成本高。

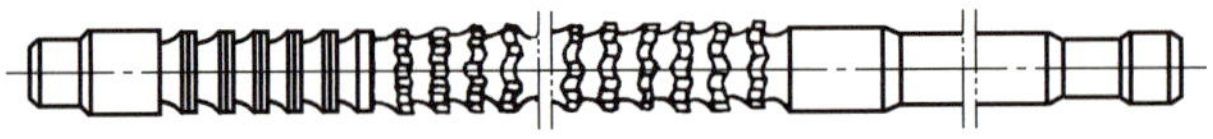

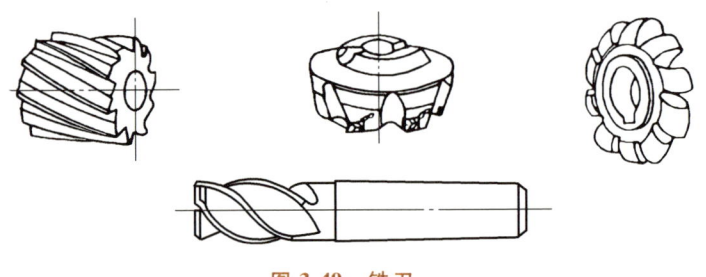

图 3-48 拉刀

（4）铣刀 铣刀是一种在圆柱或端面具有多齿、多刃的刀具，如图 3-49 所示。它可以用来加工平面、各种沟槽、螺旋表面、轮齿表面和成形表面等。

图 3-49 铣刀

（5）螺纹刀具 螺纹刀具指加工内、外螺纹表面的刀具。常用的有丝锥、板牙、螺纹切头、螺纹滚压工具以及车刀、梳刀等。丝锥、板牙如图 3-50 所示。

a) b)

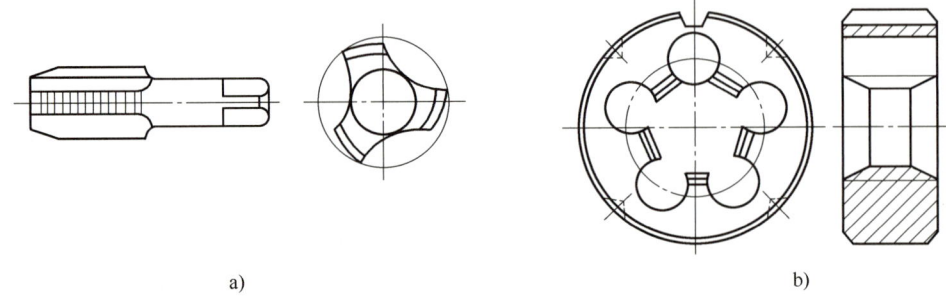

图 3-50 螺纹刀具

a）丝锥 b）板牙

（6）齿轮刀具　齿轮刀具指用于加工齿轮、链轮、花键等齿形的一类刀具，如齿轮滚刀、插齿刀、剃齿刀、花键滚刀等，如图3-51所示。

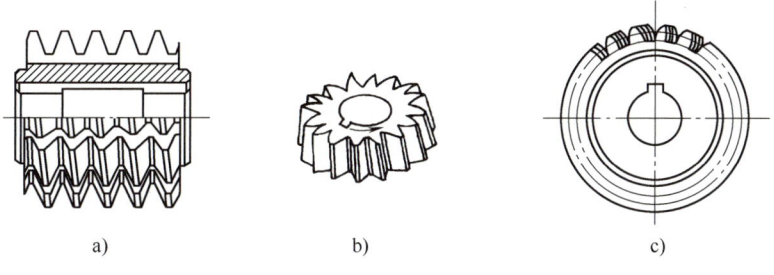

图 3-51　齿轮刀具

a）齿轮滚刀　b）插齿刀　c）剃齿刀

（7）磨具　磨具指用于表面精加工和超精加工的刀具，如砂轮、砂带、抛光轮等。砂轮如图3-52所示。

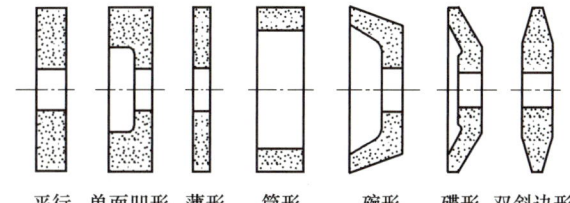

图 3-52　砂轮

二、常用刀具材料

1. 刀具材料应具备的性能

切削过程中，刀具的切削部分是在很大的切削力、较高的切削温度及剧烈摩擦等条件下工作的。由于切削余量不均匀或切削时形不成带状切屑，便会产生冲击和振动，因此刀具切削部分的材料应具备以下几种性能：

（1）高硬度　硬度是刀具材料最基本的性能，其硬度必须高于工件材料的硬度，以便刀具切入工件。在常温下刀具材料的硬度应在60HRC以上。

（2）高耐磨性　高耐磨性是刀具抵抗磨损的能力，在剧烈的摩擦下刀具磨损要小。一般来说，硬度越高，耐磨性越好。

（3）高耐热性　高耐热性是指刀具在高温下仍能保持原有的硬度、强度、韧性和耐磨性等性能。

（4）足够的强度和韧性　强度主要指抗弯强度，韧性是指冲击韧度。刀具只有具备足够强度和韧性，才能承受较大的切削力和切削时产生的振动，以防刀具脆性断裂和崩刃。

（5）良好的工艺性　为便于刀具本身的制造，刀具材料还应具有良好的工艺性能，如切削性能、磨削性能、焊接性能及热处理性能等。

2. 刀具材料的种类

目前生产中所用的刀具材料以高速钢和硬质合金居多。碳素工具钢、合金工具钢因耐热性差，一般仅用于手工工具或切削速度较低的刀具。

认识金属材料

金属切削刀具材料的种类

（1）高速钢　高速钢又称锋钢、白钢，以钨、铬、钒、钼为主要合金元素，热处理后硬度可达62~67HRC，在550~600℃时仍能保持常温下的硬度和耐磨性，有较高的抗弯强度和冲击韧度，并易磨出锋利的切削刃。因此，高速钢特别适宜制造形状复杂的切削刀具，如钻头、丝锥、铣刀、拉刀、齿轮等，其允许切削速度一般为$v_c<30m/min$。常用的牌号有W18Cr4V和W6Mo5Cr4V2。在此基础上提高碳含量，再添加一些其他合金元素，其硬度可达68~70HRC，600~650℃时仍能保持正常的切削性能，寿命可提高1.3~3倍，如W6Mo5Cr4V2Co8。

（2）硬质合金　硬质合金是用难熔的金属碳化物（WC、TiC）粉末作为基体，以金属钴（Co）为黏结剂，经高压压制后烧结而成。硬质合金具有较高的耐磨性和耐热性，能耐850~1000℃的高温，硬度可达74~82HRC，允许使用的切削速度可达100~300m/min，寿命比高速钢高十几倍，因此得到广泛的应用。但硬质合金的抗弯强度低，冲击韧性差，使用中很少制成整体刀具，一般制成各种形状的刀片焊接或夹固在刀体上。

1) 钨钴类 YG（K）。成分为碳化钨（WC）+钴（Co），耐热温度为 800~900℃，硬度为 74~80HRC，强度和韧性相对钨钛钴类较好，主要用于加工有色金属、铸铁等脆性材料。常用牌号有：YG3 含钴 3%（质量分数，下同），用于精加工；YG6 含钴 6%，用于半精加工；YG8 含钴 8%，用于粗加工。含钴量越多，硬度、耐磨性和耐热性越差，强度和韧性越好。

2) 钨钛钴类 YT（P）。成分为碳化钨（WC）+碳化钛（TiC）+钴（Co），耐热温度为 900~1000℃，硬度为 75~82HRC，强度和韧性相对较差，主要用于加工钢、合金钢等塑性材料。常用牌号有：YT5 含 TiC5%，用于粗加工；YT15 含 TiC15%，用于半精加工；YT30 含 TiC30%，用于精加工。其中，含 TiC 越多，硬度、耐磨性和耐热性越好，强度和韧性越差。

3) 钨钛钽钴类硬质合金 YW（M）。成分是碳化钨（WC）+碳化钛（TiC）+碳化钽（碳化铌）[TaC（NbC）]+钴（Co）。由于加入了稀有金属碳化物，提高了抗弯强度和韧性，也提高了耐热性、高温硬度和抗氧化能力。它是一种既能加工钢，又能加工铸铁、有色金属及其合金，通用性好的刀具材料，常用牌号有 YW1、YW2。

4) 其他类硬质合金。

① 钨钽钴类硬质合金（YA）。成分是碳化钨（WC）+碳化钽（碳化铌）[TaC（NbC）]+钴（Co）。由于加入了稀有金属碳化物，使其具有较高的常温硬度和耐磨性，同时细化晶粒，提高了高温硬度、高温强度和抗氧化能力，因此，是一种优质的钨钴类硬质合金。

② 碳化钛基硬质合金（YN）。碳化钛基硬质合金是以碳化钛（TiC）为基体，镍（Ni）、钼（Mo）为黏结剂，并加入少量其他碳化物的硬质合金。

③ 表面涂层硬质合金。表面涂层硬质合金是采用韧性较好的基体，通过化学气相沉积和真空溅射等方法，在硬质合金刀片表面喷涂一层厚度为 5~12μm 的碳化钛（TiC）、氮化钛（TiN）或三氧化二铝（Al_2O_3）等材料而成的。

合理地选择不同类型的硬质合金，对于发挥其效能具有特别重要的意义（表 3-12）。

表 3-12 不同类型的硬质合金所适应的加工条件

代号	加工材料	适应的加工条件
P01	钢、铸钢	高切削速度、小切削截面、无振动条件下的精车、精镗
P10	钢、铸钢	高切削速度、中等或小切削截面条件下的车削、仿形车削，车螺纹和铣削
P20	钢、铸钢、可锻铸铁	中等切削速度和中等切削截面下的车削、仿形车削和铣削，小切削截面的刨削
P30	钢、铸钢、可锻铸铁	中等或低等切削速度、中等或大切削截面条件下的车削、铣削、刨削和不利条件下的加工
P40	钢、含砂眼和气孔的铸钢件	低切削速度、大切削角、大切削截面，以及不利条件下的车削、刨削、切槽和自动车床的加工
P50	钢、含砂眼和气孔的中强度和低强度钢铸件	用于要求硬质合金有高韧性的工序：在低切削速度、大切削角、大切削截面及不利条件下的车削、刨削、切槽和自动车床上加工
M10	钢、铸钢、锰钢、灰铸铁和合金铸铁	中等或高切削速度、小或中等切削截面的车削、铣削
M20	钢、铸钢、奥氏体钢、锰钢、灰铸铁	中等切削速度、中等切削截面的车削、铣削
M30	钢、铸钢、奥氏体钢、灰铸铁、耐高温合金	中等切削速度、中等或大切削截面的车削、铣削、刨削
M40	低碳易切钢、低强度钢、有色合金和轻合金	车削、切断，特别适于自动机床的加工
K01	特硬灰铸铁、冷硬铸铁、高硅铝合金、淬硬钢、高耐磨塑料、硬纸板、陶瓷	粗车、精车、镗削、铣削、刮削

（3）其他刀具材料　用于制作切削刀具的材料还有陶瓷、人造金刚石和立方氮化硼。

陶瓷材料制作的刀具硬度可达 90~95HRA，耐热温度高达 1200~1450℃，能承受的切削速度比硬质合金还要高。但抗弯强度低，冲击韧度差。目前主要用于半精加工和精加工高硬度、高强度钢及冷硬铸铁等材料，如 AM、AMF、AMT 等。

人造金刚石（JR）是目前人工制成的硬度最高的刀具材料。人造金刚石不但可以加工硬度高的硬质合金、陶瓷、玻璃等材料，还可加工有色金属及其合金，但不宜切铁族金属。这是由于铁和碳原子的亲和力强，易产生粘结作用而加速刀具磨损。

立方氮化硼的硬度和耐磨性仅次于人造金刚石，耐热性和化学稳定性好，在 1300~1500℃ 时仍能切削。但抗弯强度低，焊接性能差。立方氮化硼适用于高硬度、高强度淬火钢和耐热钢的精加工、半精加工，也可用于有色金属的精加工。

三、刀具的磨损及刀具寿命

一把磨好的刀具，经过一段时间切削后，切削刃由锋利逐渐变钝，如果继续使用就会发现工件已加工表面粗糙度值增大，切削温度升高，切屑颜色开始发生变化，甚至会产生振动或不正常的噪声。这说明刀具已严重磨损，必须重磨或换刀。

1. 刀具磨损的形式

刀具正常磨损时，按其发生的部位不同可分为三种形式。

（1）刀具后面磨损　如图 3-53a 所示，在切削脆性金属或以较低的切削速度、较小的切削层厚度（$h_D<0.1\text{mm}$）切削塑性金属时，刀具前面上的压力和摩擦力不大，磨损主要发生在刀具后面上。刀具后面磨损后，在切削刃附近形成后角接近于 0° 的小棱面，用高度 VB 表示。

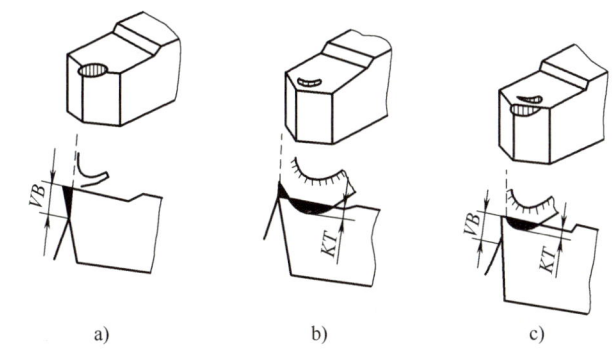

图 3-53　刀具的磨损形式
a) 刀具后面磨损　b) 刀具前面磨损　c) 刀具前、后面同时磨损

（2）刀具前面磨损　如图 3-53b 所示，在以较高的切削速度和较大的切削厚度（$h_D>0.5\text{mm}$）切削塑性金属时，切屑对刀具前面的压力大、摩擦剧烈、温度高，磨损主要发生在刀具前面上。磨损后在刀具前面上切削刃口附近出现月牙洼，用月牙洼的深度 KT 表示。

（3）刀具前、后面同时磨损　如图 3-53c 所示，发生的条件介于上述两种磨损之间。

2. 刀具的磨损过程

刀具的磨损过程如图 3-54 所示，一般可分为三个阶段：

（1）初期磨损阶段　由于刃磨后的刀具表面微观形状高低不平，后面与加工表面的实际接触面积很小，故磨损较快（图示 OA 阶段）。

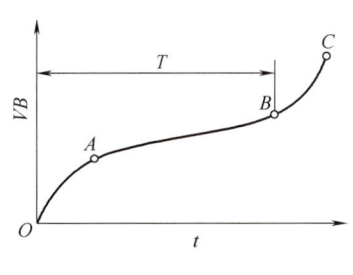

图 3-54　刀具的磨损过程

（2）正常磨损阶段　由于刀具上微观不平的表层被迅速磨去，表面光洁，摩擦力减小，故磨损较慢（图示 AB 阶段）。

（3）急剧磨损阶段　刀具经过正常磨损阶段后即进入急剧磨损阶段，切削刃将急剧变钝。如果继续使用，切削力将骤然增大，切削温度急剧上升，加工质量显著恶化（图示 BC 阶段）。

3. 刀具寿命

在正常磨损阶段后期、急剧磨损阶段之前换刀或重磨，既可保证加工质量，又能充分利用刀具材料。

(1) 刀具磨损限度　在大多数情况下，后面都有磨损，而且测量也较容易，故通常以后面磨损的宽度 VB 作为刀具磨损限度。

(2) 刀具寿命的概念　刀具寿命是指两次刃磨之间实际进行切削的时间，用 T（min）表示。在实际生产中，不可能经常测量 VB 的高度，而是通过确定刀具寿命，作为衡量刀具磨损限度的标准。刀具寿命的数值应规定得合理。对于制造和刃磨比较简单、成本不高的刀具，寿命可定得短些；对于制造和刃磨比较复杂、成本较高的刀具，寿命应定得长些。通常，硬质合金车刀 $T=60\sim90$ min；高速钢钻头 $T=80\sim120$ min；齿轮滚刀 $T=200\sim300$ min。

(3) 刀具总寿命　刀具总寿命 t 是指一把新刀具从开始切削到报废为止的总切削时间。刀具总寿命与刀具寿命之间的关系为：

$$t = nT$$

式中　n——刀具刃磨次数。

(4) 影响刀具寿命的因素　影响刀具寿命的因素很多，主要有工件材料、刀具材料、刀具几何角度、切削用量以及是否使用切削液等因素。切削用量中切削速度 v 的影响最大，所以为了保证各种刀具所规定的寿命，必须合理地选择切削速度。

四、车刀的刃磨

车刀用钝后，需进行刃磨，才能达到所需要的几何角度和形状。车刀刃磨可在砂轮机上进行，也可在磨刀机（工具磨床）上进行，下面主要介绍手工刃磨车刀的方法。

通常车刀是在砂轮机上，用手工进行刃磨。刃磨时，人要站在砂轮的侧面，两手握稳车刀，轻轻接触砂轮，不能用力过猛，以免砂轮破碎造成事故。利用砂轮的圆周进行磨削，经常左右移动，防止砂轮出现沟槽。

新焊的车刀或高速钢车刀，以及用钝后的车刀，都需刃磨。手工刃磨车刀是在砂轮机上进行的。白色氧化铝砂轮，用于磨高速钢刀具和硬质合金刀具的刀体部分；绿色碳化硅砂轮用于磨硬质合金刀具。

刃磨时，首先检查砂轮片是否完好，站在砂轮侧面起动砂轮机。刃磨车刀时，身体的主要部分要避开砂轮旋转的切线方向，戴好护目镜，刃磨过程中两手握稳车刀，轻轻接触砂轮，用力均匀，不能用力过猛，以免砂轮破碎造成事故。刀具倾斜角度要合适，使刃磨后的车刀有合理的几何角度。刃磨时利用砂轮的圆周进行磨削，经常左右移动，防止砂轮出现沟槽，车刀的刃磨顺序如下：

1) 用氧化铝砂轮磨去刀具前面、主后面、副后面上的焊渣。
2) 磨刀具后面，磨出车刀的主偏角和后角。
3) 磨刀具副后面，磨出车刀的副偏角和副后角。
4) 磨刀具前面和断屑槽，磨出车刀的前角及刃倾角。
5) 修磨刀尖圆弧、负刀棱、过渡刃。目的是提高切削刃和刀尖的强度，改善散热条件。

在砂轮上磨好车刀各面后，还应用磨石细磨车刀各面，从而提高车刀寿命和工件加工质量。

第三节　夹具

一、机床夹具概述

1. 机床夹具在机械加工中的作用

在机械加工过程中，用以确定工件相对于刀具和机床的正确位置，并使这个位置在加工过程中不因外力的影响而变动的工艺装备，称为机床夹具。如车床上使用的自定心卡盘，铣床上使用的机用虎钳、分度头等，都是机床夹具。机床夹具的作用主要有以下几个方面：

1) 保证加工精度。采用夹具装夹工件可以准确地确定工件与机床的相对位置，并且不受工人技术水平因素的影响，工件在加工中的正确位置易于得到保证，因此能较容易、较稳定地保证工件的加工精度。

2) 提高劳动生产率。夹具能够快速地装夹工件，缩短装夹工件的辅助时间，提高劳动生产率。

3) 扩大机床的工艺范围。在普通机床上配置合适的夹具可以扩大机床的工艺范围，实现一机多能。

4) 降低对工人的技术要求和减轻工人的劳动强度。

2. 机床夹具的分类

机床夹具通常有三种分类方法，即按应用范围、使用的机床、夹紧动力源来分类。

1) 按应用范围分为通用夹具、专用夹具、组合夹具和可调夹具。
2) 按使用的机床分为车床夹具、铣床夹具、钻床夹具、镗床夹具及数控机床夹具等。
3) 按夹紧动力源分为手动、液压、气动、电磁、自紧夹具等。

3. 机床夹具的组成

（1）定位元件　夹具上与工件定位基准面接触，并用以确定工件正确位置的零件称为定位元件。如图3-55所示，铣床夹具中的V形块5、定位支承板3是定位元件。

（2）夹紧装置　夹紧装置包括夹紧机构和动力源。其功能是夹紧工件，使工件保持正确的位置，以防由于外力作用而产生位移或振动。如图3-55所示，工件用偏心轮4来实现夹紧。

（3）夹具体　夹具体是夹具的基础件，其作用是使夹具各组成部分连接成一体，并使它们之间有正确的相对位置。图3-55中的件1就是夹具体。

（4）导向元件和对刀元件　导向和对刀元件是用来保证夹具与刀具之间的相互位置的。图3-55中铣床夹具中的对刀块6为常用的对刀元件。

（5）其他元件和装置　有些夹具还有分度机构、定向键、平衡块等。

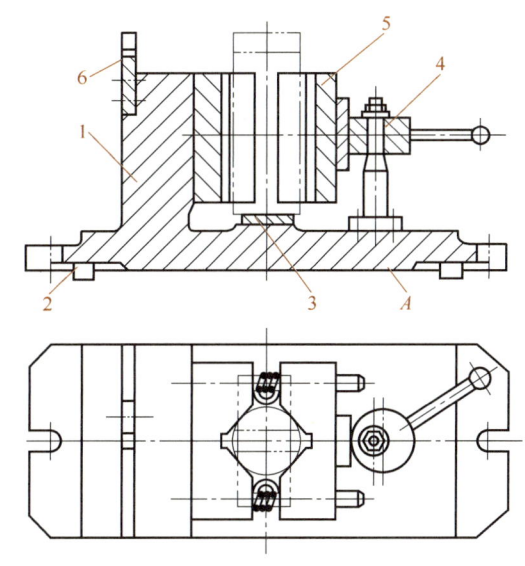

图 3-55　铣轴端面槽的夹具

1—夹具体　2—定向键　3—定位支承板　4—偏心轮
5—V 形块　6—对刀块

二、工件的定位原理

1. 六点定位规则

工件在直角坐标系中有六个自由度，即 $\vec{x}$、$\vec{y}$、$\vec{z}$、$\hat{x}$、$\hat{y}$、$\hat{z}$，如图 3-56 所示。其中，$\vec{x}$、$\vec{y}$、$\vec{z}$ 称为沿 x、y、z 轴方向的移动自由度；$\hat{x}$、$\hat{y}$、$\hat{z}$ 称为绕 x、y、z 轴的转动自由度。夹具用合理分布的六个支承点限制工件的六个自由度，即用一个支承点限制工件的一个自由度的方法，使工件在夹具中的位置完全确定。这就是六点定位规则。

六个支承点的分布方式与工件的形状有关。下面分析几种典型工件的定位支承点分布规律，如图 3-57 所示。

图 3-57a 所示为六面体类工件的六点定位情况。工件底面 A 落在

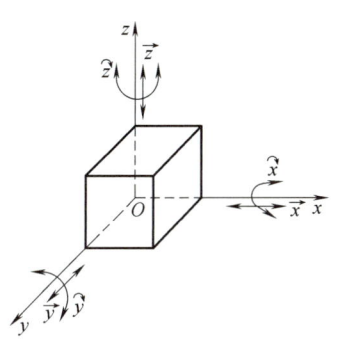

图 3-56　工件的六个自由度

不处于同一直线上的三个支承点上,限制了工件的 $\vec{z}$、$\hat{x}$、$\hat{y}$ 三个自由度,起主要定位作用,称为第一定位基准(或称主要定位基准);侧面 B 靠在两个支承点上,两点沿与 A 面平行方向布置,限制了工件的 $\vec{x}$、$\hat{z}$ 两个自由度,称为第二定位基准(或称导向定位基准);侧面 C 用一个支承点,限制了 $\vec{y}$ 一个自由度,称为第三定位基准(或称止推定位基准)。这样,工件的六个自由度均被限制,工件在夹具中的位置完全确定。

图 3-57b 所示为盘类工件的六点定位。底面为第一定位基准,用三个支承点限制 $\vec{z}$、$\hat{x}$、$\hat{y}$ 三个自由度;圆周表面为第二定位基准,用两个支承点限制 $\vec{x}$、$\vec{y}$ 两个自由度;槽的侧面为第三定位基准面,用一个支承点限制 $\hat{z}$ 一个自由度。这样,工件的位置已完全确定。

图 3-57c 所示为轴类工件的六点定位。轴外圆为第一定位基准,用四个支承点限制工件的 $\vec{x}$、$\vec{z}$、$\hat{x}$、$\hat{z}$ 四个自由度;轴端面为第二定位基准,用一个支承点限制工件 $\vec{y}$ 的自由度;轴的键槽为第三定位基准,用一个支承点限制工件的 $\hat{y}$ 的自由度。由图可见,工件的位置就已完全确定。

根据工件形状的不同,以及定位基准的不同,支承点的分布还会有其他形式。

应该指出,理论上的支承点在实际夹具中都是具体的定位元件。如图 3-57a 中的底面三个支承点,在实际夹具中可能是一个平面的定位元件,或是三个小平面支承块;图 3-57b 中圆周面的两个支承点,在实际夹具中可能是一个短 V 形块;图 3-57c 中圆柱面上的四个支承点,在实际夹具中是一个长 V 形块。因此,运用六点定位规则来分析和设计工件的定位装置时,并不都是如图 3-57 所示那样明显直观,必须从定位元件实际上能够限制几个自由度来分析判断。

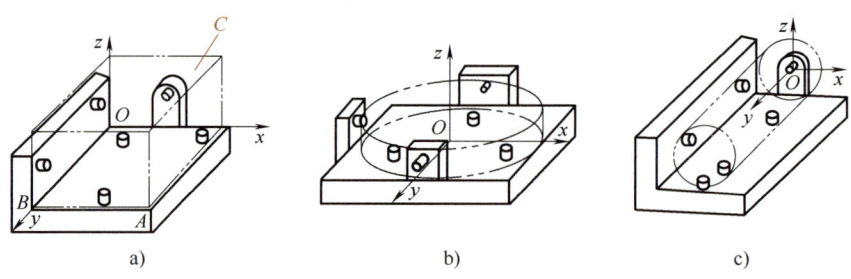

图 3-57 工件的六点定位

2. 六点定位规则的应用

通过适当设置定位元件限制工件六个自由度,即为完全定位,这是常见的定位情况。然而生产中是否在任何情况下都需要限制工件的六个自由度呢?实际上不需要,一般要根据工件的加工要求确定工件应该被限制的自由度数。

(1) 应限制的自由度的确定 工件的定位一般只需限制足以影响加工精度的自由度即可,对加工精度无影响的自由度可以不必限制。例如,在图 3-58a 所示的长方体工件上铣槽,本工序的尺寸要求是 L 和 H,除尺寸精度外,还要保证槽侧面与工件侧面、槽底面与工件底面平行。因此需限制除 $\vec{y}$ 之外的五个自由度。又如在图 3-58b 所示的长方体工件上磨平面,仅要求被加工平面与工件底面平行及厚度尺寸,因而只需限制工件 $\vec{z}$、$\hat{x}$、$\hat{y}$ 三个自由度。

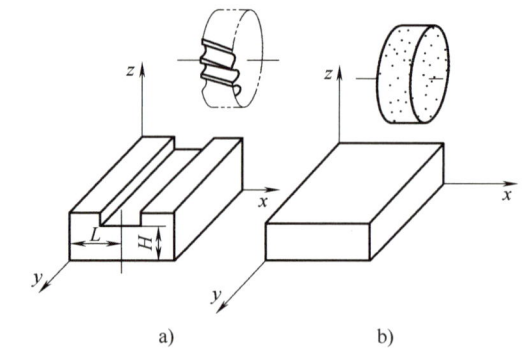

图 3-58 不完全定位示例

由上两例可见,在保证加工要求的前提下,有时并不需要完全限制工件的六个自由度,不影响加工要求的自由度可以不限制,这称为不完全定位,不完全定位是合理的定位方式。

(2) 欠定位　按加工要求应该限制的自由度没有被全部限制，使工件定位不足，称为欠定位。欠定位不能保证加工要求，因而是不允许的。例如，对图 3-59 所示的圆柱形工件铣槽，沿 x 轴方向的键槽尺寸 L 应予保证。但图示定位方式中沿 x 轴方向没有设置定位元件（后顶尖是活动的，位置不确定），这将使工件装夹以后沿 x 轴方向位置不确定，使一批工件装夹以后的位置不一致，L 尺寸不能得到保证，原因就是 $\vec{x}$ 这一自由度应限制而没有限制，出现了欠定位。

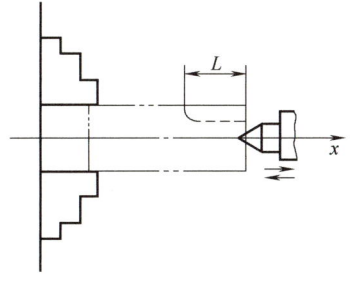

图 3-59　欠定位的示例

(3) 过定位　工件定位时几个定位支承点重复限制同一个自由度，这样的定位称为过定位。一般情况下，过定位会出现定位干涉，使工件的定位精度受到影响，使工件或定位元件在工件夹紧后产生变形。因此，在分析和制订工件定位方案时应避免出现过定位。但是在生产实际中也常会遇到工件过定位的情况，这说明过定位不能单凭定位元件所能转化成的定位支承点数简单地加以确认，对于过定位是否允许，应根据具体情况具体分析。下面举例说明。

图 3-60 所示长方体工件以底面为定位基准加工上表面。支撑工件的四个定位支承钉相当于四个定位支承点，但只能限制工件 $\vec{z}$、$\hat{x}$、$\hat{y}$ 三个自由度，所以是过定位。这种定位情况是否允许要看四个支承钉能否处于同一个平面内，以及工件的定位基准的精度状况。如果工件的底面为粗基准，则工件放在四个支承钉上后，实际上只有三点接触。对一批工件来说，与各个工件相接触的三点是不同的，造成工件位置的不一致；对一个工件来说，则会在夹紧力的作用下，或使与工件定位基准相接触的三点发生变动，造成定位基准位置的变动和定位不稳定；或使定位基准与四个定位支承钉全部接触，造成工件变形，产生较大的误差。这是工件的三个自由度由四个定位支承点限制所造成的结果，因而在这种情况下不允许采用四个支承钉重复定位，应改用三个支承钉重新布置其位置，或者把四个支承钉之一改为辅助支承，使其只起支承作用而不起定位作用。

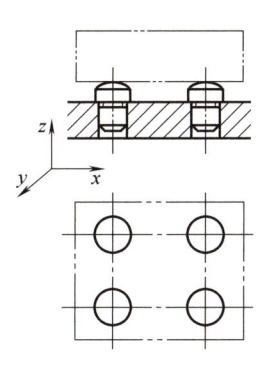

图 3-60　平面的过定位

若工件的底面是经过精加工的精基准，而四个定位支承钉又准确地位于同一平面内（装配后一次磨出），则工件定位基准会与定位支承钉很好地接触，不会出现超出允许范围的定位基准位置的变动，而且支承稳固，工件受力变形小。这种情况下的四个定位支承钉（或者两条窄平面、一个整平面）只起三个定位支承点的作用，因而过定位是允许的。

当工件定位基准和定位元件精度都较高时，重复限制相同自由度的定位元件之间不会产生干涉，不影响工件的正确位置，则过定位是允许的。反之，过定位将使工件定位不稳定，增大同批工件在夹具中位置的不一致；或使工件或定位元件产生变形，降低加工精度；甚至使工件不能顺利地与定位件配合，以致不能装夹，这种情况下的过定位是不允许的。

三、常见定位方式及其元件

1. 工件以平面定位

工件以平面作为定位基准面，是最常见的定位方式之一，如箱体、床身、机座、支架等类零件的加工中，较多地采用了平面定位。常用的定位元件如下所述。

(1) 主要支承　主要支承用来限制工件的自由度，起定位作用。常用的有固定支承、可调支承、自位支承三种。

固定支承有支承钉和支承板两种类型。其结构和尺寸都已标准化，如图 3-61 所示。在使用过程中，它们都是固定不动的。

当工件以粗基准定位时，采用球头支承钉（图 3-61b）或齿纹头支承钉（图 3-61c）；当工件以精基准定位时可采用平头支承钉（图3-61a）或支承板。图3-61d所示的支承板结构简单，制造方便，但孔边切屑不易清除干净，故适用于侧面和顶面定位。图3-61e所示的支承板便于清除切屑，适用于底面定位。

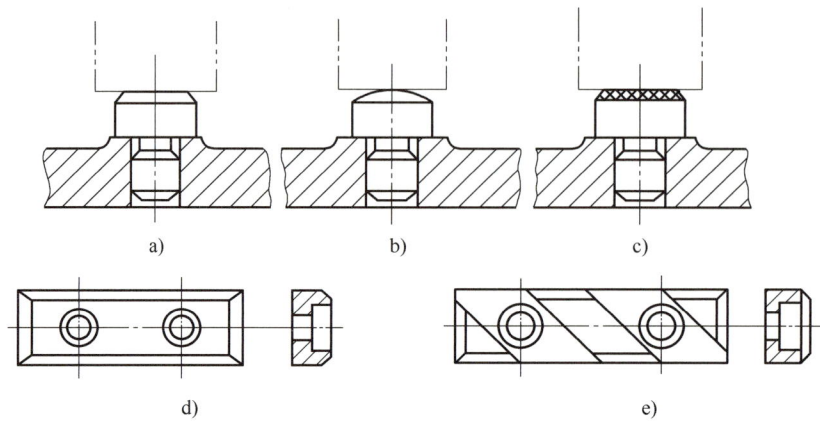

图 3-61　支承钉和支承板

图3-62所示为可调支承的结构，用于工件定位过程中支承钉的高度需要调整的场合，如毛坯分批制造，其形状及尺寸变化较大而又以粗基准定位的场合。

自位支承（又称浮动支承）是在工件定位过程中能自动调整位置的支承，如图3-63所示，其作用相当于一个固定支承，只限制一个自由度，适用于工件以粗基准定位或刚性不足的场合。

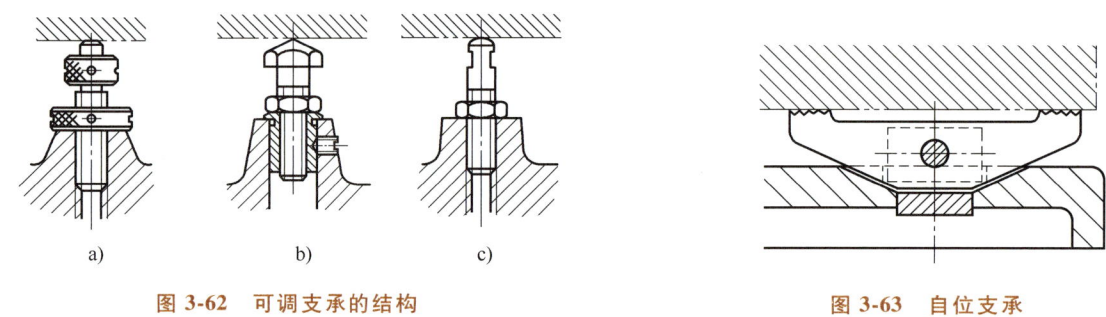

图 3-62　可调支承的结构　　　　　图 3-63　自位支承

（2）辅助支承　辅助支承只用来提高工件的装夹刚度和稳定性，不起定位作用。它是在工件夹紧后再固定下来，以承受切削力。辅助支承的应用实例如图3-64所示。

2. 工件以圆孔定位

在生产中以圆孔定位的零件很多，如连杆类、套类、盘类以及一些中小型壳体类零件等。常用的定位元件是定位销和定位心轴。

（1）定位销　定位销常用的有圆柱销和圆锥销。图3-65所示为常用定位销的结构，限制两个自由度。图3-65a、b、c为固定式；大批大量生产时，为便于定位销的更换，可采用图3-65d所示带衬套的结构型式。定位销已标准化，设计时可查有关手册。

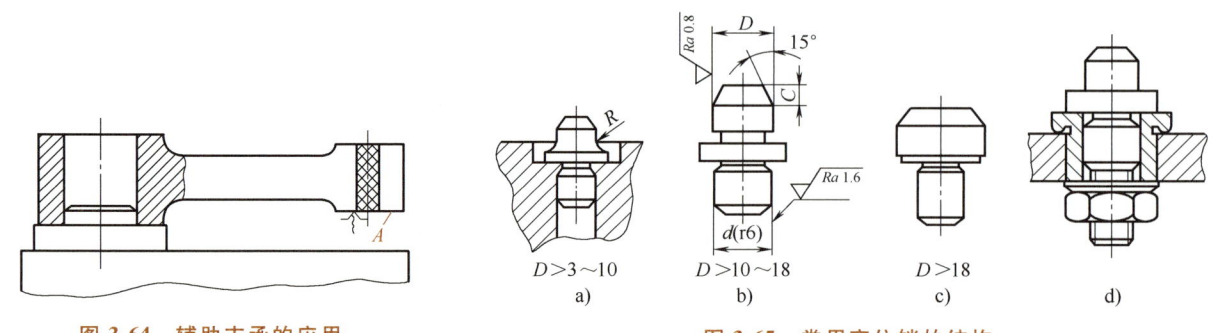

图 3-64　辅助支承的应用　　　　图 3-65　常用定位销的结构

图 3-66 所示是工件以圆孔在圆锥销上定位的示意图，它限制了工件的三个自由度。

（2）心轴 心轴常用的有圆柱心轴和圆锥心轴。图 3-67 所示为常用的圆柱心轴结构形式。它主要用于车、铣、刨、磨、齿轮加工等机床上加工套筒和盘类零件。图 3-67a 所示为间隙配合心轴，装卸方便，定心精度不高。图 3-67b 所示为过盈配合心轴，这种心轴制造简单，定位准确，不用另设夹紧装置，但装卸不方便。图 3-67c 所示为花键心轴，用于加工以花键定位的工件。

圆锥心轴（小锥度心轴）定位精度高，可达 $\phi 0.02 \sim \phi 0.03$ mm，但工件的轴向位移误差加大，适于工件定位孔精度不低于 IT7 的精车和磨削加工，不能加工端面。

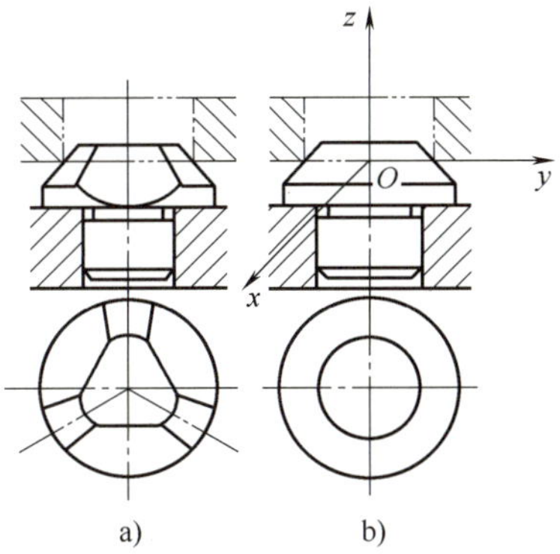

3. 工件以外圆柱面定位

以圆柱面定位的工件有轴类、套类、盘类、连杆类以及小壳体类等。常用的定位元件有 V 形块、定位套、半圆孔等。

（1）V 形块 图 3-68 所示为常用 V 形块结构。图 3-68a 用于较短定位面；图 3-68b、c 用于较长的或阶梯轴定位面，其中图 3-68b 用于粗基准，图 3-68c 用于精基准；图 3-68d 用于工件较长且定位基准面直径较大的场合。V 形块结构尺寸参见有关手册。其优点是对中性好，即能使工件的定位基准轴线处于 V 形块两工作斜面的对称面上，并且安装方便。

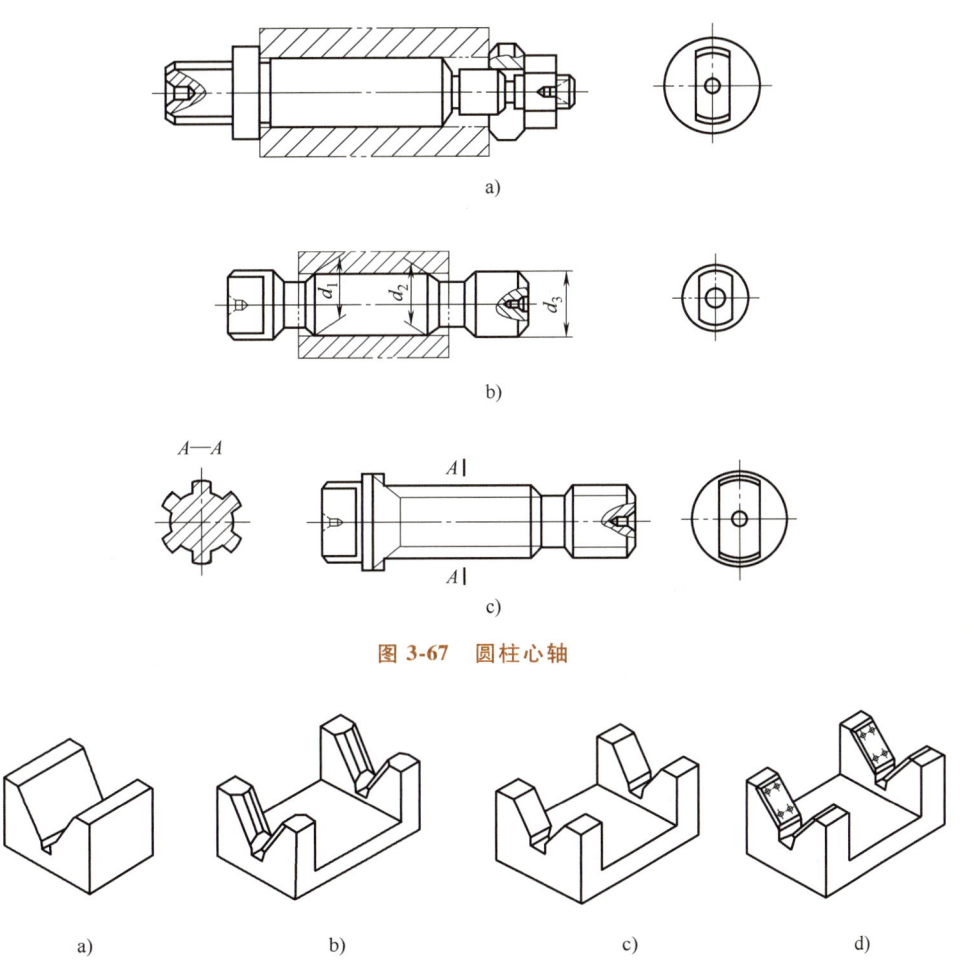

图 3-66 圆锥销定位
a）切边圆锥销 b）圆锥销

图 3-67 圆柱心轴

图 3-68 V 形块的结构

（2）定位套 图 3-69 所示为常用的两种定位套。为了限制工件沿轴向的自由度，常与端面联合定位。用端面作为主要定位面时，应控制套的长度，以免过定位。定位套的定位精度不高，只适于精基准。

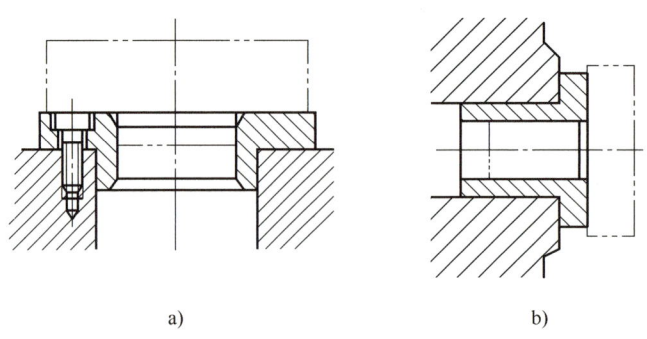

图 3-69 定位套

常用定位元件所能限制的自由度见表 3-13。

表 3-13 常用定位元件所能限制的自由度

工件定位基准面	定位元件	定位方式简图	定位元件特点	限制的自由度
平面	支承钉		—	1、2、3——$\vec{z}$、$\hat{x}$、$\hat{y}$ 4、5——$\vec{x}$、$\hat{z}$ 6——$\vec{y}$
	支承板		每个支承板也可设计为两个或两个以上小支承板	1、2——$\vec{z}$、$\hat{x}$、$\hat{y}$ 3——$\vec{x}$、$\hat{z}$
	固定支承与浮动支承		1、3——固定支承 2——浮动支承	1、2——$\vec{z}$、$\hat{x}$、$\hat{y}$ 3——$\vec{x}$、$\hat{z}$
	固定支承与辅助支承		1、2、3、4——固定支承 5——辅助支承	1、2、3——$\vec{z}$、$\hat{x}$、$\hat{y}$ 4——$\vec{x}$、$\hat{z}$ 5——增加刚性,不限制自由度
圆孔	定位销（心轴）		短销（短心轴）	$\vec{x}$、$\vec{y}$
			长销（长心轴）	$\vec{x}$、$\vec{y}$、$\hat{x}$、$\hat{y}$
	锥销		单锥销	$\vec{x}$、$\vec{y}$、$\vec{z}$
			1——固定销 2——活动销	$\vec{x}$、$\vec{y}$、$\vec{z}$ $\hat{x}$、$\hat{y}$

（续）

工件定位基准面	定位元件	定位方式简图	定位元件特点	限制的自由度
外圆柱面	支承钉或支承板		短支承钉或支承板	$\vec{z}$
			两个支承钉或长支承板	$\vec{z}$、$\vec{\widehat{x}}$
	V形块		窄V形块	$\vec{x}$、$\vec{z}$
			宽或两个窄V形块	$\vec{x}$、$\vec{z}$ $\vec{\widehat{x}}$、$\vec{\widehat{z}}$
			垂直运动的窄V形块	$\vec{x}$
	定位套		短套	$\vec{x}$、$\vec{z}$
			长套	$\vec{x}$、$\vec{z}$ $\vec{\widehat{x}}$、$\vec{\widehat{z}}$
	半圆孔		短半圆孔	$\vec{x}$、$\vec{z}$
			长半圆孔	$\vec{x}$、$\vec{z}$ $\vec{\widehat{x}}$、$\vec{\widehat{z}}$
	锥套		单锥套	$\vec{x}$、$\vec{y}$、$\vec{z}$
			1——固定锥套 2——活动锥套	$\vec{x}$、$\vec{y}$、$\vec{z}$ $\vec{\widehat{x}}$、$\vec{\widehat{z}}$

四、工件的夹紧

夹紧是工件装夹过程中的重要组成部分。工件定位后，必须通过一定的机构产生夹紧力把它固定，使工件保持准确的定位位置，以保证在加工过程中，在切削力等外力作用下不产生位移或振动。这种产生夹紧力的机构称为夹紧装置。

1. 夹紧装置的组成和基本要求

（1）夹紧装置的组成　夹紧装置的结构形式很多，但就其组成而言，如图 3-70 所示夹紧装置主要由三部分组成。

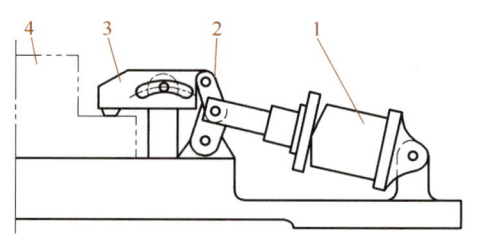

图 3-70　夹紧装置组成示意图
1—力源装置　2—中间传动机构　3—夹紧元件　4—工件

1）力源装置。力源装置是产生夹紧原始作用力的装置，对机动夹紧机构，它是指气动、液压、电力等动力装置。

2）中间传动机构。中间传动机构是把力源装置产生的力传给夹紧元件的中间机构。其作用是能改变力的作用方向和大小，当手动夹紧时能可靠地自锁。

3）夹紧元件。夹紧元件是夹紧装置的最终执行元件，它直接和工件接触，把工件夹紧。

（2）对夹紧装置的基本要求

1）夹紧过程可靠。夹紧过程中不破坏工件在夹具中的正确位置。

2）夹紧力大小适当。夹紧后的工件变形和表面压伤程度必须在加工精度允许的范围内。

3）结构性好。夹紧装置的结构力求简单、紧凑，便于制造和维修。

4）使用性好。夹紧动作迅速、操作方便、安全省力。

2. 夹紧力的确定

夹紧力的确定就是确定夹紧力的大小、方向和作用点。

（1）夹紧力作用点的选择

1）夹紧力作用点必须作用在定位元件的支承表面上或作用在几个定位元件所形成的稳定受力区域内，如图 3-71 所示。

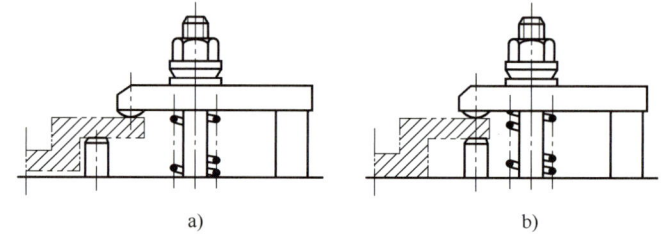

图 3-71　夹紧力作用点与工件稳定的关系
a）错误　b）正确

2）夹紧力作用点应作用在工件刚性较好的部位。如图 3-72a 所示，夹紧薄壁箱体时，夹紧力不应作用在箱体的顶面，而应作用在刚性好的凸边上。箱体没有凸边时，如图 3-72b 所示，将单点夹紧改为三点夹紧，从而改变了着力点的位置，减少了工件的变形。

3）夹紧力的作用点应适当靠近加工表面。图 3-73 所示为在拨叉上铣槽。由于主要夹紧力的作用点距加工表面较远，故在靠近加工表面的部位设置了辅助支承，增加了夹紧力 F_w，这样提高了工件的装夹刚性，减少了加工时的工件振动。

（2）夹紧力方向的选择

1）夹紧力的作用方向不应破坏工件的定位。工件在夹紧力的作用下要确保其定位基准面紧贴定位元件的工作表面。为此要求主夹紧力的方向应指向主要定位基准面。如图 3-74 所示，工件被镗孔与 A 面有垂直度要求，A 面为主要定位基准面，应使夹紧力垂直于 A 面。

2）夹紧力作用方向应使工件的夹紧变形小。如图 3-75 所示，加工薄壁套筒时，由于工件的径向刚度很差，若用卡爪径向夹紧，工件变形大，改为沿轴向施加夹紧力，变形就会小得多。

3）夹紧力作用方向应使所需夹紧力尽量小。如图 3-76 所示为夹紧力 F_w、工件重力 G 和切削力 F 三者关系的几个典型情况，可见图 3-76a 所示需夹紧力最小。

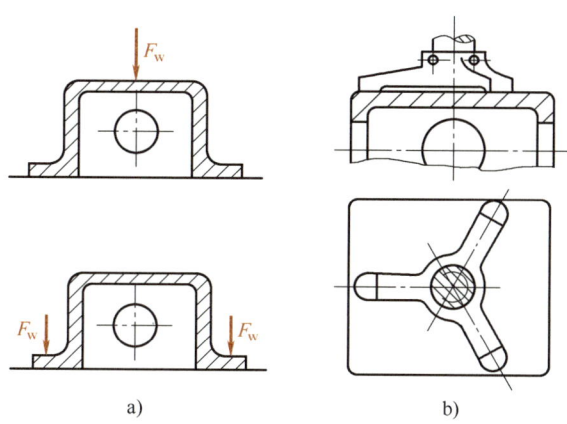

图 3-72 夹紧力作用点与夹紧变形的关系

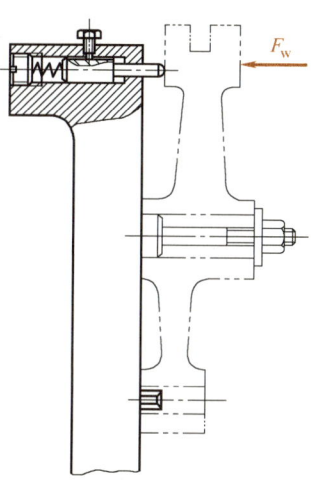

图 3-73 夹紧力作用点靠近加工表面

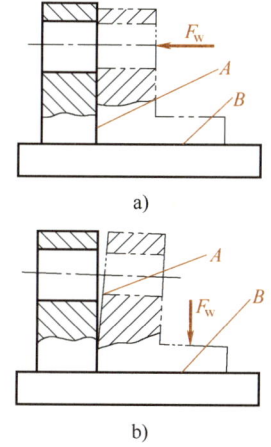

图 3-74 夹紧力方向垂直指向主要定位支承表面

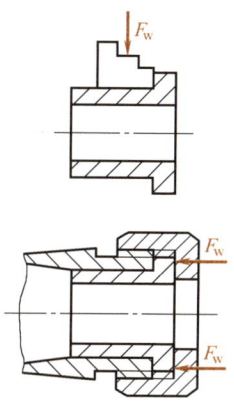

图 3-75 夹紧力的作用方向对工件变形的影响

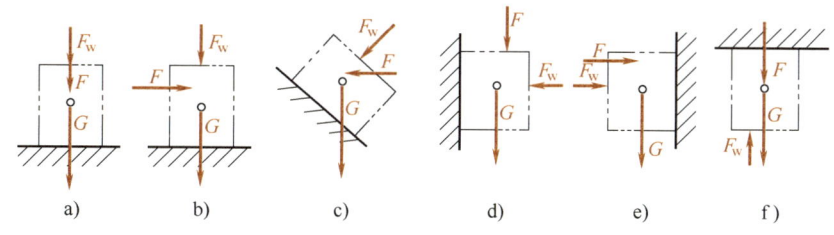

图 3-76 夹紧力的方向与夹紧力大小的关系

（3）夹紧力大小的确定 从理论上讲，夹紧力的大小应与在加工过程中工件受到的切削力、离心力、惯性力、重力所形成的合力或者力矩相平衡，但是在不同条件下，上述作用力在平衡系中对工件所起的作用各不相同。如采取一般切削规范加工中、小工件时，起决定作用的因素是切削力（矩）；加工笨重大型工件时，还需考虑工件重力的作用；高速切削时，不能忽视离心力和惯性力的作用；此外，影响切削力的因素也很多，如工件材质、加工余量、刀具磨损等都会使切削力不稳定。为了简化计算，通常假设工艺系统是刚性的，切削过程是稳定的，然后找出在加工过程中最不利的瞬时状态，按照静力平衡原理求出夹紧力大小。为了保证安全可靠，将计算出来的夹紧力再乘以安全系数，作为需要的夹紧力。即

$$F_w = KF$$

式中　F_w——实际所需的夹紧力；

　　　F——由静力平衡计算出的夹紧力；

　　　K——安全系数，一般取 $K=3\sim3.5$，粗加工取大值，精加工取小值。

3. 几种常用的夹紧机构

（1）斜楔夹紧机构　斜楔夹紧机构是利用斜面直接或间接压紧工件的机构，图3-77为几种斜楔夹紧机构的实例。

1）夹紧力的计算。若以 F_Q 力作用于斜楔的大端，则楔块产生的夹紧力 F_w 为

$$F_w = F_Q / [\tan\phi_1 + \tan(\alpha+\phi_2)]$$

式中　F_w——斜楔对工件产生的夹紧力（N）；

　　　α——斜楔升角；

　　　F_Q——作用在斜楔大端的原始作用力（N）；

　　　ϕ_1——斜楔与工件间的摩擦角；

　　　ϕ_2——斜楔与夹具体间的摩擦角。

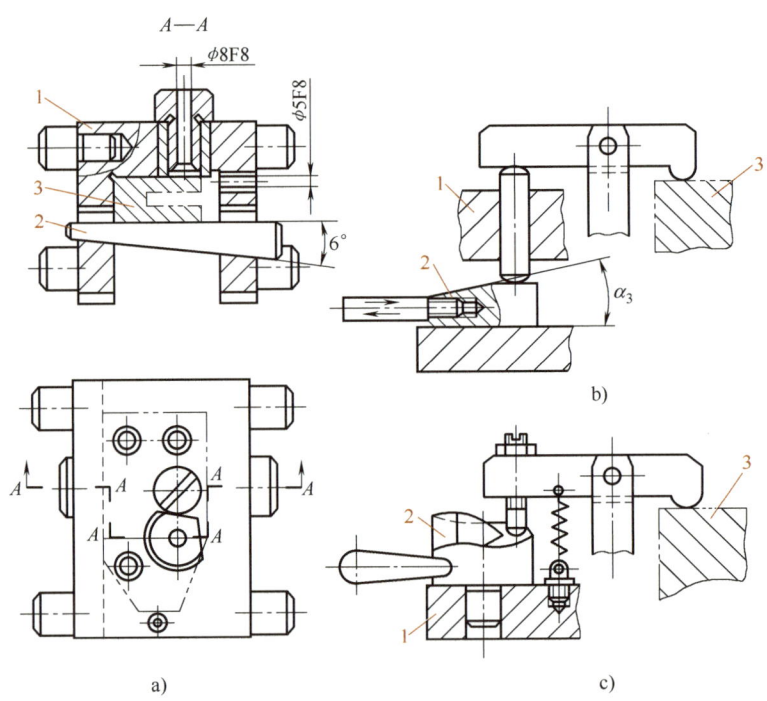

图 3-77　斜楔夹紧机构

1—夹具体　2—斜楔　3—工件

2）自锁条件。当用人力作用于斜楔时，要求斜楔能实现自锁。其自锁条件为：

$$\alpha \leq \phi_1 + \phi_2$$

一般为了自锁可靠，手动夹紧机构取 $\alpha=6°\sim8°$。

由于手动单一斜楔夹紧机构的夹紧力小、波动大、敲击费时费力，因此，直接用斜楔夹紧工件的情况很少，而普遍应用斜楔与其他机构组合对工件实现夹紧。

（2）螺旋夹紧机构　采用螺旋直接夹紧或者采用螺旋与其他元件组合实现夹紧的机构，统称为螺旋夹紧机构。螺旋夹紧机构结构简单，夹紧力大，自锁性能好，且有较大的夹紧行程，故目前在夹具设计中被广泛采用。

1）单个螺旋夹紧机构。图3-78所示是直接用螺钉或螺杆夹紧工件的机构。图3-78a所示螺钉头部直接与工件表面接触，螺栓转动时，可能损伤工件表面或带动工件转动。克服这一缺点的方法是在螺

栓头部装上如图 3-78b 所示的摆动压块。摆块的结构已经标准化，可根据夹紧表面来选择。图 3-79 所示为生产中经常采用的快速螺旋夹紧机构。

2) 螺旋压板机构。螺旋压板夹紧机构是一种应用最广的夹紧机构，图 3-80 所示为四种典型的螺旋压板夹紧机构。图 3-80a、b 为移动压板，图 3-80c、d 为回转压板。

（3）偏心夹紧机构　用偏心件直接或间接夹紧工件的机构，称为偏心夹紧机构。常用的偏心件有圆偏心轮和偏心轴。图 3-81 所示是偏心夹紧机构的应用实例。偏心夹紧机构操作方便、夹紧迅速，但夹紧力和夹紧行程都小。一般用于切削力不大、振动小的场合。

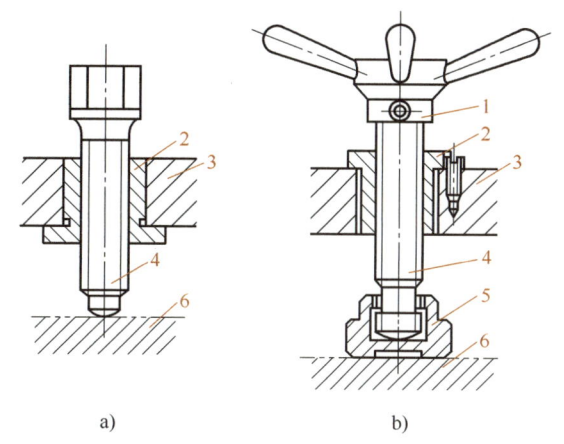

图 3-78　螺旋夹紧机构

1—扳手　2—衬套　3—夹具体　4—螺杆　5—摆块
6—工件

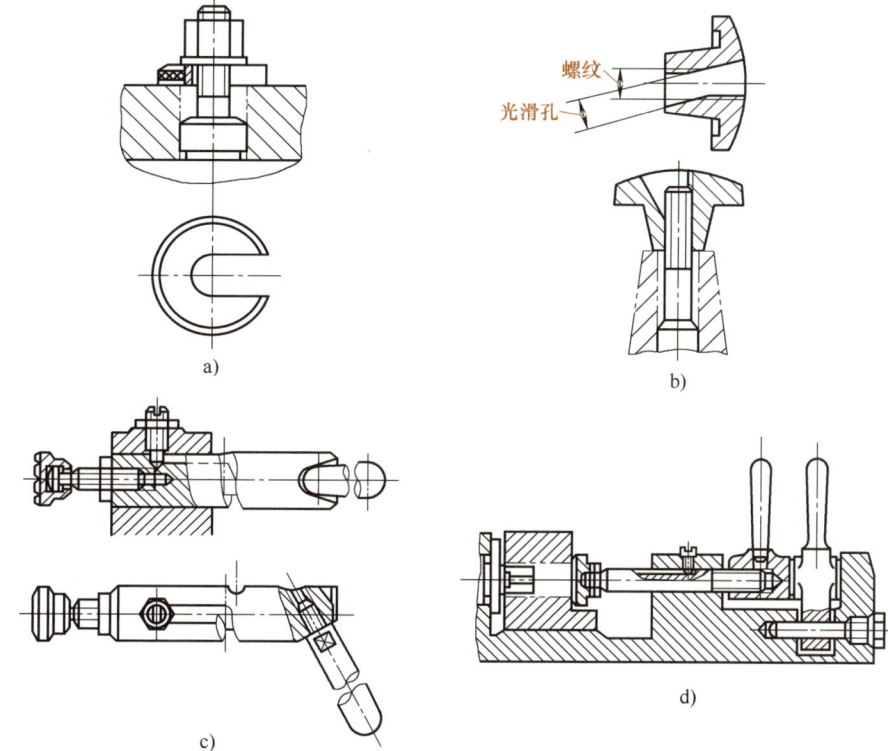

图 3-79　快速螺旋夹紧机构

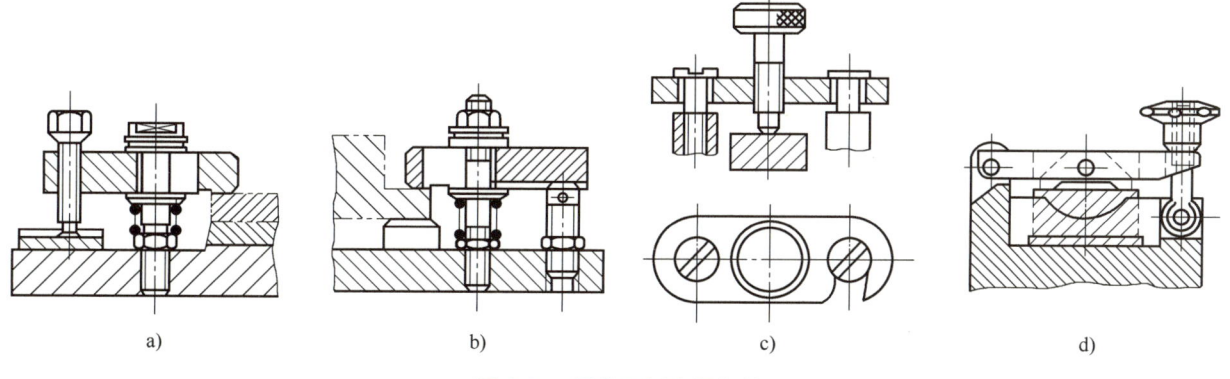

图 3-80　螺旋压板夹紧机构

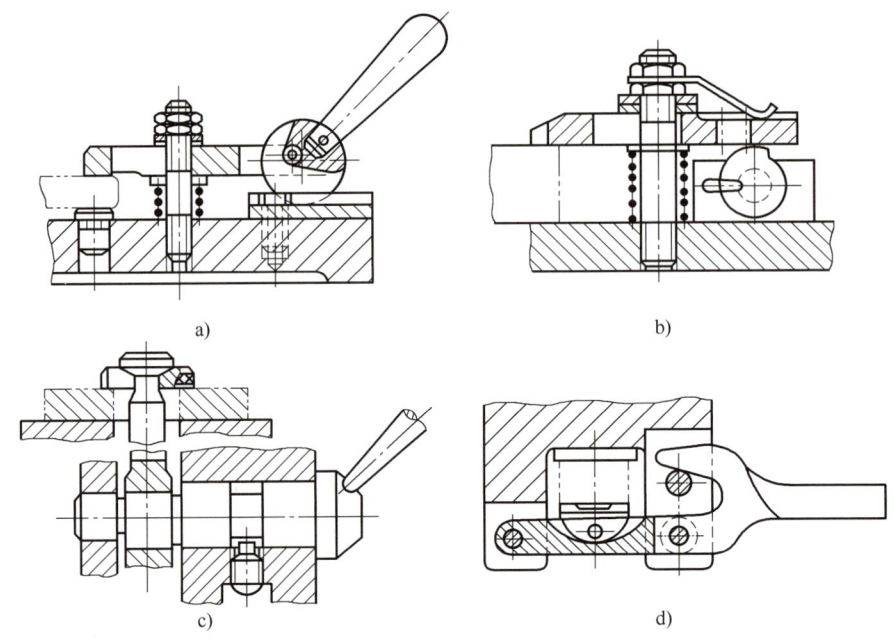

图 3-81 偏心夹紧机构的应用实例

(4) 联动夹紧机构 能同时多点夹紧一个工件或同时夹紧几个工件的机构,称为联动夹紧机构。

1) 多点联动夹紧。图 3-82 所示为铰链式双向联动夹紧机构。只要拧紧螺母,可使工件在两个方向上得到同时夹紧。

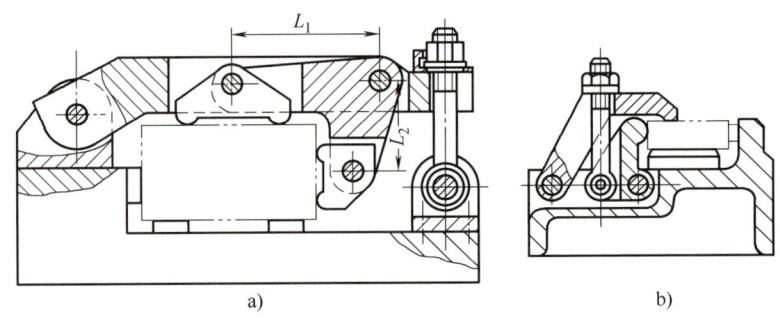

图 3-82 铰链式双向联动夹紧机构

2) 多件联动夹紧。多件联动夹紧多用于小型工件,在铣床夹具中应用尤为广泛。根据夹紧方式和夹紧力方向不同,可分为平行夹紧、顺序夹紧、对向夹紧等方式,如图 3-83 所示。

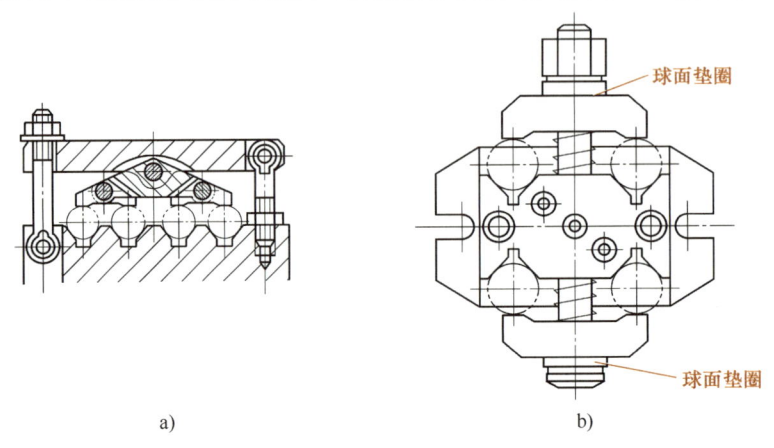

图 3-83 多件联动夹紧机构

a) 平行夹紧 b) 平行和对向复合夹紧

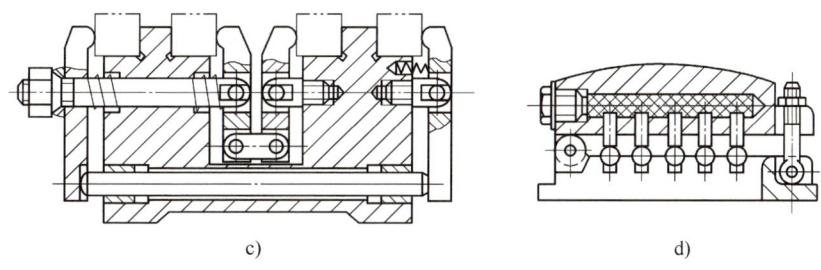

图 3-83 多件联动夹紧机构（续）

c）对向多件夹紧　d）液性塑料代替浮动元件的平行夹紧

（5）定心夹紧机构　定心夹紧机构能使工件的定位与夹紧同时完成，例如车床上的自定心卡盘、弹簧夹头等。其特点是定位与夹紧是同一个元件，利用该元件的等速趋近或退离，完成工件的定位夹紧或松开。

定心夹紧机构主要适用于几何形状对称，并以对称轴线、对称中心或对称平面为工序基准的工件的定位夹紧。它可以保证工件的定位基准与工序基准重合，使工件定位基准面的尺寸公差对称分布，保持良好的定心或对中作用。图 3-84 所示为液性塑料心轴定心夹紧机构。

车床卡盘的装卸方法

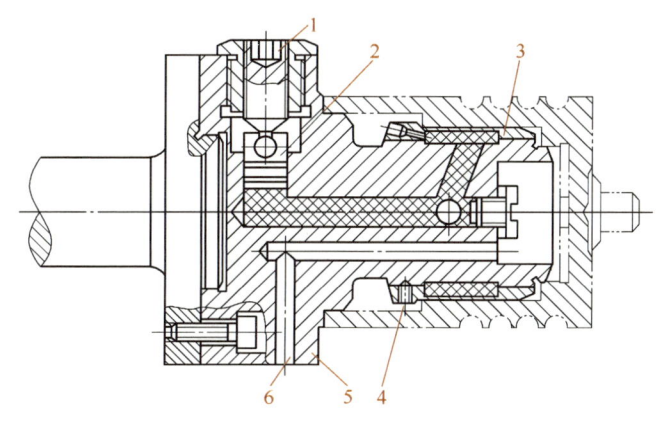

图 3-84　液性塑料心轴定心夹紧机构

1—加压螺钉　2—柱塞　3—薄壁套　4—防转螺钉　5—夹具体　6—通气口

第四节　工件

一、概述

工件是机械加工过程中被加工对象的总称。工件的结构千差万别，但都是由一些基本表面和特形表面组成的。基本表面主要有内外圆柱面、平面等；特形表面主要指成形表面。表面不同则加工方案不同。如对于平面，可以选择刨削、铣削、拉削或磨削等方法进行加工；对于孔，可以选择钻削、车削、镗削、拉削或磨削等方法进行加工。

工件表面的组合情况和尺寸大小，形成了各种工件在结构特点上和加工方案选择上的差别。在机械加工过程中，通常按工件的结构特点和工艺过程的相似性，工件大体上分为轴类、套类、箱体类、齿轮类等。

工件技术要求主要有以下几方面的内容：

1）加工精度。加工精度主要包括被加工表面的尺寸精度、形状精度和相互位置精度。

2）表面粗糙度及其他表面质量要求。

3）热处理要求和其他方面要求（如动平衡、去磁等）。

在认真分析了工件的技术要求后，结合工件的结构特点，对工件的加工工艺过程便有一个初步轮廓。加工表面的尺寸精度、表面粗糙度和有无热处理要求，决定了该表面的最终加工方法，进而得出中间工序和粗加工工序所采用的加工方法。

二、工件在加工时产生加工误差的原因

机械加工质量主要涵盖两个方面的内容，即加工精度和表面质量。研究机械加工质量的目的，就是要分析影响加工质量的各种因素及其存在的规律，从而找出减小加工误差、提高加工质量的合理途径。

$$机械加工质量\begin{cases}机械加工精度\begin{cases}尺寸精度\\几何形状精度\\位置精度\end{cases}\\机械加工表面质量\begin{cases}加工表面几何特征\\加工表面层物理力学性能\end{cases}\end{cases}$$

机械加工质量及其控制

1. 机械加工精度的概念

机械加工精度是指零件加工后的实际几何参数（尺寸、形状和相互位置）与理想几何参数的符合程度。实际几何参数与理想几何参数的偏离程度称为加工误差。加工误差越小，加工精度就越高。所以，<u>加工精度与加工误差是一个问题的两个提法</u>。

2. 获得机械加工精度的方法

工件的加工精度包括尺寸精度、几何形状精度和表面间相互位置精度三个方面。

（1）获得尺寸精度的方法

1）试切法。试切法是通过试切—测量—调整刀具—再试切，反复进行，直至符合规定的尺寸，然后以此尺寸切出要加工的表面。

2）定尺寸刀具法。定尺寸刀具法是使用具有一定形状和尺寸精度的刀具对工件进行加工，并以刀具相应尺寸得到规定尺寸精度的方法。例如用麻花钻头、铰刀、拉刀和丝锥等刀具加工以获得规定的尺寸精度。采用定尺寸刀具法生产率较高，加工精度与刀具的制造精度关系很大，且只能在部分加工中使用。

3）调整法。按零件图（或工序图）规定的尺寸和形状，预先调整好机床、夹具、刀具与工件的相对位置，经试加工测量合格后，再连续成批加工工件。其加工精度在很大程度上取决于调整精度。此法广泛应用于半自动机床、自动机床和自动生产线上。

4）主动测量法。这是一种在加工过程中采用专门的测量装置主动测量工件的尺寸并控制工件尺寸精度的方法。例如在外圆磨床和珩磨机上，采用主动测量装置以控制加工尺寸精度。主动测量法能获得较高的加工精度，加工质量主要靠加工设备来保证。

（2）获得几何形状精度的方法　获得几何形状精度的方法，通常有下列三种：

1）轨迹法。这种方法是依靠刀具与工件的相对运动轨迹来获得工件形状的，如图3-85所示。图3-85a所示是利用工件的旋转和刀具在x、y两个方向的直线运动的合成来车削成形表面；图3-85b所示是利用刨刀的纵向直线运动和工件的横向进给运动来获得平面。

2）成形法。这是采用成形刀具加工工件的成形表面以得到所要求的形状精度

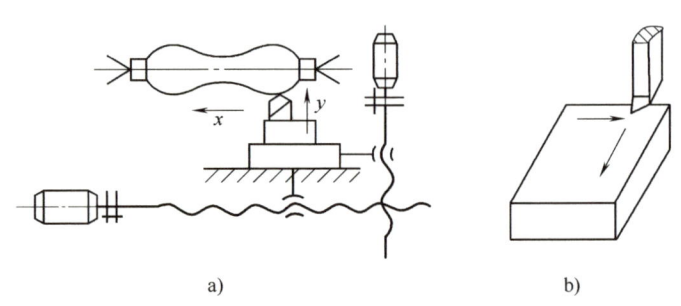

图3-85　轨迹法获得几何形状精度示例

的方法。成形法加工可以简化机床结构,提高生产率。

3) 展成法。齿轮上各种齿形加工,如滚齿、插齿等方法大都属于这种方法。

(3) 获得相互位置精度的方法　工件各加工表面相互位置的精度,主要和机床、夹具及工件的定位精度有关,如车削端面与轴线的垂直度和中滑板的精度有关;钻孔与底面的垂直度和机床主轴与工作台的垂直度有关;一次安装同时加工几个表面的相互位置精度与工件的定位精度有关。因此,要获得各表面间的相互位置精度就必须保证机床、夹具及工件的定位精度。工件在机床上定位有如下三种方法。

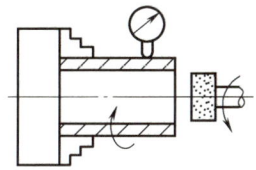

百分表的使用

1) 直接找正法。直接找正法是用百分表、划针或目测在机床上直接找正工件,使其获得正确位置的一种方法。例如,在磨床上磨削一个与外圆表面有同轴度要求的内孔时,加工前将工件装在单动卡盘上,用百分表直接找正外圆表面,即可获得工件的正确位置,如图 3-86 所示。

2) 划线找正法。划线找正法是在机床上用划针按毛坯或半成品上所划的线找正工件,使其获得正确位置的一种方法,如图 3-87 所示。

3) 夹具定位法。夹具定位法是用夹具上的定位元件使工件获得正确位置的一种方法,如图 3-55 所示。

图 3-86　直接找正法示例

3. 影响机械加工精度的因素

在机械加工中,被加工表面的加工精度取决于工艺系统中工件与机床、刀具间的相互位置和运动关系。工件(通过夹具)和刀具都装夹在机床上,由机床提供运动和动力实现切削加工。在任何一个加工过程中,由于工艺系统各种原始误差的存在,如机床、夹具、刀具的制造及磨损误差,工件的装夹误差,测量误差,工艺系统的调整误差以及加工中的各种力和热所引起的误差等,使工件与刀具之间正确的几何关系遭到破坏而产生加工误差。这些原始误差中,其中一部分与工艺系统的结构状况有关,另一部分与切削过程的物理因素变化有关。按照这些误差的性质可以归纳为以下三类:

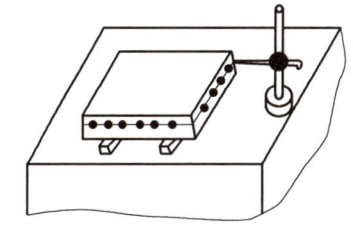

图 3-87　划线找正法

1) 工艺系统的几何误差,包括原理误差、机床几何误差、刀具和夹具的制造误差、工件的装夹误差、调整误差以及工艺系统磨损所引起的误差。

2) 工艺系统力效应引起的误差,如工艺系统受力变形、工件内应力的产生和消失而引起的变形。

3) 工艺系统热变形引起的误差,如机床、刀具、工件的热变形等。

机械加工过程中,上述各种误差因素并不是在任何情况下都同时出现的,不同情况下其影响的程度也有所不同,必须根据具体情况进行分析。

4. 衡量机械加工表面质量的指标

机械零件的加工质量,除了加工精度外,还有加工表面质量,它是零件加工后表面层状态完整性的表征。

随着现代装备制造业的飞速发展,对机器零件的要求日益提高,一些重要的零件必须在高速、高温、高压和重载条件下工作,表面层的任何缺陷,不仅直接影响零件的工作性能,而且使零件加速磨损、腐蚀和失效,因而必须重视表面质量问题。零件加工表面质量包括两方面。

(1) 表面几何特征　即为表面粗糙度和表面波度。

(2) 表面层物理力学性能　包括以下方面:

1) 表面的冷作硬化。它是指工件经机械加工后表面层的强度、硬度提高的现象,也称为表面层的冷硬或强化。通常以冷硬层深度 h、表面层的显微硬度 H 以及硬化程度 N 表示。其中:

$$N = \frac{H - H_0}{H_0} \times 100\%$$

式中　H_0——金属原来的硬度。

2）加工表面层的金相组织变化。机械加工（特别是磨削）中的高温使工件表层金属的金相组织发生了变化，大大降低了零件使用性能。

3）加工表面层的残余应力。加工表面层的残余应力指机械加工中工件表面层所产生的残余应力。它对零件使用性能的影响大小取决于它的方向、大小和分布状况。

5. 加工误差的统计分析法

生产实际中，影响加工精度的因素往往是错综复杂的，有时很难用单因素来分析其因果关系，而要用数理统计方法进行综合分析来找出解决问题的方法。

各种单因素的加工误差，按其统计规律的不同，可分为系统性误差和随机性误差两大类。系统性误差又分为常值系统误差和变值系统误差两种。

（1）系统性误差

1）常值系统误差。顺次加工一批工件后，其大小和方向保持不变的误差，称为常值系统误差。例如加工原理误差和机床、夹具、刀具的制造误差等，都是常值系统误差。此外，机床、夹具和量具的磨损速度很慢，在一定时间内也可看作是常值系统误差。

2）变值系统误差。顺次加工一批工件后，其大小和方向按一定的规律变化的误差，称为变值系统误差。例如机床、夹具和刀具等在热平衡前的热变形误差和刀具的磨损所引起的误差等都是变值系统误差。

（2）随机性误差　在加工一批工件中，其大小和方向不同且不规律地变化的误差，称为随机性误差。例如毛坯误差（余量大小不一、硬度不均匀等）、定位误差（基准面精度不一、间隙影响）、夹紧误差（夹紧力大小不一）、多次调整的误差、残余应力引起的变形误差等，都是随机性误差。

随机性误差从表面看来似乎没有什么规律，但是应用数理统计的方法可以找出一批工件加工误差的总体规律，然后在工艺上采取措施来加以控制。

第五节　机械加工工艺系统综合训练

一、训练目标

（1）机床方面　能够正确分析常见机床的运动、结构特点等。
（2）刀具方面　能够合理选用常见刀具。
（3）夹具方面　能够合理使用机床夹具。
（4）工件方面　能够分析工件表面的组成及各个表面获得经济加工质量的方法。

二、训练题目

现场分析机械加工工艺系统。

现场条件：

1）机床。CA6140、X6132（包括分度头）、Z3040、M1432、TP619型号各一台。
2）刀具、夹具、工件若干。

三、训练要求

完成现场机械加工工艺系统分析报告一份（包括机床、刀具、夹具、工件综合联系图）。

四、训练提纲

1. 机床分析

1）从系统的观点看，机械加工工艺系统由哪几部分组成？金属切削机床的地位如何？
2）根据你在生产现场或教学实习时的感性认识，指出车床、铣床、镗床、磨床各有多少个运动，分别说明有几个主运动和进给运动。

3) 车床主运动和进给运动的快慢如何调整？

4) 车床的工作调整（包括多片式离合器、制动器、床鞍、中滑板、小滑板等间隙的调整）训练。

2. 刀具分析

1) 比较常见各类刀具的结构特点和用途。

2) 比较高速钢和硬质合金刀具的应用场合。

3) 分析普通外圆车刀的组成及切削部分的几何角度。

4) 观察车刀的磨损情况，理解刀具寿命和总寿命的关系。

3. 夹具分析

1) 现场分析机床通用夹具的使用情况。

2) 现场分析典型专用夹具的组成及各部分的作用。

3) 根据现场加工定性分析专用夹具各定位元件所限制的自由度。

4) 分析现场夹具夹紧机构的工作原理和结构特点。

5) 分析工件、夹具与机床或刀具是如何保证其相互位置要求的。

4. 工件分析

1) 现场分析各种典型工件的结构特点，指出其由哪些表面组成的。各表面加工质量如何保证？

2) 分析各加工表面获得精度的方法。

3) 分析现场工件产生加工误差的原因。

五、小结

加工误差的大小是由机械加工过程中刀具刀尖相对于工件的理想加工表面间的相对位置变动大小确定的。刀具和工件又是通过夹具和机床相互联系在一起的。在机械加工中由机床、刀具、夹具和工件所组成的统一体称为机械加工工艺系统。

【知识与技能拓展】

3-1 试指出下列机床型号的含义：XK5040；T6180；Z3025。

3-2 指出在车床上车削外圆锥面、钻孔时需要的成形运动。

3-3 下列情况中，应采用何种分级变速机构为宜？

1) 采用斜齿圆柱齿轮传动。

2) 传动比要求不严，但要求传动平稳的传动系统。

3-4 机床中常用的离合器有哪几类？各适用于什么场合？

3-5 CA6140 型车床中加工径节螺纹与加工米制螺纹的传动路线有何不同？为什么？

3-6 为什么 CA6140 型车床能加工大导程螺纹？此时主轴为何只能以较低转速旋转？

3-7 请对停车后主轴的自转现象故障进行分析，提出排除故障方法。

3-8 FW250 型分度头上做 97 圆周等分，试确定分度手柄转数和选取交换齿轮，并确定分度手柄与分度盘转向。

3-9 X6132 型卧式铣床为何要设置顺铣结构？顺铣机构的主要作用是什么？

3-10 加工一螺旋槽，其导程 $P_h = 83.81$ mm，试确定交换齿轮（用查表法）。

3-11 常见的钻床有哪些类型？

3-12 指出摇臂钻床的表面成形运动和辅助运动。

3-13 分别说明龙门刨床、牛头刨床的主运动和进给运动。

3-14 牛头刨床、插床各适用于什么样零件表面的加工？

3-15 镗床最适合加工哪些零件？卧式镗床可加工哪些表面？

3-16 常见刀具的种类有哪些？

3-17 刀具磨损的形式有哪些？其磨损过程可划分为哪几个阶段？

3-18 工件在夹具中定位的任务是什么？

3-19 什么叫六点定位？

3-20 试举例说明什么是完全定位、不完全定位、欠定位和过定位。

3-21 图 3-88 所示的定位元件限制哪些自由度？是否合理？如何改进？

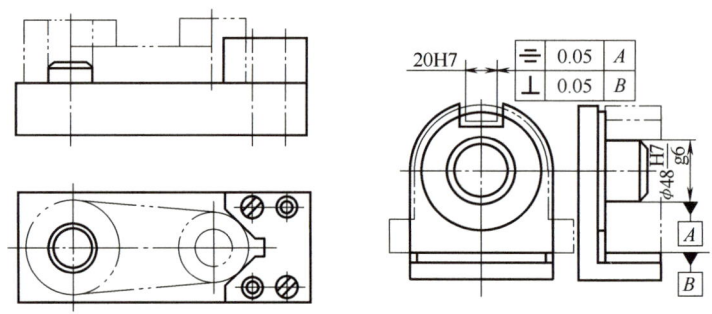

图 3-88 题 3-21 图

3-22 试分析图 3-89 所示各工件需要限制的自由度、工序基准及选择定位基准（用定位符号在图上表示）。

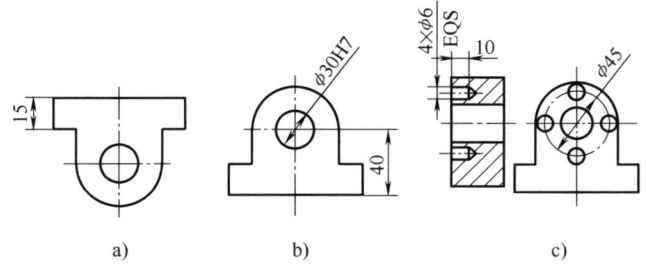

图 3-89 题 3-22 图

3-23 对夹紧装置的基本要求有哪些？

3-24 图 3-90 所示夹紧力的作用点与方向是否合理？为什么？如何改进？

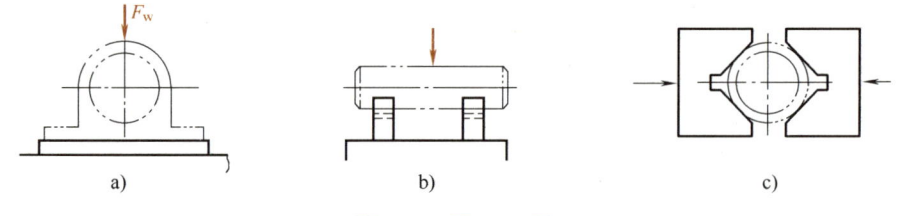

图 3-90 题 3-24 图

3-25 工件的技术要求主要有哪几方面的内容？

3-26 工件加工时如何获得尺寸、形状、位置精度？

3-27 影响工件加工质量的因素有哪些？举例说明。

第四章 机械加工工艺规程

> 【学习目标】
> 1. 准确理解工艺分析、加工余量、尺寸链等有关概念。
> 2. 理解机械加工工艺规程的内容与格式、零件工艺分析、毛坯种类、定位基准选择原则、机床与工艺装备的选择等。
> 3. 学会选择零件毛坯材料及形状,会确定毛坯尺寸、工序尺寸以及切削用量。
> 4. 掌握制订工艺规程的步骤及要求。

> 【素养目标】
> 1. 围绕知识点,树立职业素养理念,提升技术素养,培养较强的动手能力与团队协作精神。
> 2. 拥有自力更生、艰苦创业、不断创新、铸就辉煌的优良品质。

第一节 机械加工工艺规程概述

机械产品的生产中,用来规定产品或零件制造工艺过程和操作方法等的工艺文件称为机械加工工艺规程。工艺规程是机械制造厂最主要的技术文件之一,其主要内容包括工艺路线、各工序加工内容与要求、采用的机床与工艺装备、工件的检验项目和检验标准、切削用量与工时定额等。

一、机械加工工艺规程的作用

(1)工艺规程是指导生产的主要技术文件　正确的机械加工工艺规程是在总结长期的生产实践和科学实验的基础上,依据科学理论和必要的工艺试验制订的,并通过生产过程的实践不断改进和完善,是保证产品质量和经济效益的指导性文件。生产人员不得违反工艺规程。工艺规程的修改必须遵循规定程序。

(2)工艺规程是生产组织和生产管理工作的依据　在产品投产前,要根据工艺规程来组织原材料和毛坯的供应,进行机床的调整,工艺装备(刀具、夹具、量具等)的设计、制造或外购,编制生产计划,调配劳动力,以及生产成本核算等。

(3)工艺规程是新建工厂(车间)的技术文件　在新建和扩建工厂或车间时,可以参考同类生产部门的工艺文件,以确定机床的种类和数量,工厂的面积,生产工人的工种、数量、技术等级,以及辅助部门的安排等。

(4)便于交流与推广先进经验　工艺规程详细记载了加工的全过程及使用设备、工装及切削用量。工艺规程能直接指导生产,稳定生产,可进行经验的交流推广。

二、机械加工工艺规程的内容及格式

将工艺规程的内容填入一定格式的卡片，即成为指导生产的工艺文件。常用工艺文件的格式如下：

（1）机械加工工艺过程卡片　这种卡片是以工序为单位，简要说明整个零件加工所经过的工艺路线过程（包括毛坯制造、机械加工和热处理）的一种工艺文件。工艺过程卡片中各工序的内容规定得不够具体，所以一般不能直接指导工人操作，多作为生产管理使用。但是在单件小批生产中，由于不编制其他工艺文件，所以用这种卡片指导生产，其格式见表4-1。

（2）机械加工工艺卡片　这种卡片是用于普通机床加工的卡片，它以工序为单位，详细说明整个工艺过程。它的作用是指导工人进行生产，帮助车间管理人员和技术人员掌握整个零件的加工过程，因而广泛用于成批生产的零件和小批生产中的重要零件。工艺卡片的内容包括零件的材料、质量、毛坯性质、各道工序的具体内容及加工要求等，其格式见表4-2。

（3）机械加工工序卡片　这种卡片是在工艺过程卡片的基础上，按每道工序的工序内容所编制的一种工艺文件。该卡片中一般具有工序简图，并详细说明该工序中每个工步的加工内容、工艺参数、操作要求，以及所用的设备和工艺装备等。它是用于具体指导工人在普通机床上进行操作的技术文件，多用于大批大量生产的零件和成批生产中的重要零件，其格式见表4-3。

（4）数控加工工序卡片　这种卡片是编制加工程序的主要依据，也是操作人员配合数控程序进行数控加工的主要指导性工艺文件。它的主要内容包括工步顺序、工步内容、各工步所用的刀具及切削用量等。当工序加工内容不十分复杂时，也可把工序图画在工序卡片上。

（5）数控加工刀具卡片　这种卡片是组装刀具和调整刀具的依据。它的主要内容包括刀具号、刀具名称、刀柄型号、刀具的直径和长度等。

（6）数控加工走刀路线图　它主要反映加工过程中刀具的进给轨迹，其作用一方面是方便编程人员编程，另一方面帮助操作人员了解刀具的进给轨迹，以便确定夹紧位置和控制夹紧元件的高度。

目前，数控加工工序卡片、数控加工刀具卡片及数控加工走刀路线图还没有统一的标准格式，都是由各企业结合本单位的情况自行确定的。

三、制订机械加工工艺规程的原则

在一定的生产条件下，确保加工质量和最低的生产成本是制订工艺规程的基本原则。机械加工工艺规程首先应能够保证加工后工件达到图样上规定的技术要求；其次，该工艺规程应该是在现场生产条件下、在规定的生产批量下最经济的，应能取得最好的经济效益；同时要使工人具有良好而安全的劳动条件。

四、制订工艺规程的原始资料

制订工艺规程时，必须具备下列原始资料：

1）产品装配图和零件图。

2）产品（零件）的生产纲领。

3）产品验收的质量标准。

4）现有的生产条件和资料。包括毛坯的生产条件或协作关系、工艺装备及专用设备的制造能力、加工设备和工艺装备的规格及性能、工人技术水平及各种工艺资料和标准等。

5）国内、外同类产品的有关工艺资料等。

五、机械加工工艺规程制订的步骤

制订零件机械加工工艺规程的工作大致可按下述步骤进行：

表 4-1 机械加工工艺过程卡片

企业名称		产品型号		零(部)件图号			共 页
		产品名称		零(部)件名称			第 页

材料牌号		毛坯种类		毛坯外形尺寸		每毛坯件数		每台件数		备注	

工序号	工序名称	工序内容	车间	工段	设备	工艺装备	工时定额	
							准终	单件

				编制(日期)	审核(日期)	会签(日期)
标记	处数	更改文件号	签字	日期	标记	处数	更改文件号	签字	日期

表 4-2 机械加工工艺卡片

企业名称		产品型号		零(部)件图号			共 页
		产品名称		零(部)件名称			第 页
材料牌号		毛坯种类		毛坯外形尺寸		每毛坯件数	每台件数	备注
工序	装夹	工步	工序内容	同时加工零件数	设备名称及编号	工艺装备名称及编号		技术等级	工时定额
						夹具	刀具	量具		准终	单件
					编制(日期)	审核(日期)		会签(日期)			
标记	处数	更改文件号	签字	日期	标记	处数	更改文件号	签字		日期	

表 4-3 机械加工工序卡片

企业名称			产品型号		零(部)件图号			共 页
			产品名称		零(部)件名称			第 页
材料牌号		毛坯种类		毛坯外形尺寸		每坯件数		备注
			车间	工序号	工序名称			材料牌号
			毛坯种类	毛坯外形尺寸	每台件数			每台件数
			设备名称	设备型号	设备编号			同时加工件数
			夹具编号		夹具名称			切削液
							工序工时	
							准终	单件
工序号	工步内容		工艺装备	主轴转速/ (r/min)	切削速度/ (m/min)	进给量/ (mm/r)	背吃刀量/ mm	进给次数	工时定额
									机动	辅助
						编制(日期)	审核(日期)	会签(日期)
标记	处数	更改文件号	签字	日期	标记	处数	更改文件号	签字	日期

1) 计算零件年生产纲领,确定生产类型。
2) 对被加工零件进行工艺分析。
3) 确定毛坯的类型和形状。
4) 选择定位基准。
5) 拟订工艺路线。这是制订工艺规程的核心,其主要内容是:选择零件表面的加工方法,划分加工阶段,安排加工顺序和工序组合等。
6) 确定加工余量和工序尺寸。
7) 确定切削用量及工时定额。
8) 确定各工序使用的设备、刀具、夹具、量具和辅助工具。
9) 确定主要工序的技术要求及检验方法。
10) 填写工艺文件。

第二节 零件的工艺分析

所谓工艺分析,就是从加工的角度分析研究零件的结构特点、技术要求等。在新产品试制中,这种分析还有工艺审查的作用。具体分析内容如下:

一、分析零件图和产品装配图

(1) 熟悉产品的性能、用途、工作条件 结合装配图,了解零件在产品中的功能和工作状况,掌握零件上影响产品性能的关键加工部位和关键技术要求,以便在制订工艺规程时采取相应措施予以重点保证。

(2) 审查图样的正确性、合理性 零件的图样应能清晰地表达零件的形状结构及各项要求,编制工艺之前应审查图样的视图是否正确、完整,尺寸标注、技术要求是否合理,材料选择是否恰当。检查零件图时发现问题,应当提出修改意见,以便设计人员对产品图样进行修改或补充。

(3) 分析零件技术要求 零件的技术要求包括:加工表面的尺寸精度、几何形状精度、表面间相互位置精度、表面质量、热处理及其他要求(如动平衡、配重、做标记等)。通过对零件技术要求进行分析,可以初步确定零件表面的加工方法和大致的工艺顺序。

二、零件的结构工艺性分析

(1) 零件的结构特点分析 零件的结构特点决定了它的安装方式和加工方法。例如,细长的丝杠或大而薄的齿圈,它们刚性差、易变形,所以要考虑必要的工艺措施(如增大支承面或增加支承)。又如图4-1所示的阶梯齿轮,因A、B两齿圈的间距太小,齿圈A不能用滚刀来滚齿,而应在插齿机上切齿。

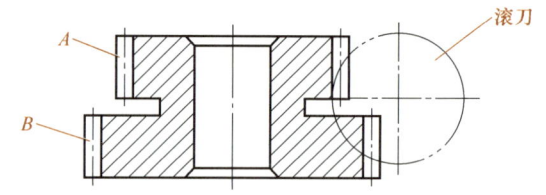

图4-1 零件结构对加工方法的影响

(2) 零件的结构工艺性分析 零件的结构工艺性是指零件在满足使用要求的前提下,应便于制造和维修。零件的结构工艺性对其工艺过程影响很大,使用性能相同而结构不同的零件,其制造难易程度和成本会有很大差别。表4-4列出了一些零件机械加工工艺性的实例分析。

表4-4 零件机械加工工艺性的实例分析

序号	结构工艺性差	结构工艺性好	工艺性好的结构优点
1			键槽的尺寸、方位相同,可在一次装夹中加工出全部键槽

第四章　机械加工工艺规程

（续）

序号	结构工艺性差	结构工艺性好	工艺性好的结构优点
2	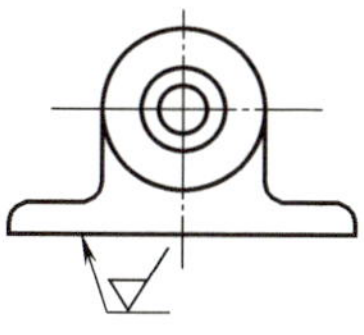	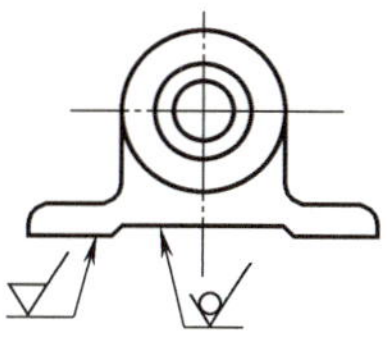	底面接触面小，稳定性好，材料消耗小，加工量小
3	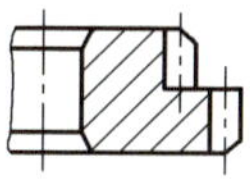	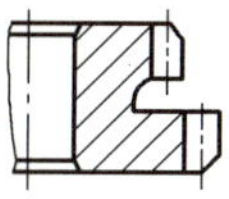	两齿圈间有退刀槽，保证了加工的可能性
4	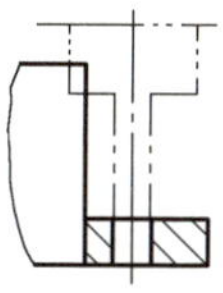	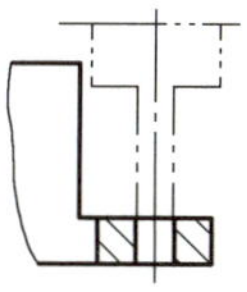	孔的位置与壁有一定距离，便于引进刀具
5	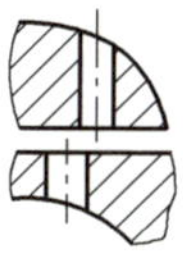	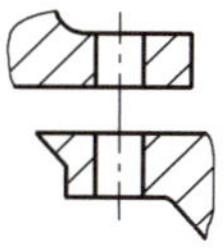	孔的入端和出端是平面，避免刀具损坏或引偏，保证钻孔精度
6	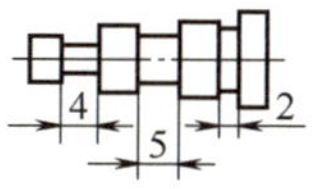	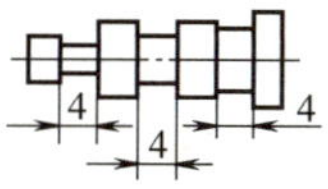	轴的沉割槽宽度一致，可减少刀具种类，减少换刀时间
7	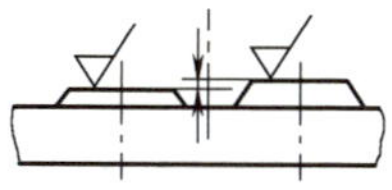	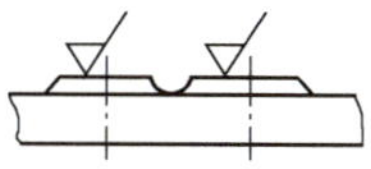	加工面设计在同一平面上，可以一次进给加工，缩短调整时间
8	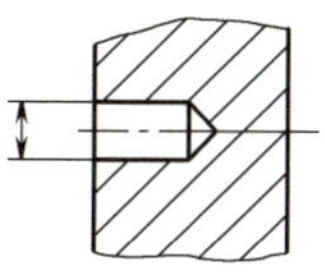	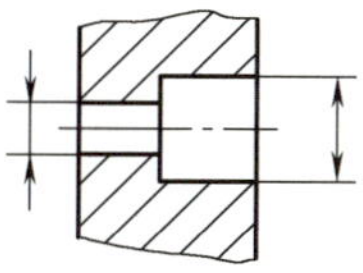	加工精度高的孔，应设计成开通的，便于加工与测量
9	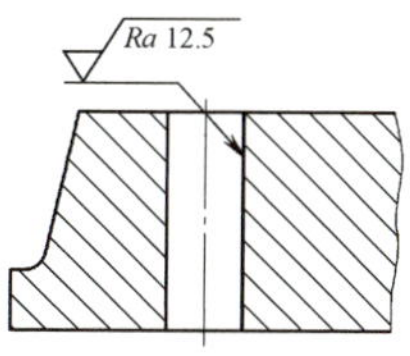	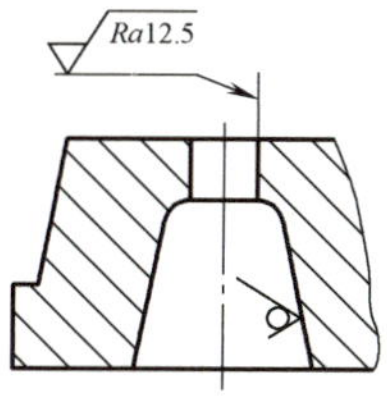	避免深孔加工，便于保证孔的精度，使排屑、冷却方便

第三节 毛坯选择

选择毛坯主要是选定毛坯的制造方法及其制造精度。毛坯的选择不仅影响毛坯的制造工艺和费用，而且影响到零件机械加工工艺及生产率与经济性。

一、机械零件常用毛坯的种类

(1) 铸件　铸件适用于形状较复杂的零件毛坯。铸件毛坯根据精度与批量选择制造方法，有砂型铸造、金属型铸造、精密铸造、压力铸造、离心铸造等。

常用机械零件毛坯成形方法的选择

(2) 锻件　锻件毛坯由于经锻造后可得到金属纤维组织的连续性和均匀分布，从而提高了零件的强度，常适用于对强度有一定要求，形状比较简单的零件。锻件有自由锻、模锻和精锻三种。

(3) 型材　型材有热轧和冷拉两种。热轧适用于尺寸较大、精度较低的毛坯；冷拉适用于尺寸较小、精度较高的毛坯。常用型材截面形状有圆形、方形、六角形和特殊断面形状等。

(4) 焊接件　焊接件是根据需要将型材或钢板焊接而成的毛坯件。其优点是制造简单、生产周期短、节约材料、毛坯重量轻。但其抗振性较差，变形大，需经时效处理后才能进行机械加工。

(5) 其他毛坯　包括冲压件、粉末冶金件、冷挤压件、塑料压制件等毛坯。

二、选择毛坯时应考虑的因素

在选择毛坯种类及制造方法时，应考虑以下因素：

(1) 零件材料的工艺特性　选择毛坯制造方法时，首先要考虑材料的工艺特性，如铸造工艺性、可锻性、焊接性等。如铸铁和青铜不能锻造，这类材料只能选择铸件毛坯；碳钢的铸造性较差，对于重要的钢质零件，为保证其力学性能，应选锻件毛坯；钢质零件形状不复杂、力学性能要求较低时，可选型材。

(2) 零件的结构形状及外形尺寸　各种毛坯制造方法都对零件的结构尺寸有一定的适用性，如箱体、机体、支架类零件宜用铸造；轴类、盘类零件宜用锻造，以提高其力学性能，如果尺寸小且各阶台直径相差不大，可用型材；构架形状适宜用焊接或用型材装配连接；对于大型且结构简单的零件，一般都采用砂型铸造、自由锻造及焊接等制坯方法；一些外形较特殊的小型零件，由于机械加工困难，常采用压铸、精密铸造等方法，尽可能减少切削加工量。

(3) 生产纲领的大小　生产纲领的大小在很大程度上决定了某种毛坯的经济性。当生产批量较大时，应选精度和生产率都较高的毛坯制造方法。这样，虽然毛坯制造的费用较高，但可由材料消耗的减少和机械加工费用的降低来补偿，以使单件成本降低。当零件的生产批量较小时，一般都采用投资较小的毛坯制造方法，如自由锻造和砂型铸造等。

(4) 现有生产条件　选择毛坯除考虑上述因素外，还应从本厂或协作单位的现有设备和技术水平出发考虑可行性与经济性。

(5) 充分考虑采用新工艺、新技术的可能性　为节约材料和能源，提高机械加工生产率，应充分考虑精锻、精铸、冷轧、冷挤压、粉末冶金和工程塑料等在机械中的应用，这样可以大大减少机械加工量，甚至不需要进行加工，其经济效果非常显著。

三、毛坯形状及尺寸的确定

一般情况下，毛坯的形状应尽量与零件形状相接近。零件上凡需进行机械加工的表面，都要留有加工余量，以便通过机械加工达到零件的技术要求。毛坯制造尺寸与相应零件加工尺寸的差值叫毛坯加工余量。余量的大小由毛坯的精度、零件的加工要求和零件的结构特征等因素决定，具体数值可参阅有关工艺手册。确定毛坯形状与尺寸时还应考虑毛坯制造、机械加工和热处理等因素的影响。例如对一些剖分式的对称或小而简单的零件，采用整体切开毛坯的方法，这样对毛坯制造和机械加工都有利。如图 4-2 所示的攻螺纹夹头的摩擦压块由四个同心圆零件组成，为保证加工质量和加工方便，采用整体毛坯加工到一定程度再切开的方法；又如图 4-3 所示的滑键零件，为提高生产率和便于安装，采用合件毛坯。

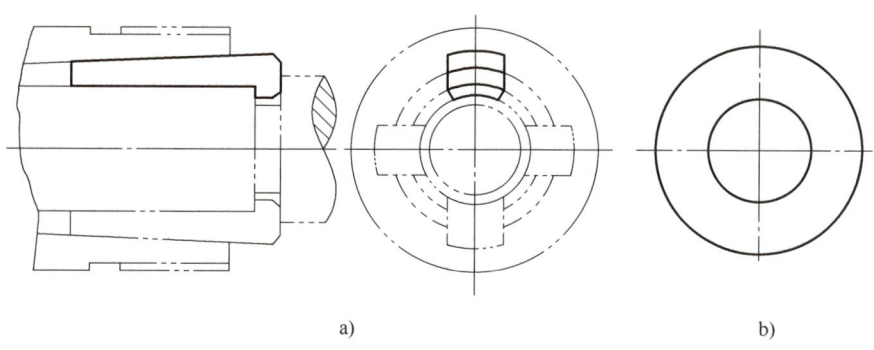

图 4-2 攻螺纹夹头摩擦压块零件图与毛坯图
a）摩擦压块零件图 b）毛坯图

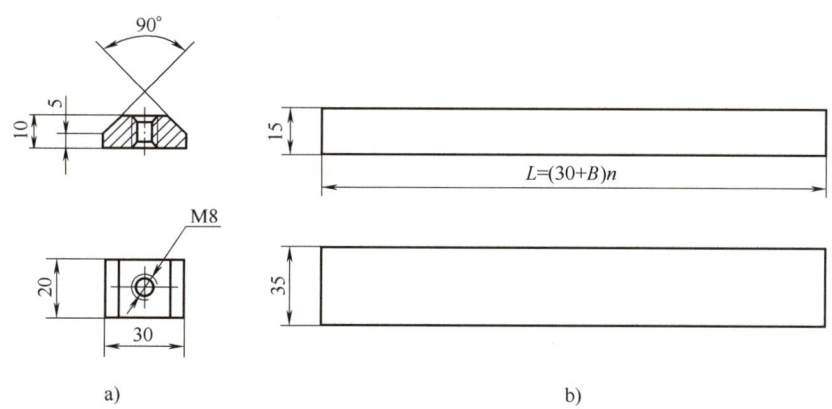

图 4-3 滑键的零件图与毛坯图
a）滑键零件图 b）毛坯图

图 4-4 所示零件加工时不方便装夹，可以在铸造毛坯时铸出必要的工艺凸台，待加工完后再切除，如果对使用和外观没有影响，也可保留在零件上。

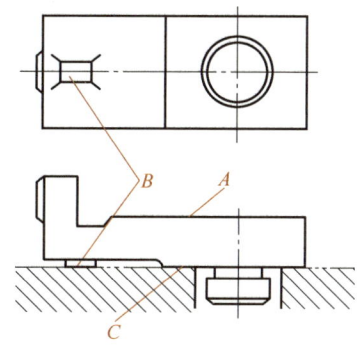

图 4-4 工艺凸台实例
A—加工面 B—工艺凸台 C—定位面

第四节 定位基准的选择

定位基准分为粗基准和精基准。在零件加工的第一道工序，只能用毛坯上未经加工的表面作为定位基准，这种定位基准称为粗基准。利用已加工过的表面作为定位基准，称为精基准。有时为了工件装夹需要，在工件上专门加工出某个表面作为定位基准，这些表面不是零件上的工作表面，只是由于工艺需要而做出的，这种基准称为辅助基准或工艺基准。例如，轴加工过程中使用的中心孔定位及零件的工艺凸台等。

在选择定位基准时，首先考虑用哪一组精基准定位加工出工件的主要表面，然后确定用怎样的粗基准加工出精基准。

一、粗基准的选择

粗基准的选择主要考虑两个问题：一是合理分配各加工面的加工余量；二是保证工件上加工表面与不加工表面的相互位置要求。具体选择时应遵循以下原则：

1）对于同时具有加工表面和不加工表面的零件，当必须保证其不加工表面与加工表面的相互位置精度要求时，应选择不加工表面为粗基准。如图4-5a所示，铸件毛坯的外圆与内孔不同轴，其壁厚不均匀。如以外圆表面定位车削内孔，则加工出的孔与不加工表面（外圆）同轴，也就是保证了不加工表面（外圆）与加工表面（孔）的相互位置要求，经加工后工件壁厚均匀了。当零件上有多个不加工表面，应选择其中与加工表面相互位置精度要求高的表面为粗基准。如图4-5b所示，该零件有三个不加工表面，若表面4与表面2所组成的壁厚均匀度要求较高时，则应选择表面2作为粗基准来加工阶梯孔。

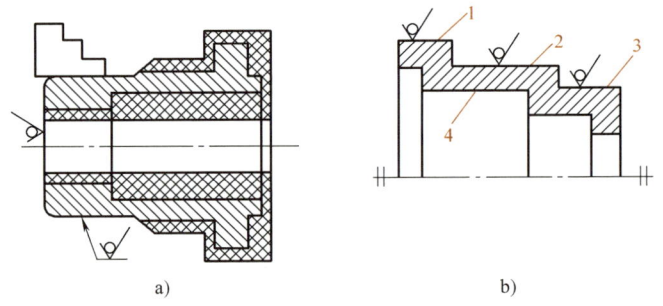

图 4-5 粗基准的选择

图4-6所示的拨杆上有多个不加工表面，但保证加工面$\phi 20$mm孔与不加工面$\phi 40$mm外圆的同轴度要求（即壁厚均匀）是主要的，因此加工$\phi 20$mm孔时应选择$\phi 40$mm外圆为粗基准。

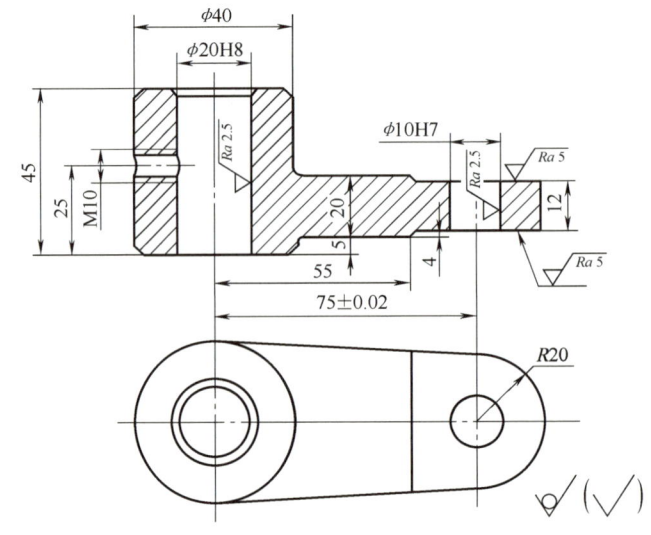

图 4-6 拨杆粗基准的选择

2) 对于有多个加工表面的工件，粗基准的选择应能合理分配加工余量。合理分配加工余量有以下含义：

① 应保证各加工表面都有足够的余量。为满足此要求，应选择毛坯余量最小的表面作为粗基准，如图 4-7 所示的阶梯轴应选择 φ55mm 外圆表面作为粗基准。

② 对于工件上的某些重要表面（如导轨和重要孔等），为尽可能使其加工余量均匀，应选择该重要表面为粗基准。如图 4-8 所示床身的加工，床身上的导轨面是重要表面，要求导轨面的加工余量均匀，所以选择导轨面为粗基准定位，加工床身底面，然后以底面定位加工导轨面，就可以保证导轨面加工余量均匀。

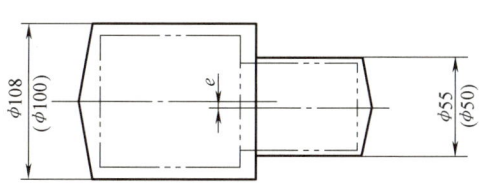

图 4-7　阶梯轴的锻件毛坯

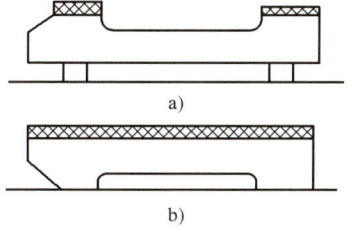

图 4-8　床身的加工

3) 作为粗基准的表面应尽量平整，不应有飞边、浇口、冒口及其他缺陷，这样可减少定位误差，并使零件夹紧可靠。

4) 应避免重复使用粗基准，在同一尺寸方向上粗基准只准使用一次。因为粗基准是毛坯表面，定位误差大，两次以同一粗基准安装加工出的各表面之间会有较大的位置误差。如在图 4-9 所示零件的加工中，如果第一次用不加工表面 φ30mm 定位，分别车削 φ18H7 孔和端面；第二次仍用不加工表面 φ30mm 定位，钻 4×φ8mm 孔，则会使 φ18H7 孔的轴线与 4×φ8mm 孔位置（即 φ46mm）的中心线之间产生较大的同轴度误差，有时可达 2~3mm。因此，这样的定位方案是错误的。正确的定位方法应以精基准 φ18mm 孔和端面定位，钻 4×φ8mm 孔。

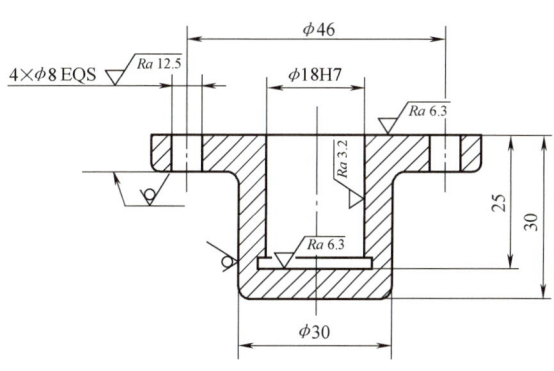

图 4-9　重复使用粗基准示例

在上述粗基准选择的四个原则中，常常不能同时满足，实际应用中有时会出现相互矛盾的情况，这就要求综合考虑，分清主次，解决主要矛盾。

二、精基准的选择

选择精基准主要应从保证工件的加工精度出发，同时考虑装夹方便，夹具结构简单。精基准的选择一般应遵循以下原则：

1) 基准重合原则。应尽量选择加工表面的设计基准作为定位基准，这一原则称为基准重合原则。用设计基准作为定位基准可以避免因基准不重合而产生的定位误差，如图 4-10 所示。

当工件表面间的尺寸按图 4-10a 标注时，根据基准重合原则，表面 B 和表面 C 的加工，应选择设计基准 A 为定位基准。根据调整法

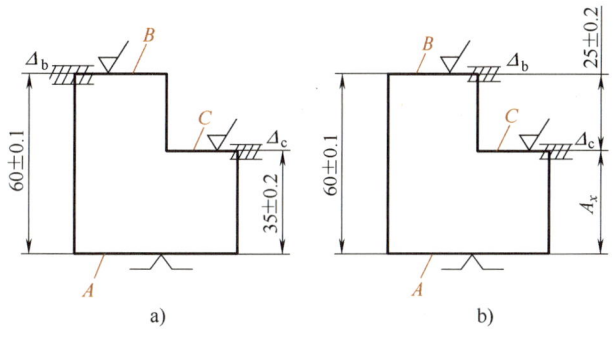

图 4-10　基准不重合误差的产生

a) 定位基准与设计基准重合　b) 定位基准与设计基准不重合

加工的原理，一批工件加工过程中，刀具与定位元件的位置固定不变，由于工艺系统一系列因素的影响，一批零件加工后会存在加工误差 Δ_b 和 Δ_c，分别影响设计尺寸 60mm 和 35mm，但只要 $\Delta_b \leq \pm 0.1$mm 和 $\Delta_c \leq \pm 0.2$mm，加工零件就合格。

当工件表面间的尺寸按图 4-10b 标注时，先以表面 A 定位加工表面 B，基准重合，仅存在加工误差 Δ_b 影响加工表面 B 的尺寸精度；加工表面 C 时，C 面的设计基准是 B 面，如果采用 A 面定位，根据调整法加工原理，直接调整的工序尺寸是 C 面至 A 面的尺寸 A_x，设计尺寸 25mm 是由 60mm 和 A_x 间接保证的，对设计尺寸 25mm 不仅包含加工 C 面时的加工误差 Δ_c，而且包括加工 B 面时的加工误差 Δ_b，Δ_b 这项误差对设计尺寸 25mm 的影响是由基准不重合造成的，这个误差称为基准不重合误差。基准不重合误差将在后续内容中详细介绍。为保证设计尺寸 (25 ± 0.2)mm 的精度要求，必须保证本工序的加工误差与基准不重合误差之和小于或等于设计尺寸的公差，即 $\Delta_b + \Delta_c \leq 0.4$mm。

由此可见，由于基准不重合误差的出现，势必要减小本工序的加工误差 Δ_c，即提高本工序的加工精度，使加工成本提高，因此，在选择定位基准时，一定要遵循基准重合原则。

2) 基准统一原则。当零件需要多道工序加工时，应尽可能在多数工序中选择同一组精基准定位，称为基准统一原则。例如，一般轴类零件加工中，多数工序以中心孔定位；带孔齿轮的齿坯和齿形加工多采用齿轮的内孔和基准端面统一的定位基准。基准统一有利于保证工件各加工表面的位置精度，避免或减少因基准转换而带来的加工误差。同时，可以简化夹具的设计和制造。选作统一基准的表面，一般都应是面积较大、精度较高的平面、孔，以及其他距离较远的几个面的组合。另外，使用统一基准并不排除个别工序采用其他基准，特别当统一的基准与设计基准不重合时，可能因基准不重合使误差过大而超差，这时应直接用设计基准作为定位基准。

3) 自为基准原则。以加工表面本身作为定位基准，称为自为基准原则。某些精加工或光整加工工序要求余量小而均匀，其主要目的是提高表面的形状精度和降低表面粗糙度值，这时应采用自为基准原则。如图 4-11 所示，磨削床身导轨面时，应以半精加工后的导轨面作为定位基准，为避免夹具过于复杂，可在磨头上装百分表，床身下装可调支承，用导轨面本身为精基准，以直接找正的方法装夹。图 4-12 所示为镗连杆小头孔时以本身为精基准的夹具，工件除以大头孔和端面为定位基准外，还以小头孔中心为定位基准。定位后，在小头两侧用浮动平衡夹紧装置在原处夹紧，然后拔除定位插销，伸入镗杆对小头孔进行加工。另外拉孔、铰孔、研磨、无心磨等加工，均采用了自为基准原则。

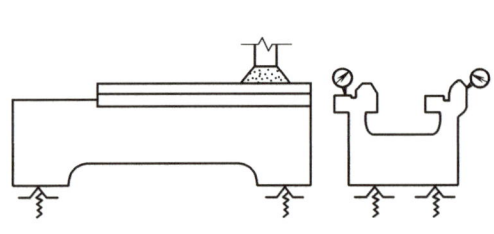

图 4-11 以床身导轨面自为基准

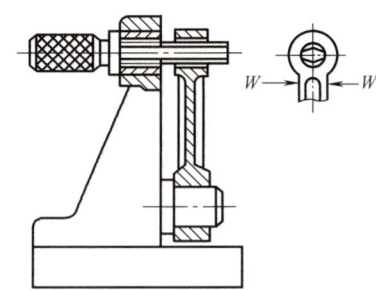

图 4-12 以加工表面本身自为基准

4) 互为基准原则。若某个工件上有两个相互位置精度要求很高的表面，采用工件上的这两个表面互相作为定位基准，反复加工另一表面，称为互为基准原则。互为基准可使两加工表面间获得较高的相互位置精度，且加工余量小而均匀。如加工精密齿轮中的磨齿工序，先以齿面为基准定位，磨孔；然后以孔定位，磨齿面。这样既可使加工余量均匀，又能保证齿面与孔之间较高的相互位置精度。

5) 所选精基准应能保证工件定位准确，装夹方便，夹具结构简单适用。为此，精基准的面积与被加工面相比，应有较大的长度和宽度，以提高其位置精度。

在实际生产中，精基准的选择要完全符合上述原则，有时很难做到。例如，统一的定位基准与设计基准不重合时，就不可能同时遵循基准统一原则和基准重合原则。在这种情况下，若采用统一的定位基准，尺寸精度能够保证，则应遵循基准统一原则；若不能保证尺寸精度，则可在粗加工和半精加工时遵循基准统一原则，在精加工时遵循基准重合原则。所以，应根据具体的加工对象和加工条件，从保证主要的技术要求出发，灵活选用有利的精基准。

第五节　机械加工工艺路线的拟订

工艺路线的拟订是零件机械加工工艺过程的总体规划，对零件的加工质量、生产率和加工成本有决定性的影响，是制订工艺规程的关键。主要任务是选择各个表面的加工方法和加工方案，确定各个表面的加工顺序及工序集中与分散的程度，合理选用机床和刀具，确定各工序的装夹方案和所用夹具的结构等。

一、表面加工方案的选择

1. 各种加工方法所能达到的经济精度及表面粗糙度

为了正确选择表面加工方法，首先应了解各种加工方法的特点和加工经济精度的概念。所谓加工经济精度，是指在正常的加工条件下（采用符合质量标准的设备、工艺装备，使用标准技术等级的工人，不延长加工时间）所能保证的加工精度。

各种加工方法所能达到的经济精度和表面粗糙度，以及各种典型表面的加工方案已制成表格，列在机械加工手册中。其中表 4-5～表 4-7 分别摘录了外圆、内孔和平面等典型表面的加工方法、加工方案以及所能达到的经济精度和表面粗糙度；表 4-8 摘录了轴线平行的孔的位置精度（经济精度），供选用时参考。但要指出，加工经济精度的数值并不是一成不变的，随着生产技术的发展，工艺技术的改进，加工经济精度会逐步提高。

2. 选择表面加工方案时考虑的因素

选择表面加工方案，一般是根据经验或查表来确定，再结合实际情况或工艺试验进行修改。表面加工方案的选择，应同时满足加工质量、生产率和经济性等方面的要求，具体选择时应考虑以下几方面的因素：

（1）选择能获得相应经济精度的加工方法　例如加工精度为 IT7、表面粗糙度值为 $Ra0.4\mu m$ 的外圆柱面，通过精车是可以达到要求的，但不如磨削经济。

（2）零件材料的可加工性能　例如，淬火钢的精加工要用磨削；精加工有色金属圆柱面时，为避免磨削时堵塞砂轮，则要用高速精细车（金刚车）或精细镗（金刚镗）。

（3）工件的结构形状和尺寸大小　例如，对于加工精度要求为 IT7 的孔，采用镗削、铰削、拉削和磨削均可达到要求。但箱体上的孔，一般不宜选用拉孔或磨孔，而宜选择镗孔（大孔）或铰孔（小孔）。

（4）生产类型　大批量生产时，应采用高效率的先进工艺，例如，用拉削方法加工孔和平面，用组合铣削或磨削同时加工几个表面，对于复杂的表面采用数控机床及加工中心等；单件小批生产时，宜采用刨削、铣削平面和钻、扩、铰孔等加工方法，避免盲目地采用高效加工方法和专用设备而造成经济损失。

（5）现有生产条件　充分利用现有设备和工艺手段，发挥工人的创造性，挖掘企业潜力，创造经济效益。

表 4-5　外圆柱面加工方案

序号	加工方法	经济精度（公差等级表示）	表面粗糙度值 $Ra/\mu m$	适用范围
1	粗车	IT11～IT13	10～50	

（续）

序号	加工方法	经济精度（公差等级表示）	表面粗糙度值 $Ra/\mu m$	适用范围
2	粗车→半精车	IT8~IT10	2.5~6.3	适用于淬火钢以外的各种金属
3	粗车→半精车	IT7~IT8	0.8~1.6	
4	粗车→半精车→精车→滚压（或抛光）	IT7~IT8	0.025~0.2	
5	粗车→半精车→磨削	IT7~IT8	0.4~0.8	主要用于淬火钢，也可用于未淬火钢，但不宜加工有色金属
6	粗车→半精车→粗磨→精磨	IT6~IT7	0.1~0.4	
7	粗车→半精车→粗磨→精磨→超精加工（或轮式超精磨）	IT5	0.012~0.1（或 $Rz0.1$）	
8	粗车→半精车→精车→精细车（金刚车）	IT6~IT7	0.025~0.4	主要用于要求较高的有色金属加工
9	粗车→半精车→粗磨→精磨→超精磨（或镜面磨）	IT5	0.008~0.025（或 $Rz0.05$）	极高精度的外圆加工
10	粗车→半精车→粗磨→精磨→研磨	IT5	0.008~0.1（或 $Rz0.05$）	

表 4-6 平面加工方案

序号	加工方法	经济精度（公差等级表示）	表面粗糙度值 $Ra/\mu m$	适用范围
1	粗车	IT11~IT13	12.5~50	端面
2	粗车→半精车	IT8~IT10	3.2~6.3	
3	粗车→半精车→精车	IT7~IT8	0.8~1.6	
4	粗车→半精车→磨削	IT6~IT8	0.2~0.8	
5	粗刨（或粗铣）	IT11~IT13	6.3~25	一般用于不淬硬平面（端铣表面粗糙度 Ra 值较小）
6	粗刨（或粗铣）→精刨（或精铣）	IT8~IT10	1.6~6.3	
7	粗刨（或粗铣）→精刨（或精铣）→刮研	IT6~IT7	0.1~0.8	精度要求较高的不淬硬平面批量较大时，宜采用宽刃精刨方案
8	以宽刃精刨代替上述刮研	IT7	0.2~0.8	
9	粗刨（或粗铣）→精刨（或精铣）→磨削	IT7	0.2~0.8	精度要求高的淬硬平面或不淬硬平面
10	粗刨（或粗铣）→精刨（或精铣）→磨削	IT6~IT7	0.025~0.4	
11	粗铣→拉	IT7~IT9	0.2~0.8	大量生产时较小的平面（精度视拉刀精度而定）
12	粗铣→精铣→磨削→研磨	IT5 以上	0.008~0.1（或 $Rz0.05$）	高精度平面

表 4-7 孔加工方案

序号	加工方法	经济精度（公差等级表示）	表面粗糙度值 $Ra/\mu m$	适用范围
1	钻	IT11~IT13	12.5	加工未淬火钢及铸铁的实心毛坯，也可用于加工有色金属，孔径小于15~20mm
2	钻→铰	IT8~IT10	1.6~6.3	
3	钻→粗铰	IT7~IT8	0.8~1.6	
4	钻→扩	IT10~IT11	6.3~12.5	加工未淬火钢及铸铁的实心毛坯，也可用于加工有色金属，孔径大于15~20mm
5	钻→扩→铰	IT8~IT9	1.6~3.2	
6	钻→扩→粗铰→精铰	IT7	0.8~1.6	
7	钻→扩→机铰→手铰	IT6~IT7	0.2~0.4	

(续)

序号	加工方法	经济精度（公差等级表示）	表面粗糙度值 Ra/μm	适用范围
8	钻→扩→拉	IT7~IT9	0.1~1.6	大批量生产（精度由拉刀的精度而定）
9	粗镗（或扩孔）	IT11~IT13	6.3~12.5	除淬火钢外各种材料，毛坯有铸出孔或锻出孔
10	粗镗（粗扩）→半精镗（精扩）	IT9~IT10	1.6~3.2	
11	粗镗（粗扩）→半精镗（精扩）→精镗（铰）	IT7~IT8	0.8~1.6	
12	粗镗（粗扩）→半精镗（精扩）→精镗→浮动镗刀精镗	IT6~IT7	0.4~0.8	
13	粗镗（扩）→半精镗→磨孔	IT7~IT8	0.2~0.8	主要用于淬火钢，也可用于未淬火钢，但不宜用于有色金属
14	粗镗（扩）→半精镗→粗磨→精磨	IT7~IT8	0.1~0.2	
15	粗镗→半精镗→精镗→精细镗（金刚镗）	IT6~IT7	0.05~0.4	主要用于精度要求高的有色金属
16	钻→（扩）→粗铰→精铰→珩磨；钻→（扩）→拉→珩磨；粗镗→半精镗→精镗→珩磨	IT6~IT7	0.025~0.2	精度要求很高的孔
17	以研磨代替上述方法中的珩磨	IT5~IT6	0.008~0.1	

表 4-8 轴线平行的孔的位置精度（经济精度）　　　　　　　　　　（单位：mm）

加工方法	工具的定位	两孔轴线间的距离误差或从孔轴线到平面的距离误差
立钻或摇臂钻上钻孔	用钻模	0.1~0.2
	按划线	1.0~3.0
立钻或摇臂钻上镗孔	用镗模	0.03~0.05
车床上车孔	按划线	1.0~2.0
	用带有滑座的角尺	0.1~0.3
坐标镗床上镗孔	用光学仪器	0.004~0.015
金刚镗床上镗孔		0.008~0.02
多轴组合机床上镗孔	用镗模	0.03~0.05
卧式镗床上镗孔	用镗模	0.05~0.08
	按定位样板	0.08~0.2
	按定位器的指示读数	0.04~0.06
	用量块	0.1~0.5
	用内径规或塞规	0.05~0.25
	用程序控制的坐标装置	0.04~0.05
	用游标卡尺	0.2~0.4
	按划线	0.4~0.6

二、加工阶段的划分

1. 划分方法

当零件的加工质量要求较高时，都应划分加工阶段。一般划分为粗加工、半精加工和精加工三个阶段。如果零件要求的精度特别高，表面粗糙度值要求很小时，还应增加光整加工和超精密加工阶段。各加工阶段的主要任务是：

（1）粗加工阶段　主要任务是切除毛坯上各加工表面的大部分加工余量，使毛坯在形状和尺寸上接近零件成品。因此，应采取措施尽可能提高生产率。同时，要为半精加工阶段提供精基准，并留有充分而均匀的加工余量，为后续工序创造有利条件。

(2) 半精加工阶段 达到一定的精度要求，并保证留有一定的加工余量，为主要表面的精加工做准备。同时，完成一些次要表面的终结加工（如紧固孔的钻削、攻螺纹、铣键槽等）。

(3) 精加工阶段 主要任务是保证零件各主要表面达到图样规定的技术要求。

(4) 光整加工阶段 对精度要求很高（IT6 以上）、表面粗糙度值很小（小于 $Ra0.2\mu m$）的零件，需安排光整加工阶段。其主要任务是降低表面粗糙度值或进一步提高尺寸精度和形状精度。

2. 划分加工阶段的原因

(1) 保证加工质量 零件在粗加工时，由于要切除掉大量金属，因而会产生较大的切削力和切削热，同时也需要较大的夹紧力，在这些力和热的作用下，零件会产生较大的变形。而且经过粗加工后零件的内应力要重新分布，也会使零件发生变形。如果不划分加工阶段而连续加工，就无法避免和修正上述原因所引起的加工误差。加工阶段划分后，粗加工造成的误差，通过半精加工和精加工可以得到修正，并逐步提高零件的加工精度和表面质量，保证了零件的加工要求。

(2) 合理使用机床设备 粗加工一般要求采用功率大、刚性好、生产率高而精度不高的机床设备。而精加工需采用精度高的机床设备，划分加工阶段后就可以充分发挥粗、精加工设备各自性能的特点，避免以粗干精，做到合理使用设备。这样不但提高了粗加工的生产率，而且也有利于保持精加工设备的精度和使用寿命。

(3) 及时发现毛坯缺陷 毛坯上的各种缺陷（如气孔、砂眼、夹渣或加工余量不足等），在粗加工后即可被发现，便于及时修补或决定报废，以免继续加工后造成工时和加工费用的浪费。

(4) 便于安排热处理等辅助工序 热处理工序使加工过程划分成几个阶段，如精密主轴在粗加工后进行去除应力人工时效处理，半精加工后进行淬火，精加工后进行低温回火和冰冷处理，最后再进行光整加工。这几次热处理就把整个加工过程划分为粗加工—半精加工—精加工—光整加工阶段。

在拟订零件工艺路线时，一般应遵守划分加工阶段这一原则，但具体应用时还要根据零件的情况灵活处理，例如，对于精度和表面质量要求较低而工件刚性足够、毛坯精度较高、加工余量小的工件，可不划分加工阶段。又如对一些刚性好的重型零件，由于装夹吊运很费时，也往往不划分加工阶段，而在一次安装中完成粗精加工。还需指出的是，将工艺过程划分成几个加工阶段是对整个加工过程而言的，不能单纯从某一表面的加工或某一工序的性质来判断。例如工件的定位基准，在半精加工阶段甚至在粗加工阶段就需要加工得很准确，而在精加工阶段中安排某些钻孔之类的粗加工工序也是常有的。

三、工序的集中与分散

工序集中是指零件的加工集中在少数工序内完成，而每一道工序的加工内容比较多；工序分散则相反，整个工艺过程中工序数量多，而每一道工序的加工内容比较少。

1. 工序集中的特点

1) 有利于采用高生产率的专用设备和工艺装备，如采用多刀、多轴机床，数控机床和加工中心等。

2) 减少了工序数目，缩短了工艺路线，从而简化了生产计划和生产组织工作。

3) 减少了设备数量，相应地减少了操作工人和生产面积。

4) 减少了工件安装次数，不仅缩短了辅助时间，而且在一次安装下能加工较多的表面，易于保证这些表面间的相对位置精度。

5) 专用设备和工艺装备复杂，生产准备工作和投资都比较大，尤其是转换新产品比较困难。

2. 工序分散特点

1) 设备和工艺装备结构比较简单，调整方便，对工人的技术水平要求低。

2) 可采用最有利的切削用量,减少机动时间。
3) 容易适应生产产品的变换。
4) 设备数量多,操作工人多,占用生产面积大。

工序集中和工序分散各有特点,在拟订工艺路线时,工序是集中还是分散,即工序数量是多还是少,主要取决于生产规模和零件的结构特点及技术要求。在一般情况下,单件小批生产时,多采用工序集中。大批量生产时,既可采用多刀、多轴等高效率机床将工序集中,也可将工序分散后组织流水线生产。

四、工序顺序的安排

1. 机械加工工序的安排

机械加工工序的安排应遵循以下原则:

(1) 基准先行　零件加工一般多从精基准的加工开始,再以精基准定位加工其他表面。因此,选作精基准的表面应安排在工艺过程起始工序进行加工,以便为后续工序提供精基准。例如,轴类零件先加工两端中心孔,再以中心孔作为精基准,粗、精加工所有外圆表面;齿轮加工则先加工内孔及基准端面,再以内孔及端面作为精基准,粗、精加工齿形表面。

(2) 先粗后精　精基准加工好以后,整个零件的加工工序应是粗加工工序在前,相继为半精加工、精加工及光整加工。按先粗后精的原则先加工精度要求较高的主要表面,即先粗加工再半精加工各主要表面,最后再进行精加工和光整加工。在对重要表面精加工之前,有时需对精基准进行修整,以利于保证重要表面的加工精度。例如,主轴的高精度磨削时,精磨和超精磨削前都须研磨中心孔;精密齿轮磨齿前,也要对内孔进行磨削加工。

(3) 先主后次　根据零件的功用和技术要求,先将零件的主要表面和次要表面分开,然后先安排主要表面的加工,再把次要表面的加工工序插入其中。次要表面一般指键槽、螺孔、销孔等的表面。这些表面一般都与主要表面有一定的相对位置要求,应以主要表面作为基准进行次要表面加工,所以次要表面的加工一般放在主要表面的半精加工以后、精加工以前一次加工结束,也有放在最后加工的,但此时应注意不要碰伤已加工好的主要表面。

(4) 先面后孔　对于箱体、底座、支架类等零件,其平面的轮廓尺寸较大,用它作为精基准加工孔,比较稳定可靠,也容易加工,有利于保证孔的精度。如果先加工孔,再以孔为基准加工平面,则加工比较困难,加工质量也受影响。

2. 热处理工序的安排

热处理可用来提高材料的力学性能,改善工件材料的可加工性和消除内应力。热处理工序主要是根据工件的材料和热处理的目的来安排的。常见的热处理工序及其位置安排如图4-13所示。

(1) 正火、退火　正火和退火是为了改善可加工性和消除毛坯的内应力。例如,碳的质量分数大于0.5%的碳素钢和合金钢,为降低硬度便于切削,常采用退火;碳的质量分数低于0.3%的低碳钢和低碳合金钢为避免硬度过低而切削时粘刀,一般采用正火,以提高硬度;退火和正火常安排在毛坯制造之后、粗加工之前。

(2) 调质　调质处理是工件淬火后进行高温回火的过程。调质后工件能获得均匀细致的索氏体组织,为以后表面淬火和渗氮做组织准备,常安排在粗加工之后、半精加工之前进行。

(3) 时效处理　时效处理主要用于消除毛坯制造和机械加工中产生的内应力,常安排在粗加工之后进行。对于加工精度要求不高的工件,也可放在粗加工之前进行。

(4) 淬火　淬火处理的目的主要是提高零件材料的硬度和耐磨性。淬火一般安排在半精加工与精加工之间进行,因淬火后工件硬度很高,且有一定变形,需再进行磨削或研磨加工,以修正热处理工序产生的变形。在淬火工序之前需将铣键槽、车螺纹、钻螺纹底孔、攻螺纹等次要表面的加工进行完毕,以防止零件淬硬后不能加工。

(5) 渗碳淬火　渗碳淬火适用于低碳钢和低碳合金钢，其目的是使零件表层含碳量增加，经淬火后使表层获得高的硬度和耐磨性，而芯部仍保持较高的韧性。由于渗碳淬火变形大，且渗碳层深度一般在0.5~2mm之间，因此渗碳淬火工序一般安排在半精加工与精加工之间。

(6) 渗氮处理　渗氮是使氮原子渗入金属表面而获得一层含氮化合物的处理方法。渗氮层可以提高零件表面的硬度、耐磨性、疲劳强度和耐蚀性。由于渗氮处理温度较低，变形小，且渗氮层较薄（0.6~0.7mm），因此常安排在精加工之后进行。为减小渗氮变形，在切削加工之后一般需进行调质处理。

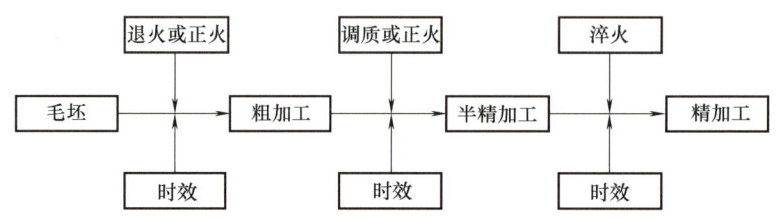

图4-13　热处理工序的安排

3. 检验工序的安排

检验工序一般安排在粗加工后、精加工前；送往外车间前后；重要工序和工时长的工序前后；零件加工结束后、入库前。

4. 其他工序的安排

(1) 表面强化工序　如滚压、喷丸处理等，一般安排在工艺过程的最后。

(2) 表面处理工序　如发蓝、电镀等，一般安排在工艺过程的最后。

(3) 探伤工序　如X射线检测、超声波探伤等多用于零件内部质量的检查，一般安排在工艺过程的开始。磁力探伤、荧光检测等主要用于零件表面质量的检验，通常安排在该表面加工结束以后。

(4) 平衡工序　平衡工序包括动、静平衡，一般安排在精加工以后。在安排零件的工艺过程中，不要忽视去毛刺、倒棱和清洗等辅助工序。在铣键槽、齿面倒角等工序后应安排去毛刺工序。零件在装配前都应安排清洗工序，特别在研磨等光整加工工序之后，更应注意进行清洗工序，以防止残余的磨料嵌入工件表面，加剧零件在使用中的磨损。

第六节　加工余量和工序尺寸的确定

在选择了毛坯、拟订出加工工艺路线之后，需确定加工余量，计算各工序的工序尺寸。加工余量大小与加工成本有着密切的关系，加工余量过大不仅浪费材料，而且增加切削工时，增大刀具和机床的磨损，从而增加成本；加工余量过小，会使前一道工序的缺陷得不到纠正，造成废品，从而也使成本增加，因此，合理地确定加工余量，对提高加工质量和降低成本都有十分重要的意义。

一、加工余量的概念

加工余量是指在机械加工过程中从加工表面上所切除的金属层厚度。加工余量分为工序余量和加工总余量。工序余量是指为完成某一道工序所必须切除的金属层厚度，即相邻两工序的工序尺寸之差；加工总余量是指由毛坯变为成品的过程中，在某加工表面上所切除的金属层总厚度，即毛坯尺寸与零件图设计尺寸之差。由于毛坯尺寸和各工序尺寸均有公差，因此无论是加工总余量还是工序余量，实际上是个变值。因而加工余量又有基本余量、最大余量和最小余量之分，通常所说的加工余量是指基本余量。加工余量、工序余量的公差标注遵循"入体原则"，即"毛坯尺寸按双向标注上、下极限偏差；被包容表面尺寸上极限偏差为零，公称尺寸为上极限尺寸（如轴）；包容面尺寸下极限偏差为零，公称尺寸为下极限尺寸（如内孔）"。加工过程中，工序完成后的工件尺寸称为**工序尺寸**。由于存在加工误差，各工序加工后的尺寸也有一定的公差，称为**工序公差**。工序公差带的布置也采用"入体原则"。图 4-14 所示是加工余量及其公差的关系。从图中可见，不论是被包容面还是包容面，其加工总余量均等于各工序余量之和。

即
$$Z_\mathrm{D} = \sum_{i=1}^{n} Z_i$$

式中　Z_D——加工总余量；
　　　Z_i——第 i 道工序余量；
　　　n——工序数。

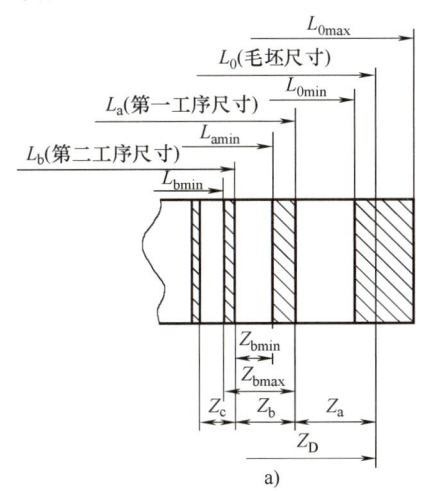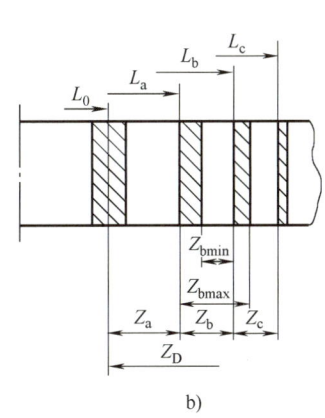

图 4-14　加工余量及其公差的关系
a）被包容面加工余量及公差　b）包容面加工余量及公差

1）对于被包容面，如图 4-14a 所示。

本工序的基本余量：$Z_\mathrm{b} = L_\mathrm{a} - L_\mathrm{b}$

本工序的最大余量：$Z_{\mathrm{bmax}} = Z_\mathrm{b} + T_\mathrm{b}$

本工序的最小余量：$Z_{\mathrm{bmin}} = Z_\mathrm{b} - T_\mathrm{a}$

本工序余量公差：$T_\mathrm{z} = T_\mathrm{b} + T_\mathrm{a}$

式中　L_a、T_a——上工序的公称尺寸和尺寸公差；
　　　L_b、T_b——本工序的公称尺寸和尺寸公差。

2）对于包容面，如图 4-14b 所示。

本工序的基本余量：$Z_\mathrm{b} = L_\mathrm{b} - L_\mathrm{a}$

本工序的最大余量：$Z_{\mathrm{bmax}} = Z_\mathrm{b} + T_\mathrm{b}$

本工序的最小余量：$Z_{\mathrm{bmin}} = Z_\mathrm{b} - T_\mathrm{a}$

本工序余量公差：$T_\mathrm{z} = T_\mathrm{b} + T_\mathrm{a}$

式中　L_a、T_a——上工序的公称尺寸和尺寸公差；
　　　L_b、T_b——本工序的公称尺寸和尺寸公差。

加工余量还有双边余量和单边余量之分，平面加工余量是单边余量，它等于实际切削的金属层厚度。对于外圆和孔等回转表面，加工余量是指双边余量，即以直径方向计算，实际切削的金属为加工余量数值的一半。由图 4-15 可知：

对于外表面的单边余量：$Z_\mathrm{b} = a - b$

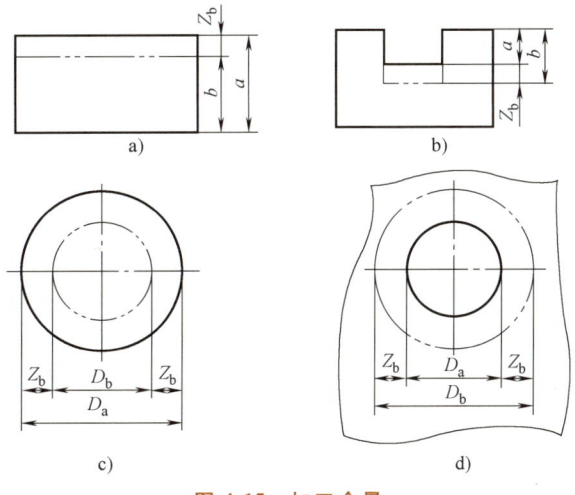

图 4-15　加工余量

对于内表面的单边余量：$Z_b = b - a$

对于轴：$2Z_b = D_a - D_b$

对于孔：$2Z_b = D_b - D_a$

式中　Z_b——本工序的基本余量；

　　　D_a——上工序的公称尺寸；

　　　D_b——本工序的公称尺寸。

二、影响加工余量的因素

为切除前工序在加工时留下的各种缺陷和误差的金属层，又考虑到本工序可能产生的安装误差而不致使工件报废，必须保证一定数值的最小工序余量。为了合理确定加工余量，首先必须了解影响加工余量的因素，其主要因素有：

（1）前工序的尺寸公差　由于工序尺寸有公差，上工序的实际工序尺寸有可能出现上或下极限尺寸。为了使上工序的实际尺寸在极限尺寸的情况下，本工序也能将上工序留下的表面粗糙层和缺陷层切除，本工序的加工余量应包括上工序的公差。

（2）前工序的形状和位置公差　当工件上有些形状和位置偏差不包括在尺寸公差的范围内时，这些误差又必须在本工序加工纠正，在本工序的加工余量中必须包括它。

（3）前工序的表面粗糙度和表面缺陷　为了保证加工质量，本工序必须将上工序留下的表面粗糙层和缺陷层切除。

（4）本工序的安装误差　安装误差包括工件的定位误差和夹紧误差，若用夹具装夹，还应有夹具在机床上的装夹误差。这些误差会使工件在加工时的位置发生偏移，所以加工余量还必须考虑安装误差的影响。如图4-16所示，用自定心卡盘夹持工件外圆加工孔时，若工件轴线偏移机床主轴回转轴线一个 e 值，造成内孔切削余量不均匀，为使上工序的各项误差和缺陷在本工序切除，应将孔的加工余量加大 $2e$。

三、确定加工余量的方法

确定加工余量的方法有三种：分析计算法、经验估算法和查表修正法。

1. 分析计算法

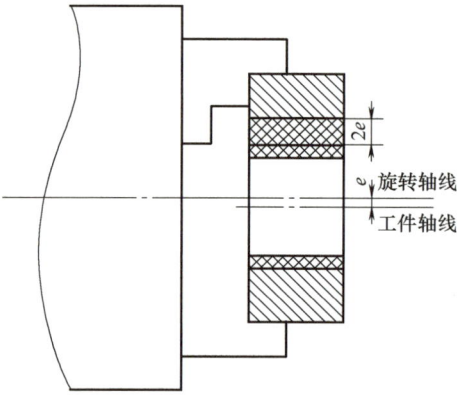

图4-16　工件的安装误差

本方法是根据有关加工余量计算公式和一定的试验资料，对影响加工余量的各项因素进行分析和综合计算来确定加工余量的。用这种方法确定加工余量比较经济合理，但必须有比较全面和可靠的试验资料。目前只在材料十分贵重，以及军工生产或少数、大量生产的企业中采用。

2. 经验估算法

本方法是根据企业的生产技术水平，依靠实际经验确定加工余量的。为防止因余量过小而产生废品，经验估计的数值总是偏大，这种方法常用于单件小批量生产。

3. 查表修正法

此法是根据各企业长期的生产实践与试验研究所积累的有关加工余量数据，制成各种表格并汇编成手册，确定加工余量时，查阅有关手册，再结合本企业的实际情况进行适当修正后确定加工余量的。目前此法应用较为普遍。

四、工艺尺寸链

机械加工过程中，工件由毛坯到成品的尺寸在不断地变化，最后达到设计要求的尺寸。这些尺寸之间存在一定的联系，所以需要应用尺寸链理论揭示它们之间的内在关系，并合理确定工序尺寸及其公差。

1. 工艺尺寸链的概念

（1）尺寸链的定义　在零件的加工过程中，由相互联系的尺寸组成的封闭尺寸组合称为工艺尺寸链。如图4-17所示的阶台零件，该零件先以 A 面定位加工面 C，得到尺寸 L_c；再加工 B 面，得到尺寸 L_a；这样该零件在加工时并未直接保证的尺寸 L_b 就随之确定。尺寸 L_c、L_a、L_b 就构成一个封闭的尺寸组合，即形成了一个尺寸链。

（2）工艺尺寸链的组成

1）环。组成工艺尺寸链的各个尺寸都称为工艺尺寸链的环。如图4-17所示的尺寸 L_a、L_b、L_c。

2）封闭环。工艺尺寸链中间接得到的环称为封闭环。如图4-17所示的尺寸 L_b，是加工后间接获得的，因此是封闭环。封闭环以下角标"0"表示，如"L_0"。

3）组成环。除封闭环以外的其他环都称为组成环。如图4-17所示的尺寸 L_a 和 L_c。组成环分为增环和减环两种。

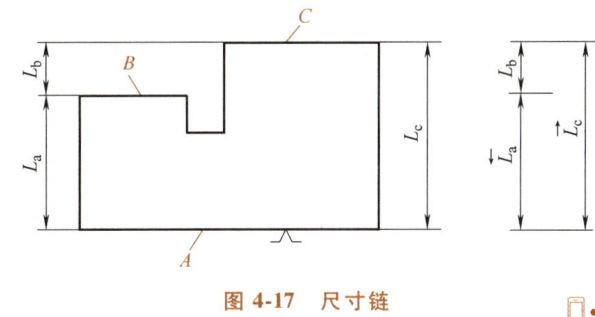

图4-17　尺寸链

尺寸链

① 增环。当其余各组成环保持不变，某一组成环增大，封闭环也随之增大，该组成环即为增环。一般在该环尺寸的代表符号上，加一向右的箭头表示，如图4-17所示的尺寸 L_c 为增环，可用 $\overrightarrow{L_c}$ 表示。

② 减环。当其余各组成环保持不变，某一组成环增大，封闭环反而减小，该组成环即为减环。一般在该尺寸的代表符号上，加一向左的箭头表示，如图4-17所示的尺寸 L_a 为减环，可用 $\overleftarrow{L_a}$ 表示。

（3）工艺尺寸链的特征

1）关联性。组成工艺尺寸链的各尺寸之间必然存在着一定的关系，相互无关的尺寸不组成工艺尺寸链。工艺尺寸链中每一个组成环不是增环就是减环，其尺寸发生变化都要引起封闭环的尺寸变化。对工艺尺寸链中的封闭环尺寸没有影响的尺寸，就不是该工艺尺寸链的组成环。

2）封闭性。尺寸链必须是一组首尾相接并构成一个封闭图形的尺寸组合，其中应包含一个间接得到的尺寸。不构成封闭图形的尺寸组合不是尺寸链。

（4）建立工艺尺寸链的步骤

1）确定封闭环，即加工后间接得到的尺寸。

2）查找组成环。从封闭环一端开始，按照尺寸之间的联系，首尾相连，依次画出对封闭环有影响的尺寸，直到封闭环的另一端，形成一个封闭图形，就构成一个工艺尺寸链。如图4-17所示，从尺寸 L_b 上端开始，沿 L_b—L_c—L_a 到 L_b 下端就形成了一个封闭的尺寸组合，即构成了一个工艺尺寸链。

3）确定增环或减环。确定增环或减环可用图4-18所示的方法：先给封闭环任意规定一个方向，然后沿此方向，绕工艺尺寸链依次给各组成环画出箭头，凡是与封闭环箭头方向相同的就是减环，相反的就是增环。

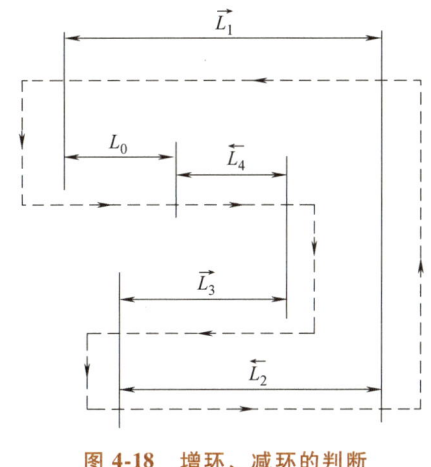

图4-18　增环、减环的判断
L_0—封闭环　L_1、L_3—增环　L_2、L_4—减环

2. 工艺尺寸链的计算

尺寸链的计算方法有两种：极值法与概率法。极值法是从最坏情况出发来考虑问题的，即当所有增环都为上极限尺寸而减环恰好都为下极限尺寸，或所有增环都为下极限尺寸而减环恰好都为上极限

尺寸时，来计算封闭环的极限尺寸和公差。概率法解尺寸链，主要用于装配尺寸链，其计算方法在第六章讲授。这里只介绍极值法解工艺尺寸链的基本计算公式。

（1）封闭环的公称尺寸 L_0

$$L_0 = \sum_{i=1}^{k} \overrightarrow{L_i} - \sum_{i=k+1}^{m} \overleftarrow{L_i} \tag{4-1}$$

式中　k——增环的环数；

　　　m——组成环的环数（下同）。

（2）封闭环的极限尺寸

$$L_{0\max} = \sum_{i=1}^{k} \overrightarrow{L_{i\max}} - \sum_{i=k+1}^{m} \overleftarrow{L_{i\min}} \tag{4-2}$$

$$L_{0\min} = \sum_{i=1}^{k} \overrightarrow{L_{i\min}} - \sum_{i=k+1}^{m} \overleftarrow{L_{i\max}} \tag{4-3}$$

（3）封闭环的极限偏差

$$ES_0 = \sum_{i=1}^{k} \overrightarrow{ES_i} - \sum_{i=k+1}^{m} \overleftarrow{EI_i} \tag{4-4}$$

$$EI_0 = \sum_{i=1}^{k} \overrightarrow{EI_i} - \sum_{i=k+1}^{m} \overleftarrow{ES_i} \tag{4-5}$$

（4）封闭环的公差 T_0

$$T_0 = ES_0 - EI_0 = \sum_{i=1}^{m} T_i \tag{4-6}$$

（5）封闭环的平均尺寸 L_{0m}

$$L_{0m} = \sum_{i=1}^{k} \overrightarrow{L_{im}} - \sum_{i=k+1}^{m} \overleftarrow{L_{im}} \tag{4-7}$$

式中　$\overrightarrow{L_{im}}$——增环的平均尺寸；

　　　$\overleftarrow{L_{im}}$——减环的平均尺寸。

组成环的平均尺寸

$$L_{im} = \frac{L_{i\max} + L_{i\min}}{2} \tag{4-8}$$

五、工序尺寸及其公差的确定

1. 基准重合时工序尺寸及公差的确定

当零件定位基准与设计基准（工序基准）重合时，零件工序尺寸及其公差的确定方法是：先根据零件的具体要求确定其加工工艺路线，再通过查表确定各道工序的加工余量及其公差，然后计算出各工序尺寸及公差。计算顺序是：先确定各工序余量的公称尺寸，再由后往前逐个工序推算，即由工件上的设计尺寸开始，由最后一道工序向前工序推算直到毛坯尺寸。

例 4-1　直径为 $\phi30h6$、长度为 50mm 的短轴，材料为 45 钢，需经表面淬火，其表面粗糙度值为 $Ra0.8\mu m$，试查表确定其工序尺寸和毛坯尺寸。

解　1）根据技术要求，确定加工路线。由表 4-4 取外圆的工艺路线为：粗车→半精车→粗磨→精磨。

2）查表确定各工序加工余量及各工序公差。由机械制造工艺人员相关手册查得毛坯余量及各工序加工余量为：毛坯 4.5mm，精磨 0.1mm，粗磨 0.30mm，半精车 1.10mm。

由加工总余量公式可知，粗车余量为 3.0mm。查得各工序公差为：精磨 0.013mm，粗磨 0.021mm，半精车 0.033mm，粗车 0.52mm，毛坯 0.8mm。

3) 确定工序尺寸及公差。由于精磨工序尺寸为精磨后工件的尺寸,所以精磨工序尺寸为 $\phi 30_{-0.013}^{0}$mm。
粗磨工序尺寸为粗磨后精磨前工件的尺寸,因此粗磨工序尺寸为:

粗磨工序尺寸=精磨工序尺寸+精磨余量,即 $\phi 30.1_{-0.021}^{0}$mm。

半精车工序尺寸为半精车后粗磨前工件的尺寸,因此半精车的工序尺寸为:

半精车工序尺寸=粗磨工序尺寸+粗磨余量,即 $\phi 30.4_{-0.033}^{0}$mm。

粗车工序尺寸为粗车后半精车前的工序尺寸,因此粗车工序尺寸为:

粗车工序尺寸=半精车工序尺寸+半精车余量,即 $\phi 31.5_{-0.52}^{0}$mm。

毛坯直径为 $\phi(34.5\pm0.4)$mm。

2. 基准不重合时工序尺寸及其公差的确定

定位基准与设计基准或工序基准不重合时,工序尺寸及其公差的确定比较复杂,需用工艺尺寸链来进行分析计算。

(1) 测量基准与设计基准不重合时工序尺寸及其公差的计算　在加工中,有时会遇到某些加工表面的设计尺寸不便测量,甚至无法测量的情况,为此需要在工件上另选一个容易测量的测量基准,通过对该测量尺寸的控制来间接保证原设计尺寸的精度。这就产生了测量基准与设计基准不重合时,测量尺寸及公差的计算问题。

例 4-2　如图 4-19 所示的零件,加工时要求保证尺寸 (6 ± 0.1)mm,但该尺寸在加工时不便测量,只好通过测量尺寸 L 来间接保证,试求工序尺寸 L 及其上、下极限偏差。

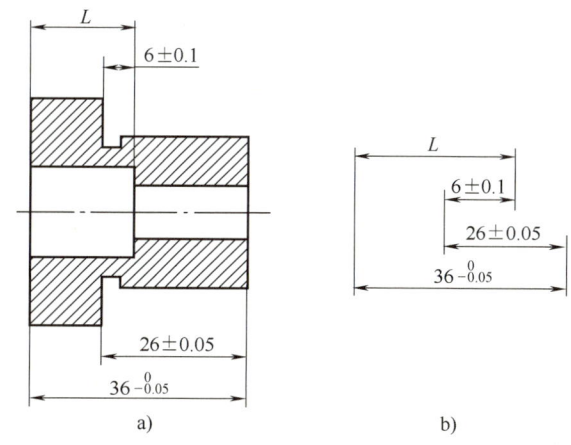

图 4-19　测量基准与设计基准不重合的尺寸换算

解　在图 4-19a 中尺寸 (6 ± 0.1)mm 是间接得到的,即为封闭环。工艺尺寸链如图 4-19b 所示,其中尺寸 L、(26 ± 0.05)mm 为增环,尺寸 $36_{-0.05}^{0}$mm 为减环。

由式 (4-1) 得
$$6\text{mm} = L + 26\text{mm} - 36\text{mm}$$
$$L = 16\text{mm}$$

由式 (4-4) 得
$$0.1\text{mm} = ES_L + 0.05\text{mm} - (-0.05)\text{mm}$$
$$ES_L = 0$$

由式 (4-5) 得
$$-0.1\text{mm} = EI_L + (-0.05)\text{mm} - 0$$
$$EI_L = -0.05\text{mm}$$

因而
$$L = 16_{-0.05}^{0}\text{mm}$$

极值法的计算也可以用竖式法,清晰方便,一目了然,计算见表 4-9。

表 4-9　竖式(极值法)解工艺尺寸链　　　　(单位:mm)

环的名称	公称尺寸	上极限偏差(ES)	下极限偏差(EI)	公差 T_i
增环 $\vec{L}$	(16)	(0)	(−0.05)	(0.05)
增环	26	0.05	−0.05	0.1
减环	−36	0.05	0	0.05
封闭环 L_0	6	0.1	−0.1	0.2

因而
$$L = 16_{-0.05}^{0}\text{mm}$$

竖式法是利用极值法的式 (4-1)、式 (4-4) ~ 式 (4-6) 来求解工艺尺寸链,为了计算方便,将减法运算变为加法运算。因此在表中凡是减环,将上、下极限偏差对调后变号,即正值改为负值,负值变为正值。注意,当利用竖式法求解某减环的尺寸及公差时,求出的结果应将表中所示的数值上下极限偏差对调、变号。竖式法常用以验算计算法的结果是否正确。

(2) **定位基准与设计基准不重合时工序尺寸的计算** 在零件加工过程中,有时为方便定位或加工,选用不是设计基准的几何要素作为定位基准。在这种定位基准与设计基准不重合的情况下,需要通过尺寸换算,改注有关工序尺寸及公差,并按换算后的工序尺寸及公差加工,以保证零件的原设计要求。

例 4-3 图 4-20a 所示的零件以底面 N 为定位基准镗 O 孔,确定 O 孔位置的设计基准是 M 面[设计尺寸是 (100±0.15) mm],用镗夹具镗孔时,镗杆相对于定位基准 N 的位置(即 L_1 尺寸)预先由夹具确定。这时设计尺寸 L_0 是在 L_1、L_2 尺寸确定后间接得到的。试确定 L_1 的尺寸及公差,使间接获得的尺寸 L_0 在规定的公差范围之内。

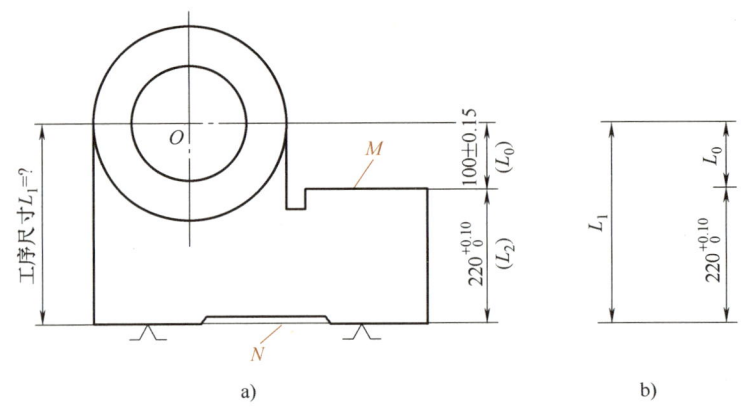

图 4-20 定位基准与设计基准不重合的尺寸换算

解 根据题意可看出尺寸 (100±0.15) mm 是封闭环。

工艺尺寸链如图 4-20b 所示,其中尺寸 $220_0^{+0.10}$ mm 为减环,L_1 为增环。

按公式计算工序尺寸,得

$$100\text{mm} = L_1 - 220\text{mm}$$

$$L_1 = 320\text{mm}$$

由式 (4-4) 得

$$0.15\text{mm} = ES_1 - 0$$

$$ES_1 = 0.15\text{mm}$$

由式 (4-5) 得

$$-0.15\text{mm} = EI_1 - 0.10\text{mm}$$

$$EI_1 = -0.05\text{mm}$$

因而

$$L = 320_{-0.05}^{+0.15}\text{mm}$$

(3) **中间工序的工序尺寸及其公差的计算** 在工件加工过程中,有时一个基面的加工会同时影响两个设计尺寸的数值。这时,需要直接保证其中公差要求较严的一个设计尺寸,而另一设计尺寸需由该工序前面的某一中间工序的合理工序尺寸间接保证。为此,需要对中间工序尺寸进行计算。

例 4-4 如图 4-21a 所示,齿轮内孔设计尺寸为 $\phi 40_0^{+0.06}$ mm,键槽设计深度为 $43.2_0^{+0.36}$ mm,内孔及键槽加工顺序为:①镗内孔至 $\phi 39.6_0^{+0.10}$ mm;②插键槽至尺寸 L_1;③淬火热处理;④磨内孔至设计尺寸 $\phi 40_0^{+0.06}$ mm,同时要求保证键槽深度为 $43.2_0^{+0.36}$ mm。试确定镗孔后的插键槽深度 L_1 的尺寸及公差。

解 由加工过程可知,尺寸 $43.2_0^{+0.06}$ mm 的一个尺寸界线——键槽底面,是在插槽工序时按尺寸 L_1 确定的;另一尺寸界线——孔表面,是在磨孔工序时由尺寸 $\phi 40_0^{+0.06}$ mm 确定的,故尺寸 $43.2_0^{+0.06}$ mm 是一个间接得到的尺寸,为封闭环。

工艺尺寸链如图 4-21b 所示,其中 L_1、尺寸 $\phi 40_0^{+0.06}$ mm 为增环,尺寸 $\phi 39.6_0^{+0.10}$ mm 为减环。

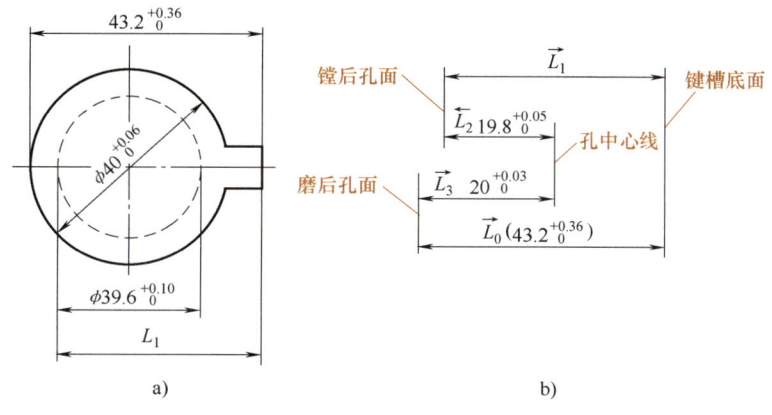

图 4-21 加工内孔键槽的工艺尺寸链

由式（4-1）得
$$43.2\text{mm} = (L_1 + 20) - 19.8\text{mm}$$
$$L_1 = 43\text{mm}$$

由式（4-4）得
$$0.36\text{mm} = (ES_1 + 0.03\text{mm}) - 0$$
$$ES_1 = 0.33\text{mm}$$

由式（4-5）得
$$0 = (EI_1 + 0) - 0.05\text{mm}$$
$$EI_1 = 0.05\text{mm}$$

因而
$$L_1 = 43^{+0.33}_{+0.05}\text{mm}$$

（4）保证渗碳或渗氮层深度时工艺尺寸及其公差的计算 零件渗碳或渗氮后，表面一般要经磨削保证尺寸精度，同时要求磨削后保留有规定的渗层深度。这就要求渗碳或渗氮热处理时按一定渗层深度及公差进行（用控制热处理时间保证），并对这一合理渗层深度及公差进行计算。

例 4-5 一批圆轴工件如图 4-22 所示，其加工过程为：车外圆至 $\phi20.6^{\ 0}_{-0.04}\text{mm}$；渗碳淬火；磨外圆至 $\phi20^{\ 0}_{-0.02}\text{mm}$。试计算保证磨削后渗碳层深度为 0.7~1.0mm 时，渗碳工序的渗入深度及其公差。

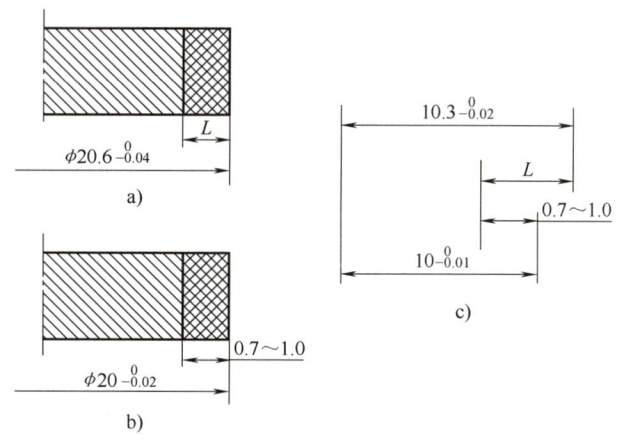

图 4-22 保证渗碳层深度的尺寸换算
a）渗碳 b）磨外圆 c）尺寸链

解 由题意可知，磨削后保证的渗碳层深度 0.7~1.0mm 是间接获得的尺寸，为封闭环。

工艺尺寸链如图 4-22c 所示，其中尺寸 L、$10^{\ 0}_{-0.01}\text{mm}$ 为增环，尺寸 $10.3^{\ 0}_{-0.02}\text{mm}$ 为减环。

由式（4-1）得
$$0.7\text{mm} = L + 10\text{mm} - 10.3\text{mm}$$
$$L = 1\text{mm}$$

由式（4-4）得
$$0.3 = ES_L + 0 - (-0.02)\text{mm}$$
$$ES_L = 0.28\text{mm}$$

由式（4-5）得

$$0 = EI_L + (-0.01)\text{mm} - 0$$
$$EI_L = 0.01\text{mm}$$

因此
$$L = 1^{+0.28}_{+0.01}\text{mm}$$

第七节 机床与工艺装备的选择

一、机床的选择

选择机床一般注意以下几点：

1）机床的规格尺寸应与工件外廓尺寸相适应，做到合理使用设备，既满足零件表面的加工要求，又不浪费机床动力。

2）机床的精度与工件要求精度相适应。对于高精度的零件，尽量选择如数控机床、加工中心等，利用机床精度和相应检测手段保证零件的精度和表面粗糙度。如果条件不具备，可以通过设备改装或设计专用夹具，以粗干精。

3）机床的生产率应与工件的生产类型相适应。单件小批生产，一般选择通用设备；大批量生产，宜选高生产率、高自动化程度的机床。

4）机床选择要适合本企业的规模及实际加工情况，例如设备的类型、规格及精度状况，设备负荷的平衡情况等。

二、工艺装备的选择

工艺装备包括夹具、刀具和量具。

（1）夹具的选择　夹具类型要与工件生产类型相适应：批量较小的生产，一般选择通用夹具，以减少成本；为提高效率，减少夹具制造费用，推广使用成组夹具或组合夹具；大批量生产，应选择高效的专用夹具，用以保证零件的加工精度要求。批量越大，就越需要采用快速高效的夹紧装置，以提高生产率。

（2）刀具的选择　刀具的类型、规格和精度应符合加工要求，同时尽量提高切削加工中的生产率和降低成本，如通用刀具能缩短刀具生产周期，降低成本；高生产率、高使用寿命、低成本的机夹不重磨刀具是今后发展的重要方向；必要时采用加工精度稳定、生产率高的专用刀具和复合刀具。

（3）量具的选择　量具的精度应与加工精度相匹配。小批量生产时一般选择通用量具，如游标卡尺、千分尺、百分表等。大批量生产时采用专用检具、随机自动检测装置等。

第八节 切削用量与工时定额的确定

一、切削用量的确定

确定切削用量，是指在选择好刀具材料和几何角度的基础上，确定背吃刀量 a_p、进给量 f 和切削速度 v_c。确定切削用量的原则，是在保证加工质量、降低成本和提高生产率的前提下，使 a_p、f、v_c 的乘积最大。

（1）背吃刀量的选择　首先选择尽可能大的背吃刀量 a_p，其值应根据加工余量确定。粗加工时应尽可能一次进给切除全部粗加工余量；在加工余量过大或工艺系统刚度不够时应分成两次以上进给，第一次进给的背吃刀量取大些，使第二次进给的背吃刀量小些。精加工的背吃刀量应大于上道工序的加工公差，其数值可参照有关手册。

（2）进给量的选择　在保证机床、刀具不致因切削力太大而损坏，切削力造成的工件挠曲度不致超出工件精度允许的数值，表面粗糙度值不致太大的前提下，尽量选择大的进给量 f，粗加工时限制进给量的主要是切削力，半精加工和精加工时限制进给量的主要是表面粗糙度。进给量的数值一般多根据经验按相关手册选取。

（3）切削速度的确定　当 a_p 与 f 确定后，在刀具寿命和机床功率允许的条件下选择合理的切削速度 v_c。选择时，可以先按刀具寿命计算出切削速度，然后校验机床功率是否超载。一般情况下从按不同的 a_p、f 和刀具寿命计算出的多个 v_c 值中选取。

二、工时定额的确定

参见第一章第三节机械加工的生产率。

【知识与技能拓展】

4-1　简述工艺规程的作用及制订工艺规程的基本原则。

4-2　毛坯有哪些类型？选用时一般考虑哪些问题？

4-3　试分析下列情况的定位基准：

（1）拉孔；（2）无心磨外圆。

4-4　举例说明下列有关选择基准的原则：

（1）基准重合原则；（2）基准统一原则；（3）互为基准原则；（4）自为基准原则。

4-5　小批生产，材料 45 钢、直径 $\phi 50h7$、长度 200mm 的光轴，毛坯为热轧件，经粗车、精车、淬火和磨削达到图样要求。现已知各工序尺寸的公差分别为：$T_{粗} = 0.21$mm，$T_{精} = 0.05$mm，$T_{磨} = 0.025$mm。试计算各工序尺寸及上、下极限偏差，画出加工余量与工序尺寸分布图。

4-6　图 4-23 所示为支架零件。试分析 $\phi 12H7$ 孔的设计基准，并选择加工 $\phi 12H7$ 孔的定位基准。

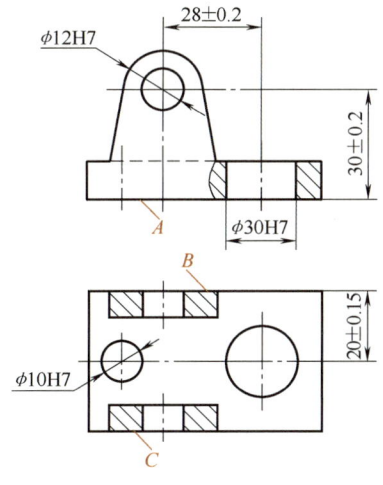

图 4-23　题 4-6 图

第五章 典型零件的加工

【学习目标】

1. 准确理解如轴颈、尺寸精度、中心孔、无心磨削等有关概念。
2. 理解轴类、套类、箱体类零件与齿轮加工的技术要求、加工方式及特点等。
3. 学会针对不同零件、不同生产纲领确定机械加工工艺过程。
4. 掌握选择加工设备与装夹方式的原则。

【素养目标】

1. 围绕知识点，树立职业素养理念，培养爱岗敬业的良好品德与精益求精的工匠精神。
2. 拥有敢为人先、勇于担当、迎难而上、为国出力的优良品质与情怀。

机器中的零件虽然各有不同的形状尺寸，但按功能、形状特征相似性可以分成轴、套、箱体、齿轮等类型，同类型的零件的加工具有基本相同的规律性。

第一节 轴类零件加工

一、概述

1. 轴类零件的功用与结构特点

轴类零件是机械加工中常见的典型零件之一。在机器中，它主要用来支承传动件和传递转矩，并保证装在其上的零件具有一定的回转精度。轴类零件是旋转体零件，其长度大于直径，加工表面一般有内外圆柱面、内外圆锥面、台阶、花键、键槽、螺纹、沟槽等表面。按轴类零件的结构形状通常可分为光轴、阶梯轴、花键轴、空心轴、曲轴等，如图5-1所示。

2. 轴类零件的技术要求

与轴承配合的轴段称为轴颈。轴颈是轴的装配基准，其精度和表面质量一般要求较高，其技术要求一般根据轴的主要功用和工作条件而定，通常有以下几个方面：

（1）尺寸精度　尺寸精度主要是指轴的直径和轴向长度的尺寸精度。根据使用要求，主要轴颈的尺寸精度通常有如下三种标准公差等级：精密轴颈为IT5，重要轴颈为IT6~IT8，一般轴颈为IT9。

轴向长度尺寸通常规定公称尺寸即可。当阶梯轴的各阶梯长度尺寸精度要求较高时，也要标注相应公差。当要求很高时，公差一般为0.005~0.01mm。

（2）形状精度　形状精度主要是指轴颈的形状精度（圆度、圆柱度等），一般应限制在直径公差范围内。对几何形状精度要求较高时，可在零件图上另行规定公差。

（3）相互位置精度　相互位置精度主要是指装配传动件的配合轴颈相对于装配轴承的支承轴颈的

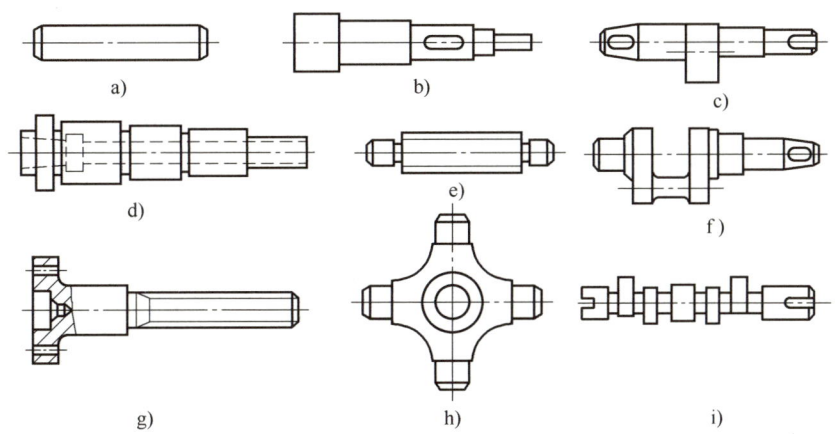

图 5-1 轴的种类

a) 光轴 b) 阶梯轴 c) 偏心轴 d) 空心轴 e) 花键轴 f) 曲轴 g) 半轴 h) 十字轴 i) 凸轮轴

同轴度。通常用配合轴颈对支承轴颈的径向圆跳动来表示。普通精度的轴,配合轴颈对支承轴颈的径向圆跳动一般为 0.01~0.03mm,高精度轴为 0.001~0.005mm。

(4) 表面粗糙度 根据表面工作部位的不同,可有不同的表面粗糙度值。一般来说,支承轴颈的表面粗糙度值为 $Ra0.16 \sim 0.63 \mu m$,配合轴颈的表面粗糙度值为 $Ra0.63 \sim 1.6 \mu m$,一般轴颈的表面粗糙度值为 $Ra1.6 \sim 6.3 \mu m$。随着机器运转速度和精密程度的提高,轴类零件表面粗糙度值也将要求越来越小。

3. 轴类零件的材料、毛坯与热处理

(1) 轴类零件的材料与热处理 不同使用要求的轴类零件选择不同的材料及热处理规范,轴类零件常用材料及热处理见表 5-1。

表 5-1 轴类零件常用材料与热处理

轴的种类	材料	预备热处理	最终热处理	达到效果
一般轴类零件	中碳优质碳素结构钢,如 45 钢	正火或调质	局部淬火	获得一定强度、韧性和耐磨性
中等精度、转速较高的轴	中碳合金结构钢,如 40Cr、40MnVB	调质	局部淬火	有较高的综合力学性能
精度较高的轴类零件	弹簧钢、轴承钢,如 GCr15、65Mn	调质	表面淬火	较高的耐磨性和疲劳强度
高转速重载荷的轴	低碳合金钢,如 20CrMoTi	正火	渗碳淬火后回火	表层有很高的硬度和耐磨性,心部有较高的强度和韧度
特别重要的轴	渗氮钢,如 38CrMoAl	调质、去应力处理	渗氮处理	有很好的心部强度和表层硬度、耐磨性、疲劳强度

(2) 轴类零件的毛坯 轴类零件最常用的毛坯是圆棒料和锻件,只有某些大型的、结构复杂的轴才采用铸件。由于毛坯经过加热锻造后,金属内部纤维组织沿表面均匀分布,从而可以获得较高的抗拉、抗弯及抗扭强度,故一般比较重要的轴,大都采用锻件。对于光滑轴和直径相差不大的阶梯轴一般可采用热轧或冷拉棒料。

根据生产规模的不同,毛坯的锻造方式有自由锻造和模锻两种。自由锻造设备简单,但毛坯精度较低,加工余量大,而且不易锻造形状复杂的毛坯,多用于中小批生产。模锻的毛坯精度高,加工余量小,生产率高,可以锻造形状复杂的毛坯。而且材料经模锻后,纤维组织的分布更有利于提高零件的强度。但模锻需要昂贵的设备和专用锻模,成本高,因而只适用于大批大量生产。

4. 传动轴零件工艺分析

减速器是常见的机械传动部件,往往需要进行批量生产。图 5-2 所示为某减速器中的一根传动轴,其表面主要包括外圆柱面、端面、螺纹键槽等,基本具备轴类零件的主要结构特征,其加工制造工艺也有广泛的代表性,下面来介绍此轴机械制造工艺制订的方法,分析确定其一般的加工工艺路线。

(1) 传动轴加工精度分析　观察图 5-2 所示零件图,获取零件精度的相关信息,主要包括尺寸精度、几何精度、表面粗糙度及其他精度要求。其主要加工表面及精度要求如下:

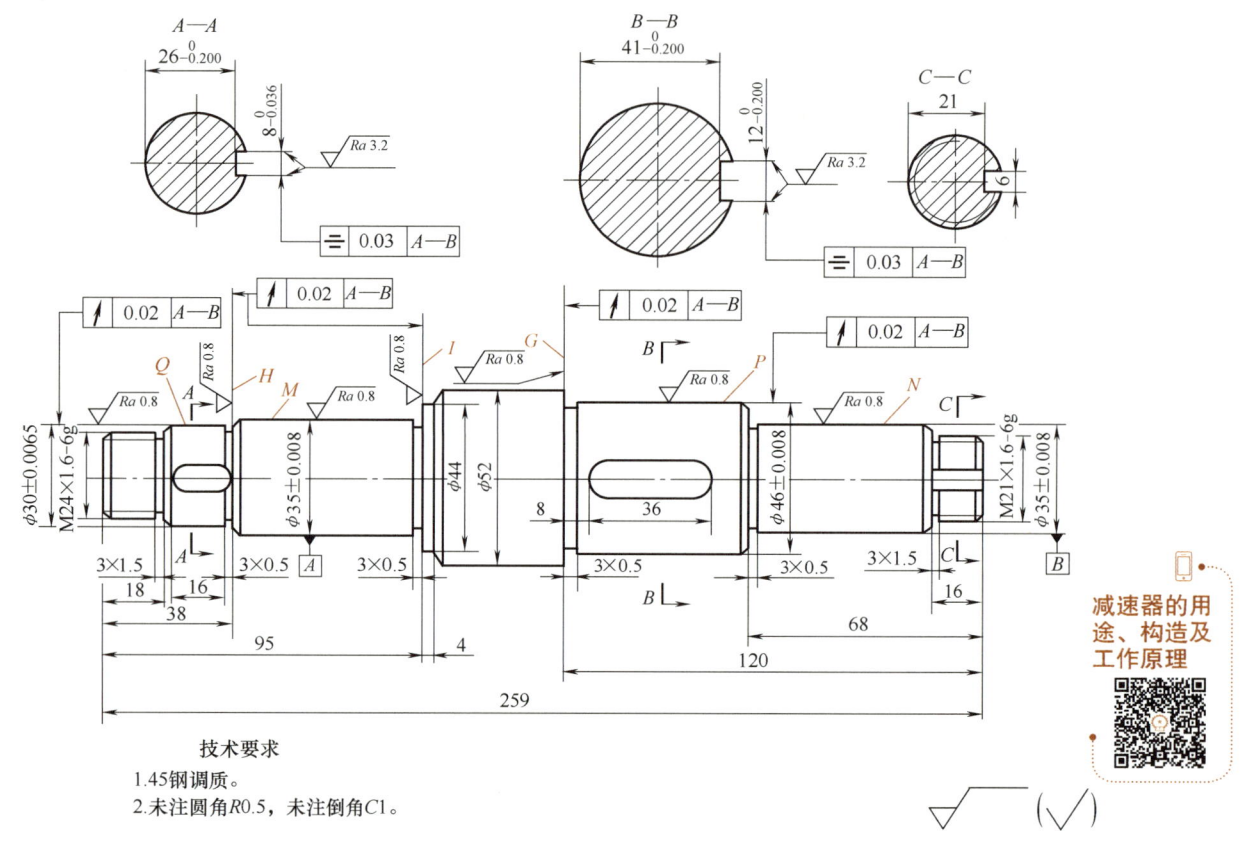

图 5-2　减速器传动轴

1) 左右两端面及中心孔,加工后保证轴长 259mm,表面粗糙度采用未注公差精度。

2) 重点轴段有四个:与轴承配合的轴段(M、N)$\phi(35\pm0.008)$mm 有两段;与大齿轮配合的轴段(P)$\phi(46\pm0.008)$mm;与减速器箱体外部小齿轮配合的轴段(Q)$\phi(30\pm0.0065)$mm。其表面粗糙度值要求都是 $Ra0.8\mu m$,P、Q 轴段相对于公共轴线 A—B 的径向圆跳动不超过 0.02mm。

3) 三个重要的装配定位面(H、G、I)。其表面粗糙度值要求都是 $Ra0.8\mu m$,相对于公共轴线 A—B 的轴向圆跳动不超过 0.02mm。

4) 螺纹轴段有两个,均为细牙普通螺纹,中径及顶径尺寸精度 IT6,连接用。

5) 键槽有两个,传动用(工作面 $Ra3.2\mu m$);止动垫圈槽一个,螺母防松用。

6) 若干倒角、退刀槽及非配合轴段加工精度要求不高,如图 5-2 所示。

(2) 传动轴加工工艺规程　显然轴线为此零件的设计基准,同时也被选为定位的粗、精基准,体现了基准重合原则。在加工各个表面时可以选择双顶尖装夹方式或一夹一顶的装夹方式,前者定位精度较高。该零件大部分加工任务由车削加工完成,因此首先学习车削工艺范围。

1) 车削的工艺范围。外圆车削工艺范围很广,可以划分为荒车、粗车、半精车、精车和精细车,分别达到不同的表面粗糙度与精度。

① 荒车。毛坯为自由锻件或大型铸件时,加工余量很大,往往需进行荒车,以切除大部分加工余量,减小其位置偏差和表面形状误差。荒车后工件尺寸精度可以达到 IT15~IT18。

② 粗车。对于中小型的铸件和锻件,可以直接进行粗车。粗车后工件的精度可达到IT10~IT13,表面粗糙度值为$Ra20~32\mu m$。所以粗车可以作为低精度表面的终加工。

③ 半精车。半精车后工件精度可达IT9~IT10,表面粗糙度值为$Ra10~20\mu m$,可以作为中等精度表面的最终加工,也可作为磨削和其他精加工工序的预加工。

④ 精车。一般作为最终加工工序或者作为光整加工的预加工。精车后,工件的精度可达到IT7~IT8,表面粗糙度值为$Ra1.25~10\mu m$。对于精度较高的毛坯,可以不经过粗车,而直接进行精车或半精车。

⑤ 精细车。精细车后工件的精度可达到IT6~IT7,表面粗糙度值为$Ra0.32~1.25\mu m$,因此精细车往往作为最终加工工序。由于有色金属不宜采用磨削,所以高速精细车就成了加工有色金属零件的主要方法,比加工铸铁和钢料能获得较小的表面粗糙度值(为$Ra0.16~0.63\mu m$)。

精细车能获得较高的精度和较小的表面粗糙度值的原因,主要是所用的车床具有高的几何精度和刚度,刀具经过精细研磨后具有良好的耐磨性,同时采用了高的切削速度(160m/min 或更高)、小的背吃刀量(0.03~0.05mm)和小的进给量(0.02~0.2mm/r),进给力小,因此减小了切削过程中的发热量、积屑瘤、弹性变形及残留面积,从而使零件获得较高的精度与较小的表面粗糙度值。

2)根据表4-5确定各重要表面的加工方案如下:

① 重要的四个轴段(M、N、P、Q)及三个定位端面(H、G、I)均采用粗车→半精车→磨削的方案,可以达到精度要求。

② 螺纹、键槽、中心孔等精度要求高的表面,从工艺上要分成粗加工及精加工工步。

③ 其余,未注公差要求的表面,以粗加工为最终工序。

④ 调质热处理工序放在粗加工之后,保证一定的硬度要求。

⑤ 在加工过程中为了保证热处理后精基准变形不影响加工定位,需要修研中心孔。

⑥ 中间可以在适当的位置增加钳工去毛刺及半成品检验工序。

3)确定传动轴的加工工艺过程(表5-2)。

表 5-2 减速器传动轴的加工工艺过程

工序号	工序名称	工序内容	加工设备
1	下料	$\phi 60mm \times 265mm$	
2	粗车	用自定心卡盘夹持工件,车端面,钻中心孔。用尾座顶尖顶住,粗车三个台阶外圆	
		调头,用自定心卡盘夹持另一端,车端面,保证总长259mm,钻中心孔。用尾座顶尖顶住,粗车另一端四个台阶外圆	
3	热处理	调质处理	
4	修中心孔	修研两端中心孔	
5	半精车	用双顶尖装夹,半精车三个台阶,长度达到尺寸要求。车螺纹大径,切三个退刀槽及倒角	
		调头,用双顶尖装夹,半精车余下的五个台阶。$\phi 44mm$、$\phi 52mm$车到规定尺寸。车螺纹大径,切三个退刀槽及倒角	
6	车螺纹	用双顶尖装夹,车一端螺纹M24×1.6-6g。调头,车另一端螺纹	车床
7	划线	划两键槽及止动垫圈槽加工线	
8	铣削	铣两键槽及止动垫圈槽	
9	修中心孔	修研两端中心孔	车床
10	磨削	磨外圆Q、M,并用砂轮端面靠磨台肩H、I。调头,磨外圆N、P,靠磨台肩G	外圆磨床
11	检验	检验各部分精度	

二、轴类零件的车削加工

1. 车削外圆

根据工件表面的加工精度和表面粗糙度要求,车外圆一般分粗车和精车两个步骤。

(1) 粗车　粗车的目的是要尽快地切去大部分加工余量,为精加工留 0.5~1mm 加工余量,常用的外圆粗车刀有主偏角 45°、75°和 90°车刀,如图 5-3 所示。

(2) 精车　精车的目的是切除余下的少量金属层,以获得图样要求的精度和表面粗糙度。精车时应采用有圆弧过渡刃的精车刀。车刀的前后面须用磨石打光。因此要求车刀锋利,切削刃平直光洁,刀尖处必要时还可磨出修光刃。精车时背吃刀量 a_p 和进给量 f 较小,以减少残留面积,使表面粗糙

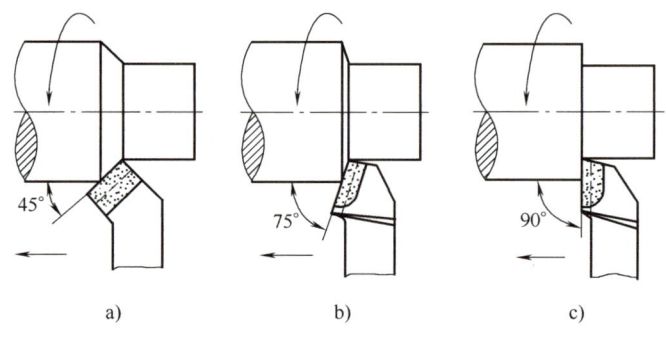

图 5-3　外圆粗车刀

a) 45°车刀　b) 75°车刀　c) 90°车刀

度值减小。切削用量一般为:$a_p = 0.1 \sim 0.2$mm,$f = 0.05 \sim 0.2$mm/r,$v \geqslant 60$m/min。精车的尺寸公差等级一般为 IT6~IT8,半精车一般为 IT9~IT10;精车的表面粗糙度值为 $Ra0.8 \sim 3.2\mu$m。

(3) 车外圆的操作步骤

1) 车削步骤。

① 根据图样要求检验毛坯是否合格、表面是否有缺陷。

② 检查车床是否运转正常、操纵手柄是否灵活。

③ 装夹工件并找正。

④ 安装车刀。车刀装夹在刀架上,伸出部分应尽量短,为刀柄厚度的 1~1.5 倍;车刀刀尖应与主轴中心等高。

⑤ 试切。试切的目的是控制切削深度,保证工件的加工尺寸。车刀在进刀后,纵向进给切削工件 2mm 左右时,纵向快速退出车刀,停车测量。如果尺寸符合要求,就可以继续切削;如果尺寸大,就需加大背吃刀量;如果尺寸过小,则应减小背吃刀量。试切的方法与步骤如图 5-4 所示。

⑥ 切削。在试切的基础上,调整好背吃刀量后,扳动自动进给手柄进行自动走刀。当车刀进给到距尺寸末端 3~5mm 时,应提前改为手动进给,以免走刀超长或将车刀碰到卡盘爪上。如此循环直至

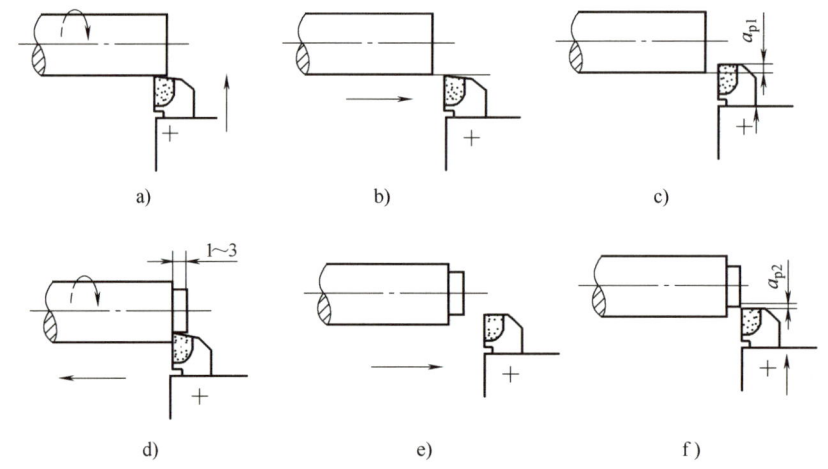

图 5-4　试切的方法与步骤

a) 开机对刀,使车刀与工件表面轻微接触　b) 向右退出车刀　c) 横向进刀　d) 切削 1~3mm
e) 退出车刀,进行度量　f) 如果尺寸不到位,再进刀

尺寸合格，然后退出车刀，最后停车。

2）外圆面检验。外圆表面的加工，一方面要保证零件图上要求的尺寸精度和表面粗糙度，另一方面还应保证几何精度的要求。检查时，可采用钢直尺、游标卡尺、千分尺或百分表等工具。

游标卡尺的使用

千分尺的读数方法

① 用游标卡尺测外径。测量前，使卡口宽度大于被测量尺寸，然后推动游标，使测量脚平面与被测量的直径垂直并接触，得到尺寸后把游标上的螺钉紧固，然后读数。

② 用千分尺测外径。测量时，工件放置于两测量面间，先直接转动微分筒。当测量面接近工件时，改用测力装置，直到发出"咔、咔"声，此时，应锁紧测微螺杆，进行读数。

③ 外圆长度尺寸的检测。外圆加工结束后，一般使用钢直尺、内卡钳、游标卡尺和游标深度卡尺来测量长度；对于批量大、精度较高的工件，可用样板测量。

3）车外圆常见的问题和解决方法。车外圆常见的问题和解决方法见表5-3。

表5-3 车外圆常见的问题和解决方法

常见问题	问题分析	解决方法
尺寸精度达不到要求	操作者粗心大意看错图样或刻度盘使用不当；车削时盲目进给没有进行试切；没有校对量具或测量不正确；由于切削热的影响，尺寸发生变化；机动进给没有及时关闭，使车刀进给长度超过台阶长度	车削前必须看清图样尺寸要求，正确使用刻度盘；根据余量算出背吃刀量，进行试切削，然后修正背吃刀量；使用量具前必须仔细检查和校对零位；不能在工件温度较高时测量，如要测量，应先掌握工件的收缩情况，或在车削时浇注切削液，降低工件的温度；注意及时关闭机动进给
产生锥度	一夹一顶装夹时，后顶尖不在主轴轴线上；用小滑板车外圆，小滑板的基准刻线没有与中滑板的"0"刻线对准；床身导轨与主轴中心线不平行；车削过程中让刀，车刀中途逐渐磨损；顶尖装夹时，两顶尖孔接触不良或后顶尖顶得过松，前顶尖跳动	车削前调整尾座找正锥度；检查小滑板基准刻线与中滑板的"0"刻线是否对准；调整车床主轴与床身导轨的平行度；尽量减少工件的伸出长度，选择合适的刀具材料，或降低切削速度；顶尖的松紧程度要适当或更换新顶尖，把前顶尖圆锥面精车一刀后再安装工件
圆度超差	车床主轴间隙大；加工总余量不均匀，在切削过程中背吃刀量发生变化	调整主轴间隙；工件分粗、精车
表面粗糙度达不到要求	车床刚性不足，传动零件不平衡或主轴太松引起振动；车刀刚性不足或伸出太长引起振动；工件刚性不足引起振动；车刀几何参数不合理；切削用量选择不合理	消除车床刚性不足而引起的振动，调整车床的各部间隙；增加车刀的刚性和正确安装车刀；改变工件装夹方式；合理选择车刀的几何参数，用磨石研磨切削刃，减小其表面粗糙度值；合理选择切削用量

2. 端面的车削

在精车端面时，一般用偏刀由外向中心进刀（背吃刀量要很小），因为这时切屑是流向待加工表面的，故加工出来的表面较光滑。45°车刀利用主切削刃进行切削，工件表面粗糙度值较小，而且45°车刀的刀尖角等于90°，刀头强度比偏刀高，适于车削较大的端面。

（1）车端面时的注意事项

1）车刀的刀尖应对准工件的中心，以免车出的端面留有凸台。

2）端面的直径从外到中心是变化的，切削速度也是变化的，端面的表面粗糙度要求不易得到保证，因此，车端面时工件的转速可比车外圆时的高一些。

3）车削直径较大的端面时，若出现凹形或凸台，应检查车刀和刀架是否紧固，以及床鞍的松紧度。为使车刀准确地横向进给而无纵向松动，应将床鞍紧固在床身上，此时可用小滑板调整背吃刀量。

（2）端面车削用量的选择

1）背吃刀量 a_p。粗车时，$a_p=2\sim5$mm；精车时，$a_p=0.2\sim1$mm。

2）进给量 f。粗车时，$f=0.3\sim0.74$mm/r；精车时，$f=0.08\sim0.1$mm/r。

3）切削速度 v_c。车端面时，切削速度随刀具横向的切入而变化，选用时应根据工件最大直径来确定。

(3) 车端面时的注意事项

1) 测量毛坯的长度，确定端面应车削去除的加工余量。一般先车削的一面尽可能车削，其余加工余量在另一面车削去除。车端面前可先倒角，尤其是铸铁表面有一层硬皮，先倒角可以防止刀尖损坏。

2) 双手控制中滑板车端面，手动进给速度要保持均匀。当车刀刀尖车到端面中心时，车刀即退回。

3) 精车端面时要防止车刀横向退出时将端面拉毛，可以移动小滑板使车刀离开端面后再横向退出。

3. 切槽和切断

车削加工中，当工件的毛坯是棒料且很长时，须根据零件长度进行切断后再加工，或车削完后把工件从原材料上切下来，这称为切断。沟槽是在工件的外圆、内孔或端面上切有各种形式的槽，沟槽的作用一般是为了退刀或装配时保证零件有一个正确的轴向位置。

(1) 切槽

1) 切外沟槽。切槽刀前面的切削刃是主切削刃，两侧切削刃是副切削刃。切槽刀安装后刀尖应与工件轴线等高，主切削刃平行于工件轴线，两副偏角相等（一般为1°～2°）。

切削宽度不大的外沟槽，可以用主切削刃宽度等于槽宽的车刀一次横向进给车出。较宽的沟槽，用切槽刀分几次进刀，先把槽的大部分余量切出，在槽的两侧和底部留出精车余量，最后一次横向进给粗车后，根据槽的尺寸精度一次走刀完成精车。

2) 切端面直槽。在端面上切直槽时，切槽刀的一个刀尖处的副后面要按端面槽圆弧的大小刃磨成圆弧形，并磨有一定的后角，可避免副后面与槽的圆弧相碰。

3) 切内沟槽。内沟槽车刀与切断刀的几何形状基本相似，仅是安装方向相反。因为是在内孔中切槽，所以磨有两个后角。若在小孔中加工槽，则刀具做成整体式；若直径稍大些，可采用装夹式刀杆。

在安装内沟槽车刀时，应使主切削刃与内孔中心等高或略高，两侧副偏角须对称。采用装夹式内沟槽车刀时，刀头伸出的长度应大于槽深 h，如图5-5所示，同时要求：

$$d+L<D$$

式中　D——内孔直径；
　　　d——刀杆直径；
　　　L——刀头在刀杆上伸出的长度。

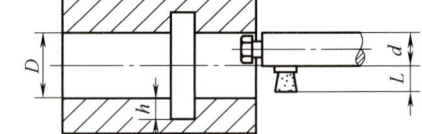

图5-5　内沟槽车刀的尺寸

切内沟槽与切外沟槽的方法相似，关键在于尺寸的控制。狭槽直接用主切削刃宽度等于槽宽的内沟槽车刀横向进刀来保证，宽槽可用大滑板刻度盘来控制尺寸，沟槽深度可用中滑板刻度掌握。

(2) 切断　切断刀与切槽刀形状相似，但刀头窄长，厚度大，且主切削刃两边要磨出斜刃，以利于排屑。刀具安装时，主切削刃必须对准工件的旋转中心，过高、过低均会使工件中心部位形成凸台并损坏刀头。切削时，刀具径向进刀直至工件中心。

切断时应注意：

1) 切断毛坯表面时，最好先用外圆车刀先把工件车圆，或开始时尽量减小进给量，防止"扎刀"而损坏车刀。

2) 手动进刀时，摇动手柄应连续、均匀，避免因切断刀与工件表面摩擦，使工件表面产生冷硬现象而迅速磨损刀具，在即将切断时要放慢进给速度，以免突然切断而使刀头折断。

3) 用卡盘装夹工件时，切断位置尽可能靠近卡盘，防止引起振动；由一夹一顶装夹工件时，工件不完全切断，应取下工件后再敲断。

4) 切断过程中如需要停机，应先退刀再停机。

4. 钻中心孔

中心孔又称顶尖孔，一般可分 A 型中心孔、B 型中心孔、C 型中心孔。A 型中心孔适用于不需多次装夹或不保留中心孔的零件；B 型中心孔主要用于多次装夹的零件；C 型中心孔外端形似 B 型中心孔，不过在里端有一个比圆柱孔还要小的内螺纹，用于工件的吊运。

中心孔是轴类零件的基准，中心孔在轴类零件的加工及测量中经常用作定位，是非常重要的。中心孔的角度有 60°、75°、90°。

（1）中心钻的安装

1）先擦拭钻头尖柄部和尾座锥孔，再将钻夹头用力插入尾座锥孔内。

2）用钻夹头扳手逆时针方向旋转钻夹头的外套，使钻夹头的三个爪张开，将中心钻安装在钻夹头上，然后用钻夹头扳手以顺时针方向转动钻夹头的外套，把中心钻夹紧。

3）起动车床让工件旋转，推动尾座，使中心钻接近工件端面，观察钻头是否与工件旋转中心一致，并校正尾座中心使之一致，然后紧固尾座。

中心钻直径小，钻削时应取较高的转速（800~900r/min），进给量应小而均匀，切勿用力过猛。当中心钻钻入工件后，应及时加注切削液进行冷却润滑。当钻到中心孔尺寸为 $\phi7~\phi8$mm 时，中心钻在孔中应稍做停留，可提高中心孔的形状精度和表面质量，然后退出。

（2）根据标准公差等级确定中心孔加工的工艺方法　中心孔工作面质量的好坏，直接影响到轴类零件的外圆加工质量。中心孔加工时，其工艺方法主要从提高圆锥面质量和加工效率两个方面进行编制，所以根据轴类零件的不同标准公差等级的要求和企业的生产现状，确定加工中心孔的工艺方法如下：

1）零件标准公差等级要求为 IT10~IT12 时，其标准公差值为 0.04~0.12mm。中心孔的工艺为：车外圆→车端面→钻中心孔。

2）零件标准公差等级要求为 IT8~IT9 时，其标准公差值为 0.014~0.036mm，中心孔的工艺为：车外圆→车端面→钻中心孔→热处理→研中心孔圆锥面。

3）零件标准公差等级要求为 IT6~IT7 时，其标准公差值为 0.006~0.012mm，中心孔的工艺为：车外圆→车端面→钻中心孔→粗研中心孔圆锥面→热处理→精研中心孔圆锥面。以上工艺方法，一方面确保零件两端中心孔轴线同轴度误差控制在公差要求范围之内，另一方面确保中心孔圆锥面的几何形状误差和表面粗糙度值控制在允许的范围之内，达到提高加工效率、降低加工成本的目的。

（3）加工中的注意事项

1）中心钻轴线必须与工件旋转中心一致。

2）工件端面必须车平，不允许留有凸台，以免钻孔时中心钻折断。

3）及时注意中心钻的磨损状况，磨损后不能强行钻入工件，避免中心钻折断。

4）中心钻及时进退，以便排除切屑，并及时加注切削液。

5. 螺纹车削

梯形螺纹是常用的传动螺纹，精度要求比较高，如车床的丝杠和中、小滑板的丝杠等。梯形螺纹有两种，国家标准规定梯形螺纹牙型角为 30°。寸制梯形螺纹的牙型角为 29°，在我国较少采用。此外，梯形螺纹加工在车工技能鉴定及大赛实践操作比赛中占有较大比重。

完整的梯形螺纹标记包括螺纹特征代号、尺寸和公差带代号，后面跟着必要进一步说明的其他信息。梯形螺纹标记用"Tr 公称直径×螺距"表示。对于左旋螺纹，应在螺纹标记的最后增加左旋代号"LH"，与前面部分用"—"号分开，右旋不标。例如，Tr22×5—7h 表示梯形螺纹，公称直径为22mm，螺距为5mm，中径公差带代号为7h。梯形螺纹各部分尺寸计算方法见表5-4。

表5-4　梯形螺纹各部分名称、代号及计算公式

名称	代号	计算公式		
牙型角	α	$\alpha = 30°$		
螺距	P	由螺纹标准确定		
牙顶间隙	a_c	P/mm	1.5~5	6~12	14~44
		a_c/mm	0.25	0.5	1

（续）

名称		代号	计算公式
外螺纹	大径	d	公称直径
	中径	d_2	$d_2 = d - 0.5P$
	小径	d_3	$d_3 = d - 2h_3$
	牙高	h_3	$h_3 = 0.5P + a_c$
内螺纹	大径	D_4	$D_4 = d + 2a_c$
	中径	D_2	$D_2 = d_2$
	小径	D_1	$D_1 = d - P$
	牙高	H_4	$H_4 = h_3$
牙顶宽		f、f'	$f = f' = 0.366P$
牙槽底宽		W、W'	$W = W' = 0.366P - 0.536a_c$

（1）梯形螺纹车刀　梯形螺纹车刀分粗车刀和精车刀两种。

1）梯形螺纹车刀的角度（图 5-6、图 5-7）。

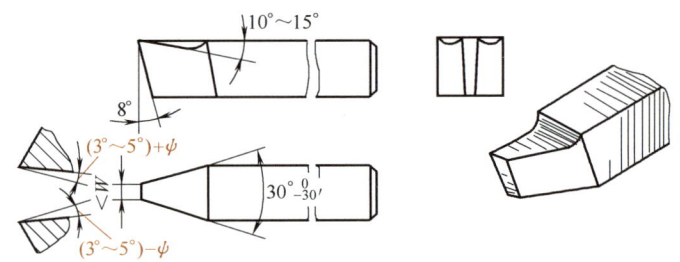

图 5-6　梯形螺纹粗车刀

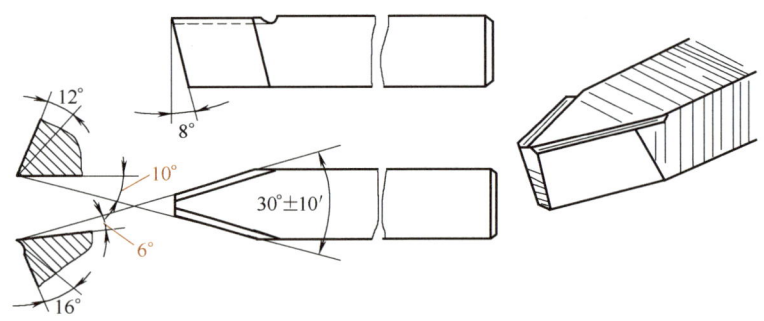

图 5-7　梯形螺纹精车刀

① 两刃夹角。粗车刀的两刃夹角应略小于牙型角，精车刀的两刃夹角应等于牙型角。

② 刀尖宽度。粗车刀的刀尖宽度应为 1/3 螺距宽。精车刀的刀尖宽度应等于牙底宽减 0.05mm。

③ 纵向前角。粗车刀一般为 15°左右；精车刀为了保证牙型角正确，前角为 0°，但实际生产时取 5°～10°。

④ 纵向后角。一般为 6°～8°。

2）梯形螺纹的刃磨要求。用样板校对刃磨两切削刃夹角，如图 5-8 所示。车刀切削刃要光滑、平直、无虚刃，两侧副切削刃必须对称，刀头不能歪斜。用磨石研磨去各切削刃的毛刺。

（2）车床的调整　选择精度较高、磨损较少的机床。正确调整机床各处间隙，对床鞍、中小滑板的配合部分进行检查和调整，注意控制机床主轴的轴向窜动。选用磨损较少的交换齿轮。

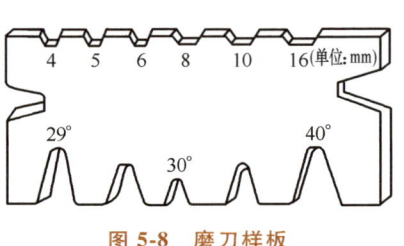

图 5-8　磨刀样板

(3) 工件的装夹 可以采用卡盘直接装夹、两顶尖装夹或一夹一顶装夹。粗车较大螺距的梯形螺纹时，可用单动卡盘一夹一顶，以保证装夹牢固，同时使工件的台阶靠在卡爪端面上，固定工件的轴向位置，以因切削力过大使工件移位而车坏螺纹。

(4) 梯形螺纹车刀的装夹

1) 车刀切削刃必须与工件轴线等高（所用弹性刀杆应高于轴线约 0.2mm），同时应和工件轴线平行。

2) 刀头的角平分线要垂直于工件轴线。一般用样板找正装夹，以免产生螺纹半角误差。

(5) 梯形螺纹的车削方法 螺距小于 4mm 和精度要求不高的工件，可用一把梯形螺纹车刀，并用少量的余量从左右进给车削。

螺距大于 4mm 和精度要求较高的梯形螺纹，一般采用分刀车削的方法，步骤如下：

1) 粗车、半精车梯形螺纹时，螺纹大径留 0.3mm 左右余量，且倒角成 15°。

2) 选用刀头宽度稍小于槽底宽度的车槽刀，粗车螺纹（每边留 0.25~0.35mm 的余量）。

3) 用梯形螺纹车刀采用直进法车削梯形螺纹两侧面，每边留 0.1~0.2mm 的精车余量，并车准螺纹小径尺寸，如图 5-9a、b 所示。

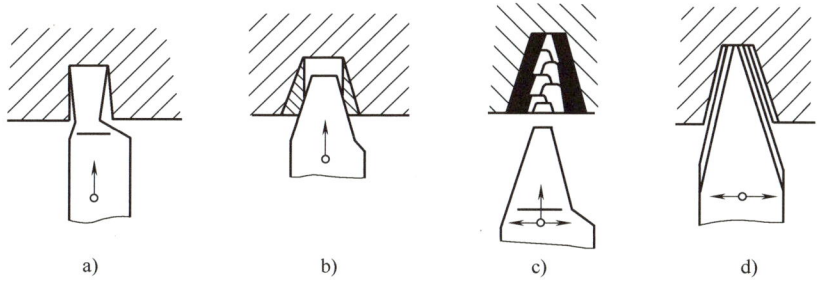

图 5-9 梯形螺纹车削方法

4) 精车大径至图样要求（一般小于螺纹公称尺寸）。

5) 选用精车梯形螺纹车刀，采用左右切削法完成螺纹加工，如图 5-9c、d 所示。

梯形内螺纹的车削与三角形内螺纹的车削基本相同。车削梯形内螺纹时，进刀深度不易掌握，可先车准螺纹孔径尺寸，然后粗车。最后，精车时应不进刀车削 2~3 次，以消除刀杆的弹性变形，保证螺纹的精度要求。梯形螺纹车刀两侧副切削刃应平直，否则工件牙型角不正；精车时切削刃应保持锋利，要求螺纹两侧表面粗糙度值要小。调整小滑板的松紧，以防车削时车刀移位。车梯形螺纹时为防"扎刀"，建议用弹性刀杆。

三、轴类零件的磨削加工

磨削是轴类零件外圆表面精加工的主要方法，它能磨硬的淬火钢件，也能磨未淬硬的钢件和铸铁件。生产中常用的有中心磨削和无心磨削两种方式。

1. 中心磨削

(1) 中心磨削的特点与应用 中心磨削在外圆磨床或万能外圆磨床上进行，常用的安装方法是用前、后顶尖安装工件，用拨盘和鸡心夹头带动工件旋转。其工艺特点是磨床精度高，磨削加工时切削层薄、切削力小、零件变形小，磨削尺寸公差等级可达到 IT6，表面粗糙度值可达 $Ra0.2~0.8\mu m$，能方便地磨削轴的外圆、锥面、轴肩、圆角等。

(2) 磨削方式 用中心磨削加工外圆柱面时，基本的磨削方式有两种：纵向磨削法和切入磨削法，如图 5-10 所示。

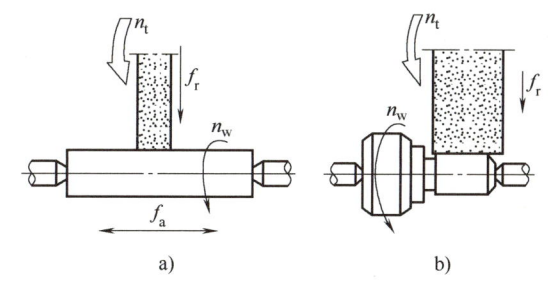

图 5-10 外圆磨床的磨削方法

a) 纵向磨削法   b) 切入磨削法

1)纵向磨削法。工件每次纵向进给到行程终了时,砂轮做周期性横向进给,横向进给量很小,磨削力小,散热条件好,因此磨削精度高,表面粗糙度值较小,磨削效率较低。该方法适用于精磨以及磨削较长的轴类零件。

2)切入磨削法。切入磨削法是用宽砂轮对小于砂轮宽度的外圆表面连续做横向进给运动,直到磨去全部加工余量为止。该方法的磨削精度不如纵磨高,但磨削效率高,适用于磨削刚性较好、磨削长度较短或两侧都有台阶的轴颈。

(3)中心孔的修研 中心孔是轴类零件常用的定位基准面,中心孔的质量直接影响轴的加工精度,因此对中心孔的技术要求是:两端中心孔应在同一轴线上且深度应一致,中心孔圆度要好,中心孔的位置应使工件加工余量均匀,中心孔的尺寸也应与工件的直径尺寸相适应。表5-5列出了中心孔尺寸。

表5-5 中心孔尺寸

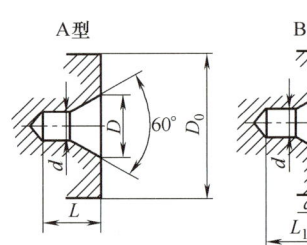

d/mm	D(最大)/mm	L/mm	L_1/mm	a/mm	原料端部最小直径 D_{0min}/mm	轴状原料最大直径 D_{0max}/mm	工件的最大质量/kg
0.5	1	1	1.2	0.2	2	>2	—
0.7	2	2	2.3	0.3	3.5	>3.5	—
1	2.5	2.5	2.9	0.4	4	>4	—
1.5	4	4	4.6	0.6	6.5	>7	15
2	5	5	5.8	0.8	8	>10	120
2.5	6	6	6.8	0.8	10	>18	200
3	7.5	7.5	8.5	1	12	>30	500
4	10	10	11.2	1.2	15	>50	800
5	12.5	12.5	14	1.5	20	>80	1000
6	15	15	16.8	1.8	25	>120	1500
8	20	20	22	2	30	>180	2000
12	30	30	32.5	2.5	42	>220	3000
16	38	38	40.5	2.5	50	>260	5000
20	45	45	48	3	60	>300	7000
24	58	58	62	4	70	>360	10000

注:1. 中心孔表面粗糙度按用途自行规定。
2. 不要求保留中心孔的零件采用A型;要求保留中心孔的零件采用B型。

零件在加工过程中,中心孔的磨损及热处理后的氧化变形都需要在外圆表面精磨之前对中心孔进行修磨,以保证定位精度。修磨顶尖孔可以用磨石顶尖或环氧树脂顶尖等工具,加润滑油在卧式车床或钻床上进行,如图5-11所示;也可用铸铁顶尖加研磨剂研磨顶尖孔,或用硬质合金顶尖刮研顶尖孔;对于淬硬的精密零件中心孔,也可用中心孔磨床修磨顶尖孔,可以获得极高的形状精度。

2. 无心磨削

(1)无心磨削的工作原理 无心磨削是一种高生产率的精加工方法,工件不需钻中心孔,而是用外圆表面自身定位,工作原理如图5-12所示。被磨削工件处于磨削砂轮与导轮之间,下面由托板支承,工件的中心必须高于磨削砂轮和导轮的中心连线。磨削砂轮的中心线水平放置,导轮为橡胶黏结剂黏结而成的砂轮,其轴向截面轮廓通常修成双曲线,它的轴线倾斜1°~5°,砂轮磨削产生的磨削力将工件推向导轮,靠导轮与工件之间的摩擦力带动工件旋转并轴向进给。

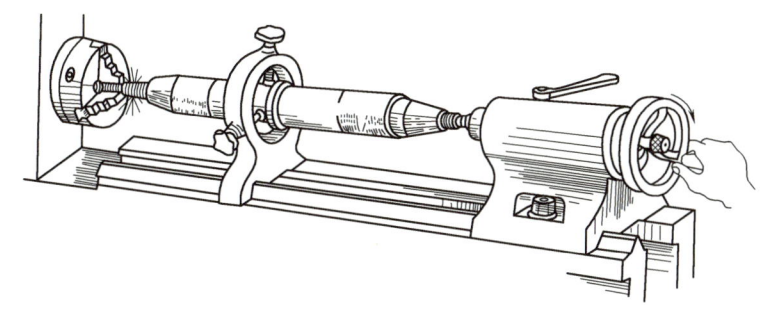

图 5-11　在车床上用磨石研磨中心孔

无心磨削的磨削方式有两种：贯穿磨削法（纵磨法），适用不带台阶的光轴、长轴；切入磨削法（横磨法），可磨圆柱体、圆锥体、阶梯轴肩和成形回转体。磨削方法如图 5-13 所示。

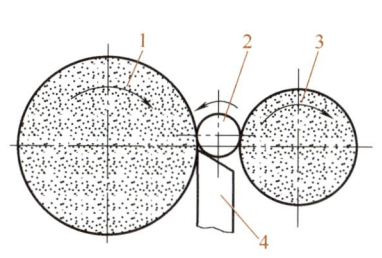

图 5-12　无心外圆磨削工作原理
1—磨削砂轮　2—工件　3—导轮
4—托板

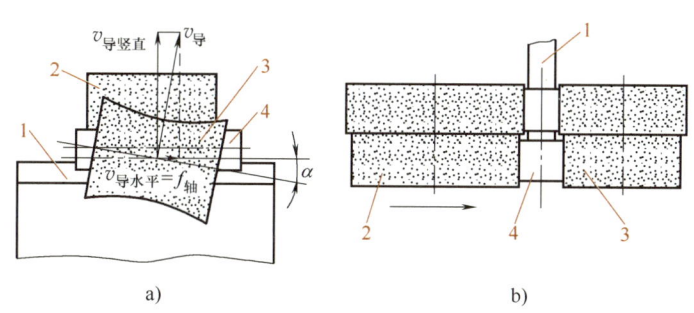

图 5-13　无心磨削的磨削方式
a) 贯穿磨削法　b) 切入磨削法
1—托板　2—磨削砂轮　3—导轮　4—工件

（2）无心磨削的特点与应用　无心磨削的加工尺寸公差等级可达 IT6，表面粗糙度值可达 $Ra0.2 \sim 0.8\mu m$。无心磨削装夹工件省时省力，可连续磨削，所以生产率较高。但工件表面周向不连续或内外圆同轴度要求高时，不宜采用无心磨削加工。

四、轴类零件的装夹

切削加工时，工件必须在机床夹具中定位和夹紧，使它在整个切削过程中始终保持正确的位置。工件的装夹直接影响加工质量和生产率。根据轴类零件的形状大小和加工数量的不同，常用以下几种装夹方式。

1. 用单动卡盘装夹

如图 5-14a 所示，由于单动卡盘上的四个卡爪各自独立运动，因此工件装夹时必须使加工部分的回转中心与车床主轴的回转中心重合。单动卡盘夹紧力大，用反爪可装夹直径较大的工件，适用于大型或不规则零件的加工，但找正需要较高的技术，效率低，精度高，使用不方便。

2. 用自定心卡盘装夹

如图 5-14b 所示，自定心卡盘的三个卡爪是沿径向同步运动的，装夹工件时能自动定心，它适用于装夹外形规则的中、小型工件，装夹方便，应用广泛。用自定心卡盘装夹工件，其悬伸长度要小于三倍的直径，否则装夹的刚性不够。

3. 用两顶尖装夹

车削轴类零件或需多次安装且均用顶尖孔定位的工件一般用两顶尖定位装夹，前顶尖装在主轴锥孔中与主轴一起旋转，后顶尖装在尾座套筒锥孔内，主轴通过拨盘带动紧固在轴端的鸡心夹头使工件转动，如图 5-15 所示。用顶尖装夹工件时，需在工件两端钻出中心孔，如表 5-5 中图所示，A 型是普通中心孔，其中 60°锥孔为定位面，它与顶尖贴合起定心作用。B 型中心孔端部有 120°保护锥，以保证

60°锥面不被碰伤。中心孔的质量直接影响工件的加工精度，精度要求较高、工序较多、需多次使用中心孔的工件一般多采用 B 型中心孔。用两顶尖定位装夹工件方便，不需找正，装夹精度高。

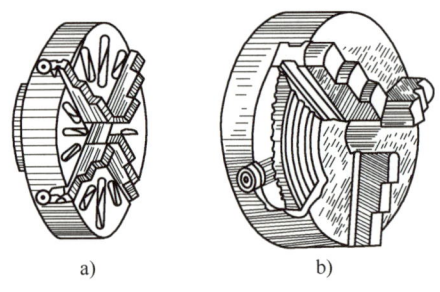

图 5-14 单动卡盘和自定心卡盘

a）单动卡盘 b）自定心卡盘

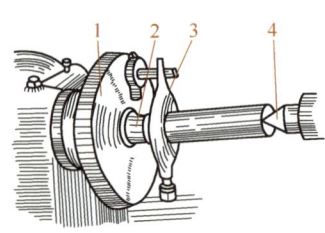

图 5-15 用双顶尖装夹工件

1—拨盘 2—前顶尖 3—鸡心夹头 4—后顶尖

4. 一端用卡盘另一端用顶尖装夹

用两顶尖装夹工件，虽然定位精度高，但刚性较差，影响切削用量的提高。因此粗加工加工余量大且不均匀的工件时，采用一端用卡盘夹紧，另一端用顶尖顶住的装夹方式。这种装夹方式能承受较大的切削力，在加工中应用很广泛。

5. 中心架和跟刀架

车细长轴时要采用中心架和跟刀架支承工件，如图 5-16 和图 5-17 所示。中心架和跟刀架起辅助支承作用，可以增强工件的刚性，减少工件的变形。中心架固定在床身上，而跟刀架固定在滑板上，与刀架一起移动。跟刀架一般放在车刀的前面，以防止跟刀架擦伤已加工表面。

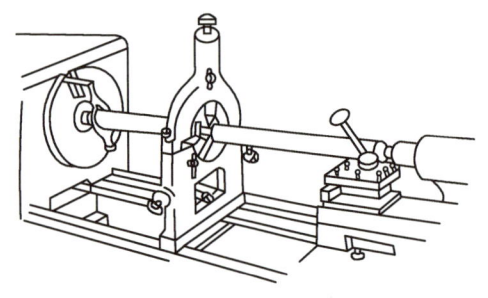

图 5-16 中心架的应用

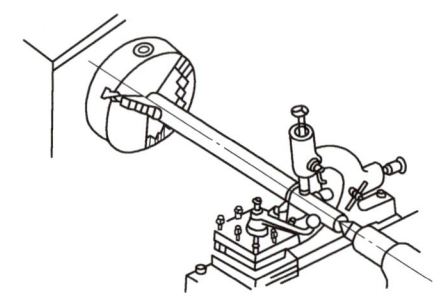

图 5-17 跟刀架的应用

五、轴类零件综合训练

1. 训练目标

（1）工艺方面　能本着优质、高产、低消耗的原则编制出指定轴的机械加工工艺过程。

（2）机床及工艺装备方面　能合理选择各工序所使用的机床及工艺装备。

（3）综合能力训练方面　培养学生创造思维能力、动手能力、表达能力和严谨踏实的作风。

2. 训练题目

编制图 5-18 所示活塞杆、图 5-19 所示花键轴或教师指定轴的机械加工工艺过程。

现场条件：依据学校实习基地或指定企业设备情况确定。

生产批量：单件小批生产。

3. 训练要求

完成指定轴类零件的机械加工工艺过程卡片一份。

4. 训练提纲

（1）技术要求分析

1）分析图样，根据零件的结构特点分析各加工表面的尺寸精度、形状精度、各表面间的相互位置

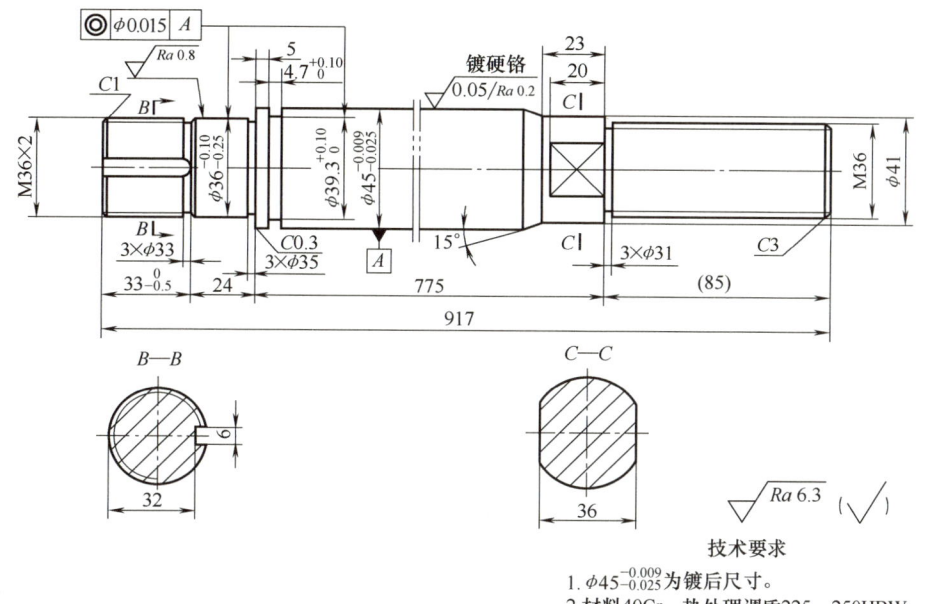

图 5-18 活塞杆

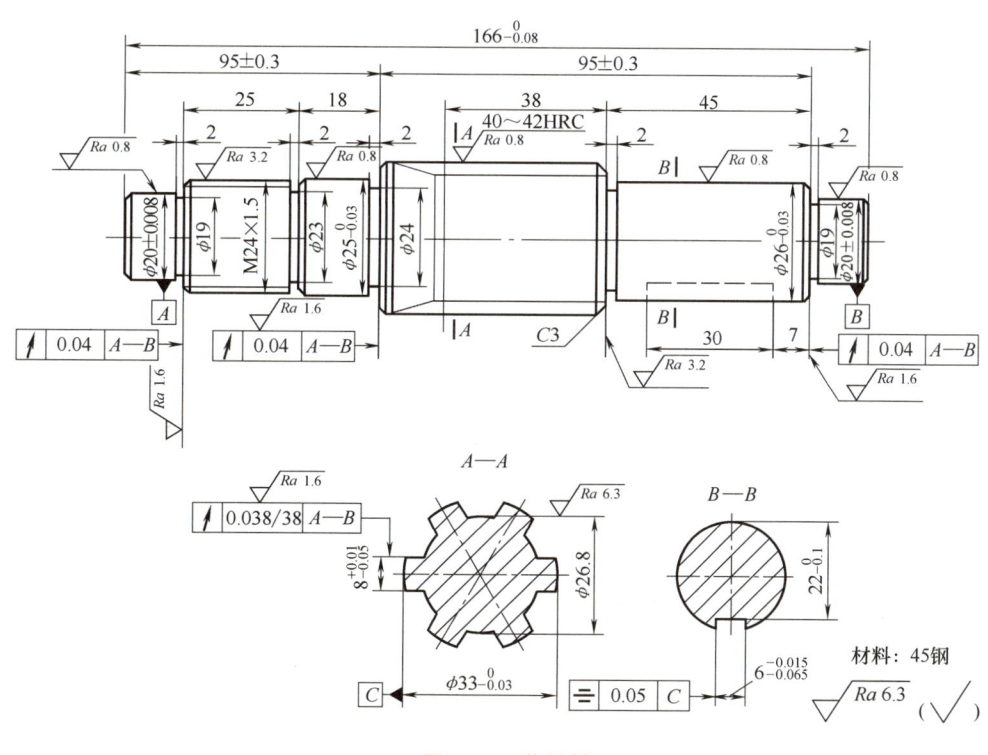

图 5-19 花键轴

精度和表面粗糙度，列出各加工表面所能达到精度要求的加工方法实施方案。

2）依据材料特性、零件精度、结构尺寸、生产批量和生产规模，确定毛坯类型及毛坯的制造方式。

（2）工艺分析

1）分析零件加工中重点保证的加工内容，讨论制订该零件机械加工工艺过程必须采取的工艺原则或措施。

2）轴的定位基准的选择原则是什么？

3）轴的相互位置精度应采取哪些工艺原则和工艺措施予以保证？

4) 轴的刚度对零件加工精度的影响有哪些？应实施哪些工艺措施减少误差？

5) 制订出几条工艺路线，通过分析比较，确定出最合理的零件机械加工工艺过程。

6) 用查表法计算出各工序的工序尺寸及公差。

7) 合理选择各工序所用机床；确定工件的装夹方式及使用的夹具、各工序使用的刀具。

8) 根据各表面的加工总余量及毛坯获得形式的要求，确定毛坯尺寸及公差并绘制毛坯图。

第二节 套类零件加工

一、概述

1. 套类零件的功用与结构特点

套类零件是机械中常用的一种零件，它的应用范围很广，如支承旋转轴的各种形式的滑动轴承、夹具上引导孔加工刀具的导向套、内燃机气缸套、液压系统中的液压缸以及一般用途的套筒等，如图5-20所示。由于其功用不同，套类零件的结构和尺寸有着很大的差别，但结构上仍有共同特点：零件的主要表面为同轴度要求较高的内外圆表面；零件壁厚较薄易变形；零件长度一般大于直径等。

2. 套类零件的技术要求

套类零件的主要表面是孔和外圆，其主要技术要求如下：

（1）孔的技术要求 孔是套类零件起支承或导向作用的最主要表面，通常与运动轴、刀具或活塞等相配合。孔的尺寸公差等级一般为IT7；精密轴套取IT6；气缸和液压缸由于与其相配的活塞上有密封圈，精度要求较低，通常取IT9。孔的形状精度应控制在孔径公差以内，一些精密套筒控制在孔径公差的1/3~1/2，甚至更严。对于长的套筒，除了圆度要求以外，还应注意孔的圆柱度。为了保证零件的功用和提高其耐磨性，孔的表面粗糙度

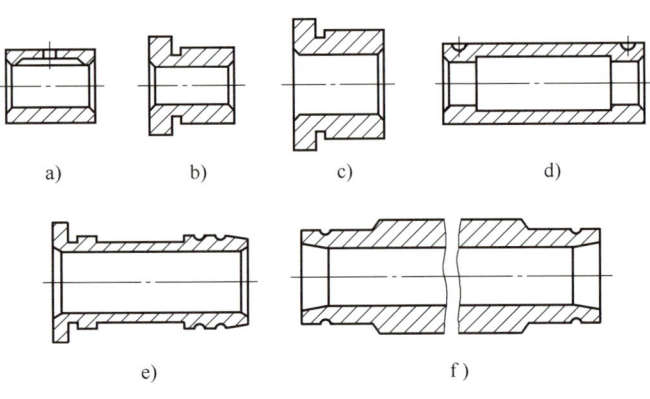

图 5-20 套类零件示例

a)、b) 滑动轴承 c) 钻套 d) 轴承衬套 e) 气缸套 f) 液压缸

值为 $Ra0.16~1.6\mu m$，有的要求更高，表面粗糙度值可达 $Ra0.04\mu m$。

（2）外圆表面的技术要求 外圆是套类零件的支承面，常以过盈配合或过渡配合同箱体或机架上的孔相连接。外径尺寸公差等级通常取IT6~IT7，形状精度控制在外径公差以内，表面粗糙度值为 $Ra0.63~3.2\mu m$。

（3）孔与外圆的同轴度要求 当孔的最终加工是将套筒装入机座后进行时，套筒内外圆间的同轴度要求较低；若最终加工是在装配前完成，其要求较高，同轴度公差一般为$\phi0.01~\phi0.05mm$。

（4）孔中心线与端面的垂直度要求 套筒的端面（包括凸缘端面）若在工作中承受轴向载荷，或虽不承受载荷，但在装配或加工中作为定位基准时，孔中心线与端面的垂直度要求较高，公差一般为0.01~0.05mm。

3. 套类零件的材料与毛坯

套类零件一般用钢、铸铁、青铜或黄铜制成。有些滑动轴承采用双金属结构，以离心铸造法在钢或铸铁套内壁上浇注巴氏合金等轴承合金材料，既可节省贵重的有色金属，又能提高轴承寿命。

套类的毛坯选择与其材料、结构、尺寸及生产批量有关。孔径小的套筒，一般选择热轧或冷拉棒料，也可采用实心铸件。孔径较大的套筒，常选择无缝钢管或带孔的铸件。大量生产时，采

用冷挤压和粉末冶金等先进毛坯制造工艺，既节约用材，又提高生产率。

4. 套类零件的加工工艺过程

套类零件由于结构形状、尺寸及技术要求不同，工艺过程有较大的差别。图 5-21 为套筒零件图，材料为 45 钢。图 5-22 为液压缸简图，属长套类零件，材料为 45 钢。表 5-6 和表 5-7 分别为其小批生产的加工工艺过程。

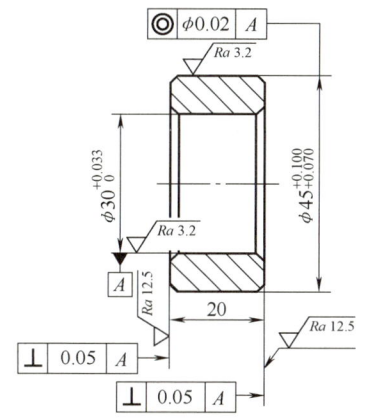

图 5-21 套筒零件图

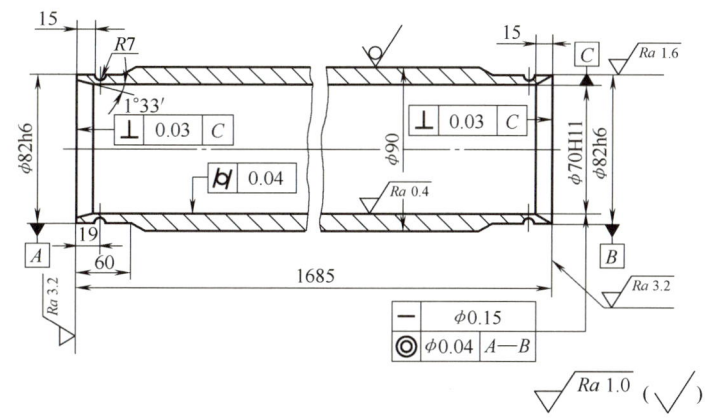

图 5-22 液压缸简图

表 5-6 套筒加工工艺过程

工序号	工序名称	工序内容	定位基准面
10	备料	棒料 φ48mm×130mm（五件合一）	
20	车削	1) 车端面，钻、镗孔 $φ30_0^{+0.033}$mm，留余量 0.3mm，车外圆 $φ45_0^{+0.03}$mm，留余量 0.3mm，倒角，切断	外圆
		2) 调头，车端面，保证尺寸 20mm，表面粗糙度值 Ra12.5μm，倒角	外圆及端面
30	热处理	淬火（硬度 45~50HRC）	
40	磨削	磨孔 $φ30_0^{+0.033}$mm 至图样要求	外圆
50	磨削	磨外圆 $φ45_{+0.070}^{+0.100}$mm 至图样要求	孔
60	检验	按图样检验入库	

表 5-7 液压缸加工工艺过程

工序号	工序名称	工序内容	定位与夹紧
10	下料	无缝钢管切断长度为 1690mm	
20	车	1) 车 φ82mm 外圆到 φ88mm 及 M88×1.5mm 螺纹（工艺用）	自定心卡盘夹一端，大头顶尖顶另一端
		2) 车端面及倒角	自定心卡盘夹一端，搭中心架托 φ88mm 处
		3) 调头车 φ82mm 外圆到 φ84mm	自定心卡盘夹一端，大头顶尖顶另一端
		4) 车端面及倒角取总长 1686mm（留加工余量 1mm）	自定心卡盘夹一端，搭中心架托 φ88mm 处
30	深孔镗	1) 半精镗孔到 φ68mm	一端用 M88×1.5mm 螺纹固定在夹具中，另一端搭中心架
		2) 精镗孔到 φ69.85mm	
40	磨削	磨孔到 $φ70_0^{+0.03}$mm，表面粗糙度值为 Ra0.4μm	一端用 M88×1.5mm 螺纹固定在夹具中，另一端搭中心架
50	车削	1) 车去工艺螺纹，精车 φ82h6 到尺寸，切 R7mm 的槽	软爪夹一端，以孔定位顶另一端
		2) 镗内锥孔 1°33′ 及车端面	软爪夹一端，中心架托另一端（百分表找正孔）
		3) 调头，精车 φ82h6 到尺寸	软爪夹一端，以孔定位顶另一端
		4) 镗内锥孔 1°33′ 及车端面，取总长 1685mm	软爪夹一端，中心架托另一端（百分表找正孔）

5. 套类零件主要工艺问题

（1）加工方法的选择　套类零件的主要加工表面是孔和外圆表面。外圆表面的加工，根据精度要求可选择车削和磨削。孔的加工方法选择比较复杂，需要考虑零件的结构特点、孔径大小、长径比、加工精度和表面粗糙度要求以及生产规模等各种因素。对于精度要求较高的孔，往往需要采用不同的方法顺次加工。如图5-22所示的液压缸内孔，为保证其精度和表面质量要求，须经过半精镗、精镗和滚压三个阶段加工（因毛坯为无缝钢管，不需进行粗镗）。而图5-21所示套筒的内孔则需经钻、镗和磨的加工工序。

（2）保证套筒位置精度的方法　由套筒零件的技术要求可知，其主要位置精度是内外表面之间的同轴度及端面与孔轴线间的垂直度要求。为保证这些精度要求，通常采用下列方法：

1）在一次装夹中完成内外表面及端面全部加工，这种方法消除了工件的装夹误差，可获得很高的相对位置精度。但是，这种方法的工序比较集中，适宜尺寸较小的轴套加工。

2）当套筒零件的尺寸较大，该套筒的主要表面加工需要分在几次装夹中进行时，有两个加工方案：

① 先终加工孔，然后以孔为精基准最终加工外圆。这种方法由于所用夹具（心轴）结构简单，定心精度高，因此可保证有较高的位置精度，应用很广，如图5-21所示套筒的加工工艺即为此法。

② 先终加工外圆，然后以外圆为精基准最终加工孔，采用这种方法时，其夹具较复杂，欲获得较高的同轴度，则必须采用定心精度高的夹具，如弹性膜片卡盘、液性塑料夹具、经过修磨的自定心卡盘和软爪等夹具。

二、套筒零件的孔加工

套筒零件的内孔加工方法有以下几种：钻孔、扩孔、铰孔、镗孔、磨孔、拉孔、珩孔、研磨孔及滚压孔。其中钻孔、扩孔与镗孔作为粗加工与半精加工（镗孔也可作为精加工），而铰孔、精镗孔、拉孔加工则为孔的精加工方法，磨孔、珩孔、研磨孔、滚压孔为孔的精密加工方法。孔加工方法的选择，须根据孔径的大小、深度与孔的精度和表面粗糙度，以及工件结构形状、材料和孔在工件上的部位而定。孔加工方案的确定，需考虑以下原则：

1）孔径较小时（如50mm以下），大多采用钻—扩—铰的方案，根据孔的精度决定采用一次铰削还是粗精铰（两次铰削）。批量大的生产，则可采用钻孔后用拉刀拉孔的方案，其精度和生产率均很高。

2）孔径较大时（如缸筒、箱体机架类零件），大多采用钻孔后镗孔或直接镗孔，以及进一步精加工方案。箱体上的孔多采用精镗、浮动镗孔，缸筒件的孔则多采用精镗后珩磨或滚压加工。

3）淬硬套筒零件，多采用磨削孔方案，孔的磨削与外圆磨削一样，可获得很高的精度与较小的表面粗糙度值。对于精密套筒零件，还应增加孔的精密加工，如高精度磨削、精细镗孔、珩磨、研磨、抛光等方法。

1. 钻孔

钻孔是用钻头在实体材料上加工孔的一种方法。钻孔一般在钻床上加工。单件小批生产的中小型工件上的小孔，常用台式钻床加工；中小型工件上直径较大的孔，常用立式钻床加工；大中型工件上的孔则采用摇臂钻床加工；回转体工件上的孔，多在车床上加工。在成批大量生产中，为了保证加工精度，提高生产率，降低成本，广泛使用钻模在组合机床上进行孔的加工。钻孔常采用的刀具是麻花钻，为排除大量切屑，麻花钻具有能大量容屑的排屑槽，因而刚度和强度受很大影响。

（1）钻孔的加工工艺范围　钻孔的质量较差，一般尺寸公差等级为IT11～IT12，表面粗糙度值为$Ra6.3\sim12.5\mu m$。因此钻孔主要用于加工尺寸公差等级低于IT11的孔，或作为精度要求较高的孔的预加工。

（2）麻花钻　钻头按其结构特点和用途可分为扁钻、麻花钻、深孔钻和中心钻等。生产中使用最多的是麻花钻。对于直径为 0.1~80mm 的孔，都可使用麻花钻加工。

1）麻花钻的组成。标准麻花钻如图 5-23 所示，由柄部、颈部和工作部分组成。

① 柄部。柄部是钻头的夹持部分，钻孔时用于传递转矩。麻花钻的柄部有锥柄和直柄两种。直柄主要用于直径小于 12mm 的麻花钻。锥柄用于直径较大的麻花钻，能插入主轴锥孔或通过锥套插入主轴锥孔中。锥柄钻头的扁尾用于传递转矩，并通过它方便地拆卸钻头。

② 颈部。麻花钻的颈部是磨削钻头柄部时的砂轮越程槽，槽底通常刻有钻头的规格及厂标。

③ 工作部分。麻花钻的工作部分是钻头的主要部分，由切削部分和导向部分组成。

切削部分担负着切削工作，由前面、后面、副后面、主切削刃、副切削刃及一个横刃组成。横刃为两个后面相交形成的刃口，副后面是钻头的两条韧带，工作时与工件孔壁（已加工表面）相对。

当切削部分切入工件后导向部分起导向作用，也是切削部分的备磨部分。为了减少导向部分与孔壁的摩擦，其外径磨有倒锥（即钻头外径从切削部分向后逐渐减小）。同时，为了保持钻头有足够强度，必须有一个钻芯，钻芯向钻柄方向做成正锥体（即钻芯直径从切削部分向后逐渐增大）。

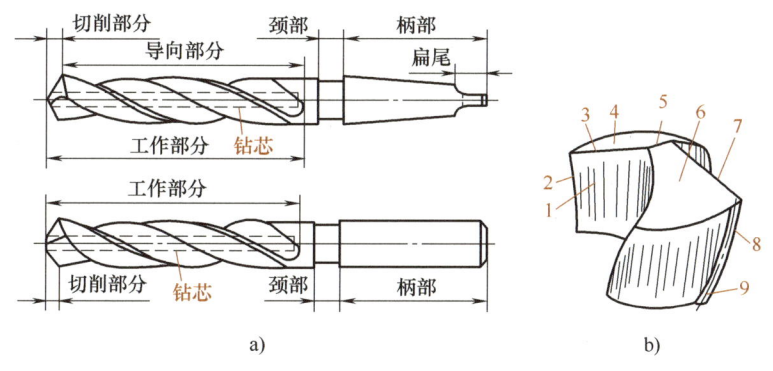

图 5-23 麻花钻的组成

a）钻头整体结构 b）钻头切削部分

1—前面 2、8—副切削刃（棱边） 3、7—主切削刃 4、6—后面 5—横刃 9—副后面

2）麻花钻的主要几何角度。麻花钻的主要几何角度如图 5-24 所示。

① 螺旋角 β。螺旋角是钻头螺旋槽上最外圆的螺旋线展开成直线后与钻头轴线的夹角。钻头不同直径处的螺旋角是不同的，外径处螺旋角最大，越接近中心螺旋角越小。增大螺旋角则前角增大，有利于排屑，但钻头刚度下降。标准麻花钻的螺旋角为 18°~30°。对于直径较小的钻头，螺旋角应取较小值，以保证钻头的刚度。

② 前角 γ_o。由于麻花钻的前面是螺旋面，主切削刃上各点的前角是不同的。从外圆到中心，前角逐渐减小。刀尖处前角约为 30°，靠近横刃处则为 -30° 左右。横刃上的前角为 -60°~-50°。

③ 后角 α_o。麻花钻主切削刃上选定点的后角，是通过该点柱剖面中的进给后角 α_o 来表示的。柱剖面是过主切削刃选定点，作与钻头轴线平行的直线，该直线绕钻头轴心旋转所形成的圆柱面。后角 α_o 沿主切削刃也是变化的，越接近中心，后角 α_o 越大。麻花钻外圆处的后角 α_o，通常取 8°~14°，横刃处后角取 20°~25°。这样能弥补由于钻头轴向进给运动而使主切削刃上各点实际工作后角减小所产生的影响，并能与前角变化相适应。

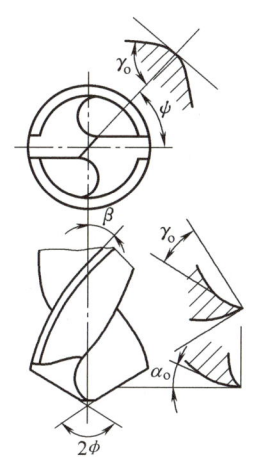

图 5-24 麻花钻的主要几何角度

④ 顶角 2ϕ。顶角是两主切削刃在与其平行的平面上投影的夹角。较小的顶角容易切入工件，进给力较小，且使切削刃工作长度增加，切削层公称厚度减小，有利于散热和提高刀具寿命；若顶角过小，则钻头强度减弱，变形增加，转矩增大，钻头易折断。因此，应根据工件材料的强度和硬度来刃磨合理的顶角，标准麻花钻的顶角 2ϕ 为 118°。

⑤ 横刃斜角 ψ。横刃斜角是主切削刃与横刃在垂直于钻头轴线的平面上投影的夹角。当麻花钻后面磨出后，横刃斜角 ψ 自然形成。由图 5-24 可知，横刃斜角 ψ 增大，则横刃长度和进给力减小。标准麻花钻的横刃斜角一般为 50°~55°。

3）麻花钻的结构特点及其对切削加工的影响。

① 麻花钻的直径受孔径的限制，螺旋槽使钻芯更细，钻头刚度低；仅有两条棱带导向，孔的轴线容易偏斜；横刃使定心困难，进给力增大，钻头容易摆动。因此，钻孔时易出现轴线歪斜、振动、孔径扩大等现象。

② 麻花钻的前面和后面都是曲面，沿主切削刃各点的前角、后角各不相同，横刃的前角达 -55°。钻头主切削刃全刃参加切削，刃上各点的切削速度又不相等，强度最低的刀尖切削速度最大，所以磨损严重。

③ 钻孔为半封闭式切削，切屑只能沿螺旋槽排出，切屑与刀具及工件的摩擦大，排屑困难；切削热不易外散，冷却润滑效果差，切削温度高。因此，钻削加工精度低，表面质量差。

4）提高加工精度采取的措施。钻孔的钻头容易产生偏斜，从而导致被加工孔的中心线歪斜。为防止和减少钻头的偏斜，工艺上常采用下列措施：

① 钻孔前先加工孔的端面，以保证端面与钻头轴线垂直。

② 先采用 90° 顶角、直径大而且长度较短的钻头预钻一个坑，以引导钻头钻削，防止钻偏。

③ 仔细刃磨钻头，使其切削刃对称。

④ 钻小孔或深孔时应采用较小的进给量。

⑤ 采用工件回转的钻削方式，注意排屑和切削液的合理使用。

钻孔直径一般不超过 75mm，对于孔径超过 35mm 的孔，宜分两次钻削。

(3) 深孔加工　深孔一般是指长径比大于 5 的孔。

1）深孔加工的工艺难点。

① 因刀具细长，刚度较差，加工深孔时轴线易歪斜，钻孔时容易发生引偏和振动，影响加工精度。

② 钻深孔时，由于切削液不易到达切削区域，刀具的冷却散热条件差，切削温度易升高，因此，刀具寿命较低。

③ 切屑排除困难，有时会划伤已加工表面，严重时会引起刀具崩刃甚至折断。

因此，为保证深孔加工质量和深孔钻的使用寿命，深孔钻的结构必须解决断屑排屑、冷却润滑和导向三个问题。

2）深孔钻。常用的深孔钻有：接长麻花钻、扁钻、枪钻（外排屑）、内排屑深孔钻、喷吸钻等。单件小批生产中的深孔钻削，常采用接长麻花钻在卧式车床上进行。在加工中，钻头需频繁进退，既影响钻孔效率，又增加工人的劳动强度。扁钻结构简单，刃磨方便，多用于中、大直径孔的加工。

下面介绍一种常见的错齿内排屑深孔钻。图 5-25 所示为错齿内排屑深孔钻的结构及工作原理。该钻头的切削部分呈交错齿排列，其后部的矩形螺纹与中空的钻杆连接。工作时，有一定压力的切削液从钻杆外圆与工件孔壁之间的

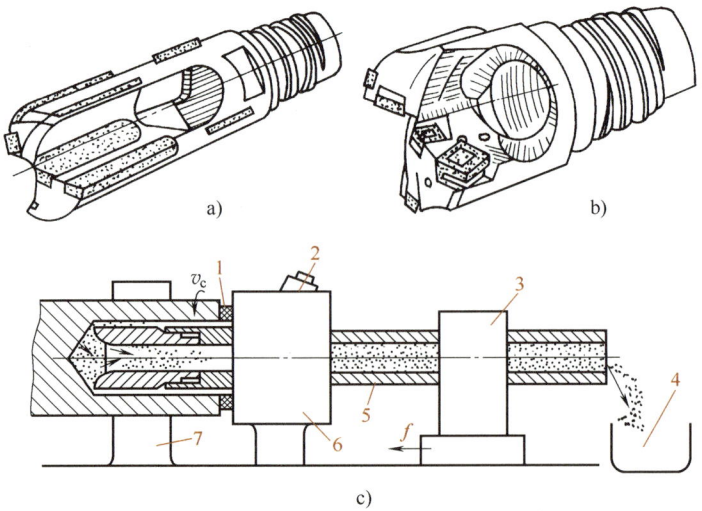

图 5-25　错齿内排屑深孔钻的结构及工作原理
a) 焊接式　b) 可转位式　c) 工作原理
1—封液头　2—进液口　3—刀架　4—排液箱　5—钻杆
6—受液器　7—中心架

间隙流入，冷却润滑切削区后挟带着切屑从钻杆内孔排出。错齿内排屑深孔钻的结构具有无横刃、钻尖偏离中心、内外刃偏角不相同等特点。另外，由于采用错齿结构，中心与外缘刀齿可根据切削条件选用不同的刀具材料，以满足切削时对刀片强度及耐磨性的不同要求，且可选择不同槽型的可转位刀片及几何角度，因地制宜地改善切削条件，并保证可靠的分屑与断屑。由于是内排屑结构，因此可将钻杆外径设计得较大一些，以增加刚性。钻孔时可选用较大的进给量，从而提高生产率。错齿内排屑钻头适用于加工直径为 15~180mm 的深孔。

2. 扩孔

扩孔是用扩孔钻扩大工件孔径的加工方法。扩孔时，背吃刀量较小，排屑容易，且扩孔钻刚性好，刀齿较多，因而扩孔加工尺寸公差等级可达到 IT9~IT11，表面粗糙度值为 $Ra3.2~6.3\mu m$。此外，扩孔还能纠正被加工孔的中心线歪斜。因此，扩孔常作为精加工（如铰孔）前的准备工序，也可作为要求不高的孔的终加工工序。

扩孔钻的结构形状如图 5-26 所示。扩孔钻的外形与麻花钻相似，但其通常有 3 或 4 个刀齿，排屑槽小，钻芯直径较大，强度和刚度较好；扩孔钻没有横刃，前角和后角沿切削刃的变化小，扩孔余量小，切削过程平稳。因此，扩孔的加工质量和生产率均比钻孔高。

3. 铰孔

铰孔是使用铰刀从工件孔壁切除微量金属层，以提高其尺寸精度和降低表面粗糙度值的方法。

（1）铰孔的工艺范围　铰孔是对未淬硬孔进行精加工的一种方法。铰孔时，由于加工余量较小，切削速度较低，铰刀刀齿较多，刚性好且制造精确，排屑冷却润滑条件较好，因此铰孔质量较高，孔径尺寸公差等级一般为 IT7~IT9，手铰可达 IT6，表面粗糙度值为 $Ra0.32~2.5\mu m$。

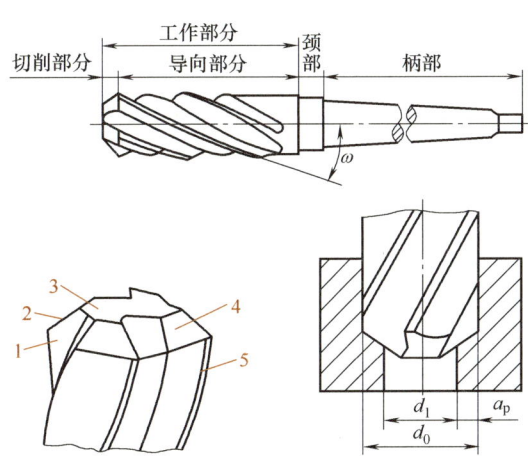

图 5-26　扩孔钻的结构形状
1—前面　2—主切削刃　3—钻芯　4—后面　5—刃带

铰孔主要用于加工中小尺寸的孔，孔的直径一般为 3~80mm。铰孔为自动基准加工，故对纠正孔的位置误差的能力很差，因此孔的有关位置精度应由铰孔前的加工工序保证。此外，铰孔不宜用于加工短孔、深孔和断续孔。

（2）铰刀　按使用方法的不同，铰刀分为手用铰刀和机用铰刀。铰刀的结构形状如图 5-27 所示。

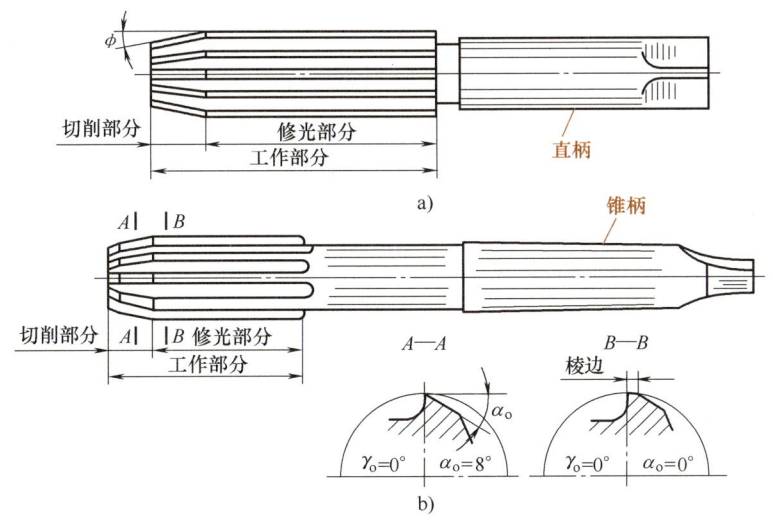

图 5-27　铰刀的结构形状
a) 手用铰刀　b) 机用铰刀

手用铰刀多为直柄,铰削直径范围为1~20mm。手用铰刀的工作部分较长,锥角2φ较小,导向作用好,可以防止手工铰孔时铰刀歪斜。机用铰刀多为锥柄,铰削直径范围为10~80mm。机用铰刀可安装在钻床、车床、铣床和镗床上铰孔。

铰刀的工作部分包括切削部分和修光部分。切削部分呈锥形,担负主要的切削工作。修光部分用于矫正孔径、修光孔壁和导向。修光部分的后部具有很小的倒锥,以减少与孔壁之间的摩擦和防止铰削后孔径扩大。

铰刀有6~12个刀齿,容屑槽浅,刀芯粗壮。因此,铰刀的强度和刚度很好。

铰刀的锥角2φ相当于麻花钻的顶角。半锥角φ过大,则切削层公称宽度较小,轴向力较大,刀具定位精度低;半锥角φ过小,则切削层公称宽度较大,不利于排屑。手用铰刀的半锥角φ为0.5°~1.5°,机用铰刀的半锥角φ为5°~15°。铰削塑性、韧性材料时,φ取较大值;铰削脆性材料时,φ取较小值。

铰刀的前角一般为0°,加工韧性材料的粗铰刀,前角可取5°~10°。后角的大小主要影响刀齿强度和表面粗糙度,在保证质量的条件下,应选较小的后角,切削部分的后角一般为5°~8°。修光部分的后角为0°。

(3)铰孔时应注意的问题

1)铰削加工余量要适中。加工余量过大,会因切削热多而导致铰刀直径增大,孔径扩大;加工余量过小,会留下底孔的刀痕,使表面粗糙度达不到要求。粗铰加工余量一般为0.15~0.35mm,精铰加工余量一般为0.05~0.15mm。

2)铰削时采用较低的切削速度,并且要使用切削液,以免积屑瘤对加工质量产生不良影响。粗铰时取0.07~0.17m/s,精铰时取0.025~0.08m/s。

3)为防止铰刀轴线与主轴轴线不一致而引起的孔中心线歪斜、孔径扩大等现象,铰刀与主轴之间应采用浮动连接。

4)机用铰刀不可倒转,以免崩刃。

4. 镗孔

镗孔是用镗刀使孔径扩大并达到加工要求的加工方法。

(1)镗孔的工艺范围 镗孔适合于未淬硬表面的加工,可用作铰孔、磨孔前的粗加工,也可用作精加工。加工尺寸公差等级可达到IT6~IT8,表面粗糙度值达$Ra0.8~6.3\mu m$。在中小批生产中对非标准孔、大直径孔、短孔、不通孔常采用镗孔,有色金属工件孔的精加工一般采用镗孔。镗孔具有较强的误差修正能力,不但能修正上道工序所造成的孔中心线偏斜误差,而且能够保证被加工孔和其他表面(或中心要素)的位置精度。但镗杆采用浮动连接时,孔的位置精度则由镗模来保证。

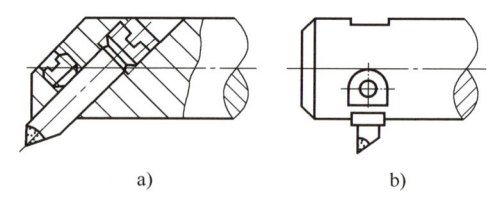

图5-28 镗刀
a)不通孔镗刀 b)通孔镗刀

(2)镗刀 镗刀分为单刃镗刀和双刃镗刀两大类。

1)单刃镗刀。单刃镗刀如图5-28所示,只有一个主切削刃进行切削,结构简单,制造方便,通用性大,用一把镗刀可以加工不同直径的孔。

2)双刃镗刀。双刃镗刀有两个切削刃在两个对称方向同时切削,故可消除由径向力对镗杆的作用而造成的加工误差。双刃镗刀是定尺寸刀具,孔的直径尺寸是由刀具保证的,刀杆结构复杂,制造较困难,但生产率较高,所以,用于加工精度要求较高、生产批量大的场合。

双刃镗刀可分为定装镗刀和浮动镗刀两种。

① 整体定装镗刀。如图5-29所示,此种镗刀直径尺寸不能调节,刀片一端有定位凸肩,供刀片装在镗杆中定位用,刀片用螺钉或楔块紧固在镗杆中。

② 可调浮动镗刀。如图5-30所示,此种镗刀的直径尺寸可在一定范围内调节。镗孔时,刀片不紧

固在刀杆上,可以浮动和自动定心。刀片位置由两切削刃上的切削力平衡,故可消除由于镗杆偏摆及刀片安装所造成的误差。浮动镗孔常作为孔的精密加工方法,但不能校正孔的位置偏差。

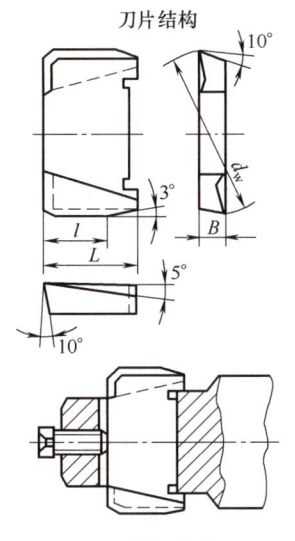

图 5-29　整体定装镗刀

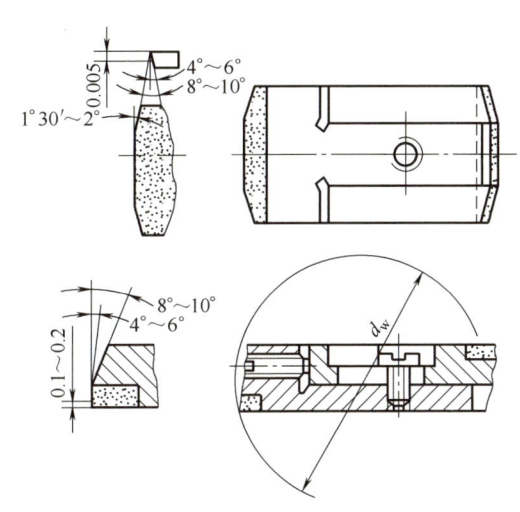

图 5-30　可调浮动镗刀

（3）镗孔的工艺特点

1）适应性强。

2）能修正底孔轴线的位置。

3）加工精度较低。镗刀与镗杆的刚度取决于孔的尺寸和位置。小尺寸的镗刀易振动,特别是镗削细长孔时。另外,镗削加工时排屑和使用切削液都不方便,影响加工质量。但采用金刚石镗刀进行精细镗削时,可获得较小的表面粗糙度值和较高的尺寸精度。

4）成本较低。镗刀结构简单,刃磨方便,加工尺寸范围大。在单件小批生产中采用镗削加工较经济；在大批量生产中,需使用镗模完成镗削加工。

5）生产率低。镗刀的切削刃少,一般生产率较低。

5．磨孔

磨孔是对淬火钢套类零件进行精加工的主要方法。它的加工原理与外圆磨削基本相同。

（1）磨孔的工艺特点　内圆磨削与外圆磨削相比工作条件较差,内圆磨削有以下特点：

1）砂轮直径受到工件孔径的限制,尺寸较小,损耗快,需经常修整和更换,影响了磨削生产率。

2）砂轮轴受到工件孔径与长度的限制,刚性差,容易产生弯曲变形与振动,从而影响加工精度和表面粗糙度。

3）磨削速度低,砂轮直径较小,即使砂轮转速高达每分钟几万转,要达到砂轮圆周速度 25～30m/s 也是十分困难的,因此内圆磨削速度要比外圆磨削低得多,磨削效率较低,表面粗糙度值较大。

4）砂轮与工件接触面积大,工件易发生烧伤,要采用较软的砂轮。

5）切削液不易进入磨削区,磨屑排除困难。

（2）磨削方式

1）中心内圆磨削。中心内圆磨削用于加工中小型工件,在内圆磨床或万能外圆磨床上进行,可磨削通孔、阶梯孔、孔端面、锥孔及轴承内滚道等,如图 5-31 所示。磨孔能够修正前工序加工所导致的中心线歪斜和偏移,因而磨孔不但能获得高的尺寸精度、形状精度,而且能提高孔的位置精度。

2）无心内圆磨削。无心内圆磨削用于加工短套类零件,使用两支承无心磨削专用夹具,可使工件获得高的形状精度。

3）行星式内圆磨削。行星式内圆磨削用于加工重量大、形状不对称的工件的内孔,使用行星式磨床或在其他机床上安装行星式磨头进行磨削。

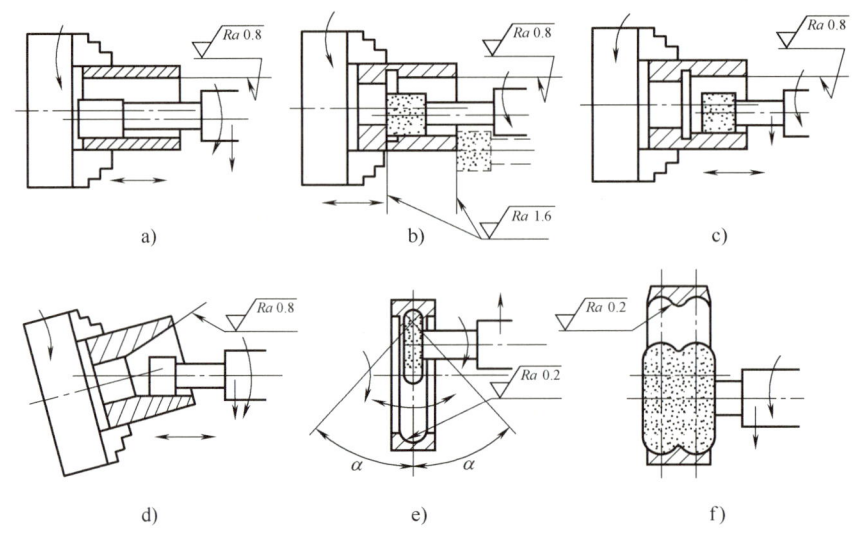

图 5-31 内圆磨削工艺范围

a）磨削通孔　b）磨孔及端面　c）磨阶梯孔　d）磨锥孔　e）磨轴承内滚道　f）成形磨滚道

6. 拉孔

拉孔是用拉刀对工件进行孔加工的方法。拉孔的工艺特点如下：

（1）生产率高　如图 5-32 所示，拉刀是一种多齿刀具，同时参与切削工作的刀齿多，能够在一次工作行程中完成加工表面的粗加工、半精加工及精加工。

（2）加工精度高　由于拉削的速度较低，每一刀齿切除的金属层很薄，切削负荷小，因此拉刀的使用寿命长，加工质量也好，一般加工的尺寸公差等级可达 IT7~IT8，表面粗糙度值为 $Ra0.4~3.2\mu m$。

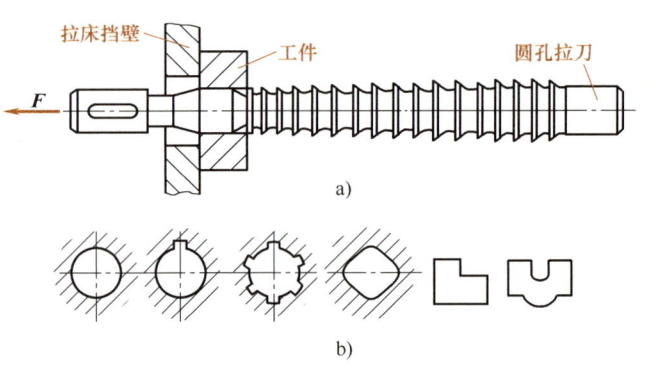

图 5-32 拉削过程及拉削的典型表面

a）拉削过程　b）拉削加工的典型表面

（3）成本高，适应性差　拉刀的结构复杂，制造困难，成本高。而且每拉削一种表面需一种拉刀。所以拉削主要应用在成批大量生产的场合，特别适用于成形内表面的加工。另外，拉削只能加工有预制孔的内表面。

（4）拉孔不能提高孔的位置精度　拉孔为自为基准加工，因此不能修正前工序加工所导致的中心线歪斜和偏移。

三、套筒零件孔的精密加工

1. 精细镗孔

精细镗与镗孔方法基本相同，由于最初是使用金刚石作为镗刀，所以又称金刚镗。这种方法常用于有色金属合金零件及铸铁套筒零件的内孔终加工或作为珩磨和滚压前的预加工。

因天然金刚石刀具成本较高，目前普遍用硬质合金 YT30、YT15 或 YG3X 代替，或者采用人工合成的金刚石和立方氮化硼，后者加工钢质套筒比金刚石有更多的优点。为了达到加工精度高与表面粗糙度值小的要求，减少切削变形对工件表面的影响，切削速度应较高（一般加工钢为 200m/min，加工铸铁为 100m/min，加工铝合金为 300m/min），加工余量应较小（为 0.2~0.3mm），进给量要小（为 0.03~0.08mm/r）。另外，采用精度高、刚度大、转速高的金刚镗床，以保证其加工质量。

精细镗在良好的条件下，加工精度可达 IT6~IT7，表面粗糙度值为 $Ra0.16~1.25\mu m$。

精细镗孔的尺寸控制，采用微调镗刀头。图 5-33 所示是一种带有游标刻度盘的微调镗刀，刀杆 4 上夹有可转位刀片 5，刀杆 4 上有精密的小螺距螺纹，刻度盘 3 的螺母同刀杆 4 组成精密的丝杠副，当转动刻度盘时，因丝杠用键 9 导向，因此它只能做直线运动，从而实现微调。这种微调镗刀的刻度盘能达到的精度为 0.0025mm。

2. 珩磨

（1）珩磨的原理及工艺特点　珩磨是低速、大面积接触的磨削加工，与磨削原理基本相同。珩磨所用的磨具是由几根粒度很细的砂条所组成的珩磨头。珩磨头上的砂条有三种运动，即旋转运动、往复直线运动、加压力的径向运动。旋转和往复直线运动是珩磨主体运动，这两种运动的组合，使砂条上磨粒在孔的表面上的切削轨迹呈交叉而不重复的网纹，如图 5-34 所示，因此易获得表面粗糙度值较小的加工表面。

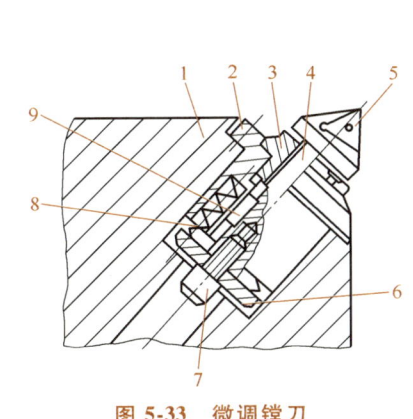

图 5-33　微调镗刀

1—镗杆　2—套筒　3—刻度盘　4—微调刀杆
5—刀片　6—垫圈　7—夹紧螺钉
8—弹簧　9—键

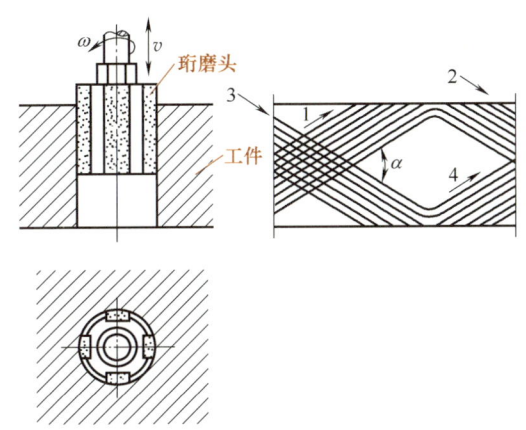

图 5-34　磨粒在孔表面上形成的轨迹

珩磨时砂条与孔壁接触面积较大，参加切削的磨粒较多，每一颗磨粒上的磨削力很小（磨粒的垂直载荷仅为磨削的 1/100～1/50），珩磨的切削速度较低（一般在 100m/min 以下，仅为普通磨削的 1/100～1/30），所以珩磨过程发热少，孔的表面不易烧伤，而且变形层极薄，从而能获得表面质量很高的孔。

珩磨能获得很高的尺寸精度和形状精度，珩磨孔的尺寸精度可达到 IT6，圆度和圆柱度可达到 0.003～0.005mm。珩磨后孔的表面粗糙度值通常为 $Ra0.04\sim0.63\mu m$，有时也可达到 $Ra0.01\sim0.02\mu m$ 的镜面。交叉网纹表面有利于润滑。

为使砂条能与孔表面均匀地接触，能切除小而均匀的加工余量，珩磨头相对于工件应有小量的浮动。珩磨头与机床主轴是浮动连接，因此珩磨不能修正孔的位置精度和孔轴线的直线度，孔的位置精度和孔轴线的直线度应在珩磨前的工序给予保证。

珩磨时，虽然珩磨头的转速较低，但往复速度较高，参加切削的磨粒又较多，所以能很快地切除金属，生产率较高。

珩磨的应用范围很广，可加工铸铁、淬硬或不淬硬的钢件，但不宜加工易堵塞砂条的韧性金属工件。珩磨加工的孔径为 ϕ5～ϕ500mm，也可加工 L/D>10 的深孔，因此珩磨工艺广泛应用于汽车、煤矿机械、机床等生产。

（2）珩磨头　珩磨头的结构对加工质量与生产率都有很大的影响。对珩磨头的要求：砂条对加工表面的压力能调整并保持在一定的范围内；砂条能在径向均匀地胀缩；砂条应具有一定的刚度，当被加工孔的形状误差（如圆度和圆柱度）使砂条压力增加时，砂条半径方向不致发生位移和歪斜；珩磨至最后尺寸时，砂条能迅速缩回，以便于珩磨头从孔内退出。图 5-35 所示为一种利用螺纹调压的珩磨头的结构简图。

3. 研磨

研磨是一种既简单又可靠且最早出现的一种精密加工方法。研磨方法分为机械研磨和手工研磨两种。前者在研磨机上进行，生产率较高；后者生产率低，劳动量大，不适合批量大的生产，但适用于超精密工件的加工，加工质量与工人的熟练程度有关。

研磨用的研具通常采用比工件软的材料（如铸铁）制成的研磨棒，研磨棒表面开槽用来存放研磨剂。图 5-36 所示为研磨棒，图 5-36a 为铸铁粗研具，棒的直径用螺钉调节；图 5-36b 为精研孔研具，由低碳钢制成。研磨时，部分磨粒悬浮于工件与研具之间，部分磨粒则嵌入研具表面，利用工件与研具的相对运动，磨料就切掉很薄一层金属，主要是切除上工序留下的表面粗糙度凸峰。一般研磨的加工余量为 0.01～0.02mm。

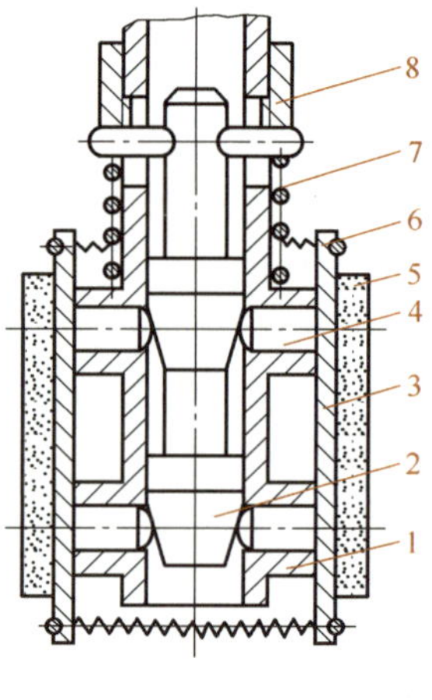

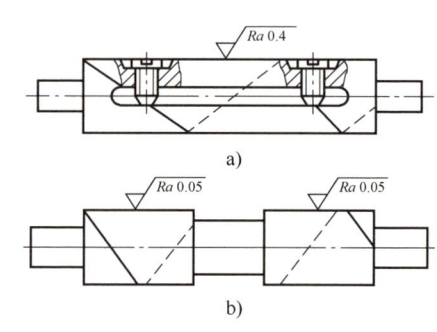

图 5-35 利用螺纹调压的珩磨头的结构简图

1—本体 2—调整锥 3—砂条座 4—顶块 5—砂条 6—弹簧箍 7—弹簧 8—螺母

内孔研磨的工艺特点如下：

1）尺寸精度可达 IT6 以上，表面粗糙度值为 $Ra0.01～0.1\mu m$。
2）孔的位置精度只能由前一工序保证。
3）生产率低，研磨孔之前必须经过磨削、精铰或精镗等工序。

4. 滚压

滚压加工是对金属施加压力使之产生塑性变形，从而达到改变工件的表面性能、形状和尺寸的目的，它是一种无切屑加工。

滚压加工效率高，精度高，因此近年来常用滚压工艺代替珩磨工艺，效果很好。孔经滚压后精度在 0.01mm 以内，表面粗糙度值为 $Ra0.16\mu m$ 或更小，表面强化，疲劳强度增大，生产率比珩磨提高数倍。

滚压的工件材料一般是塑性金属，不能加工淬硬材料和铸铁。

四、套筒零件的装夹

套筒零件的主要加工表面是外圆和内孔。加工外圆时的装夹方法与轴相同，在此不再赘述，下面主要介绍加工内孔时的装夹方法。

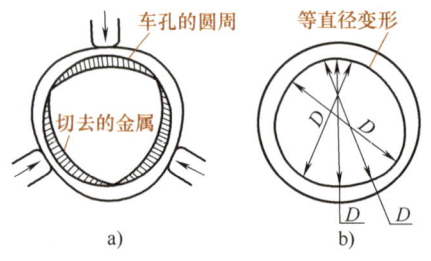

图 5-36 研磨棒
a) 铸铁粗研具 b) 精研孔研具

根据长径比的大小，套筒零件分为长套筒和短套筒两类。由表 5-6 和表 5-7 可以看出，长套筒和短套筒零件的装夹方法不同。

1. 短套筒零件的装夹方法

1）使径向夹紧力均匀。用自定心卡盘径向夹紧套筒工件时，因套筒薄壁，工件夹紧后会略微变成三角形，但加工孔后所得到的是一个圆柱孔，如图 5-37a 所示，当松开夹紧后，由于工件外圆的弹性恢复，外圆为圆柱形，而内孔则变成图 5-37b 所示的弧形三角形。

为解决上述问题，薄壁套筒在径向夹紧时，尽可能使其径向夹紧力均匀，如使用图 5-38a 所示的开缝过渡套、图 5-38b 所示的软爪或弹性膜片卡盘、液性塑料夹具及经过修磨的自定心卡盘等夹具夹紧工件。

图 5-37 薄壁工件的夹紧变形

2）改径向夹紧为轴向夹紧。直径较大、尺寸精度和几何精度要求较高的短套筒零件，可用花盘轴向装夹工件。装夹方法如图 5-39 所示，先在花盘端面上车出一凸台，凸台直径与工件内孔之间留

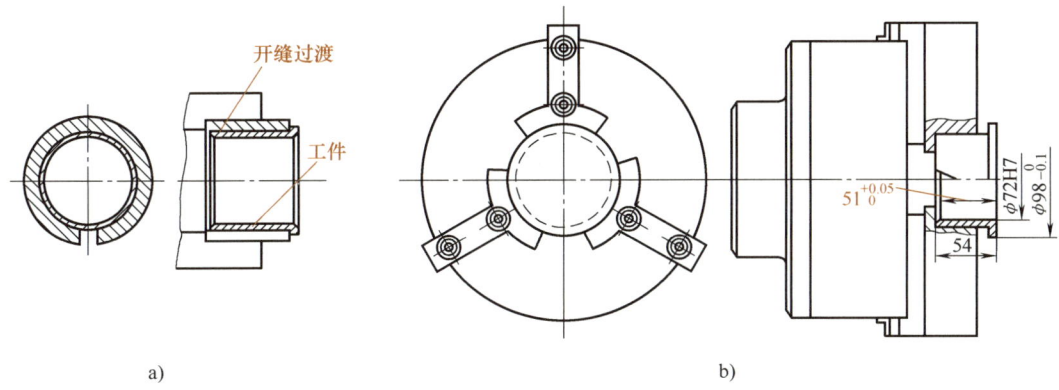

图 5-38 用自定心卡盘夹持短套筒

0.5~1mm 的间隙（不用作定心）。用螺栓、压板压紧工件的端面，压紧力要均匀。找正外圆后，即可加工内孔。

3）做出工艺凸边或工艺螺纹，目的是提高其径向刚度，减少夹紧变形，如图 5-40 所示。工件加工完成后再将工艺凸边或工艺螺纹切除，如液压缸的加工工艺。

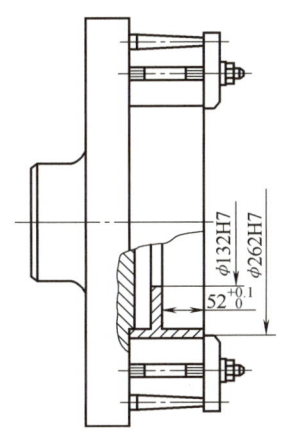

图 5-39 在花盘上加工短套筒的内孔

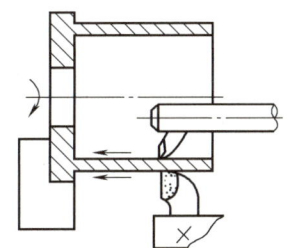

图 5-40 利用辅助凸边夹紧薄壁套

2. 长套筒零件的装夹方法

对于长套筒零件，为保证位置精度，往往以外圆定位，采用一端用自定心卡盘夹持，另一端用中心架支承来最终加工孔。中心架用压板固定在床身导轨上，三个径向布置的支承柱可以单独调节，支承在工件已加工的外圆表面上。调节支承柱时应使工件轴线与机床回转轴线重合，且使支承柱与工件接触松紧适当。

五、套类零件加工的综合训练

1. 训练目标

1）工艺方面。本着优质、高效、低成本的原则能合理制订套类零件的加工工艺过程。

2）工装方面。通过训练，能合理选择加工套类零件所使用的刀具、夹具、量具和掌握套类零件的装夹方法。

3）综合能力训练方面。培养学生的创造性思维能力、解决实际问题的能力和严谨的工作态度。

2. 训练题目

编制图 5-21 所示套筒或图 5-22 所示液压缸的机械加工工艺过程。

现场条件：依据学校的实习基地或企业的设备情况确定。

生产批量：教师指定或自定。

3. 训练要求

1）完成毛坯-零件综合图一张。

2）编写机械加工工艺过程卡片。

4. 训练提纲

（1）技术要求分析

1）对套类零件一般提出哪些技术要求？为什么？

2）套筒零件选择毛坯的原则是什么？

（2）工艺分析　套筒的主要技术要求是保证内孔与外圆的尺寸精度和相互之间的同轴度，如何保证？（提示：采取互为基准的原则）

（3）工件装夹分析

1）加工内孔时需限制几个自由度？

2）确定所使用的机床并设计装夹方法。

第三节　箱体类零件加工

一、概述

1. 箱体类零件的功用与结构特点

箱体类零件是机器及其部件的基础件之一。它将一些轴、轴承、套和齿轮等零件装配在一起，使其保持正确的相互位置关系，并按规定的运动关系协调动作，使其完成某种运动。因此，箱体类零件的加工质量对机器的精度、性能和寿命都有直接的影响。

由于机器的不同结构特点和箱体在机器中的不同功用，箱体类零件具有不同的结构形式，图 5-41 所示为常见的几种。由图可知：箱体的结构一般由许多精度要求不同的孔和平面组成，它的形状一般都比较复杂，壁薄且壁厚不均，内部呈腔形。箱体不仅需要加工的表面较多，且加工的难度也较大。

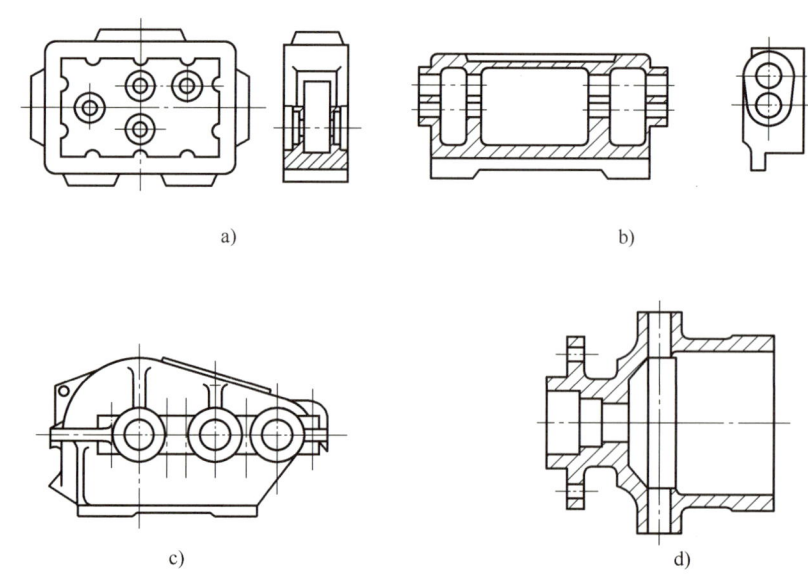

图 5-41　几种箱体的结构简图

a) 组合机床主轴箱　b) 车床进给箱　c) 分离式减速箱　d) 泵壳

2. 箱体类零件的技术要求

（1）箱体轴承支承孔的尺寸精度、几何精度与表面粗糙度　支承孔的尺寸精度、几何精度与表面粗糙度对轴承的工作质量影响很大，它们直接影响机器的回转精度、传动平稳性、噪声和寿命，所以孔的精度一般要求较高。为保证主轴的旋转精度，主轴支承孔的尺寸精度一般为IT3～IT7，主轴孔与基准底面之间的平行度为0.02mm，表面粗糙度值为$Ra0.8\mu m$。

（2）箱体主要平面的精度　箱体装配基准面、定位基准面的平面度与表面粗糙度直接影响箱体安装时的位置精度及加工中的定位精度，影响机器的接触精度和有关的使用性能。因此，箱体的装配基准面——底面的表面粗糙度值为$Ra1.6\mu m$。

3. 箱体类零件的材料及毛坯

因铸铁容易成形，可加工性好，价格低廉，且吸振性和耐磨性较好，因此，箱体类零件常选用铸铁材料。根据需要可选用HT150～HT350，常用HT200。在单件小批生产的情况下，为了缩短生产周期，可采用钢板焊接结构。某些大负荷的箱体有时采用铸钢件。在特定条件下，可采用铝镁合金或其他铝合金材料。

铸铁毛坯在单件小批生产时，一般采用木模手工造型，毛坯精度较低，加工余量大；在大批量生产时，通常采用金属模机器造型，毛坯精度较高，加工余量可适当减小。单件小批生产直径大于50mm的孔，成批生产直径大于30mm的孔，一般都铸出预孔，以减少加工余量。铝合金箱体常用压铸制造，毛坯精度很高，余量很小，一些表面不必经切削加工即可使用。

4. 箱体类零件的加工工艺过程

箱体类零件的结构复杂，加工部位多，工作量大。其主要加工表面是孔系和装配基准面。如何保证这些表面的加工精度和表面粗糙度，孔系之间以及孔与装配基准面之间的距离尺寸精度和相互位置精度，是箱体类零件加工的主要工艺问题。下面结合图5-42所示的数控车床主轴箱箱体零件介绍其生产的加工工艺过程，见表5-8。

5. 箱体类零件主要工艺问题

各种箱体的工艺过程虽然随着箱体的结构、精度要求和生产批量的不同而有较大的差异，但也有其共同特点。如主要是平面和孔系的加工，因而在加工方法上有共同点，即箱体的结构形状一般都比较复杂，壁厚不均，加工精度不易稳定，因而在安排工艺过程中，所需考虑的问题也有共同特点。下面结合图5-42所示的箱体对加工中的共性问题进行分析。

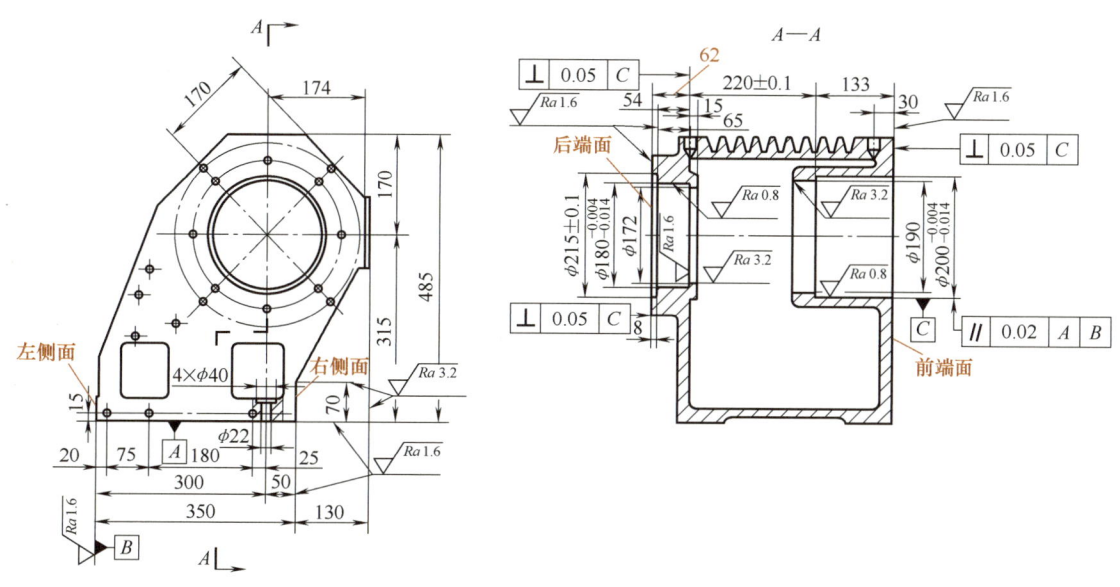

图5-42　数控车床主轴箱箱体零件图

表 5-8 数控车床主轴箱加工工艺过程

工序号	工序内容	定位基准	工序号	工序内容	定位基准
10	铸造		65	钻、扩前面连接孔	底面、左侧面、后面
20	时效		70	钻、扩后面连接孔	底面、左侧面、前面
30	粗铣、半精铣底面、左侧面和前端面	主轴孔、后端面、右侧面	80	磨削底面、左侧面和前端面	主轴孔、后端面、右侧面
35	粗铣、半精铣后端面和右侧各面	底面、左侧面、前端面	85	磨削后端面和右侧面	底面、左侧面、前端面
40	粗镗 $\phi200mm$、$\phi180mm$ 主轴孔及 $\phi190mm$、$\phi172mm$、$\phi215mm$ 孔,半精镗 $\phi200mm$、$\phi180mm$ 主轴孔	底面、左侧面、前端面	90	精镗 $\phi200mm$、$\phi180mm$ 主轴孔	底面、左侧面、前端面
50	粗铣其他次要平面	底面、左侧面、前端面	100	与轴承配研轴承支承孔 $\phi200mm$、$\phi180mm$,保证表面粗糙度和尺寸精度要求	
60	钻底面 $4\times\phi40$ 阶梯孔	主轴孔、前端面、左侧面	110	检验	

（1）定位基准的选择

1）精基准的选择。箱体上的孔与孔、孔与平面及平面与平面之间都有较高的尺寸精度和相互位置精度要求，这些要求的保证与精基准的选择有很大的关系。为此，箱体加工通常优先考虑"基准统一"原则，使具有相互位置精度要求的大部分加工表面的大部分工序，尽可能用同一组基准定位，以避免因基准转换而带来的累积误差，有利于保证箱体各主要表面的相互位置精度。并且，由于多道工序采用同一基准，使夹具有相似的结构形式，可减少夹具设计与制造的工作量，减少生产准备时间，降低生产成本。其次，箱体的设计基准往往也是箱体的装配基准，为保证主要表面间的相互位置精度，也必须要考虑"基准重合"原则，使定位基准与设计基准、装配基准重合，避免基准不重合误差，有利于提高箱体各主要表面的相互位置精度。因此，箱体的定位基准常用以下两种方案：

① 三面定位。箱体加工常用三个相互垂直的平面作为定位基准。图 5-42 所示主轴箱的底面、左侧面和前端面为孔系和各个平面的设计基准，底面和前端面又是箱体的装配基准，以这三个面作为统一基准，使定位基准与设计基准、装配基准重合，有利于保证孔系和各平面间的相互位置精度；同时，三面定位准确可靠，夹具结构简单，工件装卸方便，所以这种定位在单件和中小批生产中应用较广。缺点是三面定位有时会影响定位面上的孔或其他要素的加工。

② 一面两孔定位。箱体常用底面及底面上的两个孔作为定位基准，如图 5-42 所示的主轴箱也可用底面和底面上的两个紧固孔 $\phi40mm$ 为定位基准，很方便实现六点定位。底面是设计基准和装配基准，基准重合有利于保证孔系与底面的相互位置精度；且一面两孔定位，可作为大部分工序的定位基准，在一次安装下，可加工除底面处的其他各个面上的孔或平面，实现基准统一；同时，一面两孔定位稳定可靠，夹紧方便，易于实现自动定位和自动夹紧，在成批以上生产中，用组合机床与自动线加工箱体时，多采用这种定位方案。缺点是两孔定位的误差对相互位置精度的提高有所影响，为此，必须把定位孔的直径精度加工到 IT6～IT7 以上，并提高两孔中心距离精度和夹具的制造精度。

两种定位方案各有优缺点，选择时应根据实际生产条件合理确定。本例为单件生产，故选择三面定位方案。

2）粗基准的选择。由于箱体的结构比较复杂，加工表面多，粗基准选择得恰当与否，对加工面与不加工面间的相互位置关系及各加工面的加工余量分配有很大影响，必须全面考虑。通常应满足以下几点要求：

第一，在保证各加工面均有加工余量的前提下，应使重要孔的加工余量均匀。

第二，装入箱体内的旋转零件（如齿轮、轴套等）应与箱体内壁有足够的间隙。

第三，注意保持箱体必要的外形尺寸。

此外，还应保证定位、夹紧可靠。

为了满足上述要求，一般宜选箱体重要孔的毛坯作为粗基准。例如车床主轴箱大批量生产时就是以主轴孔作为粗基准，直接以箱体的重要孔在专用夹具上定位，工件安装迅速，生产率高。如图5-43所示为大批生产某车床主轴箱粗铣顶平面工序的定位夹紧装置。工件先放在1、3、5预定位支承上，箱体侧面紧靠支架4，端面紧靠挡销6，实现工件预定位。用操纵手柄9操纵控制两短轴7（油压）插入两主轴孔中，两短轴上各有三个活动支柱8，分别顶住两主轴孔的毛面，此时工件被抬起，1、3、5支承均不接触。工件抬起后通过调节两可调支承12，按样板校正与主轴孔相距较远的轴孔的位置，然后扳动操纵手柄10，操纵夹紧块13插入箱体两端相应的孔内，夹紧工件，最后用螺杆11调整辅助支承2，使其与箱体底面接触，锁紧后即可加工。

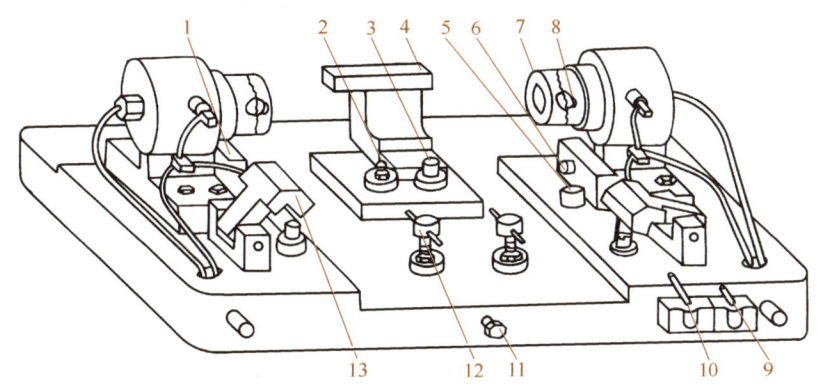

图5-43 以主轴孔为粗基准铣顶面的夹具

1、3、5—支承 2—辅助支承 4—支架 6—挡销 7—短轴 8—活动支柱
9、10—操纵手柄 11—螺杆 12—可调支承 13—夹紧块

由于铸造箱体毛坯时，形成主轴孔，其他支承孔及箱体内壁的泥芯是装成一个整体放入的，它们之间有较高的相互位置精度，因此，不仅可以较好地保证主轴孔及其他支承孔的加工余量均匀，而且能较好地保证各孔的中心线与箱体不加工的内壁的相互位置，避免装入箱体的齿轮、轴套等旋转零件在运转时与箱体内壁相碰撞。

根据生产类型的不同，实现以主轴孔为粗基准的工件安装方式也不一样。单件及中小批生产时，由于毛坯制造精度较低，一般采用划线找正安装工件。例如车床主轴箱（表5-8），以主轴孔轴线为基准划线，注意做必要的修正，使各孔、各平面及各加工部位均有加工余量，并以箱体内壁为基准，保持旋转件与箱体内壁的间隙，且保持箱体的外形尺寸完整。加工箱体时，按所划的线找正安装工件，体现了以重要孔作为粗基准。

（2）加工方法的选择　箱体的主要加工表面有平面和轴承支承孔等。箱体平面的粗加工和半精加工，主要采用刨削和铣削。

当生产批量较大时，可采用各种专用的组合铣床对箱体各平面进行多刀、多面同时铣削；尺寸较大的箱体，也可在多轴龙门铣床上进行组合铣削，如图5-44a所示，有效地提高了箱体平面加工的生产率。箱体平面的精加工，单件小批生产时，除一些高精度的箱体仍需手工刮研外，一般多用精刨代替传统的手工刮研；当生产批量大而精度又较高时，多采用磨削。为提高生产率和平面间的位置精度，如图5-44b所示，可采用专用磨床进行组合磨削。

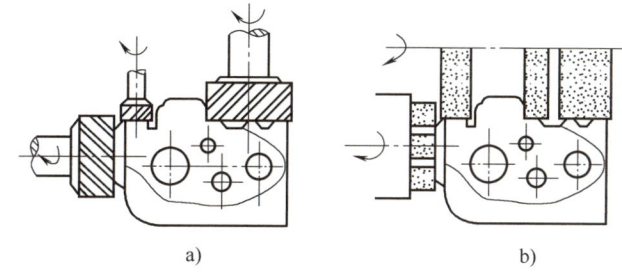

图5-44 箱体平面的组合铣削与磨削

箱体上标准公差等级为 IT7 的轴承支承孔，一般需要经过 3~4 次加工，可采用扩—粗铰—精铰，或采用粗镗—半精镗—精镗的工艺方案进行加工（若未铸出预孔应先钻孔）。以上两种工艺方案，表面粗糙度值可达 $Ra0.8~1.6\mu m$。铰孔方案用于加工直径较小的孔，镗孔方案用于加工直径较大的孔。当孔的加工精度超过 IT6，表面粗糙度值小于 $Ra0.4\mu m$ 时，还应增加一道精密加工工序，常用的方法有精细镗、滚压、珩磨、浮动镗等。

（3）箱体加工过程应遵循的一般原则

1）先面后孔的加工顺序。主轴箱的加工是按先面后孔的顺序进行的，这也是箱体加工的一般规律。因为箱体的孔比平面加工要困难得多，先以孔为粗基准加工平面，再以平面为精基准加工孔，不仅为孔的加工提供了稳定可靠的精基准，同时可使孔的加工余量较均匀。并且，由于箱体上的孔大部分分布在箱体的平面上，先加工平面，切除了铸件表面的凹凸不平和夹砂等缺陷，对孔的加工也比较有利；钻孔时可减少钻头引偏；扩孔或铰孔时可防止刀具崩刃；对刀调整也较方便。

2）粗精加工分阶段进行。因为箱体的结构形状复杂、主要表面精度高，粗、精加工分开进行，可以消除由粗加工所造成的切削力、夹紧力、切削热以及内应力对加工精度的影响，有利于保证箱体的加工精度；同时还能根据粗、精加工的不同要求来合理地选用设备，有利于提高生产率。

应该指出，随着粗精加工分开进行，机床与工艺装备的需要数量及工件的装夹次数相应增加，对单件小批生产，往往使制造成本增加。在这种情况下，常常又将粗、精加工合并在一道工序中进行，见表 5-8。但应采取相应的工艺措施来保证加工精度。例如，粗加工后松开工件，以消除夹紧变形，精加工时再以较小的夹紧力夹紧工件；粗加工后待充分冷却后再进行精加工，以减少切削热引起的变形；粗加工后用空气锤进行人工振动时效，以减少内应力的影响等。

3）合理安排热处理工序。箱体的结构比较复杂，壁厚不均，铸造时产生了较大的内应力。为了保证其加工后精度的稳定性，在毛坯铸造后安排一次人工时效处理，以改善可加工性，消除内应力。通常，对普通精度箱体，一般在毛坯铸造后安排一次人工时效即可；而对于一些高精度的箱体或形状特别复杂的箱体，应在粗加工之后再安排一次人工时效处理，以消除粗加工所造成的内应力，进一步提高箱体加工精度和稳定性。对箱体进行人工时效的方法，除加热保温外，也可采用振动时效。

二、箱体类零件的平面加工

箱体类零件平面加工的方法很多，常用的有刨削、铣削和磨削，刨削和铣削常用于平面的粗加工和半精加工，而磨削则用于精加工，在大批量生产中也可用拉削。此外，还有刮研、研磨等光整加工方法。

1. 平面刨削

刨削加工是以刨刀（或工件）的直线往复运动为主运动，以方向与之垂直的工件（或刨刀）的间歇移动为进给运动的切削加工方法。刨削主要用于粗加工、半精加工各种平面和沟槽。单件小批生产的小平面一般在牛头刨床上加工，大件或大批量生产在龙门刨床上加工。

（1）刨削加工工艺特点

1）加工质量中等。刨削加工切削速度低，有冲击和振动现象，加工质量中等。一般刨削的尺寸公差等级可达 IT7~IT9，表面粗糙度值为 $Ra1.6~6.3\mu m$。但是，用宽刃细刨刀时，切削速度低（2~12m/min），加工余量较小（预刨余量 0.08~0.12mm，终刨余量 0.03~0.05mm），工件发热变形小，可以达到相当高的加工精度和相当好的表面质量（表面粗糙度值为 $Ra0.8~1.6\mu m$），且生产率也较高。因此，在精度高、刚性好的龙门刨床上可以用宽刃细刨刀细刨代替刮研。另外，使用宽刃细刨刀刨削大平面时无接刀痕，表面质量较好。

图 5-45 所示为宽刃细刨刀，前角为 -15°~-10°，有挤光作用；后角为 5°，可增加后面支承，防止振动；刃倾角为 3°~5°。加工时用煤油作为切削液。

2）生产率低。刨削时的直线往复运动，不仅限制了切削速度的提高，而且有空行程损失，且常用单刀单刃加工，显著降低了切削效率。因此，刨削加工生产率较低。

3）加工成本较低。刨床结构简单，通用性好，刨刀制造、刃磨容易，调整方便，可以在一次装夹中加工几个不同的表面，用机床精度保证加工表面之间的位置精度。因此，刨削加工成本较低。

（2）刨刀　刨刀的刀柄较粗，一般应呈弯曲状，如图 5-46b 所示。当切削力突然增大时，刀柄的变形将使刀尖离开工件，从而保护了刀尖和加工表面。如果做成直刀柄，如图 5-46a 所示，则刀柄受力变形时，刀尖将绕 O 点转动，扎入工件，既损坏了已加工表面，又可能损坏刀具。

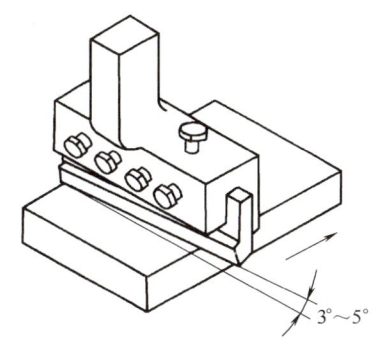

图 5-45　宽刃细刨刀

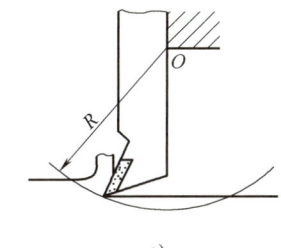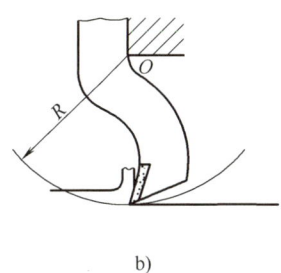

图 5-46　刨刀的刀柄

a）直刀柄　b）弯刀柄

2. 平面铣削

铣削是以铣刀的旋转运动作为主运动，与工件或铣刀的进给运动相配合，切去工件上多余材料的一种切削加工方法。铣削和刨削一样用于平面和沟槽的粗加工、半精加工，它可以加工各种平面、成形表面、各种沟槽、螺纹和齿轮等，也可用于切断材料。因此，铣削的加工范围非常广泛。

（1）铣削加工的工艺特点

1）生产率较高。铣削加工以回转主运动代替了刨削加工的直线往复运动，没有空行程。铣床以连续进给运动代替了刨床的间歇进给运动，并且以多齿刀具代替单齿刨刀。因此，铣削加工的生产率较高。

2）适应性好。铣刀的类型多，铣床的附件多，特别是分度头和回转工作台的使用，使得铣削加工的应用范围极为广泛。

3）加工质量中等。铣削时，每个刀齿轮流切入和切出工件，断续地进行切削，使刀齿和工件受到周期性的冲击，切削力发生波动。因此，铣削总是处于振动和不平稳的工作状态中，使加工质量受到影响。铣削尺寸公差等级一般可达到 IT7~IT9，表面粗糙度值为 $Ra1.6~6.3\mu m$。

4）成本较高。铣床结构复杂，铣刀的制造和刃磨比较困难，铣削加工成本比刨削高。

（2）铣刀　铣刀是多齿刀具，其每个刀齿都相当于一把车刀固定在铣刀的回转表面上。铣刀种类很多，按其用途可分为加工平面用铣刀、加工沟槽用铣刀、加工成形面用铣刀三类。通用规格的铣刀已经标准化，一般均由专业工具厂商生产。现介绍常用铣刀的特点及其使用范围。

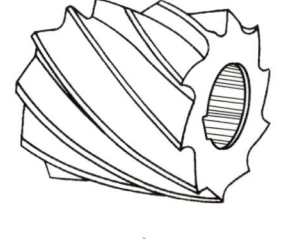

图 5-47　圆柱铣刀

a）整体式　b）镶齿式

1）圆柱铣刀。圆柱铣刀如图 5-47 所示，一般都是用高速钢制成整体式。螺旋形切削刃分布在圆柱表面，没有副切削刃，主要用在卧式铣床上铣平面。螺旋形的刀齿切削时是逐渐切入和脱离工件的，所以切削过程较平稳，一般适宜用于加工宽度小于铣刀长度的狭长平面。

根据加工要求不同有粗齿、细齿之分，粗齿的容屑槽大，用于粗加工，细齿用于精加工。铣刀外径较大时，常制成镶齿式的。

2）面铣刀。面铣刀如图 5-48 所示，主切削刃位于圆柱或圆锥表面上，副切削刃位于圆柱或圆锥的端面上。铣刀的轴线垂直于被加工表面，因此非常适合在立式铣床上加工平面。用面铣刀加工平面，同时参加切削的刀齿数较多，又有副切削刃的修光作用，加工表面的表面粗糙度值小，因此可以用较大的切削用量，在大平面铣削时都采用面铣刀铣削，生产率高。

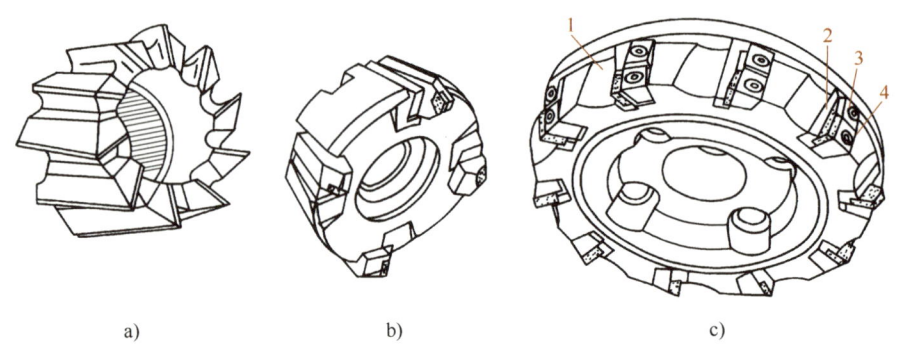

图 5-48 面铣刀

a）整体式　b）焊接式硬质合金刀头　c）机械夹固可转位硬质合金刀片
1—不重磨可转位刀具　2—定位座　3—定位座夹具　4—刀片夹具

小直径的面铣刀一般用高速钢制成整体式；大直径的面铣刀是在刀体上装焊接式硬质合金刀头，或采用机械夹固可转位硬质合金刀片。

3）立铣刀。立铣刀相当于带柄的小直径圆柱铣刀，圆柱上的切削刃是主切削刃，端面上分布着副切削刃，工作时不能沿铣刀轴线方向做进给运动。它主要用于加工台阶面、平底槽以及利用靠模加工成形面等。另外有粗齿大螺旋角立铣刀、硬质合金波形刃立铣刀等，它们的直径较大，可以采用大的进给量，生产率很高。图 5-49 所示为各种立铣刀的外形。

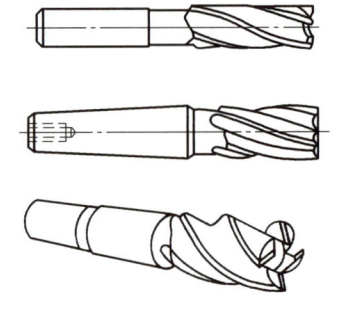

图 5-49 立铣刀的外形

4）三面刃铣刀。三面刃铣刀又称盘铣刀，如图 5-50 所示。在刀体的圆周上及两侧环形端面上均有切削刃，所以称为三面刃铣刀。它主要用在卧式铣床上加工台阶面和一端或两端贯穿的浅沟槽。三面刃铣刀的圆周切削刃为主切削刃，侧面切削刃是副切削刃。

三面刃铣刀有直齿和交错齿两种，后者能改善两侧的切削性能。直径较大的三面刃铣刀常采用镶齿结构。

5）锯片铣刀。如图 5-51 所示，锯片铣刀本身很薄，只在圆周上有刀齿，它用于切断工件和铣窄槽。为了避免夹刀，其厚度由边缘向中心减薄，使两侧形成副偏角。

6）键槽铣刀。如图 5-52 所示，键槽铣刀主要用来铣轴上的键槽。它的外形与立铣刀相似，不同

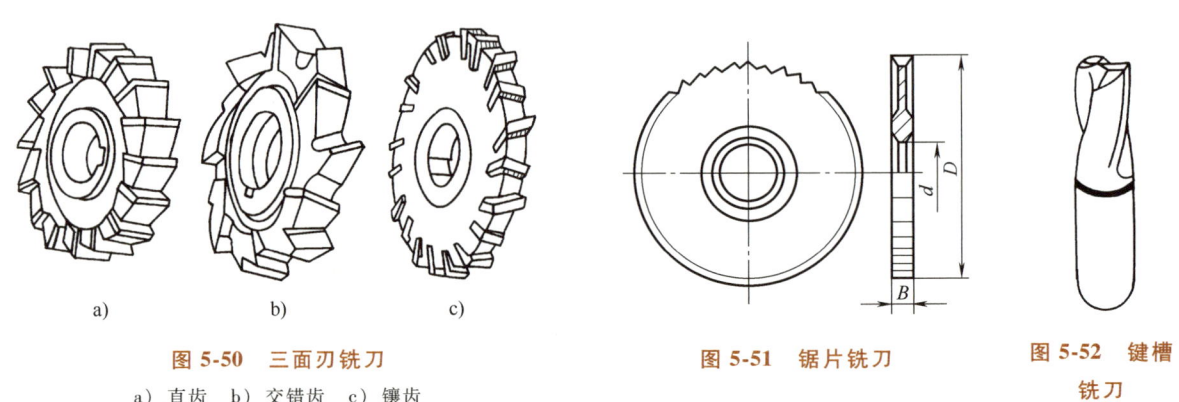

图 5-50 三面刃铣刀
a）直齿　b）交错齿　c）镶齿

图 5-51 锯片铣刀

图 5-52 键槽铣刀

的是它在圆周上只有两个螺旋刀齿，其端面刀齿的切削刃（主切削刃）延伸至中心，因此在铣两端不通的键槽时，可以做适量的轴向进给。

其他的还有角度铣刀、成形铣刀、T形槽铣刀、燕尾槽铣刀、仿形铣用的指形齿轮铣刀等，如图 5-53 所示。

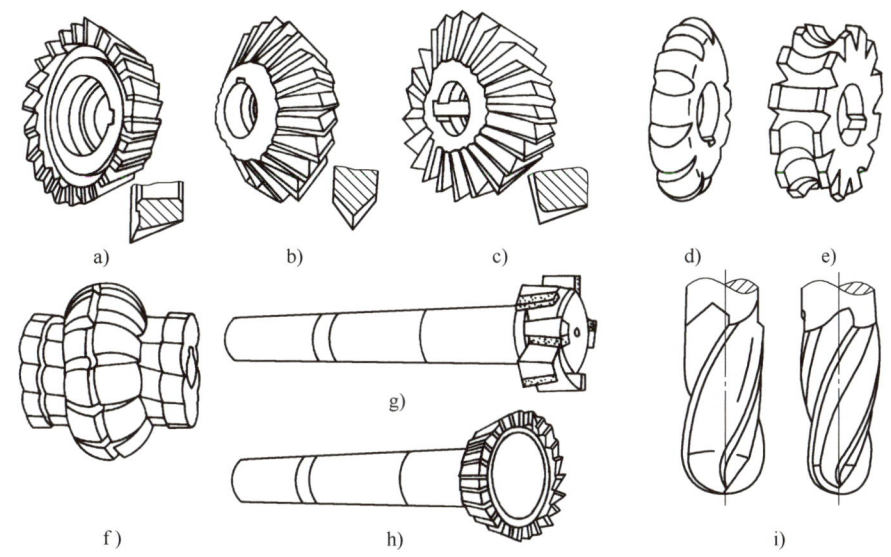

图 5-53 特种铣刀

a)、b)、c) 角度铣刀　d)、e)、f) 成形铣刀　g) T形槽铣刀　h) 燕尾槽铣刀　i) 指形齿轮铣刀

（3）铣削方法　加工平面可以用端铣法，也可以用周铣法，如图 5-54 所示。

1）周铣法。用铣刀圆周面上的刀齿加工平面，称为周铣法。它可分为顺铣和逆铣，如图 5-55 所示。

铣削时，根据铣削力的水平分力 F_f 方向与工件的进给方向是否相同，来定义逆铣和顺铣。其定义和特点见表 5-9。

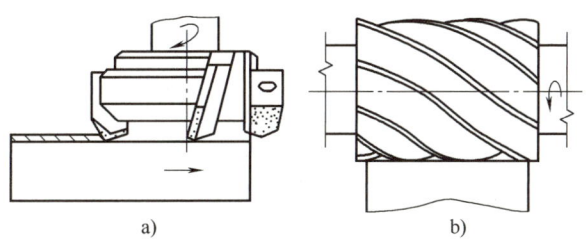

图 5-54 平面铣削方法

a) 端铣法　b) 周铣法

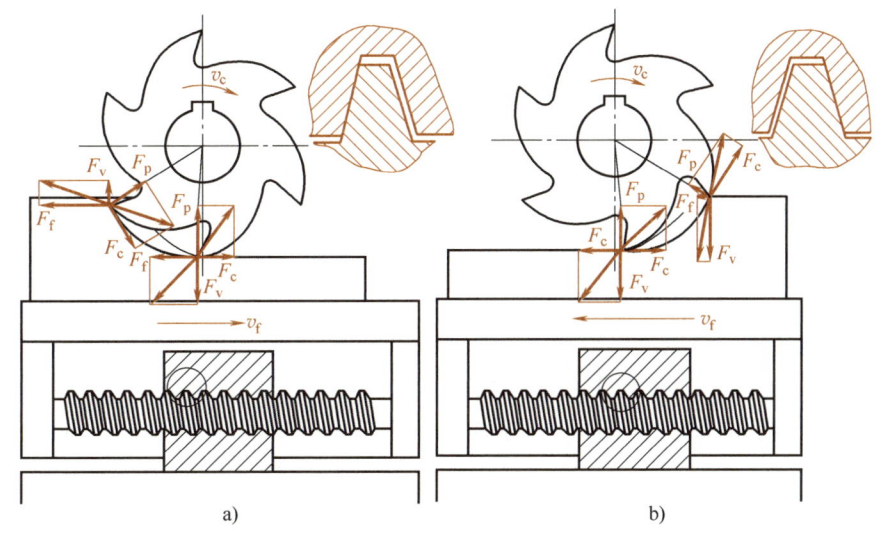

图 5-55 顺铣与逆铣

a) 逆铣　b) 顺铣

表 5-9 逆铣与顺铣

铣削方式	逆铣	顺铣
定义	铣刀旋转方向与工件进给方向相反	铣刀旋转方向与工件进给方向相同
特点	切屑由薄变厚 水平分力 F_f 与进给方向相反 垂直分力 F_v 向上	切屑由厚变薄 水平分力 F_f 与进给方向相同 垂直分力 F_v 向下

① 逆铣。逆铣时，切削厚度由零逐渐增大，切入瞬时刀具的刃口钝圆半径大于瞬时切削厚度，刀齿在工件表面上要挤压和滑行一段后才能切入工件，结果使已加工表面产生硬化，表面粗糙度值变大，铣刀磨损增大。另外，由图 5-55a 可以看出，逆铣时尽管刀齿在不同位置时作用于工件上的切削力不同，但切削力的水平分力始终与进给速度方向相反，使得工作台丝杠螺纹右侧与螺母齿槽右侧始终保持良好的接触，从而使得进给平稳。其次，逆铣刀齿切出时，作用于工件的铣削力的垂直分力 F_v 朝上，有抬起工件的趋势，这就要求工件装夹牢固。

② 顺铣。顺铣时，切削厚度由厚变薄，无"滑行"现象，加工表面的表面粗糙度值小，铣刀磨损也小。同时，垂直分力 F_v 向下作用，将工件压向工作台，避免铣削时的上下振动。但切削力的水平分力与进给速度方向一致，由于铣床工作台进给机构丝杠副存在间隙，当铣削力的水平分力 F_f 超过工作台摩擦力时，会使工作台带动丝杠发生窜动，造成进给不均，影响铣刀寿命，甚至"打刀"。因此，当要用顺铣方式时，机床进给机构必须具有消除间隙的机构——顺铣机构。

2) 端铣法。用面铣刀的端面刀齿加工平面，称为端铣法。此时的铣刀回转轴线与被加工表面垂直。

用面铣刀加工平面较圆柱铣刀为优。首先，圆柱铣刀是装夹在细而长的刀杆上，而面铣刀则直接装夹在刚性很高的主轴上，所以面铣刀可采用较大的切削用量，生产率较高；其次，圆柱铣刀逆铣时，刀齿在切入工件前有"滑行"现象，从而加剧刀具磨损，同时其工作刀齿只用一个主切削刃来切削工件，当主切削刃略有磨损，便使已加工表面质量恶化，而端铣时，刀齿切入工件时的切削厚度不为零，不存在加剧刀具磨损的滑行现象；再次，面铣刀一般装有修光齿，加工精度较高，表面粗糙度值较小。因此，在生产中端铣法加工应用较多。周铣法一般用于卧式铣床，其通用性较好，适用范围较广，故在单件小批生产应用较多。

3. 平面磨削

磨削加工是用磨料磨具以较高的线速度对工件表面进行加工的方法。磨削一般用于精加工，尤其是对淬硬钢件和高硬度材料的精加工。

（1）平面磨削的工艺特点

1) 加工质量高。平面磨削具有切削速度高、进给量小、尺寸精度易于控制及能获得较小的表面粗糙度值等特点，加工精度一般可达 IT5~IT9，表面粗糙度值为 $Ra0.2~1.6\mu m$。因而多用于零件的半精加工和精加工。

2) 生产率高，适应性好。平面磨削可在电磁工作台上同时安装多个零件，进行连续加工；再则，平面磨削的工艺系统刚度较大，可采用强力磨削，不仅能对高硬度材料及淬火表面等进行精加工，而且还能对带硬皮的、加工余量较均匀的毛坯平面进行粗加工，切削速度高，因此生产率高，适应性好。

3) 能加工高硬度材料。砂轮的磨粒具有很高的硬度和耐热性。因此，刀具无法加工的白口铸铁、淬火钢和硬质合金等高硬度材料也能采用磨削加工。

4) 磨削温度高，容易烧伤加工表面。磨削速度约为铣削或车削的 10 倍。磨粒对工件表面的切削、摩擦、挤压和抛光等作用，会产生大量的热，砂轮本身的热导性又差，因此磨削区域的温度可高达 800~1000℃，甚至使金属微粒熔化。磨削火花就是细微磨屑在空气中急速氧化的现象，磨削温度高会使工件表面退火烧伤和淬火烧伤。因此，在磨削过程中应使用大量的切削液，以降低磨削温度。

（2）平面磨削方法　平面磨削方法有周磨和端磨两种，如图 5-56 所示。

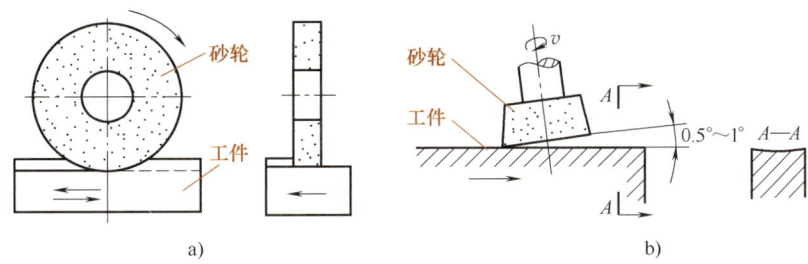

图 5-56 平面磨削方法
a) 周磨 b) 端磨

1) 周磨。如图 5-56a 所示,砂轮的工作表面是圆周表面。磨削时砂轮与工件的接触面积小,发热少,散热快,排屑与冷却条件好,因此可获得较高的加工精度和表面质量,通常适用于加工精度要求较高的零件。但由于周磨采用间断的横向进给,因而生产率较低。

2) 端磨。如图 5-56b 所示,砂轮的工作面是端面。磨削时磨头轴悬伸长度短,刚性好,磨头又主要承受轴向力,弯曲变形小,因而可采用较大的磨削用量。砂轮与工件接触面积大,同时参加磨削的磨粒多,所以生产率较高。但散热和冷却条件差,且砂轮端面沿径向各点圆周速度不等而产生磨损不均,因而磨削精度较低。一般适用于大批生产中精度要求不太高的零件表面,或直接对毛坯进行粗磨。为减少砂轮与工件的接触面积,将砂轮端面磨成内锥形,或使磨头倾斜一微小的角度,可改善散热条件,虽磨出的平面中间略呈凹形,但由于倾角很小,下凹量很小。

4. 刮研

刮研平面用于未淬火的工件,它可使两个平面之间达到很好的接触及紧密吻合,能获得较高的形状精度和相互位置精度,加工精度一般可达 IT5 以上,表面粗糙度值为 $Ra0.1~1.6\mu m$。刮研后的平面能形成具有润滑油膜的滑动面,因此可减少相对运动表面间的磨损和增强零件接合面间的刚度。刮研表面质量是用单位面积上接触点的数目来评定的,粗刮为 $1~2$ 点/cm^2,半精刮为 $2~3$ 点/cm^2,精刮为 $3~4$ 点/cm^2。

刮研加工劳动强度大,生产率低;但刮研不需复杂设备,生产准备时间短,且刮研力小,发热小,变形小,加工精度和表面质量高。此法一般多用于单件小批生产及维修工作。

三、箱体类零件的孔系加工

一系列有相互位置精度要求的孔称为孔系。根据箱体的使用要求,箱体上的孔不仅本身的精度要求高,而且孔距精度和相互位置精度要求也很高,这是箱体加工的关键。箱体的孔系可分为平行孔系、同轴孔系和交叉孔系,如图 5-57 所示。根据孔系的精度要求和生产规模可采用不同的加工方法。

1. 平行孔系的加工

平行孔系的主要技术要求是各平行孔中心线之间及孔中心线与基准面之间的距离尺寸精度和相互位置精度。生产中常用以下几种方法加工平行孔系:镗模法、找正法和坐标法。

(1) 镗模法 镗模是用镗削方法加工箱体孔的专用夹具。图 5-58 所示为用镗模加工平行孔系。工件装夹在镗模上,镗杆支承在镗模的导套里,由导套引导镗杆在工件的正确位置上镗孔。

用镗模镗孔时,镗杆与机床主轴多采用浮动连接,机床精度对孔系加工精度影响很小。孔距精度和相互位置精度主要取决于镗模的精度,因而可以在精度较低的机床上加工出精度较高的孔系;同时镗杆刚度大大提高,有利于采用多刀同时切削;且定位夹紧迅速,生产率高。另一方面,镗模的精度

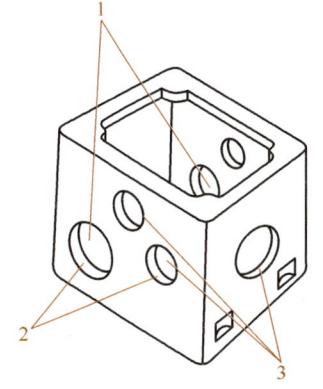

图 5-57 箱体上的几种孔系
1—同轴孔系 2—平行孔系
3—交叉孔系

要求高，制造周期长，成本高。因此，镗模法加工孔系广泛用于成批及大量生产，即使是单件小批生产，对一些精度要求较高、结构复杂的箱体孔系，往往也采用镗模法加工。

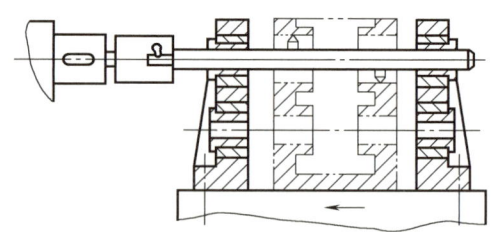

图 5-58　用镗模加工平行孔系

由于镗模本身的制造误差和导套与镗杆的配合间隙对孔系加工精度有影响，因此，用镗模加工孔系不可能达到很高的加工精度。一般孔径尺寸公差等级为 IT7 左右，表面粗糙度值为 $Ra0.8\sim1.6\mu m$；孔与孔之间的同轴度和平行度，当从一端加工时，可达 0.02～0.03mm，当从两端加工时，可达 0.04～0.05mm；孔距精度一般为 ±0.05mm。

用镗模法加工孔系，既可在通用机床上加工，也可在专用机床或组合机床上加工。

（2）找正法　找正法是在通用机床上，借助一些辅助装置去找正每个被加工孔的正确位置。找正法包括划线找正法，量块、心轴找正法和样板找正法。

1）划线找正法。加工前按图样要求在毛坯上划出各孔的位置轮廓线，加工时按所划的线一一找正，同时结合试切法进行加工。划线找正法设备简单，但操作复杂，难度大，生产率低，同时加工精度受工人技术水平影响较大，加工的孔距精度较低，一般为 ±0.3mm 左右。因此，一般只用于单件小批生产，且孔距精度要求不高的孔系加工。

2）量块、心轴找正法。如图 5-59 所示，将精密心轴分别插入机床主轴孔和已加工孔中，然后组合一定尺寸的量块来找正主轴的位置。

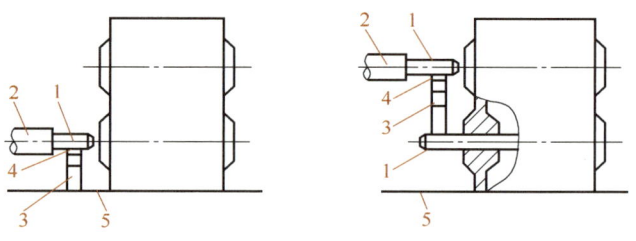

图 5-59　量块心轴找正法

1—心轴　2—主轴　3—量块　4—塞尺　5—镗床工作台

找正时，在量块与心轴间要用塞尺测定间隙，以免量块与心轴直接接触而产生变形。此法可达到较高的孔距精度（±0.03mm），但生产率低，适用于单件小批生产。

3）样板找正法。如图 5-60 所示，先用 10～20mm 厚的钢板制造孔系样板，样板上孔系的孔距精度要求很高（一般小于 ±0.01mm），孔径比工件的孔径稍大，以便镗杆通过。样板上的孔径尺寸要求不高，但几何形状精度和表面质量要求较高，以便保证找正精度。使用时，将样板 1 装在被加工的箱体的端面上，利用装在机床主轴上的百分表找正器 2，按样板上的孔逐个找正机床主轴的位置进行加工。此法加工孔系不易出错，找正迅速，孔距精度可达 ±0.02mm，样板成本比镗模低得多，常用于单件中小批生产中加工大型箱体的孔系。

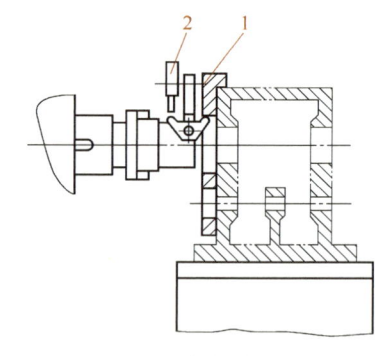

图 5-60　样板找正法

1—样板　2—百分表找正器

（3）坐标法　坐标法镗孔是将被加工孔系间的孔距尺寸换算成两个相互垂直的坐标尺寸，然后按此坐标尺寸精确地调整机床主轴和工件在水平与垂直方向的相对位置，通过控制机床的坐标位移尺寸和公差来保证孔距尺寸精度。此法在单件小批生产及精密孔系加工中应用较广。

保证坐标位移精度的方法是利用坐标镗床进行加工。坐标镗床具有精确的坐标测量系统，如精密丝杠、光屏-刻线尺、光栅、感应同步器、磁尺、激光干涉仪等，其坐标位移精度可达 0.002～0.006mm。孔距精度要求特别高的孔系，如镗模、精密机床箱体等零件的孔系，大都在坐标镗床上进行加工。

数控镗铣床和加工中心都具有较高的坐标位移精度，完全可以直接由机床精度来保证一般箱体的孔系精度要求。加工中心不仅生产率高、加工精度高、适用范围广，且不需设计、制造镗模，缩短了产品制造周期，又减少了工序数量，简化了生产管理。加工中心适合于中、小批量的形状复杂的工件加工。我国已有许多企业在箱体加工中应用加工中心，取得了很好的经济效益。

普通镗床的坐标位移精度不高，一般为±0.1mm左右。要想获得较高精度的坐标位移尺寸，可使用精密测量装置找正坐标尺寸，如使用量块和百分表等，或加装一套较精密的测量装置。

2. 同轴孔系加工

同轴孔系的主要技术要求为同轴线上各孔的同轴度，生产中常采用以下几种方法加工：镗模法、导向法和找正法。

（1）镗模法　在成批大量生产中，箱体上的同轴孔一般采用镗模法加工，其同轴度由镗模保证。如图5-58所示，工件装夹在镗模上，镗杆支承在镗套的前后导向孔中，由导向套引导镗杆在工件的正确位置上镗孔。镗孔时镗杆旋转，工作台带动工件做纵向进给运动，即可镗出两同轴孔。若两孔径不等，可在镗杆不同位置上装两把镗刀将两孔先后或同时镗出。

用镗模镗孔时，镗杆与机床主轴通过浮动夹头与镗杆采用浮动连接，保证孔系的加工精度不受机床精度的影响。图5-58中孔的同轴度主要取决于镗模的精度，因而可以在精度较低的机床上加工精度较高的孔系。同时有利于多刀同时切削，且定位夹紧迅速，生产率高。但是，镗模的精度要求高，制造周期长，生产成本高。因此镗模法加工孔系适用于成批大量生产，对一些精度要求较高、结构复杂的箱体孔系，单件小批生产采用镗模法加工也是合理的。

用镗模法加工孔系，既可在通用机床上加工，也可在专用机床或组合机床上加工。

（2）找正法　找正法是在工件一次安装镗出箱体一端的孔后，将镗床工作台回转180°，再对箱体另一端同轴线的孔进行找正加工。找正后应保证掉头后镗杆轴线与已加工孔轴线位置精确重合。

如图5-61所示，镗孔前用装在镗杆上的百分表对箱体上与所镗孔轴线平行的工艺基准面进行校正，使其与镗杆轴线平行（图5-61a），然后调整主轴位置加工箱体壁A上的孔。镗孔后回转工作台180°，重新校正工艺基准面对镗杆轴线的平行度（图5-61b），再以工艺基准面为统一测量基准，调整主轴位置，使镗杆轴线与A壁上孔轴线重合，即可加工箱体B壁上的孔。

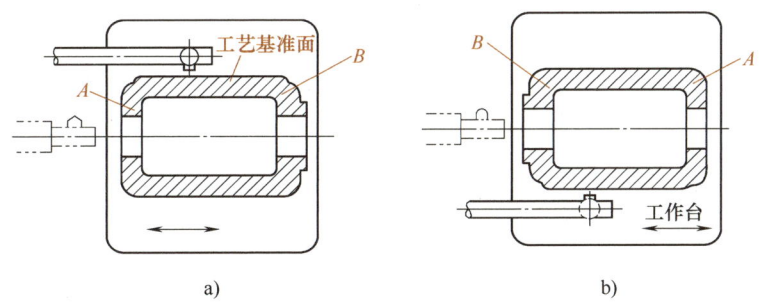

图5-61　找正法加工同轴孔系

找正法的调整、找正较麻烦，生产率低，但设备及工艺装备简单，镗杆短且刚性较好，故适用于单件小批生产中加工相距较远的同轴孔系。

（3）导向法　单件小批生产时，箱体孔系一般在通用机床上加工，镗杆的受力变形会影响孔的同轴度，可采用导套导向加工同轴孔。

1）用镗床后立柱上的导向套作为支承导向。此种镗杆为两端支承，刚性好；此法的缺点是后立柱导套的位置调整麻烦费时，需心轴、量块找正，一般适用于大型箱体的加工。

2）用已加工孔作为支承导向。当箱体前壁上的孔加工完毕时，可在孔内装一导向套，以支承和引导镗杆加工后面的孔，来保证两孔的同轴度。此法适用于箱体壁相距较近的同轴孔加工。

3. 交叉孔系加工

交叉孔系的主要技术要求为各孔间的垂直度。生产中常采用以下两种方法：

（1）镗模法　在成批以上生产中，一般采用镗模法加工，其垂直度由镗模保证。

（2）找正法　单件小批生产中，交叉孔系一般在通用机床上加工。镗垂直孔系时，一个方向的孔加工完毕后可将工作台调转90°，再镗第二个孔。孔系的垂直度靠镗床工作台的90°对准装置来保证，如图5-62所示。当普通镗床工作台的90°对准装置精度不高时，可用检验棒与百分表进行找正，即在加工好的孔中插入检验棒并找正，如图5-62a所示，然后将工作台回转，摇动工作台用百分表找正，如图5-62b所示。

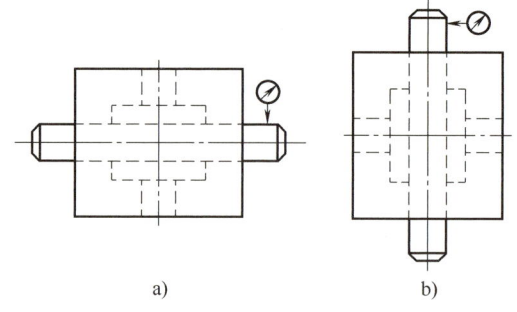

图5-62　找正法加工交叉孔系

四、箱体类零件的装夹

1. 铣床夹具

铣床夹具主要用于在铣床或组合机床上加工零件上的平面、凹槽、花键及各种成形面等。工件在铣床上的装夹方法有多种，较大的工件可以利用工作台上的T形槽使用螺钉和压板直接装夹在工作台上。中小型工件常常通过机用平口钳、回转工作台和分度头等附件装夹在工作台上；成批生产中，常采用专用铣床夹具装夹工件。

（1）铣床通用夹具

1）机用平口钳。常用的回转式机用平口钳如图5-63所示。装夹时使用专用扳手扳动丝杠右端的方头，带动活动钳口移动，从而夹紧工件。其上钳座3能绕下钳座5回转360°，从而扩大了机用平口钳的工作范围。它通过其下钳座上的定位键与工作台中部的T形槽配合以实现定位，然后用螺母4压紧。回转式机用平口钳多用于装夹矩形截面的中小型工件。

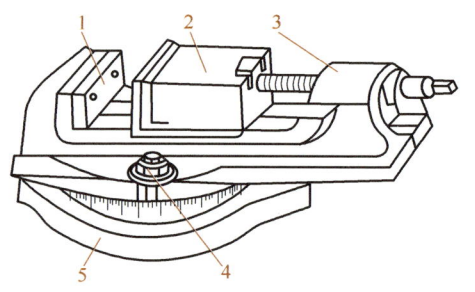

图5-63　回转式机用平口钳

1—固定钳口　2—活动钳口　3—上钳座
4—螺母　5—下钳座

2）分度头。分度头可通过机座上的导向键与工作台中间的T形槽配合定位，然后固定在工作台上。分度头主轴前端安装顶尖或卡盘，以装夹工件。

3）回转工作台。回转工作台的结构原理如图5-64所示。工件用螺钉、压板通过T形槽紧固在工作台上。回转工作台内部有一套蜗杆副。摇动手轮4，通过蜗杆轴3带动蜗轮及转台2转动（蜗轮与转台同轴）。转台周围有刻度，可以确定回转工作台的转动角度。拧紧固定螺钉5，可以固定回转工作台的位置。转台的中央有一个孔，用于确定工件的回转中心。底座1上的定位键使回转工作台在铣床工作台上定位。定位后使用螺钉和压板将回转工作台压紧。

（2）铣床专用夹具

1）铣床专用夹具的主要类型。按照铣削时的进给方式，铣床专用夹具一般有直线进给式和圆周进给式两种。

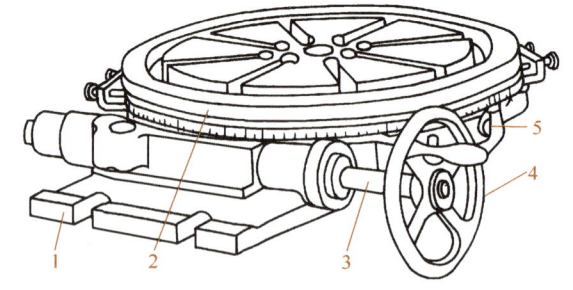

图5-64　回转工作台的结构原理

1—底座　2—转台　3—蜗杆轴　4—手轮
5—固定螺钉

① 直线进给式铣床夹具。图5-65所示为铣槽的直线进给铣床夹具。工件以一面两孔定位，夹具上相应的定位元件为支承板、一个圆柱销和一个菱形销。工件的夹紧是使用螺旋压板夹紧机构来实现的。卸下工件时，松开压紧螺母，螺旋压板在弹簧作用下抬起，转动压板，即可卸下工件。夹具用定位键5和对刀块2来确定夹具与机床、夹具与刀具正确的相对位置。

② 圆周进给式铣床夹具。圆周进给式铣床夹具一般在有回转工作台的专用铣床上使用。在通用铣床上使用时，应进行改装，增加一个回转工作台，图5-66所示为圆周进给式铣床夹具，铣削拨叉上、下两端面。工件以圆孔、端面及侧面在定位销2和挡销4上定位，由液压缸6驱动拉杆1通过快换垫圈3将工件夹紧。夹具上可同时装夹12个工件。工作台由电动机通过蜗杆蜗轮机构带动回转。AB是工件的切削区域，CD是工件的装卸区域，可在不停车的情况下装卸工件，使切削的基本时间和装卸工件的辅助时间重合。因此，它生产率高，适用于大批大量生产的中、小件加工。

2）铣床夹具结构特点。铣床夹具除了具有定位元件、夹紧机构和夹具体以外，和其他机床夹具不同的是还具有对刀装置和定位键（对刀块与塞尺）。

① 定位键。铣床夹具常用装在夹具体底面上的定位键来确定夹具相对于机床进给方向的正确位置。图5-67所示为常用定位键的结构及使用实例。为了提高定向精度，定位键上部与夹具体底面的槽配合，下部与机床工作台的T形槽配合。两定位键在夹具允许范围内应尽量布置得远些，以提高夹具的安装精度。

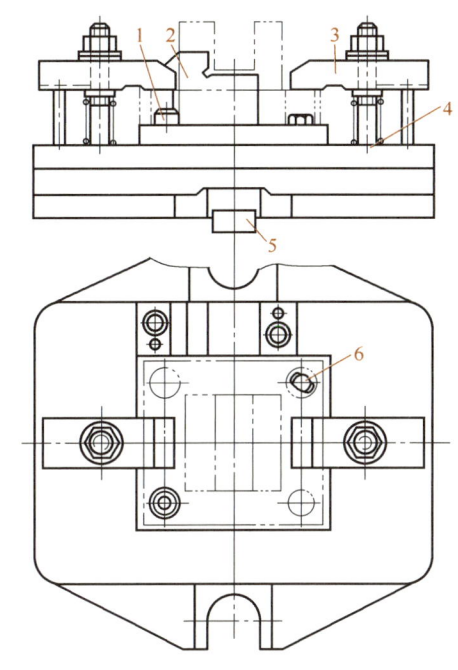

图5-65　铣槽夹具

1—圆柱销　2—对刀块　3—螺旋压板
4—弹簧　5—定位键　6—菱形销

定向精度要求高的铣床夹具，常不放置定位键，而在夹具体的侧面加工出一窄长平面作为夹具安装时的找正基准面，通过找正获得较高的定向精度。

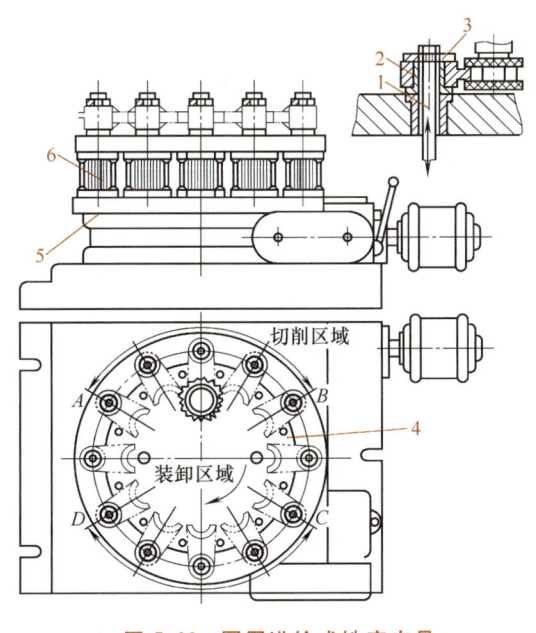

图5-66　圆周进给式铣床夹具

1—拉杆　2—定位销　3—快换垫圈　4—挡销
5—回转工作台　6—液压缸

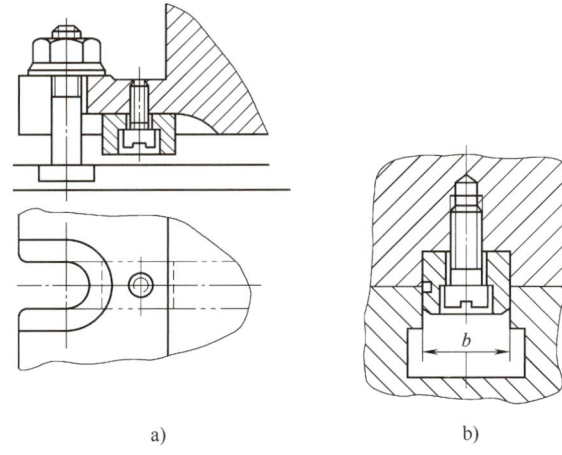

图5-67　常用定位键的结构及使用实例

a）定位键使用实例　b）定位键的结构

矩形定位键已经标准化，其规格尺寸、材料和热处理等可从相关夹具手册中查到。

② 对刀装置。图5-65中的对刀块2用来确定夹具与刀具的相对位置。对刀装置的结构形式取决于工件加工表面的形状，图5-68为几种常见的对刀装置。

对刀时，在刀具与对刀块之间应加一塞尺，使刀具与对刀块不直接接触，以免损坏切削刃或造成

147

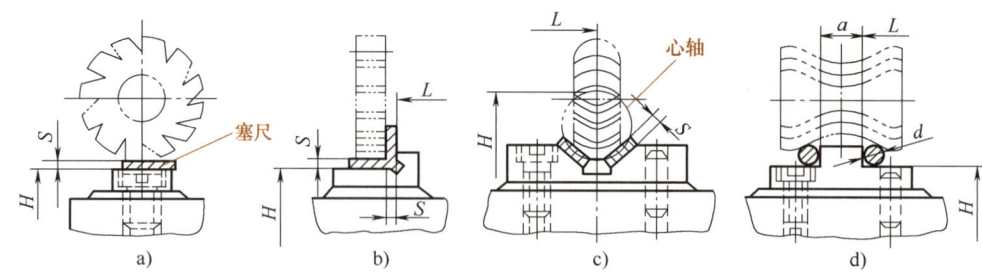

图 5-68 对刀装置
a）铣平面用　b）铣槽用　c)、d）铣削成形面用

对刀块过早磨损。塞尺有平塞尺和圆柱形塞尺两种，其厚度或直径一般为 3~5mm。

对刀块与塞尺均已标准化，其结构尺寸、材料、热处理等都可从相关夹具手册中查到。

由于铣削过程不是连续切削，极易产生铣削振动，铣削的加工余量一般比较大，铣削力也较大，且方向是变化的，因此设计夹具时要注意如下几点：

第一，夹具体要有足够的刚度和强度。

第二，夹具要有足够的夹紧力，夹紧装置自锁性要好。

第三，夹紧力应作用在工件刚度较大的部位上，且着力点和施力方向要恰当。

第四，夹具的重心应尽量低，高度与宽度之比不应大于 1.25。

第五，为提高生产率，应尽量采用多件加工，联动夹紧。

此外，为方便铣床夹具在铣床工作台上的固定，夹具体上应设置耳座，常见的耳座结构如图 5-67a 所示，其结构尺寸可参考相关夹具手册。小型夹具体一般两端各设置一个耳座，夹具体较宽时，可在两端各设置两个耳座，两耳座的距离应与工作台上两 T 形槽的距离一致。对于重型铣床夹具，夹具体两端还应设置吊装孔或吊环等。

2. 镗床夹具

镗床专用夹具又称镗模，主要用于加工箱体、支架类零件的精密孔或孔系，适合于成批及大量生产。即使是单件小批生产，对一些精度要求高、结构复杂的箱体孔系，往往也采用镗模加工。

（1）镗床夹具主要类型　镗床夹具可分为双支承镗模、单支承镗模及无支承镗模。

1）双支承镗模。图 5-69 所示为镗床尾座孔的双支承镗模，镗模的两个支承分别设置在刀具的前

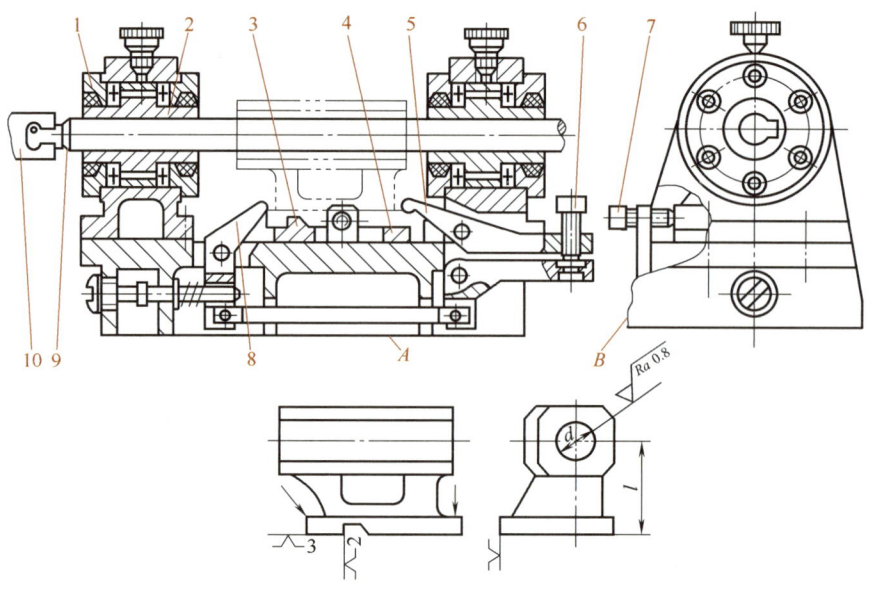

图 5-69 镗床尾座孔的双支承镗模

1—支架　2—镗套　3、4—定位板　5、8—压板　6—夹紧螺钉　7—可调支承钉　9—镗刀杆　10—浮动接头

方和后方，镗刀杆 9 和主轴通过浮动接头 10 连接，保证被加工孔的加工精度不受机床主轴回转精度的影响。工件以底面、槽及侧面在定位板 3、4 及可调支承钉 7 上定位，限制六个自由度。采用联动夹紧机构夹紧，即拧紧夹紧螺钉 6，压板 5、8 同时将工件夹紧。镗模支架 1 用回转镗套 2 来支承和引导镗杆。镗模以底面 A 安装在机床工作台上，其位置用 B 面找正。

2）单支承镗模。这类镗模只有一个导向支承，镗杆与主轴采用固定连接。安装镗模时，应使镗套轴线与机床主轴轴线重合，主轴的回转精度将影响镗孔精度。根据支承相对刀具的位置，单支承镗模又可分为以下两种：

一种为前单支承镗模，镗模支承设置在刀具的前方。另一种为后单支承镗模，镗套设置在刀具的后方。

3）无支承镗模。工件在刚性好、精度高的金刚镗床或坐标镗床上镗孔时，夹具上不设置镗杆支承，加工孔的尺寸和位置精度均由镗床保证。

（2）镗床夹具的结构特点　镗床夹具具有定位元件和夹紧装置，除此之外还有镗套、镗模支架、镗模底座、镗杆。

1）镗套。镗套的结构形式和精度直接影响被加工孔的精度。常用的镗套有两类，即固定式镗套和回转式镗套。镗套的结构、材料、配合关系等可查阅有关设计手册。

① 固定式镗套。如图 5-70 所示，固定式镗套与快换钻套结构相似，加工时镗套不随镗杆转动。A 型不带油杯和油槽，靠镗杆上开的油槽润滑；B 型带油杯和油槽，使镗杆和镗套之间能充分地润滑，从而减少镗套的磨损。

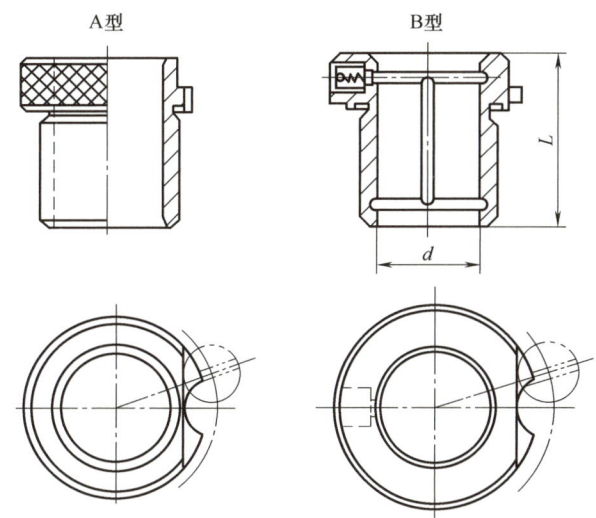

图 5-70　固定式镗套

固定式镗套的优点是外形尺寸小、结构简单、精度高。但镗杆在镗套内一边回转、一边做轴向移动，使镗套容易磨损，因此只适用于低速镗孔。

② 回转式镗套。如图 5-71 所示，回转式镗套随镗杆一起转动，镗杆与镗套之间只有相对移动而无相对转动，从而大大减少了镗套的磨损，也不会因摩擦发热而"卡死"。因此，它适合于高速镗孔。

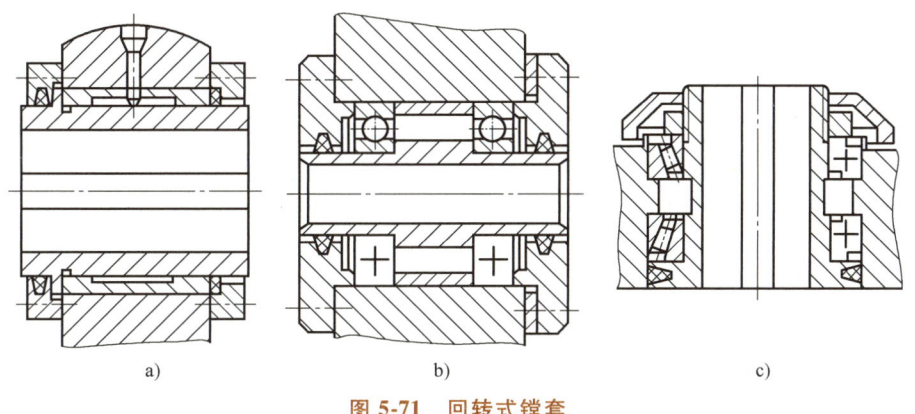

图 5-71　回转式镗套

a）滑动式回转镗套　b）滚动式回转镗套　c）立式滚动回转镗套

图 5-71a 所示为滑动式回转镗套，其结构尺寸较小，回转精度高，减振性好，支承能力强，但需要充分润滑，摩擦面的线速度不能大于 0.4m/s，常用于精加工。图 5-71b 所示为滚动式回转镗套，用于卧式镗床。由于镗套与支架之间安装了滚动轴承，所以回转线速度可大大提高，一般 $v>0.4$m/s，但是径向尺寸较大，回转精度受轴承精度影响。图 5-71c 所示为立式滚动回转镗套。它的工作条件差，受切削液和切屑的冲刷，一般设有防屑结构，并采用圆锥滚子轴承。

当工件孔直径大于镗套孔径时,需在镗套上设引刀槽,使装好刀的镗杆能顺利进入和退出。

2) 镗杆。图 5-72 所示为用于固定式镗套的镗杆导向部分结构。当镗杆导向部分直径小于 50mm 时,镗杆常采用整体式结构。图 5-72a 所示为开油槽的镗杆,镗杆与镗套的接触面积大,磨损大,若切屑从油槽进入镗套,则易出现"卡死"现象,但镗杆的强度和刚度较好。图 5-72b、c 所示为有较深直槽和螺旋槽的镗杆,这种结构可大大减少镗杆与镗套的接触面积,沟槽内有一定的存屑能力,可减少"卡死"现象,但其刚度较低。当镗杆导向部分直径大于 50mm 时,常采用图 5-72d 所示的镶条式结构。镶条磨损后,可在底部加垫片,重新修磨使用。回转式镗套的镗杆导向部分结构设计可参阅有关设计手册。

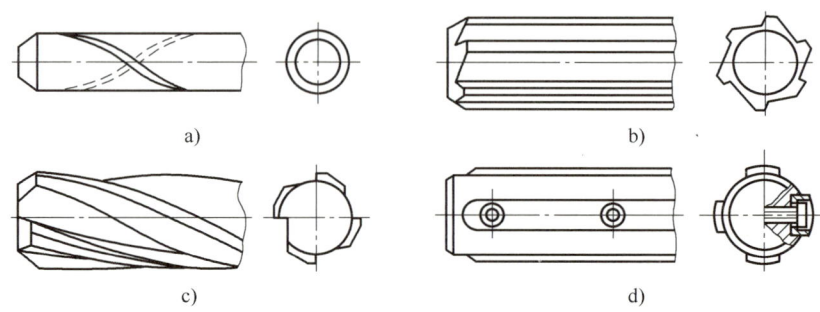

图 5-72 用于固定式镗套的镗杆导向部分结构

3) 镗模支架。镗模支架主要用来安装镗套和承受切削力,要求有足够的刚性和稳定性。在结构上一般要有较大的安装基面和设置必要的加强肋,而且支架上不允许安装夹紧机构和承受夹紧反力,以免支架变形而破坏精度。支架的典型结构和尺寸可参阅有关设计手册。

4) 浮动接头。当用双支承镗模镗孔时,镗杆通过浮动接头与机床主轴浮动连接。图 5-73 所示为一种连接镗杆与机床主轴的浮动接头。

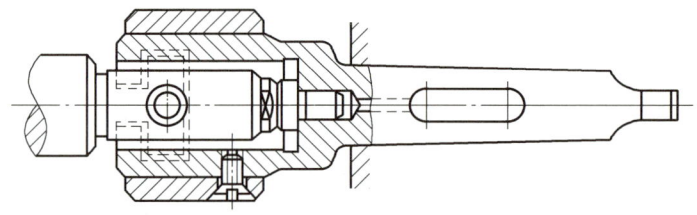

图 5-73 浮动接头

5) 镗模底座。镗模底座与其他夹具体相比要厚,且内腔设有十字形加强肋。底座的典型结构和尺寸可参阅有关设计手册。

和铣床夹具一样,镗模底座上也常设有定位键或找正面,以保证镗模在机床上安装时的位置正确。

五、箱体类零件加工综合训练

1. 训练目标

(1) 工艺方面　本着优质、高效、低成本的原则能合理制订简单箱体类零件的加工工艺过程。

(2) 工装方面　通过训练能合理选择刀具、量具、夹具。

(3) 机床方面　通过训练能合理选择常用平面和孔加工机床。

(4) 综合能力训练方面　培养学生的创造性思维能力、解决实际问题的能力和严谨的工作态度。

2. 训练题目

制订图 5-42 所示数控车床主轴箱的机械加工工艺过程。

现场条件:依据学校的实习基地或企业的设备情况确定。

生产批量:由教师指定。

3. 训练要求

完成数控车床主轴箱机械加工工艺过程卡片一份。

4. 训练提纲

（1）技术要求分析

1）箱体类零件的结构特点是什么？

2）根据箱体类零件的功能及与轴的装配关系，应对箱体提出哪些技术要求？为什么？

3）主轴孔 $\phi200$mm、$\phi180$mm 的精度很高，孔轴线对底面有平行度要求，为什么？

4）箱体的前端面与主轴轴线有垂直度要求，为什么？

（2）工艺分析

1）粗、精基准的选择原则是什么？箱体的粗、精基准如何选择？

2）箱体类零件的粗基准的选择与生产批量有关，中小批量生产和大批量生产粗基准的选择有什么不同？

3）箱体在安排加工顺序时应遵循哪些原则？图5-42所示的零件在安排工艺时如何应用这些原则？

4）为什么箱体的加工按先面后孔的顺序进行？（提示：因为箱体的孔比平面加工要困难得多，先以孔为粗基准加工平面，再以平面为精基准加工孔，不仅为孔的加工提供了稳定可靠的精基准，同时可使孔的加工余量较为均匀。）

5）为什么粗、精加工要分阶段进行？（提示：因为箱体的结构形状复杂，主要表面的精度高，粗、精加工分开进行，可以消除由粗加工所造成的切削力、夹紧力、切削热以及内应力对加工精度的影响，有利于保证箱体的加工精度；同时还能根据粗、精加工的不同要求来合理地选用设备，有利于提高生产率。）

6）箱体加工安排热处理工序的目的是什么？（提示：箱体的结构比较复杂，壁厚不均，铸造时产生了较大的内应力。为了保证其加工后精度的稳定性，在毛坯铸造后安排一次人工时效处理，以改善加工性能，消除内应力。）

7）底面的加工应选择什么加工方法？在什么机床上加工？

8）箱体毛坯（若选灰铸铁件）在加工过程中是否需进行时效处理？安排在什么位置？

（3）工件装夹分析

1）加工底面需限制几个自由度？

2）加工底面时应选择何种定位元件？各限制几个自由度？

3）铣底面夹具如果不设对刀装置，靠调整机床能否实现？如何调整机床？如果选择对刀装置，选哪一种？

4）镗轴承支承孔时，应该限制几个自由度？如何定位能满足轴承孔的尺寸精度要求？

5）采取双支承镗模时镗杆与镗床主轴采用固定连接还是浮动连接？

6）如何保证镗模在机床上安装的正确位置？（提示：定位键或导向面）

7）加工箱体前端面时，如何保证端面相对主轴轴线的垂直度要求？（提示：从定位方法考虑）

（4）箱体类零件的一般加工工艺过程　箱体类零件的一般加工工艺过程如下，铸造毛坯→时效→划线→粗加工主要平面→粗加工轴承孔→精加工主要表面→精加工轴承孔。具体制订加工工艺过程可在此基础上适当增减工序。

第四节　齿轮加工

一、概述

1. 圆柱齿轮的功用与结构特点

圆柱齿轮在机械传动中应用极为广泛，其功用是按规定的速比传递运动和动力。

圆柱齿轮的结构可以分成齿圈和轮体两部分。根据它们在机器中的不同使用要求，可以设计成不同的形状和尺寸。按轮体的结构形式，大致可以划分为盘状齿轮、内齿轮、套类齿轮、齿条和连轴齿轮等，如图 5-74 所示。

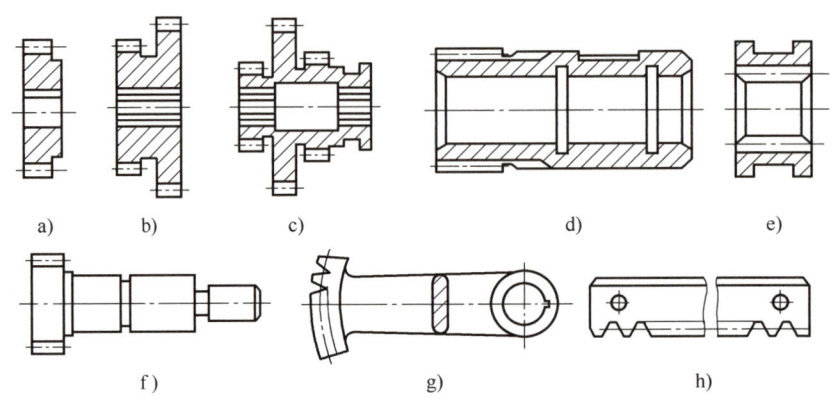

图 5-74　圆柱齿轮的结构形式

a）单圈盘状齿轮　b）、c）双联、三联滑移齿轮　d）套类齿轮　e）内齿轮
f）连轴齿轮　g）扇形齿轮　h）齿条

各种结构形式的齿轮中，以盘状齿轮的应用最广。盘状齿轮可以有一个或几个齿圈，单圈齿轮的结构工艺性最好，可以采用任何一种齿形加工方法加工轮齿，双联或三联等多圈齿轮，受轮缘间轴向距离的限制，其小齿圈只能选用插齿，如果小齿圈精度高，还必须要磨齿。可以将多圈齿轮做成单圈齿轮的组合。

2. 圆柱齿轮传动的精度要求

齿轮的传动精度包括以下四个方面：

（1）运动精度　要求传动比恒定，规定为传递运动的准确性，指在齿轮一转中，其转角误差最大值不超过一定限度。

（2）工作平稳性精度　要求齿轮传动平稳，无冲击，振动和噪声小。这就需要限制齿轮传动时瞬时传动比的变化，即齿轮在一转中多次出现的小周期性转角误差不应超过一定的限度。

（3）接触精度　齿轮工作时，要求齿面有一定且均匀的接触面积，并保证有符合要求的接触位置，以齿面载荷分布的均匀性来保证齿轮的使用寿命。

（4）齿侧间隙　要求齿轮传动时，非工作面留有一定的间隙，用以储存润滑油，补偿弹性变形、热变形及齿轮制造和装配误差。

国家标准 GB/T 10095.1—2022 对齿轮齿面规定了 11 个公差等级，分别用阿拉伯数字 1、2……11 表示。其中 1 级精度最高，其余各级依次递降，11 级精度最低。11 个精度等级中，目前 1、2 级精度的加工工艺水平和测量手段尚难以达到，有待发展。3~5 级为高精度等级，6~8 级为中等精度等级，9~11 级为低精度等级。

3. 圆柱齿轮的材料与毛坯

齿轮零件的常用材料与热处理见表 5-10。

表 5-10　齿轮零件常用材料与热处理

齿轮材料	预备热处理	齿面热处理	综合性能	适用工作范围
中碳结构钢，如 45	调质、正火	表面淬火	综合力学性能较好，齿面的表面粗糙度值较大	低速、轻载或不重要齿轮
中碳合金结构钢，如 40Cr	调质、正火	表面淬火	综合力学性能较好，热处理变形小	速度较高、受力较大、精度为 6 级以上的齿轮

(续)

齿轮材料	预备热处理	齿面热处理	综合性能	适用工作范围
低碳合金结构钢,如 20Cr	正火	渗碳、氮碳共渗	心部有较高韧性和齿面耐磨性	高速、中载或受冲击载荷的开式传动齿轮
铸铁材料,如 HT200			可加工性好,成本低,抗弯强度、耐磨、耐冲击性差	受力不大、形状复杂、尺寸大的齿轮
有色金属材料,如 HPb59-1			可加工性好,耐腐蚀性能好,齿面的表面粗糙度值较小	仪表、仪器中的小模数齿轮

齿轮的毛坯一般选择锻件,锻造后的毛坯经过正火处理(调质处理)和表面处理,可以获得较高的强度、较好的耐磨性和耐冲击性。对于尺寸小、结构简单且强度要求不高的齿轮,可选择棒料。对于形状复杂、尺寸小的齿轮,可采用精密铸造、精密锻造、热轧、冷挤压等新工艺制造出具有轮齿的齿坯。

4. 圆柱齿轮的加工工艺过程

圆柱齿轮的加工工艺可以分为齿坯工艺和齿形工艺两部分。其工艺过程因零件的结构形状、精度要求、生产批量及具体生产条件的不同,而采取不同的加工方案。一般工艺路线可归纳如下:毛坯制造→毛坯热处理→齿坯加工→检验→齿形粗加工→齿端加工→齿面热处理→精基准修正→齿形精加工→检验。

图 5-75 所示为一双联齿轮,材料为 40Cr,精度为 7 级,中批生产。已知参数见表 5-11,其加工工艺过程见表 5-12。

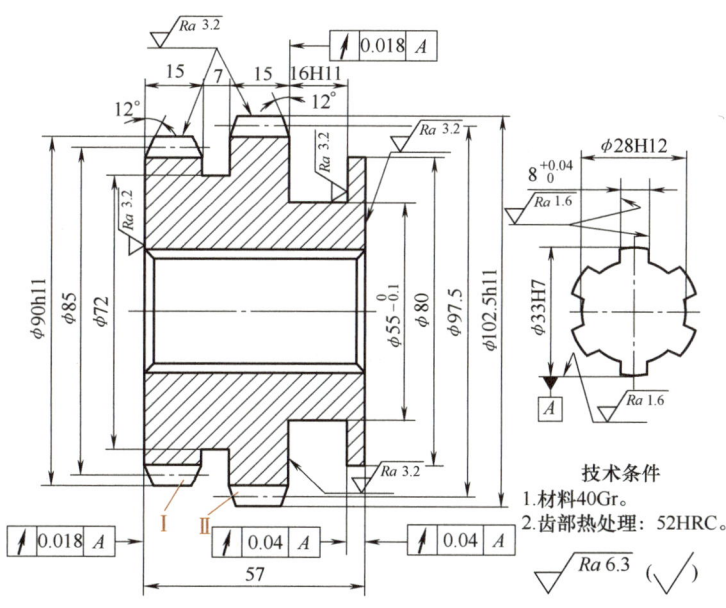

图 5-75 双联齿轮

表 5-11 双联齿轮的参数

齿号	模数/mm	齿数	公差等级	齿圈径向圆跳动/mm	公法线平均长度/mm	公法线长度变动量/mm	跨齿数	齿形误差/mm	齿向误差/mm
I	3	28	7	0.036	$23.15_{-0.06}^{0}$	0.028	3	0.008	0.009
II	3	32	7	0.036	$22.98_{-0.06}^{0}$	0.028	3	0.008	0.009

表 5-12 双联齿轮加工工艺过程

序号	工序内容	定位基准	序号	工序内容	定位基准
10	毛坯锻造		90	倒角（Ⅰ、Ⅱ齿圈12牙角）	花键孔和端面
20	正火		100	钳工去毛刺	
30	粗车外圆和端面（留加工余量1~1.5mm），钻镗花键底孔至尺寸	外圆和端面	110	剃齿（$z=28$，采用螺旋角为15°剃齿刀）公法线长度至上极限尺寸	花键孔和端面
40	拉花键孔	$\phi 28H12$ 孔和端面	120	剃齿（$z=32$，采用螺旋角为5°剃齿刀）公法线长度至上极限尺寸	花键孔和端面
50	精车外圆、端面及槽至尺寸	花键孔和端面	130	齿部高频感应加热淬火：52HRC	
60	检验		140	推孔	花键孔和端面
70	滚齿（$z=32$，留剃削加工余量0.06~0.08mm）	花键孔和端面	150	珩齿（$z=32$）	花键孔和端面
			160	珩齿（$z=28$）	花键孔和端面
80	插齿（$z=28$，留剃削加工余量0.03~0.05mm）	花键孔和端面	170	检验	

5. 圆柱齿轮主要工艺问题

（1）定位基准的选择　齿轮设计时，为保证其传动精度，齿轮的设计基准大多与装配基准重合。工艺中应本着基准重合的原则，尽量使定位基准与设计基准、装配基准、测量基准重合，并尽可能在整个工艺过程中保持基准统一。对于带孔齿轮，一般选齿轮的内孔和一个端面定位，作为基准的内孔，应有较高的加工精度，且基准端面相对内孔的轴向圆跳动应符合公差要求。对于小直径连轴齿轮，常选轴两端中心孔作为统一的定位基准。对于直径或模数较大的连轴齿轮，一般用装配轴径和一圆跳动较小的端面作为定位基准。

（2）齿坯加工方案　齿坯加工是齿轮加工工艺的重要组成部分，齿坯加工将做出以后齿形加工和检验用的基准，基准的好坏对齿形加工的质量影响很大。连轴齿轮的齿坯工艺基本与轴加工工艺相同。对于盘状齿轮，视批量不同采用不同的方案，但必须注意作为基准的内孔和一端面的精加工应尽量在一次装夹内完成，以保证基准端面相对内孔的圆跳动要求。

中、小批生产的盘类齿轮，齿坯加工尽量采用通用机床。一般路线为：粗车内、外各部分→精加工内孔及定位端面→精加工其他表面。

大批大量生产的盘类齿轮，齿坯加工应尽量选择高生产率机床（如拉床，多刀机床，单轴、多轴自动机床，数控机床等）。一般工艺路线为：多刀粗车外圆、端面与孔→拉孔→多刀精车外圆、端面及其他表面。

（3）热处理工序的安排　齿坯工艺过程中一般安排预先热处理：正火或调质。正火安排在毛坯锻造后、齿坯加工前，目的为消除锻造应力，改善材料的可加工性，得到较小的表面粗糙度值，生产中应用较多。调质处理一般安排在齿坯粗加工之后，可消除锻造和切削应力，提高材料的综合力学性能，为以后淬火时减少变形做好组织准备。

齿形加工以后，为提高齿面的硬度，增加齿轮的承载能力和耐磨性，根据材料与技术要求，常安排高频感应加热淬火、液体渗碳淬火或氮碳共渗等热处理工序，一般安排在滚齿、插齿、剃齿加工之后，珩齿、磨齿加工之前进行。

（4）齿端加工　齿轮的齿端加工有齿端倒圆、倒尖、倒棱等。齿端形状如图5-76所示。倒棱可除去齿端锐边、毛刺，避免热处理时因应力集中而产生裂纹。倒圆、倒尖后的齿轮在换挡时容易进入啮合。图5-77所示为用指形齿轮铣刀对齿端进行倒圆的工作原理图。工作时，铣刀在高速旋转的同时沿圆弧做往复摆动。铣完一个齿后，工件退离，分度后再快速进到工作位置，继续加工下一个齿端。

齿端加工必须在淬硬前进行，一般安排在滚齿或插齿后、剃齿前。

（5）精基准的修正　齿轮淬硬后基准孔常产生变形，内孔尺寸一般缩小0.01~0.05mm，为保证齿形精度，对基准孔必须加以修正。如果是表面淬火齿轮，一般采用推孔法修正，其生产率较高；如果

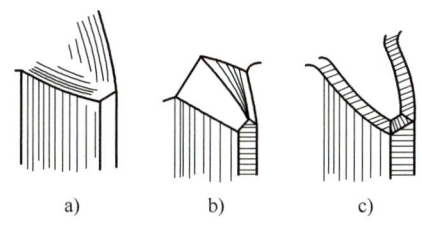

图 5-76　齿端形状

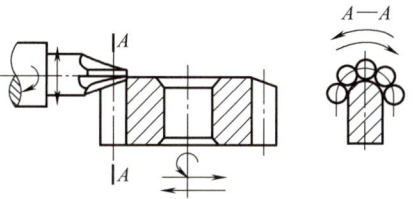

图 5-77　齿端倒角原理

是整体表面淬火齿轮，可采用磨孔法修正，磨孔的生产率低，但加工精度高。

（6）齿形加工方案　齿形加工是齿轮加工的关键，其方案的选择依据齿轮的精度等级、生产批量和热处理方法确定。常用的方案为：

1）8 级或 8 级精度以下的调质齿轮采用：滚（插）齿→齿端加工。

2）8 级或 8 级精度以下的淬火齿轮采用：滚（插）齿→齿端加工→表面淬火→修内孔。注意，热处理前的齿形加工精度应高一级。

3）6~7 级精度不淬火齿轮采用：滚（插）齿→齿端加工→剃齿。

4）6~7 级精度淬火齿轮采用：滚（插）齿→齿端加工→剃齿→表面淬火→修基准→珩齿。此方案设备简单，生产率高，成本较低。

5）6~7 级精度渗碳齿轮采用：滚（插）齿→齿端加工→渗碳淬火→修基准→磨齿。

6）5 级以上精度，淬硬（未淬硬）齿轮均采用磨齿加工，即滚（插）齿→齿端加工→渗碳淬火（表面淬火）→修基准→粗磨齿→精磨齿。磨齿加工是目前齿形加工精度最高、表面粗糙度值最小的方法，但磨齿加工成本高、生产率低。

二、圆柱齿轮的齿形加工

齿轮的齿形加工分为无屑加工和切削加工两大类。由于切削加工精度稳定，目前被广泛应用。齿形的切削加工按其加工原理可分为成形法和展成法。常见齿形加工方法的加工精度和适用范围见表 5-13。

齿轮加工

表 5-13　常见齿形加工方法的加工精度和适用范围

齿形加工方法	刀具	机床	精度等级	表面粗糙度 $Ra/\mu m$	适用范围
成形法	模数铣刀	铣床	9~10	3.2~6.3	用盘状或指形齿轮铣刀加工，分度头分齿，加工精度及生产率均较低
	齿轮拉刀	拉床	8 或 7	0.8~1.6	精度和生产率较高，但拉刀制造困难，价格高，故仅在大量生产时采用，适宜拉内齿轮
	成形磨齿砂轮	磨齿机	5~6	0.2~0.8	适用于大批量生产，宜磨削内齿轮和齿数极少的齿轮
展成法	齿轮滚刀	滚齿机	6~10	0.8~1.6	生产率较高，通用性大，常用于加工直齿、斜齿的外啮合圆柱齿轮和蜗轮
	插齿刀	插齿机	7~9	0.8~1.6	生产率较高，通用性大，适宜于加工内外啮合齿轮（包括阶台齿轮）、扇形齿轮、齿条等
	剃齿刀	剃齿机	5~7	0.4~0.8	生产率高，主要用于滚齿、插齿加工后，淬火前的齿形精加工
	珩齿轮	珩齿机或剃齿机	6~7	0.2~0.4	多用于经过剃齿和高频淬火后的齿形加工，宜于成批生产
	砂轮	磨齿机	3~7	0.2~0.8	生产率较低，加工成本较高，用于齿形淬硬后的精密加工，适用于单件小批生产

1. 铣齿加工

铣齿是在通用机床上，用与齿轮齿槽形状完全相符的成形刀具加工出齿形的一种方法。图 5-78 为铣床上加工齿轮的示意图。

铣削时工件安装在分度头上，铣刀旋转对工件进行切削加工，每铣完一个齿槽，需将分度头旋转 $360°/z$（z 为被加工齿轮的齿数），再依次加工下一个齿槽。这种加工是不连续的，所以生产率较低。

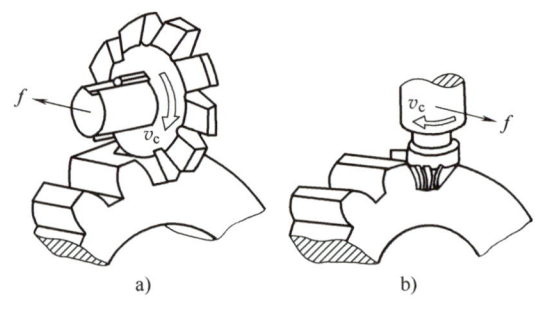

图 5-78 成形法铣齿
a) 盘状齿轮铣刀铣齿　b) 指形齿轮铣刀铣齿

齿轮的齿廓精度是由铣刀切削刃的形状来保证的，当齿轮的模数、齿数不同时，齿轮的渐开线齿廓就不同，因此，要加工出准确的齿廓，就必须对每一个模数、每一种齿数都相应地制造出一种形状的铣刀，这种做法显然不经济。在实际生产中，是将同一模数的齿轮，按齿数分为 8 组（精确的应分为 15 组），见表 5-14。每一组只用一把铣刀，这把铣刀的形状按本组加工齿数范围中最小齿数设计，因此加工同组其他齿数的齿轮时，会存在一定的齿廓误差，影响加工精度。成形法铣齿的优点是不需要专用设备，在通用机床上即可加工，常用于修配行业加工精度不高的齿轮或用于单件小批生产。

表 5-14 一组 8 把模数铣刀和径节铣刀所铣的齿轮齿数表

所铣齿轮齿数		12~13	14~16	17~20	21~25	26~34	35~54	55~134	135 以上
铣刀号数	模数铣刀	1	2	3	4	5	6	7	8
	径节铣刀	8	7	6	5	4	3	2	1

2. 滚齿加工

(1) 滚齿加工原理　滚齿是在滚齿机上用展成法加工齿轮的一种方法，所用的刀具是齿轮滚刀。滚齿加工是按一对螺旋齿轮啮合原理进行加工的。滚刀的实质是一个螺旋角很大的螺旋齿轮，通常齿数为 1，外貌像一个螺旋升角很小的蜗杆，经开槽和铲齿后形成齿轮滚刀。滚齿加工具有以下四种运动：

1) 主运动。滚刀的旋转运动是主运动，滚刀的线速度是滚齿的切削速度。

2) 展成运动。滚刀与被加工齿轮按准确的传动比关系进行啮合运动。

3) 垂直进给运动。滚刀沿工件轴线方向做进给运动，以便切出工件整个齿轮宽度上的齿形。

滚齿加工原理如图 5-79 所示。

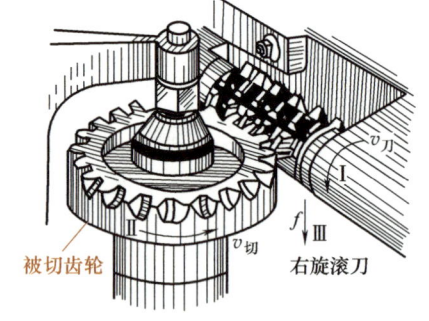

图 5-79 滚齿加工原理

(2) 滚齿工艺特点　滚齿通常加工 7~10 级精度的齿轮，为提高滚齿的加工精度和齿面质量，宜分粗、精滚齿。滚齿加工广泛应用于直齿圆柱齿轮和蜗轮加工；在滚刀垂直进给时，工件相应地做附加的回转运动（附加运动），就可以方便地加工斜齿轮；用一把滚刀可加工模数相同而齿数和螺旋角不同的齿轮；滚齿的加工尺寸范围很大，加工模数可达 60mm。硬质合金滚刀可以加工淬火齿轮。由于滚齿时刀齿连续切削，所以滚齿生产率较高。

(3) 滚刀　齿轮滚刀是一个蜗杆形刀具。为了形成切削刃的前角和后角，在蜗杆上开出了容屑槽，并经铲背形成滚刀。图 5-80 所示为齿轮滚刀的基本蜗杆的形状示意图。

根据一对螺旋齿轮的啮合原理，基本蜗杆应当是一个端截面为渐开线的斜齿轮，这种滚刀称为渐开线滚刀。这种滚刀没有齿面设计误差，但是设计和制造都比较困难，目前大多使用的是阿基米德滚刀,这种滚刀的基本蜗杆轴向截面是直线,齿面设计时经过对基本蜗杆齿形角的修正,可以得到近似于渐开线蜗杆的滚刀。

滚刀按结构分为整体式滚刀和镶片式滚刀两类。目前中小模数($m=1\sim10\text{mm}$)滚刀都做成整体式结构,模数较大的滚刀为节省材料和便于热处理一般做成镶片式。

(4)滚刀的安装 为了加工出所需的准确齿廓,应使滚刀的螺旋线方向与齿轮的齿向一致,使刀具与工件处于正确的啮合位置。因此需将滚刀轴线与被加工齿轮端面安装成一定的角度,称作安装角 δ。当加工直齿圆柱齿轮时,滚刀安装角 δ 等于滚刀的螺旋升角 λ,即 $\delta=\lambda$。图 5-81a 所示为用右旋滚刀加工齿轮,此时滚刀刀架顺时针方向旋转一个安装角 δ,图 5-81b 所示为用左旋滚刀加工齿轮,滚刀刀架则逆时针方向旋转一个安装角 δ,工件被加工时的旋向如图 5-81 所示。

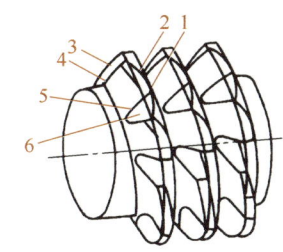

图 5-80 齿轮滚刀的基本蜗杆形状示意图
1—齿顶刃 2—齿顶刃的后面 3—蜗杆表面
4—侧刃的后面 5—侧切削刃 6—滚刀前面

3. 插齿加工

(1)插齿加工原理 插齿是在插齿机上用插齿刀加工齿轮的一种方法。插齿刀和工件相当于一对轴线相互平行的圆柱齿轮啮合,它们按恒定的传动比做展成运动,如图 5-82 所示。

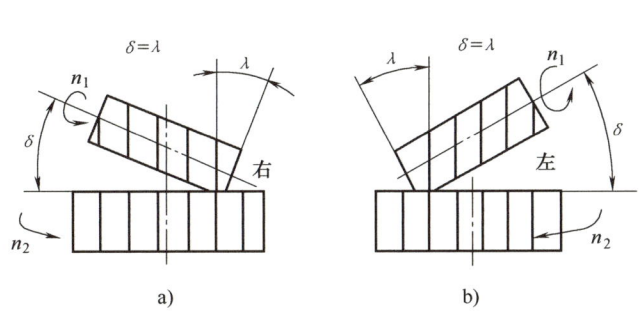

图 5-81 加工直齿圆柱齿轮时滚刀的安装角

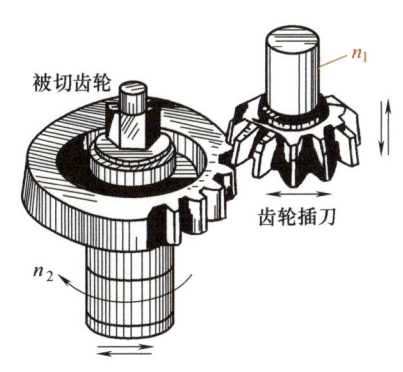

图 5-82 插齿加工原理

插齿加工时具有以下几种运动:

1)主运动(切削运动)。插齿刀做上下往复直线运动。

2)分齿展成运动。插齿刀与工件按严格的速比保持正确的啮合关系。

3)径向进给运动。插齿时,为逐步切至全齿深,插齿刀具有径向进给运动。插齿刀每往复一次相对齿坯径向移动的距离称为径向进给量 f_r。

4)让刀运动。为避免刀具向上回程时擦伤已加工的齿面并减少刀具的磨损,当插齿刀向上运动时,工作台带动工件径向退让一段距离,而在插齿刀向下切削之前又恢复原位,工作台的这种往复运动称为让刀运动。

(2)插齿工艺特点 插齿通常可加工 7~9 级精度齿轮,既可用于齿形的粗加工,也可用作精加工。插齿刀本身的齿形精度高,插齿的圆周进给量可以调节得很小,齿形包络线可多于滚齿,因此,工件的齿形精度比滚齿高,齿面的表面粗糙度值比较小。插齿的往复切削过程冲击比滚齿大,且有空行程的损失,一般生产率比滚齿低,但加工小模数、多齿、薄齿圈的齿轮时,生产率却高于滚齿。

插齿广泛应用于内、外啮合齿轮,齿条与扇形齿轮的加工,特别适合于齿圈轴向距离很小的多联齿轮的小齿圈加工。

(3)插齿刀 标准直齿插齿刀分为三种类型:

1)盘形插齿刀。如图 5-83a 所示,这种形式的插齿刀以内孔及内孔支承端面定位,用螺母紧固在机床主轴上,主要用于加工直齿外齿轮及大直径内齿轮,加工模数为 1~12mm 的齿轮。

2)碗形直齿插齿刀。如图 5-83b 所示,主要用于加工多联齿轮和带有凸肩的齿轮。它以内孔定位，夹紧用螺母可容纳在刀体内，用于加工模数为 1~8mm 的齿轮。

3）锥柄插齿刀。如图 5-83c 所示，主要用于加工内齿轮，这种插齿刀为带锥柄（莫氏短圆锥柄）的整体结构，用带有内锥孔的专用接头与机床主轴连接，用于加工模数为 1~3.75mm 的齿轮。

4. 剃齿加工

（1）剃齿加工原理　剃齿是一种精加工齿轮的方法。剃齿加工原理如图 5-84 所示。剃齿过程是当一对轴线交叉的螺旋齿轮啮合时，沿齿向存

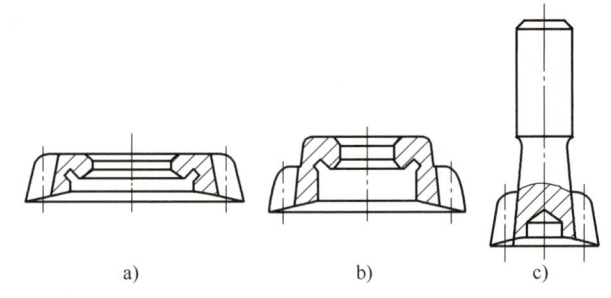

图 5-83　插齿刀的类型

a) 盘形插齿刀　b) 碗形直齿插齿刀　c) 锥柄插齿刀

在相对滑动而建立的一种切削加工。剃齿刀实质是一个高精度的螺旋齿轮，在齿面上沿渐开线方向开了许多小槽以形成切削刃。剃齿刀和工件之间没有严格的传动比关系，属于自由啮合传动。

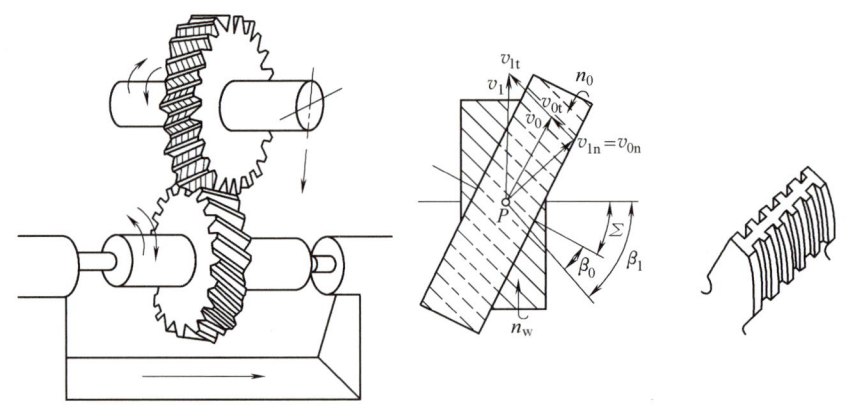

图 5-84　剃齿加工原理

剃齿是在剃齿机上进行加工，剃齿时需要具备以下几种运动：

1）剃齿刀高速正、反向旋转运动。

2）工件沿轴向往复运动。

3）工件每一往复行程后，剃齿刀的径向进给运动。

（2）剃齿工艺特点　剃齿加工精度一般可达 6~7 级，剃齿后的齿轮，齿面的表面粗糙度值较小，工作平稳性精度和接触精度都有较大提高，由于是自由啮合运动，所以对齿轮运动精度提高不多。因为滚齿比插齿运动精度高，所以在工艺安排上，常以滚齿作为剃齿的预加工工序。剃齿生产率高，和磨齿比较，效率高出 10 倍以上，成本比磨齿低 90%，广泛应用于成批大量生产中未淬硬齿轮的精加工。

（3）剃齿余量　剃齿余量的大小，对加工质量和生产率都有较大的影响。剃齿余量不足时，剃后齿轮的误差及表面缺陷不能全部消除；剃齿余量过大时，剃齿效率低，刀具磨损快，剃齿质量反而变坏。表 5-15 列出了剃齿余量，可供选择时参考。

表 5-15　剃齿余量　　　　　　　　　　　　　（单位：mm）

模数	1~1.75	2~3	3.25~4	4~5	5.6~6
剃齿余量	0.07	0.08	0.09	0.10	0.11

（4）剃齿刀　剃齿刀的制造精度分为 A、B、C 三级，分别加工 6、7、8 级精度的齿轮，剃齿刀的螺旋角有 5°、10° 和 15° 三种，5° 多用于加工斜齿和多联齿轮，15° 多用于加工直齿圆柱齿轮。

5. 珩齿加工

（1）珩齿原理　珩齿是齿轮热处理后的一种光整加工方法，其原理与剃齿相同。珩齿刀具（珩轮）是用磨料和结合剂（环氧树脂）与铁心浇铸成的螺旋齿轮。珩轮与工件在自由啮合传动中，靠齿

面间的压力和相对滑动用磨粒进行切削。珩轮的磨粒较细，结合剂弹性较大，珩齿的速度远低于一般磨削，因此，珩齿过程实质上是低速磨削、研磨和抛光的综合过程。珩齿加工原理如图 5-85 所示。

（2）珩齿工艺特点　珩齿用于淬火后齿轮的精加工，加工精度可达 6~7 级，表面质量较好。珩磨轮的精度对珩齿的精度影响极大，要提高珩齿精度，必须采用高精度的珩磨轮。珩齿加工对齿轮传动的平稳性精度误差修正能力较强，对运动精度误差修正能力较差，对接触精度误差有一定的修正能力。因为剃齿、珩齿同属自由啮合运动，修正误差能力相似，珩前尽可能用滚齿，不用剃齿。珩齿设备结构简单，操作方便，在剃齿机上即可珩齿。珩轮浇铸简单，成本低。珩齿生产率极高，一般约 1min 珩一个，故珩齿多用于成批大量生产中。

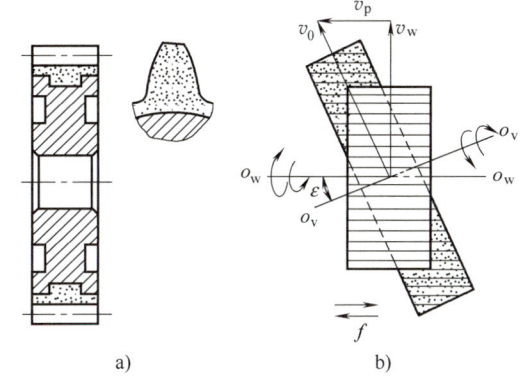

图 5-85　珩齿加工原理

6. 磨齿加工

磨齿是目前齿轮加工方法中加工精度最高的一种方法。磨齿加工有成形法和展成法两种，成形法是采用成形砂轮磨齿的方法，由于修整砂轮比较费时，目前生产中应用较少。展成法主要是利用齿轮与齿条啮合的原理，将砂轮的工作面构成假想齿条齿形的单侧或双侧表面，在砂轮与工件的啮合运动中，用砂轮的磨削平面包络出齿轮的渐开线齿面。生产中常见的磨齿方法有以下几种：

（1）双片碟状砂轮磨齿　如图 5-86 所示，两片碟状砂轮倾斜安装后，即构成假想齿条的两个齿面，磨齿时，砂轮在原位高速旋转，工件做相应的展成运动（工件的往复移动和相应的正、反转动），为了磨出全齿宽，工件沿轴向做慢速进给运动。磨完一个齿后，工件快速退离砂轮，经分齿机构自动分齿后，再进入下一个齿槽进行磨齿。这种磨齿方法，展成运动机构传动环节少，传动链误差小，分齿精度高，齿轮精度可以达到 4 级。但是，碟状砂轮刚性较差，背吃刀量较小，生产率低，适用于单件、小批生产中高精度的齿轮加工。

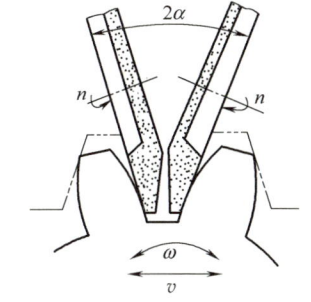

图 5-86　双片碟状砂轮磨齿原理

（2）锥面砂轮磨齿　如图 5-87 所示，这种磨齿方法所用的砂轮的截面相当于假想齿条的一个齿。磨齿时砂轮一面旋转一面沿齿槽方向做快速往复运动，以磨出全齿，工件做相应的展成运动（工件的往复移动和相应的正、反转动），工件在往复移动过程中，先后被磨出两个侧面，然后快速退离砂轮分度，磨削下一个齿槽。这种磨削方式的特点是砂轮刚性好，磨削效率高，一般多用于成批生产中磨削 6 级精度的淬硬齿轮。

（3）蜗杆砂轮磨齿　如图 5-88 所示，蜗杆砂轮磨齿原理与滚齿相似。砂轮做成蜗杆形状，工作

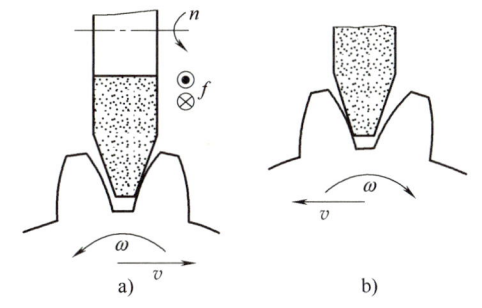

图 5-87　锥面砂轮磨齿原理

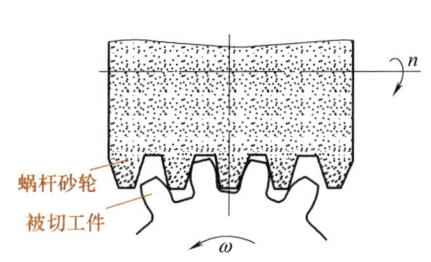

图 5-88　蜗杆砂轮磨齿原理

时，砂轮高速旋转，工件与砂轮按严格的速比关系做展成运动。为磨出全齿宽，工件还需沿轴线做进给运动。这种磨削方式的特点是砂轮转速高，刚性好且连续磨削，生产率很高，齿轮精度为 5~6 级，最高可达 3 级。但砂轮形状复杂，修整的难度和工作量很大，适用于中批以上生产。

三、齿轮的装夹

1. 滚齿时齿轮的装夹

工件定位时要求齿坯定位基准中心与工作台回转中心重合，否则，滚齿后会产生齿轮径向误差或齿向误差，影响到齿轮传动的运动精度或接触精度。滚齿时一般采用夹具装夹。图 5-89 所示是生产中加工盘状齿轮常用的一种滚齿夹具结构。

使用滚齿夹具安装工件要注意以下几个问题：

1）提高齿坯制造精度，严格控制基准孔的尺寸精度和基准端面的轴向圆跳动。

2）提高夹具制造精度，包括心轴的尺寸精度、定位轴向圆跳动、心轴中心与锥柄的同轴度、底座锥孔对底面的垂直度及顶面与底面的平行度、垫圈两端面平行度、夹紧螺母轴向圆跳动等。工件在制造时有尺寸误差，会造成齿坯内孔与心轴有间隙，安装时出现偏心，或端面定位不好造成心轴歪斜。为提高定位精度，可采用精密可胀心轴以消除配合间隙，还可将夹具的定位与夹紧分开，如图 5-90 所示，夹紧力只会引起双头螺栓弯曲，不致影响齿坯的定心精度。

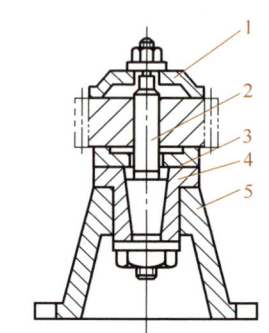

图 5-89 滚齿夹具结构

1—压盖　2—心轴
3—垫圈　4—衬套
5—底座

3）提高夹具安装调整精度，安装调整夹具，应使定位心轴与机床工作台回转中心线重合、定位端面与机床回转中心线垂直。安装后必须用千分表校正，如图 5-91 所示的 A、B、C、D 四处的圆跳动误差，控制其误差值应小于 0.01mm。

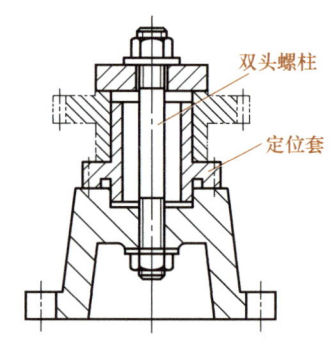

图 5-90 定位与夹紧分开的夹具

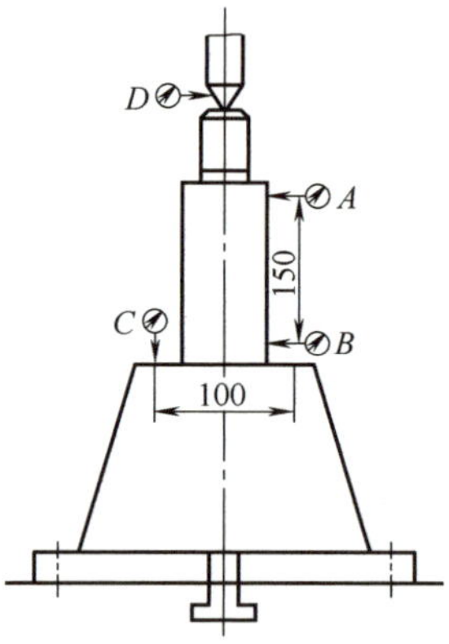

图 5-91 夹具安装精度检查

2. 剃齿时齿轮的装夹

剃齿时工件用心轴装夹，常见的两种剃齿心轴如图 5-92 所示。螺母心轴定心精度较高，但装卸工件较慢；套式心轴是利用剃齿机左顶尖液压的夹紧力，将套和工件一起夹紧，所以装卸工件方便省力，但定心精度较差。

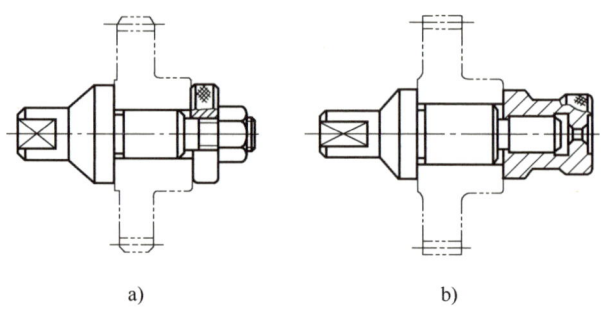

图 5-92 剃齿心轴

a）螺母心轴　b）套式心轴

四、齿轮加工综合训练

1. 训练目标

（1）工艺方面　能本着优质、高产、低消耗的原则制订出指定齿轮零件的机械加工工艺过程。

(2) 机床及工艺装备方面　能合理选择各工序所使用的机床及工艺装备。

(3) 综合能力训练方面　培养学生创造思维能力、动手能力、表达能力和严谨踏实的作风。

2. 训练题目

制订图 5-93 所示双联齿轮或教师指定齿轮的机械加工工艺过程。

现场条件：依据学校的实习基地或企业的设备情况确定。

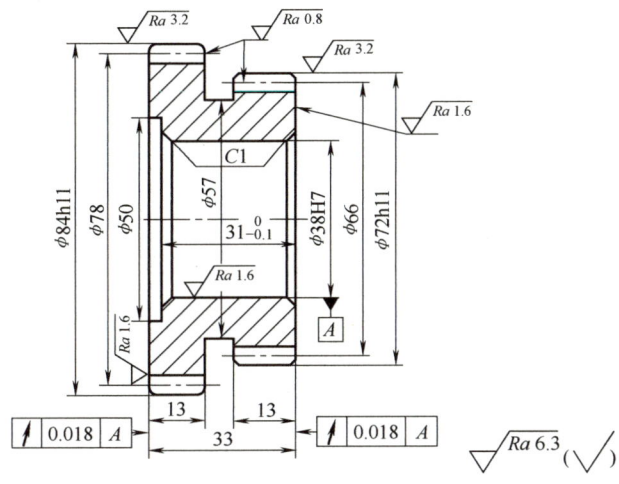

齿号	模数 /mm	齿数	精度等极	齿圈径向圆跳动 /mm	公法线平均长度 /mm	公法线长度变动 /mm	跨齿数	齿形公差 /mm	齿向公差 /mm
Ⅰ	3	26	7	0.036	$23.15_{-0.06}^{0}$	0.028	3	0.008	0.009
Ⅱ	3	22	7	0.036	$22.98_{-0.06}^{0}$	0.028	3	0.008	0.009

图 5-93　双联齿轮

生产批量：大批生产。

3. 训练要求

1) 绘制零件-毛坯图一张。

2) 完成机械加工工艺过程卡片一份。

4. 训练提纲

(1) 技术要求分析

1) 分析图样，说明齿轮零件的结构特点。

2) 对齿坯各加工表面有什么技术要求？

3) 列出各加工表面所能达到精度要求的加工方法实施方案。

4) 依据材料特性、零件精度、结构尺寸、生产批量和生产规模，确定毛坯类型及毛坯的制造方式。

5) 根据齿轮的质量要求、齿面硬度要求和材料特性，确定齿面的热处理方法。

(2) 工艺分析

1) 齿坯加工的粗基准是什么？

2) 齿形加工的精基准是什么？

3) 在齿坯加工中，应如何保证齿坯质量、提高生产率和降低成本？（提示：粗精加工分开，选择高精度、高效率机床或通用机床，设计专用夹具或采用通用夹具，合理选择及设计刀具，合理安排预先热处理工序等。）

4) 如何减小齿形歪斜误差？（提示：滚齿前滚刀不对中会造成轮齿歪斜，影响齿轮的齿形精度。正确的滚刀轴向位置，应使一个刀齿或刀槽的对称线通过齿坯中心。）

5）如何使滚齿后的齿面的表面粗糙度值减小？（提示：滚齿时选用大直径滚刀，可使圆周上刀齿数增加，孔径也可增大，刀杆刚性增强，使形成齿形的包络线数增加且传动平稳，就可以使齿面的表面粗糙度值降低。）

6）制订出几条工艺路线，通过分析比较，确定出最合理的齿轮零件机械加工工艺过程。

7）根据各表面的加工总余量，及毛坯获得形式的要求，确定毛坯尺寸及公差，并绘制齿轮零件的毛坯图。

【知识与技能拓展】

5-1 轴类零件的常用材料有哪几种？根据使用要求，应安排哪些热处理工序？

5-2 当采用顶尖孔定位时，对顶尖孔提出哪些技术要求？在什么情况下需对中心孔进行修磨？有哪些修磨方法？

5-3 编制图5-19所示花键轴的机械加工工艺过程。所用材料为40Cr，单件小批生产。

5-4 内孔的磨削加工有什么特点？珩磨与一般内孔磨削有什么不同？

5-5 分析钻孔、扩孔和铰孔三种孔加工方法的工艺特点，并说明这三种孔加工工艺之间的联系。

5-6 常用的镗刀有哪几种类型？其结构和特点如何？

5-7 箱体零件的结构特点及主要技术要求有哪些？这些要求对保证箱体零件在机器中的作用和机器的性能有何影响？

5-8 为什么铣削的加工质量一般不太高？

5-9 举例说明安排箱体加工顺序时，一般遵循哪些主要原则？

5-10 以下选用适宜的加工设备：

（1）加工 100mm×300mm，表面粗糙度值为 $Ra3.2\mu m$ 的矩形平面。

（2）单件小批生产齿轮内孔的键槽。

（3）光轴上加工平键槽。

（4）车床的导轨面。

（5）单件小批生产箱体上 $\phi 100mm$ 孔，表面粗糙值为 $Ra3.2\mu m$。

5-11 现有图5-94所示加工斜孔的钻模，试分析此钻模存在的主要错误。

5-12 选择箱体加工的粗基准时主要考虑哪些问题？生产批量不同时工件的装夹方式有何不同？

5-13 齿轮常用哪些材料制造？一般需安排什么热处理工序？

5-14 为什么插齿加工的齿形误差和齿面的表面粗糙度值比滚齿加工的小？

5-15 比较滚齿与插齿，剃齿与珩齿，珩齿与磨齿加工的工艺特点及适用场合。

5-16 根据齿轮的精度等级、热处理要求和生产批量，如何选择齿轮的齿形加工方案？

5-17 试编制图5-93所示双联齿轮的机械加工工艺过程（小批生产）。

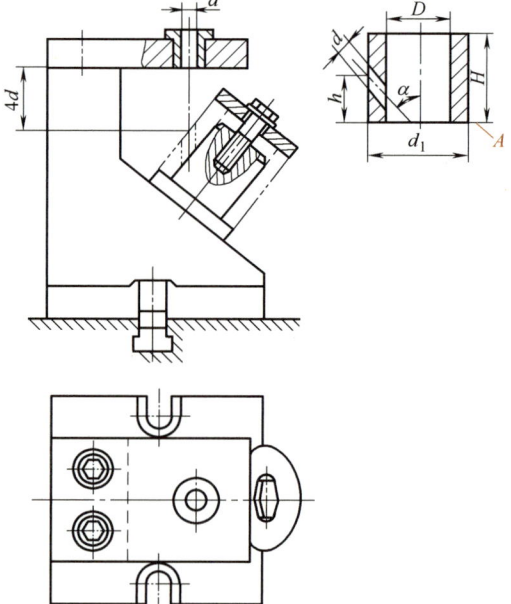

图5-94 题5-11图

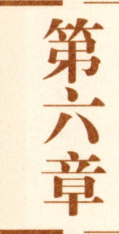

第六章 机械装配工艺基础

【学习目标】

1. 准确理解如机器装配、装配尺寸链、封闭环、互换装配法、选配法、修配法、调整法等有关概念。
2. 理解装配基本内容与组织形式、装配精度与零件精度的关系，装配尺寸链建立与计算方法等。
3. 会制订典型零部件的装配工艺。
4. 理解装配单元系统图及其作用。

【素养目标】

1. 围绕知识点，树立职业素养理念，培养严谨认真的科学态度和积极进取的创新精神。
2. 拥有持之以恒、苦练技能、攻坚克难、勇担重任、奉献国家的优良品质与情怀。

机器装配是机器制造过程中的最后工艺环节，它将最终保证机械产品的质量。如果装配工艺制订不合理，即使机器所有零件都合乎质量要求，也不能装配出合格产品。不同生产类型的产品，只有选择适当的装配方法，才能高效率、高质量、低成本地完成装配任务。

第一节 机械装配概述

一、装配的概念

任何机器都是由若干零件、组件和部件组成的。按规定的技术要求，将零件、组件和部件进行连接，使之成为半成品或成品的工艺过程称为装配。把零件、组件装配成部件的过程称为部件装配，零件、组件和部件装配成为最终产品的过程称为总装配。

装配是机械制造过程中的最后一个阶段。为了使产品达到规定的技术要求，装配不仅是零件、组件、部件的装配与连接等过程，还应包括调整、检验、试验、油漆和包装等工作。

机器的质量是以机器的工作性能、使用效果、可靠性和寿命等综合指标评定的。这些指标除与产品结构设计和材质选择的正确性有关外，还取决于零件的制造质量（包括加工精度、表面质量和热处理性能等）和机器的装配质量。机器的质量最终是通过装配质量来保证的，若装配工艺不当，即使零件的制造质量都合格，也不一定能够装出合格的产品。反之，零件的制造质量不良好，只要在装配中采取合适的工艺措施，也能使产品达到规定的技术要求。因此，装配工艺对保证机器的质量起着十分重要的作用。选择合适的装配方法，制订合理的装配工艺规程，不仅是保证机器装配质量的手段，也是提高产品生产率、降低制造成本的有力措施。

二、装配工作的基本内容

1. 清洗

机械产品一般都比较精细，其精度要求都在毫米以下。任何微小的污物、杂质都会影响产品的质量，尤其是对于轴承、密封件、相互接触或相互配合的表面以及有特殊清洗要求的零件，稍有杂物就会影响产品的质量。所以，装配前对零件进行清洗是非常重要的一环。

零件的清洗方法有擦洗、浸洗、喷洗和超声波清洗等。清洗液一般用煤油、汽油、碱液及各种化学清洗液。清洗工艺的要点就是根据工件的清洗要求、工件的材料、生产批量的大小及油污、杂质的性质和黏附情况，正确选择清洗方法、清洗液和清洗时的温度、压力、时间等参数。此外，还应注意使清洗过的零件具有一定的防锈能力。

2. 连接

将两个或两个以上的零件结合在一起的工作称为连接。连接方式一般有可拆卸和不可拆卸两种。

可拆卸连接在装配后可以很容易拆卸而不致损坏任何零件，且拆卸后仍可重新装配在一起。常见的可拆卸连接有螺纹连接、键连接和销连接等。

不可拆卸连接在装配后一般不再拆卸，如果拆卸，会损坏其中的某些零件。常见的不可拆卸连接有焊接、铆接和过盈连接等。

3. 校正、调整与配作

在产品的装配过程中，尤其是在单件小批量生产的情况下，某些装配精度并非是把有关零件直接连接起来就能达到要求，还需要进行校正、调整或配作才行。

校正是指产品中相关零部件间相互位置的找正、找平，并通过各种调整方法保证达到装配精度要求。

调整是调节相关零件的相互位置，除配合校正所做的调整之外，还有各运动副间的间隙的调整，如轴承间隙、导轨间隙、齿轮齿条间隙等的调整。

配作是指配钻、配铰、配刮、配磨等在装配过程中所附加的一些钳工和机加工工作。如连接两零件的销孔，就必须待两零件的相互位置找正后再一起钻铰销孔，然后打入定位销，这样才能确保其相互位置正确。

4. 平衡

对于转速高、运动平稳性要求高的机器（如精密磨床、内燃机、电动机等），为了防止在使用的过程中因旋转件质量不平衡产生的离心惯性力而产生振动，装配时必须对有关旋转零件进行平衡，必要时还要对整机进行平衡。

平衡的方法分为静平衡和动平衡，对于长度比直径小很多的圆盘类零件，一般采用静平衡；而对于长度较大的零件，如机床主轴、电动机转子等，则要用动平衡。

对旋转体的不平衡量可采用下述方法纠正：①用钻、铣、磨、锉、刮等方法去除质量；②用补焊、铆接、胶接、喷涂、螺纹连接等方式加配质量；③在预设的平衡槽内改变平衡块的位置和数量（如砂轮的静平衡）。

5. 验收试验

产品装配好后应根据其质量验收标准进行全面的验收试验，各项验收指标合格后才能涂装、包装、出厂。产品不同，其验收技术标准也不同，验收试验的方法也就不同。

除上述装配工作外，油漆、包装等也属于装配工作。

三、装配的组织形式

在装配过程中，应根据产品的结构特点、装配要求、产量大小等因素合理确定装配的组织形式。装配工作组织得好坏对装配效率的高低、装配周期的长短均大有影响。

1. 固定式装配

固定式装配即产品固定在某一工作地装配。装配时产品不移动，对时间的限制较松，校正、调整、配作较方便，但产品装配周期较长，效率较低，工人的技术要求也较高。它一般用于单件小批生产的产品、装配精度要求很高的产品以及重型而不便移动的产品装配。

2. 移动式装配

移动式装配是将产品或部件置于装配线上，通过连续或间歇的移动使其顺次经过各装配工作地，以完成全部装配工作。移动式装配有固定节奏和自由节奏两种方式。

移动式装配的特点是较细地划分装配工序，广泛采用专用设备及工装，生产率高，对工人技术水平要求较低，质量容易保证，多用于大批量生产。

装配的组织形式

四、装配精度

装配精度是装配工艺的质量指标，可根据机器的工作性能来确定。正确地规定机器和部件的装配精度是产品设计的重要环节之一，不仅关系到产品质量，也影响产品制造的经济性。装配精度是制订装配工艺规程的主要依据，也是选择合理的装配方法和确定零件加工精度的依据。所以，应正确规定机器的装配精度。

对于一些标准化、通用化和系列化的产品，如通用机床和减速器等，它们的装配精度可根据国家标准、部门标准或行业标准来确定。

对于没有标准可循的产品，其装配精度可根据用户的使用要求，参照经过实践考验过的类似部件或产品的已有数据，采用类比法确定。

对于一些重要的产品，其装配精度经过分析计算和研究后才能确定。

归纳起来，装配精度包括零部件间的配合精度、接触精度、距离精度、位置精度和相对运动精度等。

1. 零部件间的配合精度和接触精度

零部件间的配合精度是指配合面间达到规定的间隙或过盈的要求，如轴和孔的配合间隙或配合过盈的变化范围。它影响配合性质和配合质量，已由相关国家标准来解决。

零部件间的接触精度是指配合表面、接触表面和连接表面达到规定的接触面积与接触点的分布情况。它影响接触刚度和配合质量，如导轨接触面、锥体配合和齿轮啮合处等，均有接触要求。

2. 距离精度

距离精度是指相关零部件的距离尺寸精度，如车床主轴与尾座的等高性精度、钻模夹具中钻套孔中心到定位元件工作面的距离尺寸等。此外，距离精度还包括配合面之间的配合间隙或过盈量、运动副的间隙要求（如导轨间隙、齿侧间隙）等。

3. 相互位置精度

装配中的相互位置精度是指相关零部件的平行度、垂直度、同轴度及各种跳动等，台式钻床主轴轴线对工作台台面的垂直度、车床主轴的径向圆跳动等。

4. 相对运动精度

相对运动精度是指相对运动的零部件在运动方向和运动速度上的精度。运动方向上的精度主要是产品相对运动部件之间的平行度、垂直度等，如牛头刨床滑枕往复直线运动对工作台台面的平行度、车床主轴轴线对床鞍移动的平行度等。运动速度上的精度是指内传动链的传动精度，即内传动链首末两端件的实际运动速度关系与理论值的符合程度。

五、装配精度与零件精度的关系

机械及其部件都是由零件所组成的，装配精度与相关零部件制造误差的累积有关。显然，装配精度取决于零件,特别是关键零件的加工精度。例如,卧式车床尾座移动对床鞍移动的平行度,就主要取决于床身导轨 A 与 B 的平行度(图6-1);又如车床主轴锥孔轴线和尾座套筒锥孔轴线的等高度(A_0),就主要取决于主轴箱、尾座及底板的 A_1、A_2 及 A_3 的尺寸精度(图6-2)。

另一方面,装配精度又取决于装配方法。对于装配精度要求较高的,如果完全靠相关零件的制造精度来直接保证,则零件的加工精度将会很高,给加工带来较大困难。在生产中,常按经济精度来加工相关零部件,而在装配时则采用一定的工艺措施(如选择、修配和调整等),从而形成不同的装配方法来保证装配精度。例如,车床主轴锥孔轴线与尾座套筒锥孔轴线的等高度(A_0)要求(图6-2)很高(0.06mm),而要使主轴箱1、尾座2及尾座底板3的有关尺寸 A_1、A_2、A_3 的误差累积不大于0.06mm 却很难加工,也很不经济。此时,可通过在装配时适当地修配尾座底板3来保证装配精度。这样做虽然增加了装配的劳动量,但从整个产品制造的全局分析,仍是经济可行的。

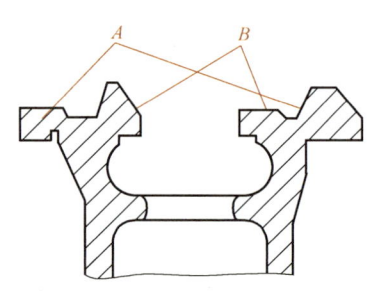

图6-1 尾座对床鞍移动精度

A—溜板移动导轨 B—尾座移动导轨

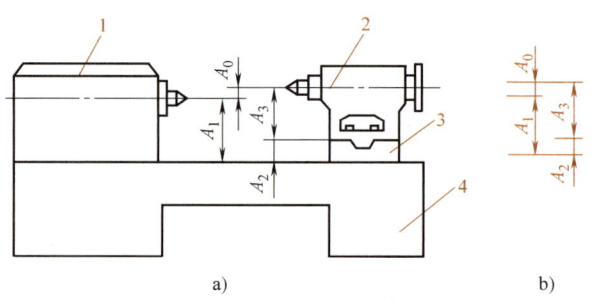

图6-2 车床主轴锥孔轴线与尾座套筒锥孔轴线的等高度

1—主轴箱 2—尾座 3—尾座底板 4—床身

因此,一个产品的质量好坏取决于三个方面:一是产品结构设计的正确性,二是组成零件的加工质量,三是装配质量。零件的加工精度是保证装配精度的基础,而装配精度并不完全依赖于零件的加工精度,产品质量最终要通过装配工艺来保证。为保证机械的装配精度,应从产品结构、机械加工及装配等方面进行综合考虑,选择适当的装配方法并合理地确定零件的加工精度。而装配尺寸链分析,是进行综合分析的有效手段。

第二节 装配尺寸链

一、装配尺寸链的基本概念

产品或部件的装配精度与构成产品或部件的零件精度有着密切关系。为了定量地分析这种关系,将尺寸链的基本理论用于装配过程,即可建立装配尺寸链。装配尺寸链是产品或部件在装配过程中,由相关零件的尺寸或位置关系所组成的封闭尺寸系统,即由一个封闭环和若干个与封闭环关系密切的组成环组成。将尺寸链画出来就成了尺寸链简图。装配尺寸链虽然起源于产品设计,但应用装配尺寸链原理可以指导制订装配工艺方案、合理安排装配工序、解决装配中的质量问题、分析产品结构的合理性等。

装配尺寸链是尺寸链的一种。它与一般尺寸链相比,除有共同的部分外,还具有显著的特点:

1)装配尺寸链的封闭环一定是机器产品或部件的某项装配精度,因此,装配尺寸链的封闭环是十分明显的。

2)装配精度只有机械产品装配后才能测量。因此,封闭环只有在装配后才能形成,不具有独立性。

3)装配尺寸链中的各组成环不是仅在一个零件上的尺寸,而是在几个零件或部件之间与装配精度有关的尺寸。

二、装配尺寸链的建立

装配尺寸链是在装配图上建立的，根据装配图精度的要求，找出与该项装配精度有关的零件及其有关的尺寸，按照封闭与环数最少的原则组成尺寸链。其步骤是确定封闭环、查找组成环和画出尺寸链简图，如图6-3所示。

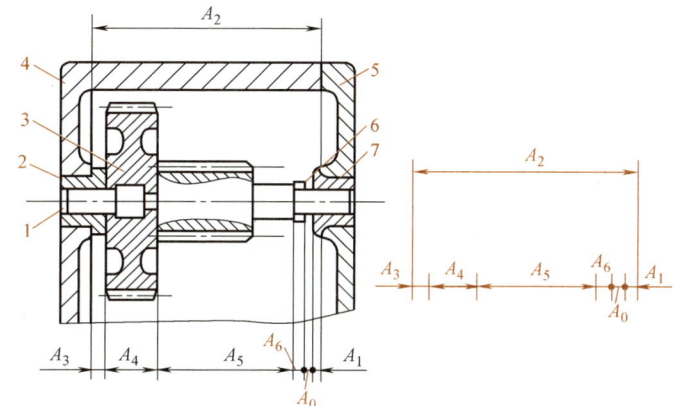

图6-3 某传动箱的装配尺寸链
1—齿轮轴 2—左轴承 3—大齿轮
4—传动箱体 5—箱盖 6—垫圈 7—右轴承

（1）封闭环的确定 在装配尺寸链中，封闭环为装配过程最后形成的那个尺寸环。而装配精度是装配后所得到的尺寸环，所以装配精度即封闭环。如图6-3所示，传动轴在两个滑动轴承中转动，为避免轴端和齿轮端面与滑动轴承端面的摩擦，因此在轴向要有一定的间隙。这一间隙是装配过程最后形成的一环，也是装配精度的要求，所以它是封闭环 A_0。

（2）组成环的查找 组成环的查找就是要找出相关零件及其相关尺寸。其方法是从封闭环出发，按逆时针或顺时针方向依次寻找相邻零件的相关尺寸，直至返回到封闭环。值得注意的是，并不是所有相邻零件相关尺寸都是组成环，例如图6-3中零件箱盖及其尺寸对间隙 A_0 并无影响，所以它不是组成环。

在装配尺寸链中，由于零件是组成机器的最小单元，如果在一个零件上出现两个尺寸为组成环，则该零件上就有工艺尺寸链的问题，这时应先解工艺尺寸链，将所得到的封闭环再放入装配尺寸链，例如图6-3中的组成环 A_5。当然，某一零件某一尺寸也可能是该零件工艺尺寸链的封闭环，例如图6-3中轴承座的尺寸 A_1、A_3 等。

三、画出尺寸链图

画尺寸链图时，应以封闭环为基准，从其尺寸的一端出发，一一把组成环的尺寸连接起来，直到封闭环尺寸的另一端为止，这就是封闭的原则。

画出尺寸链图后，便可容易地判断出哪些组成环是增环，哪些组成环是减环。增、减环的判别原则是：当其他组成环尺寸不变时，该组成环的尺寸增加使封闭的尺寸也增加，该组成环为增环；该组成环的尺寸增加使封闭环的尺寸减小，该组成环为减环。

在建立装配尺寸链时应注意以下原则：

（1）简化原则 建立装配尺寸链时，在保证装配精度的前提下，可忽略那些影响较小的次要因素，以使装配尺寸链的组成环适当简化。

例如，图6-2a所示为车床主轴与尾座套筒锥孔轴线等高装配尺寸链。影响该项装配精度的因素有（图6-4）：

1）A_1——主轴锥孔轴线至床身平导轨距离。

2）A_2——尾座底板厚度。

3）A_3——尾座顶尖套锥孔轴线至尾座底板的距离。

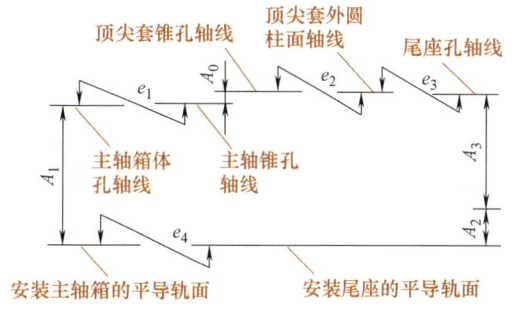

图6-4 车床主轴与尾座套筒锥孔轴线等高装配尺寸链

4) e_1——主轴滚动轴承外圈的外圆与内圈的内孔的同轴度误差。

5) e_2——尾座顶尖套锥孔与外圆的同轴度误差。

6) e_3——尾座顶尖套与尾座孔配合间隙引起的向下偏移量。

7) e_4——床身上安装主轴箱和尾座的平导轨面间的高度差。

由于 e_1、e_2、e_3、e_4 的数值相对 A_1、A_2、A_3 的误差值小得多，故装配尺寸链可简化为图 6-2b 所示的结果。但在精密装配中，应计入对装配精度有影响的所有因素，不可随意简化。

(2) 最短路线原则　在组成装配尺寸链的有关零件中，应使每个零件以最少数量的尺寸参加尺寸链。对于线性尺寸链来说，应是每个零件只能有一个尺寸参加装配尺寸链。参加了装配尺寸链的尺寸就是该零件的设计尺寸，在标注零件尺寸时，应直接标出该尺寸。

(3) 精度原则　当装配精度要求高时，组成环中除了长度尺寸环外，还会有几何公差环和配合间隙环。

(4) 方向性原则　在同一装配结构中，当不同的位置方向都有装配精度要求时，应按不同方向分别建立装配尺寸链。例如图 6-5 所示蜗杆副传动结构，为保证正确啮合，要同时保证蜗杆轴线与蜗轮中间平面的重合精度 A_0、蜗杆副两轴线间的距离精度 B_0 和蜗杆副两轴线间的垂直度精度 C_0，这是三个位置方向的装配精度，因而需要在三个方向分别建立装配尺寸链。

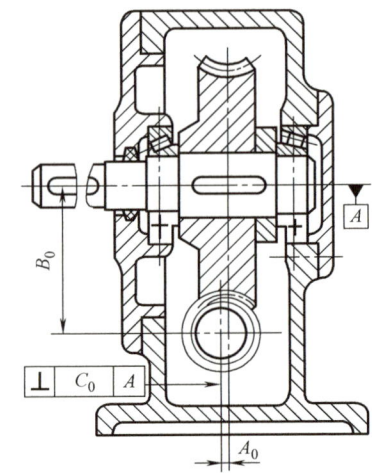

图 6-5　蜗杆副传动结构

A_0—蜗杆轴线与蜗轮中间平面的重合精度
B_0—蜗杆副两轴线间的距离精度
C_0—蜗杆副两轴线间的垂直度精度

四、装配尺寸链的计算方法

装配尺寸链的应用包括两个方面：其一，是在已有产品装配图和全部零件图的情况下，由已知的组成环的公称尺寸、公差及偏差，求封闭环的公称尺寸、公差及偏差，然后与已知条件相比，看是否满足装配精度的要求，验证组成环的公称尺寸、公差及偏差确定得是否合理。这种应用方法称为正计算；其二，在产品设计阶段，根据产品装配精度要求（封闭环），确定组成环的公称尺寸、公差及偏差，然后将这些已确定的公称尺寸、公差和偏差标注到零件图上，这种应用方法称反计算。但无论哪一种应用方法，装配尺寸链的计算方法只有两种，即极值法和概率法。常用的是极值法。

装配尺寸链的极值法计算所应用的公式与工艺尺寸链的计算公式相同。

在装配尺寸链中封闭环是装配的最终要求，当封闭环公差确定后，组成环越多，则每一环的公差就越小。所以在装配尺寸链中应尽量减少尺寸链的环数，即最短尺寸链原则。

例 6-1　一只对开齿轮箱如图 6-6 所示，根据使用要求，间隙 A_0 在 1~1.75mm 范围内，已知各零件的有关公称尺寸 $A_1=101$mm，$A_2=50$mm，$A_3=A_5=5$mm，$A_4=140$mm，求各环尺寸偏差。

解　1) 画尺寸链图，并确定增、减环。A_1、A_2 为增环，A_3、A_4、A_5 为减环。

2) 求封闭环的公称尺寸及公差。

$$A_0 = (\vec{A_1} + \vec{A_2}) - (\overleftarrow{A_3} + \overleftarrow{A_4} + \overleftarrow{A_5})$$
$$= (101+50)\text{mm} - (5+140+5)\text{mm}$$
$$= 1\text{mm}$$

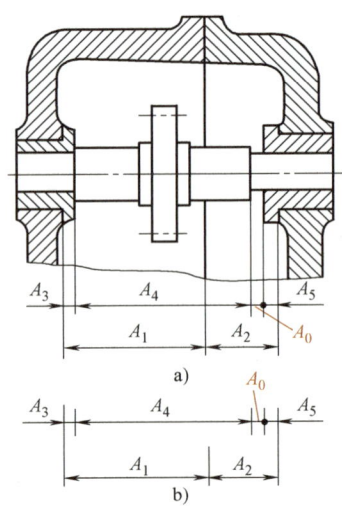

图 6-6　对开齿轮箱尺寸链

$$T_0 = (1.75-1)\,mm = 0.75\,mm$$

3) 求各组成环的公差。首先算出组成环的平均公差，然后再根据各组成环尺寸大小、结构的工艺特点及加工的难易程度，对各组成环的公差进行调整。

组成环的平均公差 T_{av} 计算式为：

$$T_{av} = \frac{T_0}{m}$$

式中　T_0——封闭环的公差；
　　　m——组成环的数目。

所以

$$T_{av} = \frac{0.75}{5}\,mm = 0.15\,mm$$

$T_1 = 0.22\,mm$、$T_2 = 0.16\,mm$、$T_3 = T_5 = 0.075\,mm$，把其减小的公差加在 A_1 和 A_2 上，即 $T_4 = 0.16\,mm$。

4) 求各组成环的上、下极限偏差。根据入体原则：

$$A_1 = 101^{+0.22}_{0}\,mm \qquad A_2 = 50^{+0.16}_{0}\,mm$$

$$A_3 = A_5 = 5^{0}_{-0.075}\,mm \qquad A_4 = 140^{0}_{-0.16}\,mm$$

5) 验算。

$$ES_0 = (\overleftarrow{ES_1} + \overleftarrow{ES_2}) - (\overleftarrow{EI_3} + \overleftarrow{EI_4} + \overleftarrow{EI_5})$$
$$= (0.22+0.16)\,mm - (-0.075-0.16-0.075)\,mm$$
$$= 0.69\,mm$$

$$EI_0 = (EI_1 + EI_2) - (ES_3 + ES_4 + ES_5) = 0-0 = 0$$

验算结果符合装配精度的要求，即计算正确。如果不符，则需按上述步骤再进行调整至符合为止。

第三节　保证产品装配精度的方法

机械制造过程中，常用的达到装配尺寸链封闭环要求的方法有：互换装配法、选配法、修配法和调整法等，现分述如下。

一、互换装配法

按互换程度的不同，互换装配法有完全互换法和不完全互换法两种。

1. 完全互换法

在全部产品中，装配时各组成环不需要任何挑选或修配，装入后即能达到封闭环的公差要求，这种装配方法称为完全互换法。

完全互换法

选择完全互换法时，采用极值公差公式计算。常用的有两种方法，即等公差法与等精度法。完全互换法的特点有：装配质量稳定可靠，对装配工人的技术要求较低，装配工作简单、经济、生产率高，便于组织流水装配和自动化装配，又可保证零、部件的互换性，便于组织专业化生产和协作生产，容易解决备件供应。因此，完全互换法是比较先进和理想的装配方法。

但是，当封闭环要求较严和组成环的数目较多时，会提高零件的精度要求，加工比较困难。因此，只要各组成环的加工在技术上有可能，且经济上合理时，应该尽量优先采用完全互换法，尤其在成批、大量生产时更应如此。如大批量生产汽车、自行车等产品时，大多采用完全互换法。

2. 不完全互换法

不完全互换法是指在绝大多数产品中，装配时的各组成环不需要挑选或修配，装入后即能达到封闭环的公差要求。不完全互换法是采用概率法求解，也有等公差与等精度两种方法。不完全互换法的特点和完全互换装配法的特点相似，只是互换程度不同。由于不完全互换法采用统计公式计算，因而对组成环的公差，尤其是在环数较多、组成环又呈正态分布时，扩大的组成环公差最显著，因而对组成环的加工更为方便。但是，理论上会有 0.27% 的产品超差。当放大组成环公差所得到的经济效果超过废品的损失后，一般多采用不完全互换法。

不完全互换法常应用于零件数多、批量大、零件加工精度可适当放宽的生产中，如机床和仪器仪表的某些部件，封闭环要求较低的多环尺寸链应用较多。

除采用上述等公差法外，也有采用等精度法的。该法使各组成环都按同一公差等级制造，由此求出平均公差等级系数，再按尺寸查出各组成环的公差值，最后仍需适当调整各组成环的公差。由于等精度法计算比较复杂，计算后仍要进行调整，故等精度法用得不多。

二、选配法

在成批或大量生产的条件下，当组成环的零件数目不多，而装配精度要求很高时，可采用选配法进行装配。采用这种方法时，组成环零件按经济加工精度加工，然后选择合适的零件进行装配，以保证规定的装配精度。选配法又分为以下三种：

1. 直接选配法

此法是由装配工人从许多待装零件中，凭经验挑选合适的零件装配在一起，以保证装配精度。这种方法的优点是简单，但是工人挑选零件的时间较长，而装配精度在很大程度上取决于工人的技术水平，不宜用于大批大量的流水线上的装配。

2. 分组装配法

分组装配法是先将组成环的公差相对于互换装配法所求之值增大若干倍，使其能较经济地加工；然后，将各组成环按其尺寸大小分为若干组，各对应组进行装配，从而达到封闭环公差要求。由于分组装配法中，同组零件具有互换性，所以它又称为分组互换法。分组装配法采用极值公差公式计算。

分组装配法可降低对组成环的加工要求，而不降低装配精度。但是分组装配法增加了测量、分组和配套工作。当组成环较多时，这种工作就变得非常复杂。所以，分组装配法适用于成批、大量生产中封闭环公差要求很严、组成环很少的装配尺寸链中，如精密偶件的装配、精密机床中精密件的装配和滚动轴承的装配等。

现以图 6-7a 所示发动机中活塞销 1 与活塞销孔的配合精度为例，说明分组装配法的计算方法。

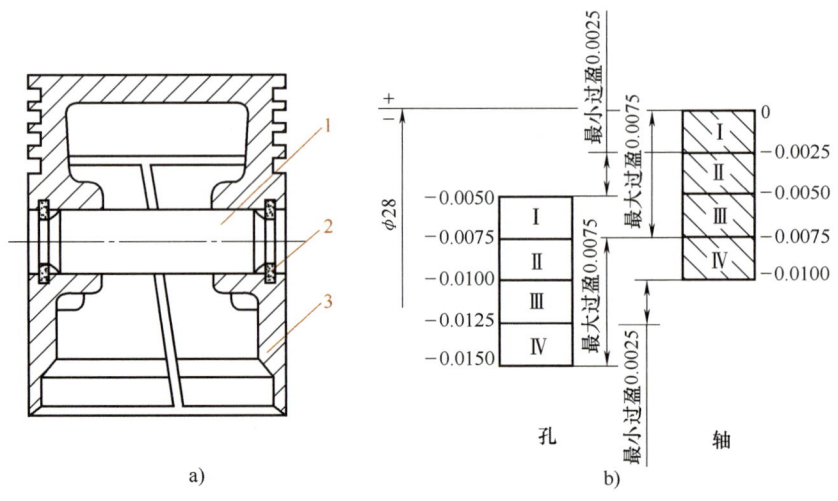

图 6-7 活塞销与活塞销孔的配合
a）装配关系 b）分组尺寸公差带图
1—活塞销 2—卡簧 3—活塞

装配技术要求中规定，活塞销与活塞销孔在冷态装配时，应有 0.0025~0.0075mm 的过盈量，即最大过盈量 Y_{max} 和最小过盈量 Y_{min} 分别为：

$$Y_{max} = D_{min} - d_{max} = -0.0075\text{mm}$$
$$Y_{min} = D_{max} - d_{min} = -0.0025\text{mm}$$

式中　D_{max}——活塞销孔的最大直径；
　　　D_{min}——活塞销孔的最小直径；
　　　d_{max}——活塞销的最大直径；
　　　d_{min}——活塞销的最小直径。

因此，封闭环的公差 T_0——过盈公差为：

$$T_0 = |Y_{max} - Y_{min}| = |-0.0075 - (-0.0025)|\text{mm} = 0.0050\text{mm}$$

若采用完全互换法装配，则销与销孔的平均极值公差 $T_{av} = 0.0025$mm（当销与销孔的公称尺寸为 28mm 时，其公差等级为 IT2），显然制造这样精度的销与销孔既困难又不经济。

在实际生产过程中，采用分组装配法。先将销与销孔的公差在同方向都放大到四倍，由 0.0025mm 放大到 0.010mm，即

$$d = 28_{-0.010}^{0}\text{mm}$$
$$D = 28_{-0.015}^{-0.005}\text{mm}$$

这样，活塞销可用无心磨床加工，活塞销孔可用金刚镗床加工。然后，用精密量具测量尺寸，并按尺寸大小分成四组，涂上不同的颜色加以区别，或装入不同的容器内，再按各对应组进行装配，达到过盈量的要求。具体分组情况如图 6-7b 和表 6-1 所示。

表 6-1　活塞销和活塞销孔的分组尺寸　　　　　　　　　　　　　　（单位：mm）

组别	活塞销直径 $d = \phi 28_{-0.010}^{0}$	活塞销孔直径 $D = \phi 28_{-0.015}^{-0.005}$	配合情况		标志颜色
			最小过盈	最大过盈	
Ⅰ	$\phi 28_{-0.0025}^{0}$	$\phi 28_{-0.0075}^{-0.0050}$	-0.0025	-0.0075	浅蓝
Ⅱ	$\phi 28_{-0.0050}^{-0.0025}$	$\phi 28_{-0.0100}^{-0.0075}$			红
Ⅲ	$\phi 28_{-0.0075}^{-0.0050}$	$\phi 28_{-0.0125}^{-0.0100}$			白
Ⅳ	$\phi 28_{-0.0100}^{-0.0075}$	$\phi 28_{-0.0150}^{-0.0125}$			黑

正确采用分组装配法的关键是保证分组后各对应组的配合性质和配合公差满足设计要求。同时，对应组内相配件的数量要配套。为此，应满足以下条件：

1）配合件的公差应相等，公差要向同方向增大，增大的倍数应等于分组数。从图 6-7b 中可知本实例满足要求。

2）由于装配精度取决于分组公差，故配合件的表面粗糙度和形状公差均需与分组公差相适应，不能随尺寸公差增大而放大。表面粗糙度和形状公差一般应小于分组公差的 50%。因此，分组法的组数不能任意增加，它受零件表面粗糙度和形状公差的限制。

3）为保证对应组内相配件的数量配套，相配件的尺寸分布应相同，如同为正态分布或同方向的偏态分布，否则将产生剩余零件。若产生剩余零件，在实际生产中常常专门生产一些与剩余件配套的零件，以解决积压剩余件的问题。

3. 复合选配法

复合选配法是分组装配和直接选择装配的复合形式。它是将组成环的公差相对于互换法所求之值增大，零件加工后预先测量、分组，装配时工人将在各对应组内进行选择装配。因此，这种方法吸取了前两种方法的特点，既能提高装配精度，又不必过多增加组数。但是，装配精度仍然要依赖工人的

技术水平,工时也不稳定。这种方法常用于相配件公差不等时,作为分组装配法的一种补充形式。例如,发动机的气缸与活塞的配合多采用本法。

三、修配法

在成批生产中,若封闭环公差要求严,组成环又较多时,用互换装配法势必要求组成环的公差很小,增加了加工的困难,并影响加工经济性。用分组装配法,又因环数多会使测量、分组和配套工作变得非常困难和复杂,甚至造成生产上的混乱。在单件小批生产时,当封闭环公差要求较严时,即使组成环数很少,也会因零件生产数量少而不能采用分组装配法。此时,常采用修配法来达到封闭环的公差要求。

修配法是将装配尺寸链中各组成环的公差相对于互换装配法所求之值增大,使其能按该生产条件下较经济的公差制造。装配时去除补偿环(预先选定的某一组成环)部分材料,以改变其实际尺寸,使封闭环达到其公差与极限偏差要求。补偿环(或称修配环)是用来补偿其他各组成环由于公差放大后所产生的累积误差。因修配法是逐个修配,所以零件不能互换。修配法通常采用极值法公差公式计算。

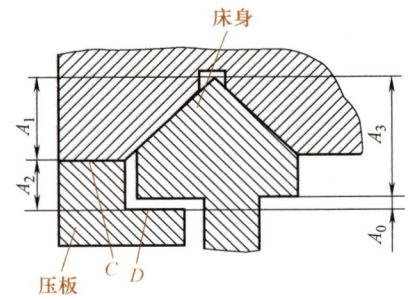

图 6-8 机床导轨间隙装配关系

(1) 修配方法 实际生产中,修配的方法较多,常见的有以下三种:

1) 单件修配法。在装配时,选定某一固定的零件作为补偿环,通过去除补偿环的部分材料,从而达到封闭环要求的方法称为单件修配法。例如图 6-8 所示的装配关系中,床身与压板之间的间隙 A_0 是靠修配压板的 C 面或 D 面来改变尺寸 A_2 而保证的。A_2 为修配环。装配时需经过多次试装、测量、拆下修配 C 面或 D 面,最后保证装配间隙 A_0 的要求。

2) 合并修配法。将两个或两个以上零件合并在一起当作一个补偿环进行修配的方法,称为合并修配法。它能减少装配尺寸链的环数,有利于减少修配量。

图 6-2 所示主轴与尾座套筒锥孔轴线等高度要求的装配尺寸链常用合并修配法。它是把尾座和底板的配合面分别加工好,并配刮横向小导轨,然后把零件装配为一体,以底板的底面为定位基准镗削加工套筒孔,此时 A_2 和 A_3 合并为 A_{23},减少了装配尺寸链的环数,减少了修配量。

合并修配法虽有上述优点,但是由于要合并零件、对号入座,给加工、装配和生产组织工作带来了不便。因此,这种方法多用于单件小批生产中。

3) 自身加工修配法。在机器制造中,有一些装配精度是在机器总装时用"自我加工"的方法来保证的,这种修配方法称为自身加工修配法。

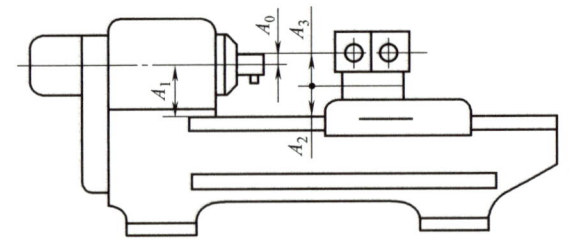

图 6-9 转塔车床的自身加工修配法

如图 6-9 所示的转塔车床,在装配后利用在车床主轴上安装的镗刀做切削运动,转塔做纵向进给运动,依次镗削转塔上的六个刀具安装孔。经加工,主轴轴线与转塔各孔轴线的等高度、同轴度要求就可方便地达到。若再在主轴上安装一个可以自动径向进给的专用刀具,还可以分别加工转塔上的六个平面,以保证孔与端面的垂直度。此外,平面磨床装配时自己磨削自己的工作台台面,以保证工作台台面与砂轮轴平行;牛头刨床、龙门刨床等总装时,用自刨工作台台面的方法来达到滑枕或导轨与工作台台面的平行度要求;立式车床装配时对自己工作台台面"自车",以保证立式车床主轴相对工作台台面的垂直度要求;万能铣床总装时,为了保证刀杆支架孔对主轴轴线的同轴度要求,可采用一专用工具对支架锥孔进行修整。自身加工修配法效果理想,加工也较为方便,但必须是具有切削能力的产品才能采用,所以常用于成批生产的机床制造中。

(2) 修配环的选择 采用修配法来保证装配精度时,正确选择修配环很重要。修配环一般应按下述要求选择：

1）尽量选择结构简单、重量轻、加工面积小、易加工的零件。
2）尽量选择容易独立安装和拆卸的零件。
3）修配件修配后不能影响其他装配精度。因此，不能选择并联尺寸链中的公共环作为修配环。

四、调整法

封闭环公差要求较严而组成环又较多的装配尺寸链，也可用调整法达到要求。调整法是将尺寸链中各组成环的公差相对于互换法所求之值增大，使其能按该生产条件下较经济的公差制造，装配时用调整的方法改变补偿环（预先选定的某一组成环）的实际尺寸或位置，使封闭环达到其公差与极限偏差要求。一般以螺栓、斜面、挡环、垫片或孔轴配合中的间隙等作为补偿环（或称调整环），它是用来补偿其他各组成环由于公差放大后所产生的累积误差。调整法通常采用极值公式计算。

常见的调整法有以下三种：

（1）可动调整法　此法即通过改变调整零件的位置来保证装配精度。用此法装配的产品或部件，在结构设计时就设有可调节的余量与结构，在装配时进行调整。常用的调整件有螺栓、楔铁、挡环等。因此，可动调整法在实际生产中应用较广泛。图 6-10 所示为一可动调整的装配实例。其中图 6-10a 是通过螺钉调整轴承间隙；图 6-10b 是通过调整套筒的位置来保证它与齿轮的轴向位置要求；图 6-10c 是用调整螺钉使楔块上下移动来调整丝杠和螺母的间隙。

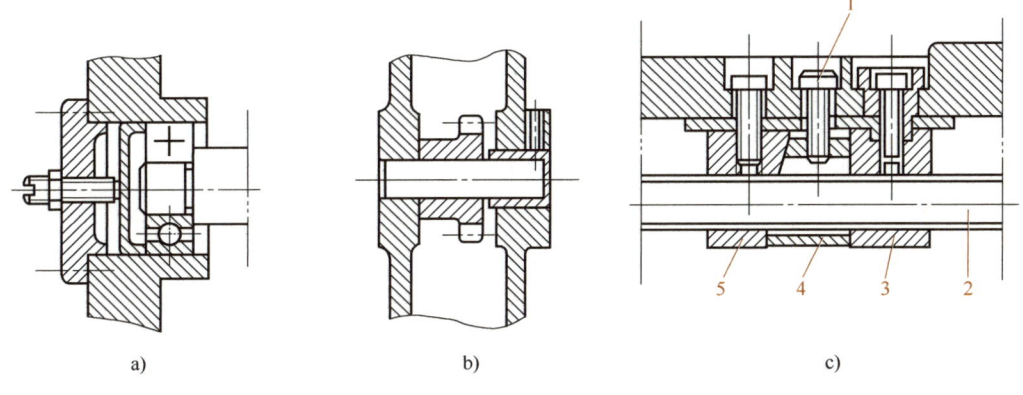

图 6-10　可动调整的装配实例
1—调整螺钉　2—丝杠　3、5—螺母　4—楔块

可动调整法不需拆卸零件，调整方便，能获得比较高的装配精度，而且可以补偿产品在使用过程中由于磨损和变形等因素所引起的误差，使设备恢复原有精度。所以，早期的传动机构或易磨损机构中，常用可动调整法。但是，可动调整法中因可动调整件的出现，削弱了机构的刚性，因而在刚性要求较高或机构比较紧凑而无法安排可动调整件时，就常采用其他调整法。

（2）固定调整法　采用调整的方法改变补偿环的实际尺寸，使封闭环达到其公差与极限偏差要求的方法，称为固定调整法。补偿环要形状简单，便于拆装。常用的补偿环有垫片、挡环和套筒等。改变补偿环实际尺寸的方法是根据封闭环公差与极限偏差的要求，分别装入不同尺寸的补偿环。例如，补偿环是减环，因放大组成环公差后使封闭环实际尺寸较大时，就取较大的补偿环装入；反之，当封闭环实际尺寸小时，就取较小的补偿环装入。为此，需要预先按一定的尺寸要求制成若干组不同尺寸的补偿环，供装配时选用。

图 6-11a 所示为车床主轴大齿轮装配图，按照装配的技术要求，当隔套（A_2）、齿轮（A_3）、垫圈（固定调整件 A_k）和弹性挡圈（A_4）装在轴上以后，齿轮的轴向间隙 A_0 应在 0.05～0.2mm 范围内。图 6-11b 所示为尺寸链简图，其中，$A_1 = 115$mm、$A_2 = 8.5$mm、$A_3 = 95$mm、$A_4 = 2.5$mm、$A_k = 9$mm。如果采用完全互换法进行装配，则各组成环的平均公差为：

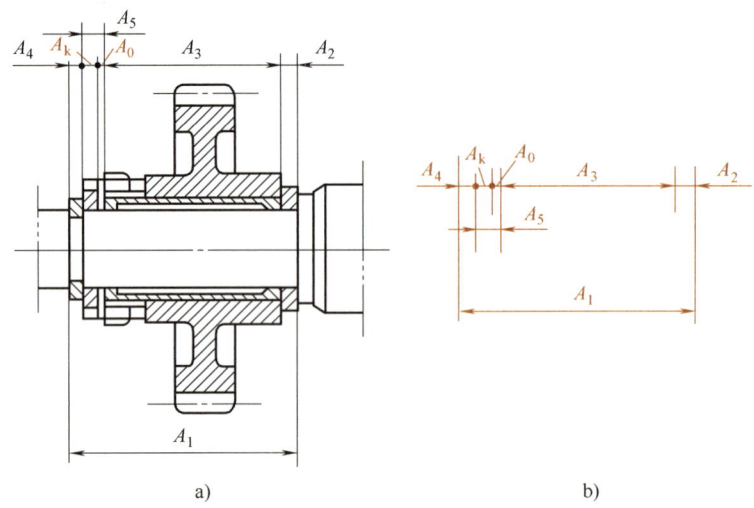

图 6-11 固定调整法装配实例——车床主轴大齿轮装配

$$T_{av} = \frac{T(A_0)}{5} = \frac{0.2-0.05}{5}\text{mm} = 0.03\text{mm}$$

显然按这样小的公差制造零件是不经济的。如果将 A_2、A_3 及 A_4 按经济精度加工，装配时暂不装入调整环 A_k，装配后出现"空位"，而"空位"尺寸 A_s 将随 $A_1 \sim A_4$ 各环尺寸的变化而变化。"空位"尺寸 A_s 包括封闭环 A_0 和调整环 A_k 两个环。由于封闭环的要求是确定的，其公差 $T(A_0)$ 又远小于"空位"尺寸的变动范围 T_s。为了使调整环进入"空位"尺寸后能保证封闭环的要求，调整环的尺寸应随着"空位"尺寸的变化而变化。因此，调整环应是一个变量。

（3）误差抵消调整法　误差抵消调整法是在装配过程中调整组成环误差的方向，使其误差得以正负抵消或转移到对装配精度影响不大的方向上，以获得较高的装配精度的方法。此法的实质与可动调整法类似。二者不同的是误差抵消调整法中补偿环是矢量，且多于一个。常见的补偿环是轴承件的跳动量、偏心量和同轴度等。

如图 6-12a 所示的车床主轴，装配时调整前后轴承的内环与其滚道的偏心量 e_1 和 e_2，使二者处于主轴轴线的同一侧，就可以使得主轴前端的径向圆跳动达到最小。图中 e_1 为后轴承的偏心量，e_2 为前轴承的偏心量，e_3 为主轴锥孔对其轴颈的偏心量，Δ 为最后检测到的主轴径向圆跳动。从图中可看出，当前后轴承偏心同向、前轴承偏心量小于后轴承偏心量时，可使主轴前端的径向圆跳动量较小。图 6-12b 所示为有数个钻套孔的钻模板，可通过调整其上各衬套内外圆偏心量 e 的方向（如使 e_2 垂直于 L_2、e_3 垂直于 L_1 等），使各孔中心距误差最小。

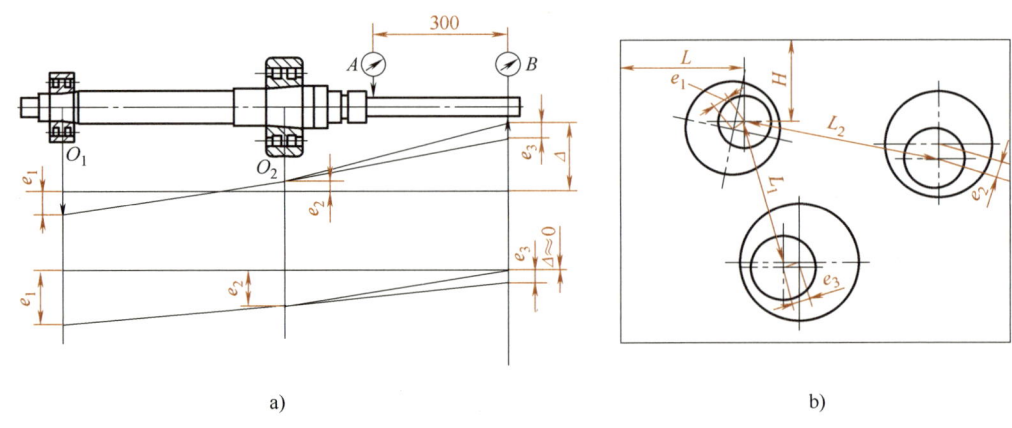

图 6-12　误差抵消调整法

a）车床主轴轴承调整　b）钻模板衬套调整

误差抵消调整法可在不提高轴承和主轴的加工精度条件下，提高装配精度。它与其他调整法一样，常用于机床制造，且封闭环要求较严的多环装配尺寸链中。但由于误差抵消调整法需事先测出补偿环的误差方向和大小，装配时需技术等级高的操作人员，因而增加了装配过程中和装配前的工作量，并给装配组织工作带来一定的麻烦。误差抵消调整法多用于批量不大的中小批生产和单件生产。

机器装配方法的选择是由许多因素决定的，主要有机器结构特点与技术要求、生产类型、批量大小、生产条件、装配组织形式等，应根据工厂具体情况综合分析才能确定。为便于分析，将以上各种装配方法的工艺特点及应用范围列于表 6-2 中。

表 6-2　各种装配方法的工艺特点及应用范围

装配方法	工艺特点	应用范围
完全互换法	1）零件完全互换，装配时对零件不需选择 2）装配简单，生产率高，便于组织流水作业 3）对零件加工精度要求较高	适用于零件数目较少、批量较大，而且零件可用经济精度制造时，如汽车及中小型柴油机的部分零部件
分组互换法	1）同组内零件可以互换 2）配合精度很高，当零件加工公差放大几倍后，可以按经济精度制造 3）增加对零件的测量、分组、储存和运输等工作量 4）各组配合零件数目不可能相同，为避免积压库存，应在加工时采取适当的调整措施	适用于成批、大量生产中零件数目很少，而装配精度较高，但又不便于采用调整法装配时，如中小型柴油机的活塞与缸套、活塞销孔与活塞销，滚动轴承的内外圈及滚子等
修配法	1）零件可按经济精度加工，通过修配可以达到很高的装配精度 2）由于增加装配过程中的手工装配和机械加工，因而工时不易预定，对组织流水作业不便	适用于单件小批生产中装配精度要求高的场合。如转塔车床主轴对刀架刀具孔进行"自镗"，分度蜗轮与工作台装配后精加工齿形，以及车床尾座垫板的修配等
调整法	1）零件可按经济精度确定加工公差，可获得较高的装配精度 2）采用定尺寸调整件时，操作比较方便，可用于流水作业 3）装配质量在一定程度上取决于操作人员的技术水平	适用于必须采用分组互换法之外的其他各种装配场合，如机床主轴的径向圆跳动和齿轮副的齿距累积误差的调整，滚动轴承调整间隙的间隔套、垫圈和锥齿轮调整啮合间隙的垫片等

第四节　典型零部件的装配

一、螺纹连接装配

螺纹连接的装配

用螺纹连接零部件是一种常用可拆式连接方法，如图 6-13 所示。装配时，螺纹连接应能用手自由旋入，螺母与零件贴合平整。当装配成组螺钉、螺母时，为保证贴合面受力均匀，应按一定的顺序分两次或三次旋紧，如图 6-14 所示。为防止松动，可加弹簧或止推垫圈等防松装置。装配时常用的工具有扳手、一字或十字螺钉旋具等。

二、键、销连接装配

齿轮等传动件常用键连接来传递运动及转矩，如图 6-15a 所示。选取的键长应与轴上键槽相配，键底面与键槽底部接触，而键两侧配合不允许松动。销连接主要用于零件装配时定位，有时用于连接零件并传递运动，如图 6-15b 所示。常用的有圆柱销和圆锥销。销轴与孔配合不允许有间隙。

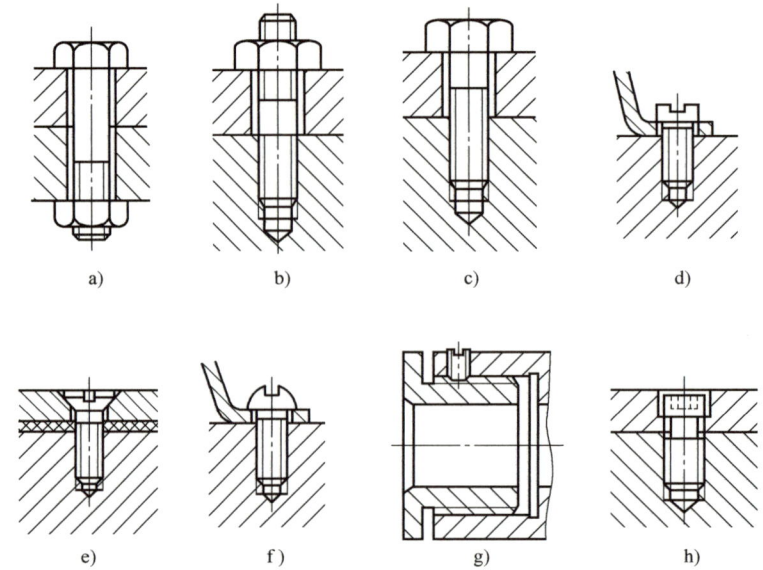

图 6-13 螺纹连接形式

a) 六角头螺栓 b) 双头螺柱 c) 六角头螺钉 d) 圆柱头螺钉 e) 沉头螺钉
f) 半圆头螺钉 g) 紧定螺钉 h) 内六角圆柱头螺钉

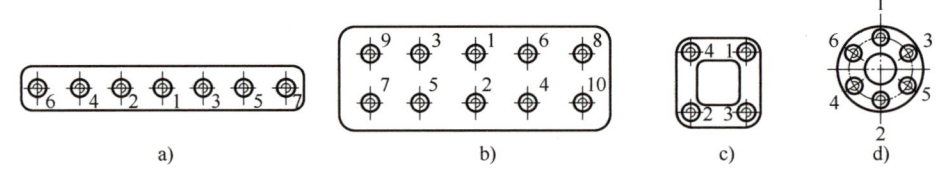

图 6-14 成组螺母拧紧顺序

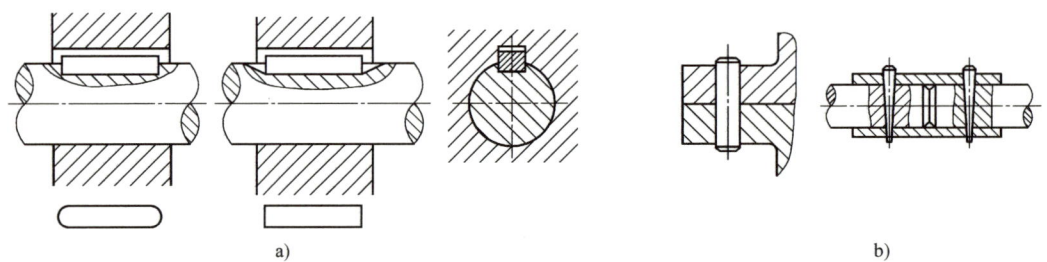

图 6-15 键、销连接装配

a) 键装配 b) 销装配

三、滚动轴承装配

滚动轴承装配如图 6-16 所示。常采用套筒、锤子或压力机装配,如果过盈量较大时,常把轴承在 80~90℃ 热油中加热膨胀,然后趁热装配。装配后轴承应转动灵活,并有合理的间隙。

四、轴系组件、部件及总装配

1. 装配工艺过程

首先研究和熟悉产品图样及技术要求,搞

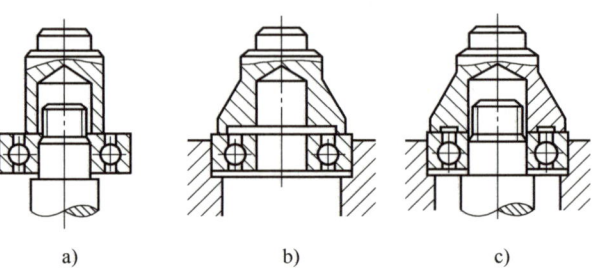

图 6-16 滚动轴承装配

a) 压到轴上时,内圈端面受力 b) 压到机体孔中时,外圈端面受力 c) 同时压到轴和机体孔中时,内外圈端面都受力清产品结构及零件之间相互连接的关系与作用,然后准备工具及装配的零件,将零件清洗后按组件装配、部件装配、总装配的顺序进行装配。装配完毕经过调试、检测达到技术要求后,经涂装及包装成为合格产品。

2. 轴系的组件装配

为使产品装配工作按一定的顺序进行,一般用装配单元系统图来说明产品的装配过程。图 6-17 所示是轧辊立体图,图 6-18 所示是轧辊组件结构图,下面以此组件为例来说明装配单元系统图的绘制和轧辊组件的装配步骤。

(1) 装配单元系统图的绘制

1) 先画一条横线。

2) 横线的左端画一小长方格,代表基准件。在长方格上方注明基准件的名称,左下方为基准件的编号,右下方为基准件的数量。

3) 横线的右端画一小长方格,代表装配的产品,在长方格上方注明产品名称,左下方为产品的编号,右下方为产品的数量。

4) 横线由左至右表示装配顺序,直接进入装配的零件画在横线上面,直接进入装配的组件,画在横线的下面。

按照上述方法绘制的轧辊组件的装配单元系统图如图 6-19 所示。

(2) 装配步骤

1) 将滚动轴承装在基准件轧辊轴左端至轴肩。

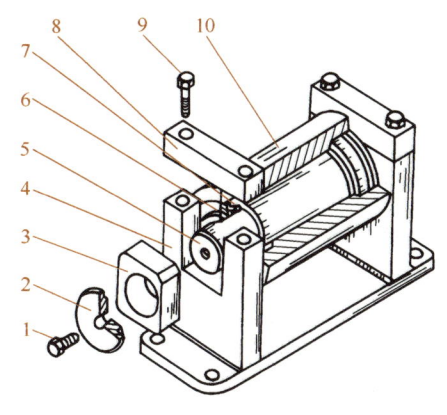

图 6-17 轧辊立体图

1—螺钉 2—端盖 3—方块圈 4—底座 5—辊轴
6—透盖 7—滚动轴承 8—盖板 9—螺钉 10—辊筒

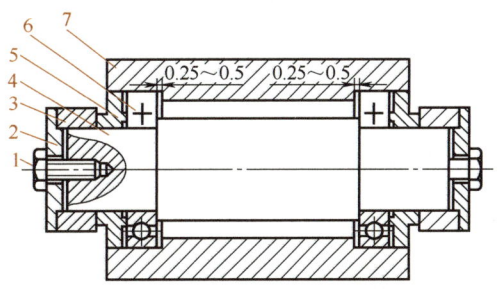

图 6-18 轧辊组件结构图

1—螺钉 2—端盖 3—方块圈 4—辊轴
5—透盖 6—滚动轴承 7—辊筒

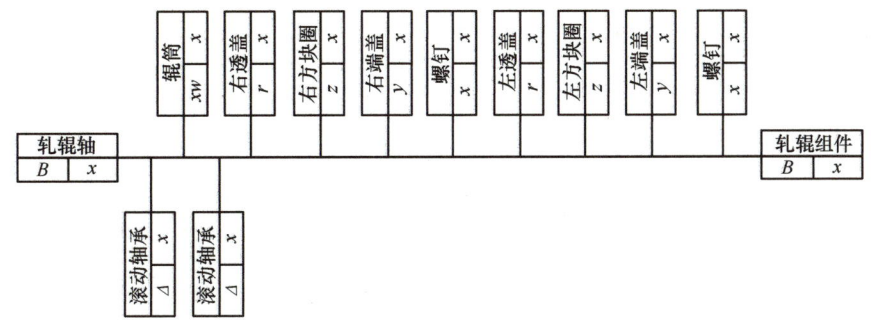

图 6-19 装配单元系统图

2) 将辊筒从轧辊右端套至左端,保证辊筒右端内肩与辊轴右端轴肩有 0.25~0.5mm 的间隙。

3) 将滚动轴承装入轧辊和辊筒右端至轴肩。

4）装右透盖。
5）装右方块圈。
6）装右端盖。
7）将螺钉穿过右端盖拧入轧辊轴。
8）装左透盖。
9）装左方块圈。
10）装左端盖。
11）将螺钉穿过左端盖拧入轧辊轴。

装配完毕，拧紧螺钉以调整滚动轴承的间隙，用手转动辊筒进行调试。

3. 部件装配

将若干零件、组件装配在一个基础零件上形成一个独立部分的操作称为部件装配，如车床主轴箱装配、进给箱装配。

4. 总装配

将若干零件、组件及部件装配在一个基础上形成功能完整的产品的操作称为总装配。例如，车床上各部件与床身基础件的装配属于总装配。

第五节 装配工艺基础综合训练

一、训练目标

1）通过训练进一步加深对装配工艺基本知识的理解。
2）通过训练能够综合运用装配工艺知识解决装配工艺实施过程中的简单技术问题。

二、训练题目

观察学校实习工厂或附近装备制造企业的一个产品或部件的装配工艺过程。

三、训练要求

完成一份生产现场装配工艺过程分析报告。

四、训练提纲

（1）产品或部件的结构分析
1）产品或部件由哪些部分组成？
2）产品或部件各组成部分起何作用？
（2）产品或部件的装配技术要求分析
1）相互距离精度如何？
2）相关零部件的相互位置精度如何？
3）相对运动精度如何？
4）相互接触精度如何？
（3）产品或部件装配工艺过程分析
1）仔细观察并记录产品或部件的装配工艺过程。
2）现场产品或部件装配属于哪一种装配组织形式？
3）产品或部件的装配精度应如何保证？采用哪一种装配方法？

五、小结

1）机械装配是指按照规定的技术要求,将若干零件连接成部件或若干零件和部件连接成机器的过程。

2）零件是构成机械产品的最小单元。可以单独进行装配的部件,称为装配单元,装配单元的装配顺序可用装配单元系统图表示。

3）产品的装配精度和零件加工精度有密切的关系,零件精度是保证装配精度的基础,装配方法是保证装配精度的有效手段。

【知识与技能拓展】

6-1　什么是机器装配?它包括哪些内容?在机器产品的生产中起什么作用?

6-2　机器产品的质量是以什么综合评定的?其性能和技术指标是什么?

6-3　机器产品的装配精度与零件的加工精度、装配工艺方法有什么关系?

6-4　什么是装配单元系统图?其作用是什么?

第七章 设备的维护

【学习目标】

1. 准确理解有关概念，如"三好""四会""四项要求""五项纪律"，预防维修、改善维修、事后维修等。
2. 理解定人、定机的规定，设备的三级保养制，使用设备的操作纪律、维修方式与修理类别、设备常见的故障等。
3. 学会机床完好标准实施细则，会编制设备修理工艺。
4. 掌握设备操作维护规程的基本内容与编制原则、判断与排除设备常见故障的方法。

【素养目标】

1. 围绕知识点，树立职业素养理念，养成敬业守信、精益求精的职业精神。
2. 拥有创新创业、艰苦奋斗、踔厉奋发、笃行不怠的优良品质。

设备的正确使用和精心维护，是设备管理工作中的重要环节。机器设备使用期限的长短、生产率和工作精度的高低，固然取决于设备本身的结构和精度性能，但在很大程度上也取决于它的使用和维护情况。为了延长设备的使用寿命，保持并发挥设备良好的技术状况，应坚持做好设备维护保养工作，使设备经常保持整齐、清洁、润滑良好和安全的状态。同时，在实施保养的基础上，还要进行定期修理。

第一节 设备的使用和维护保养制度

生产设备的使用要实行定人、定机、凭证操作的制度。设备的维护保养要实行专人负责制，多班制作业或几个人操作的设备，应建立机长（或值班长）负责制。

一、定人、定机和凭证操作制度

为了保证设备的正常运转，提高工人的操作技术水平，防止设备的非正常损坏，必须实行定人、定机和凭证使用设备的制度。

1. 定人、定机的规定

严格实行定人、定机和凭证操作制度，不允许无证人员单独使用设备。定机的机种型号应根据工人的技术水平和工作责任心，并经考试合格后确定。原则上既要管好、用好设备，又不束缚生产力。

主要生产设备的操作工人由车间提出定人、定机名单，经考试合格，设备部门同意后执行。精、大、稀设备和部、局管设备的操作者经考试合格后，经设备部门同意并经企业有关部门会同审查后，报技术领导批准后执行。定人、定机名单应保持相对稳定，有变动时，按规定呈报审批，批准后方能变更。原则上，每个操作工人每班只能操作一台设备，多人操作的设备，必须由值班机长负责。

2. 技能等级证的签发

学徒工（或实习生）必须经过技术理论学习和一定时期的有师傅在现场指导下的操作实习后，师傅认为该学徒工（或实习生）已懂得正确使用设备和维护保养设备时，可进行理论及操作考试，合格后由劳动部门签发技能等级证，方能单独操作设备。

二、设备的三级保养制

生产设备的三级保养制是依靠群众，充分发挥群众的积极性，实行群管群修，专群结合，搞好设备维护保养的有效办法。三级保养制分为日常维护保养、一级保养和二级保养。

1. 设备的日常维护保养

设备的日常维护保养一般有日保养和周保养，又称日例保和周例保。

（1）日例保　日例保由设备操作工人当班进行，认真做到班前四件事、班中五注意和班后四件事。

1）班前四件事。消化图样资料，检查交接班记录，擦拭设备，按规定加润滑油。检查手柄位置和手动运转部位是否正确、灵活，安全装置是否可靠，低速运转检查传动是否正常，润滑、冷却系统是否畅通。

2）班中五注意。注意运转声音，注意设备的温度、压力、液位，注意电气、液压、气压系统，注意仪表信号，注意安全。

3）班后四件事。关闭开关，所有手柄放到零位；清除铁屑、脏物，擦净设备导轨面和滑动面上的油污，并加油；清扫工作场地，整理附件、工具；填写交接班记录和运转台时记录，办理交接班手续。

（2）周例保　周例保由设备操作工人在每周末进行，保养时间为：一般设备2h，精、大、稀设备4h。

1）外观。擦净设备导轨、各传动部位及外露部分，清扫工作场地，达到内洁外净无死角、无锈蚀，周围环境整洁的目的。

2）操纵传动。检查各部位的技术状况，紧固松动部位，调整配合间隙，检查互锁、保险装置，达到传动声音正常、安全可靠的目的。

3）液压润滑。清洗油线、防尘毛毡、滤油器，油箱添油或换油。检查液压系统，达到油质清洁、油路畅通、无渗漏、无研伤的目的。

4）电气系统。擦拭电动机、蛇皮管表面，检查绝缘、接地，达到完整、清洁和可靠的目的。

2. 一级保养

一级保养是以操作工人为主，维修工人协助，按计划对设备局部拆卸和检查，清洗规定的部位，疏通油路、管道，更换或清洗油线、毛毡、滤油器，调整设备各部位的配合间隙，紧固设备的各个部位。一级保养所用时间为4~8h。

例如，表7-1为卧式车床一级保养内容和要求，表7-2为卧式万能铣床一级保养内容和要求。

3. 二级保养

二级保养以维修工人为主，操作工人参加。二级保养列入设备的检修计划，对设备进行部分解体检查和修理，更换或修复磨损件，清洗、换油，检查修理电气部分，使设备的技术状况全面达到规定设备完好标准的要求。二级保养所用时间为7天左右。

三、使用设备的操作纪律

实行三级保养制，必须使操作工人对设备做到"三好""四会""四项要求"，并遵守"五项纪律"。

1. "三好"

（1）管好　发扬工人们的主人翁意识和责任感，自觉遵守定人、定机和凭证操作制度，管好工具、附件，不损坏、不丢失，放置整齐。

（2）用好　设备不带病运转，不超负荷使用，不大机小用、精机粗用。遵守操作规程和维护保养规程，细心爱护设备，防止事故发生。

（3）修好　按计划检修时间停机修理，参加设备的二级保养和大修完工后的验收试车工作。

表 7-1　卧式车床一级保养内容和要求

保养部位	保养内容和要求	保养部位	保养内容和要求
主轴箱	1）清洗滤油器，添加新油 2）调整Ⅰ轴摩擦片及制动带 3）检查主轴锁紧螺母及各变速手柄位置与变速数值牌指示是否相符 4）检查疏通油管，清洗油线 5）检查油位、油质，擦净油槽和顶盖	溜板箱	1）检查开合螺母是否正常 2）检查大丝杠有无窜动 3）检查油位、油质及润滑脂杯是否缺油
进给箱，交换齿轮箱	1）清洗吸油毛线及油池，补充毛线 2）放净各箱体内存油，更换新油 3）拆洗交换齿轮部分，清除毛刺，并检查各轴套是否松动 4）检查润滑脂杯是否缺油 5）装卸，清洁交换齿轮	尾座	1）拆洗尾座套筒及丝杠等各件 2）修整锥孔及套筒表面毛刺 3）消除丝杠副与后盖间隙
		切削液系统	1）清洗切削液泵、切削液槽 2）排除管路接口的泄漏 3）安装切削液泵
中小滑板及刀架	1）拆洗中滑板及其上各部件 2）清洗油毡垫 3）修整导轨毛刺 4）检查各滑板间隙 5）调整各丝杠螺母间隙 6）调整各夹条间隙	外表及死角	1）修整床身导轨毛刺 2）拆洗带轮罩内外 3）配齐所有螺钉、螺母、手球 4）擦洗外表及死角
		电器部分	1）清扫主电动机 2）清扫电器箱，检查线路是否完整、接点有无松动 3）检查Ｖ带松紧度及有无损坏

表 7-2　卧式万能铣床一级保养内容和要求

保养部位	保养内容和要求	保养部位	保养内容和要求
纵向工作台	1）拆洗轴架、夹条、手轮、刻度盘、丝杠螺母 2）疏通油路，注油 3）拆卸滤屑板、切削液管 4）安装工作台后，调整夹条	切削液系统	1）拆洗切削液泵、过滤网 2）检查切削液管路泄漏情况 3）清洗后罩，清除切削液槽内铁屑及污物
升降台	1）擦拭导轨去毛刺 2）清洗丝杠、注油 3）拆洗夹条，调整间隙	外观及润滑	1）擦拭外表及死角 2）调整限位螺钉、保险块 3）配齐手球、手柄、螺钉 4）油箱加油，各润滑点润滑
悬梁及主轴头	1）清洗悬梁导轨、齿条，去毛刺，注油 2）清洗支架 3）擦拭主轴端面、主轴锥孔，去毛刺，固定定位块	电器（维修电工进行）	1）擦拭电动机及风扇叶，清扫电器箱 2）检查各接点电器元件
		试车	各部位运转正常，手柄位置正确，润滑正常

2．"四会"

（1）会使用　熟悉设备结构、技术性能和操作方法，懂得加工工艺。会合理选择切削用量，正确地使用设备。

（2）会保养　会按润滑图表的规定加油、换油，保持油路畅通无阻。会按规定进行一级保养，保持设备内外清洁，做到无油垢、无脏物，漆见本色铁见光。

（3）会检查　会检查与加工工艺有关的精度检验项目，并能进行适当调整。会检查安全防护和保险装置。

（4）会排除故障　能通过不正常的声音、温度和运转情况，发现设备的异常状态，并能判定异常状态的部位和原因，及时采取措施排除故障。

3. 维护设备的"四项要求"

（1）整齐　工件、附件放置整齐，安全防护装置齐全，线路管道安全完整。

（2）清洁　设备内外清洁，各部位无油垢、无碰伤、不漏水、不漏油，垃圾切屑清扫干净。

（3）润滑　按时加油、换油，油质符合要求；油壶、油枪、油杯齐全；毛毡、油线、油表清洁；油路畅通。

（4）安全　实行定人、定机、凭证操作和交接班制度，遵守操作规程，合理使用、精心维护设备，保证安全、无事故。

4. 使用设备的"五项纪律"

1）凭证使用设备，遵守安全使用规程。

2）保持设备清洁，并按规定加油。

3）遵守设备的交接班制度。

4）管好工具、附件，不得遗失。

5）发现异常，立即停车。

第二节　设备操作维护规程与完好标准

一、设备操作维护规程

设备操作维护规程是设备操作人员正确掌握设备操作技能与维护的技术性规范，它是根据设备的结构和运转特点，以及安全运行的要求，规定设备操作人员在其全部操作过程中必须遵守的事项、程序及动作等基本规则。操作人员认真执行设备操作维护规程，可保证设备正常运行，减少故障，防止事故发生。

1. 设备操作维护规程的编制原则

1）力求内容精练，重点突出，全面实用。一般应按操作顺序及班前、中、后的注意事项，分条排列。属于"三好""四会"的项目不再列入。

2）各类设备具有共性的项目，可统一编制通用规程。

3）编制操作维护规程时，一般应按设备型号将设备的主要规范、特点、操作注意事项与维护要求分别列出，便于操作者掌握要点、贯彻执行。

4）重点、高精度、关键设备的操作维护规程，要用醒目的标牌显示在设备旁，并注上重点标记，要求操作者特别注意。

2. 设备操作维护规程的基本内容

1）首先清理好工作场地，起动设备前必须仔细检查各种手柄位置是否在空位上、操作是否灵活、安全装置是否齐全可靠、各部状态是否良好。

2）检查油池、油箱中的油量是否充足，油路是否畅通，并按润滑图表规定做好润滑工作。在上述工作完毕后，方可起动机器工作。

3）操纵变速箱、进给箱及传动机构时，必须按设备说明书规定的顺序和方法进行。

4）有离合器的设备，起动时应将离合器脱开，使电动机轻负荷起动。

5）变速时，各变速手柄必须切实转换到指定位置，使其接合正确、啮合正常，避免发生设备事故。

6）操纵倒车时，要先停车再反向，变速时一定要停车变速，以免打伤齿轮及机件。

7）工件必须夹紧，以免其松动甩出造成事故。

8）不得敲打校正已夹紧的工件，以免损伤设备精度。

9）发现手柄失灵或不能移至所需位置时，应先检查，不得强力扳动。

10）起动机床时，必须盖好电器箱盖，不允许有油、水、铁屑、污物进入电动机或电器装置内。

11）经常保持润滑工具及润滑系统的清洁，不得敞开油箱、油盖，以免灰尘、铁屑等异物混入。

12）设备的外露基准面或滑动面上不准放置工具、产品，以免损伤和影响设备精度。

13）严禁超性能、超负荷使用设备及不正确的操作方法。

14）采用自动走刀时，首先要调整好限位器，紧定停车或变向的限位块，以免超越行程造成事故。

15）设备运行时，操作者不得离开工作岗位，并应经常注意各部位有无异声、异味、发热和振动。若发现故障，应立即停止操作，及时排除。自己不能排除的，应通知维修工人排除。

16）操作者在离开设备或更换工装、装卸工件和调整设备时，以及清洗、润滑设备时，都应停车，必要时应切断电源。

17）设备上一切安全防护装置不得随意拆除，以免发生设备和安全事故。

18）做好交接班工作，交班时一定要向接班人交代清楚设备的运转使用情况。

3. 卧式车床操作维护规程

1）操作者必须熟悉机床的一般性能和结构、传动系统，严禁超性能使用。

2）工作前按点检卡内容进行点检，做好记录，并检查各部手柄是否在规定的空位上。

3）按机床润滑图表规定加油，检查油标油量以及油路是否畅通。保持润滑系统清洁，油杯、油眼不得敞开。

4）装卸花盘、卡盘或较重工件、夹具时，应在床面上垫好木板。

5）装夹工件要牢固可靠，禁止在顶尖上或床身导轨上校正工件和锤击卡盘上工件，以免损坏机床，影响加工精度。

6）不得用反正车电闸制动及校正工件。

7）普通车削走刀应使用光杠，只有车削螺纹时才用丝杠。

8）加工铸件时，必须将铸件清理干净，并将机床导轨擦净。

9）使用自动走刀时，应先检查互锁或自停机构是否正确灵敏。

10）使用中心架、跟刀架及锥度附件时，与工件接触面及滑动部位应保持润滑良好。各部位的定位螺钉要拧紧。

11）使用顶尖工作时必须注意：

① 使用顶尖顶重型工件，顶尖伸出部分不得超过全长的1/3；一般工件不得超过1/2。

② 不使用锥度不合要求或磨损、缺裂的顶尖进行工作。

③ 紧固好尾座及套筒螺钉。

④ 开动前先在顶尖处加油，运转中要保持润滑良好。

⑤ 工作中有过热或发响现象时要调整顶尖距离。

⑥ 从主轴上取下顶尖时，不得用锤敲打取下，应从主轴尾部顶出，并防止碰撞落地。

12）粗车工件时，不能切削时停车，需停车时应将车刀退回。

13）加工偏心工件时，要加均衡铁，将配重固定螺钉拧紧，并用手扳动二三转，确认无碍后方可开车。

14）高速切削时必须注意：①安装切削罩；②要有断屑装置；③使用回转顶尖；④工、夹具和工件要紧固牢靠。

15）工作完毕或下班时，应将溜板箱及尾座移到床身尾端，各手柄放在非工作位置上。清扫机床，保持清洁，并在导轨上涂油防锈。

16）机床上各类部件及防护装置不得随意拆除，附件要妥善保管，保持完好。

17）机床若发生异常现象或故障，应立即停车排除，或通知维修人员处理。

4. 铣床操作维护规程

1）操作者要熟悉机床的一般性能和结构、传动系统，严禁超性能使用。

2）开车前应按润滑规定加油，检查油标、油量是否正常以及油路是否畅通，保持润滑系统清洁、润滑良好。

3）检查各手柄是否在规定位置、操纵是否灵活。如果停机在 8h 以上，应先低速空运转 3~5min，使各系统运转正常后再使用。

4）工作台台面不允许放置金属物品。安放分度头、台虎钳或较重夹具时，要轻取轻放，以免碰伤台面。

5）所用刀杆应清洁，夹紧垫圈端面要平行并与轴线垂直。

6）工件、铣刀必须装夹牢固，螺栓、螺母不得有滑牙或松动现象。换刀杆时必须将拉杆螺母拧紧。切削前应先空转试验，确认无误后再进行切削加工。

7）工作台移动之前，必须先松开固定螺钉。工作台不移动时，应将固定螺钉紧固好，以防切削时工作台振动。

8）自动走刀时必须使用定位保险装置。快速行程时应将手柄位置对准，并注意工作台的动作，防止发生碰撞事故。

9）切削中刀具未退出工件时不准停车，停车时应先停止进刀，后停主轴。

10）操作者离开机床、变换速度、更换刀具、测量尺寸、调整工件时，都应停车。

11）机床发生故障或不正常现象时，应立即停机排除。

12）机床上的各类部件、安全防护装置不得任意拆除。所有附件均应妥善保管，保持完整、良好。

13）工作完毕时，应将工作台移至中间位置，各手柄放在非工作位置，切断电源，清扫机床，保持机床整洁、完好。下班时要做好交接班工作及记录。

二、设备技术状态完好标准

设备完好是指设备处于完好的技术状态。设备完好的标准有三条要求：

1）设备性能良好。机械设备精度能稳定地满足生产工艺要求，动力设备的功能达到原设计或规定标准，运转时无超温、超压等现象。

2）设备运转正常，零部件齐全，安全防护装置良好，磨损、腐蚀程度不超过规定的技术标准，控制系统、计量仪器、仪表和液压润滑系统工作正常、安全可靠。

3）原材料、燃料、动力、润滑油料等消耗正常，基本无漏油、漏水、漏气（汽）、漏电现象，外表清洁整齐。

凡不符合上述三项要求的设备，不得称为完好设备。设备完好的具体标准，应能对设备做出定量分析和评价，由各行业主管部门根据总的要求结合行业设备特点制订，并作为本行业检查设备完好的统一尺度。

三、金属切削机床完好标准实施细则

设备技术状态完好标准，应尽可能以确切数据表示，才具有可比价值和便于评定。由于现行规定的各类单项设备的完好标准多属定性要求，执行时会遇到许多具体问题，故具体确定金属切削机床完好状态时可参照下述实施细则执行：

1. 精度、性能满足生产工艺要求，精密、稀有机床主要精度性能达到出厂标准

1）对于精密、稀有机床，按说明书规定的出厂标准，检查主要精度项目，其传动精度、运动精度、定位精度均应稳定可靠，满足生产工艺要求。

2）属于机修、工具车间的精加工、半精加工的金属切削机床及生产车间专用于维修的金属切削机床，除满足生产工艺要求外，应检查其主要精度项目。

3）金属切削机床的精度，可根据机床精密程度、加工对象、产品要求精度（包括尺寸精度、几何公差、表面粗糙度）、使用单位及条件、设备役龄、大修次数等划分设备级别，来确定检查项目。对

于役龄较长、大修 2 次以上及原制造质量较低难以恢复精度的设备，经主管厂长或总工程师批准，可酌情降低精度标准，其具体公差报主管局备案。

4）检查设备单项完好时，对于精度、性能满足生产工艺要求的规定，可按各类机床规定的加工范围，结合产品工艺规程的技术要求进行切削加工试验，应能满足产品质量规定的表面粗糙度及几何精度，并保证能稳定生产一定数量的合格品。

2. 各传动系统运转正常，变速齐全

1）设备运行时（包括液压传动）无异常冲击、振动、噪声和爬行现象。

2）主传动和进给运动变速齐全，各级速度运转正常、平稳、无异声。

3）液压系统各元件动作灵敏可靠，系统压力符合要求。

4）主轴承在最高转速下运转 30min 后检查温度，滑动轴承温度不超过 60℃，滚动轴承温度不超过 70℃。

5）通用机床经批准改作专用机使用时，在满足工艺要求的前提下，减少不必要的变速和零件仍算完好。

3. 各操作系统灵敏可靠

1）操作、变速手柄动作灵敏，定位可靠，无捆绑和附加重物现象。

2）传动手轮所需操纵力和反向空程量，均应符合通用技术规程。

3）制动、联锁、锁紧和保险装置齐全，灵敏可靠。

4. 润滑系统装置齐全，功效良好

1）润滑系统、液压元件、滤油器、油嘴、油杯、油管、油线等应完整无损、清洁、畅通。

2）表示油位的油标、油窗要清晰醒目，能观察出油位或润滑油滴入情况。

5. 电气系统装置齐全，管线完整，动作灵敏，运行可靠

1）配电箱内清洁，布线整齐，各种线路标志明显，连接可靠。

2）电器元件完整无损，定位可靠，接触良好，动作灵敏。

3）外部导线有完整保护装置，出入线口蛇皮管无脱落破损。

4）所有按钮、开关及各种显示信号作用可靠，仪表偏转灵活，误差在公差范围内。

6. 滑动部位运转正常，各滑动部件无严重拉、研、碰伤

1）各滑动部位及工作台台面应无明显的拉、研、碰伤，凡拉、研、碰伤超过下列标准之一者为严重损伤，即为不完好设备。

① 精密机床，拉伤深 0.3mm，宽 0.7mm，累计长度 100mm；研伤面积大于 50mm^2；碰伤印痕深 1mm，面积 15mm^2；每一表面伤痕超过 3 处，或 1 处面积大于 30mm^2。

② 一般机床，拉伤深 0.5mm，宽 1.5mm，累计长度 200mm；研伤面积大于 50mm^2；碰伤印痕深 1mm，面积 20mm^2；每一表面伤痕超过 3 处，或 1 处面积大于 50mm^2。

2）凡拉、研、碰伤经修复完整后，可列为合格，对虽非严重拉、研、碰伤者，仍应采取措施进行修复。

7. 机床整洁要求

1）机床各导轨、丝杠非滑动接触面清洁，无油垢积灰，罩壳内及机身外表无积垢、锈蚀。

2）润滑油箱、油池或液压油箱内清洁，油质符合要求。

8. 基本无漏油、漏水、漏气现象

1）机床 80% 以上的结合面不漏油，全部漏油点 1min 漏油不超过 3 滴。

2）各冷却系统接头无直线状漏水。

3）气动装置各阀及接头无明显漏气。

4）由于机床先天性的渗漏而难以整改者，应采取措施，使油液不滴到地面和不流入切削液池内。

9. 零部件完整，随机附件齐全

1）随机附件齐全，账物相符，保管妥善，无锈蚀、损伤。

2）机床上手柄、手球、螺钉、盖板无短缺，标牌完整清洁。

10. 安全防护装置齐全可靠

1）各种安全防护装置如传动带、齿轮、砂轮的罩壳、保险销、防尘罩等配备齐全，固定可靠。

2）接地装置可靠，其他电气保护装置完好。

对于金属切削机床以外的其他各类设备，可参照上述实施细则，制订其完好标准检查实施细则。总的要求应尽可能采用定量的数据，能较客观地反映设备完好情况。

第三节 设备维修的修理类别

设备在使用过程中，其零部件会逐渐产生磨损、变形、断裂、蚀损等现象（统称为有形磨损）。由于零部件使用的材质和工作条件不同，在一定时间内它们的有形磨损程度也不同。随着零部件磨损程度的逐渐增大，设备的技术状态将逐渐劣化。由于一些零件因磨损而失去原有的功能和精度，设备会出现故障，使整机丧失使用价值。设备技术状态劣化或发生故障后，为了恢复其功能和精度而采取的更换或修复磨损、失效的零件（包括基准件），并对整机或局部进行拆装、调整的技术活动，称为设备维修。所以，设备维修是使设备在一定时间内保持其规定功能和精度的重要措施。

一、维修方式

设备维修方式可分为预防维修、改善维修和事后维修。每种维修方式各有其适用范围。企业应根据自己的生产特点、设备特点及其使用条件，选择最适宜的维修方式。在一个企业内，也可同时采用几种维修方式，以达到设备综合效率高、停机损失小，在购置费不变的条件下寿命周期费用减到最低的目的。

1. 预防维修

为了防止设备性能、精度劣化或降低故障率，按事先规定的计划和相应的技术要求所进行的维修活动，称为预防维修。通常有两种预防维修方式，即定期维修和状态（监测）维修。实践证明，对有些设备只按照原设计结构和技术要求进行预防维修，往往不能从根本上改善和提高其可靠性和维修性。因此，在可能条件下应对设备进行"改善维修"。根据我国《设备管理条例》，预防为主是工业交通企业设备维修管理工作的重要方针。对生产设备实行预防维修，是贯彻这一方针的重要管理工作内容。

（1）定期维修 这是一种以时间为基础的预防维修方式。它具有对设备进行周期性修理的特点，根据设备的磨损规律，事先确定修理类别、修理间隔期及修理工作量，所需的备件、材料可以预计，因此可做较长时间的安排，修理计划按设备的实际开动时数安排。

定期维修方式适用于已掌握设备磨损规律和在生产过程中平时难以停机进行维修的流程生产、动能生产、自动线以及大批量生产中使用的主要设备。

企业采用这种维修方式时，对某类某种具体设备，除了吸收其他企业同类同种设备定期维修的经验外，应重视探索积累本企业具体设备的磨损规律，据以制订出适合本企业设备实际情况的修理周期结构，并在实践中不断修改完善，切不可按国内外其他企业确定的某种模式生搬硬套。

（2）状态（监测）维修 这是一种以设备技术状态为基础的预防维修方式，也称预知维修。它是根据设备的日常点检、定期检查、状态监测和诊断提供的信息，经过统计分析、处理，来判断设备的劣化程度，并在故障发生前有计划地进行适当的维修。由于这种维修方式是对设备适时地、有针对性地进行维修，不但能保证设备经常处于完好状态，而且能充分延长零件的使用寿命，因此比定期维修更为合理。但由于进行状态监测往往需要停机和使用价格昂贵的监测仪器，故它主要适用于连续运转的设备、利用率高的重点设备和大、精、稀设备。

2. 改善维修

为了消除设备的先天性缺陷或频发故障，对设备的局部结构或零件的设计加以改进，结合修理进行改装，以提高其可靠性和维修性的措施，称为改善维修。它也是预防维修的一项重要内容。

设备的改善维修与技术改造的区别是： 前者的目的在于改善和提高局部零件（部件）的可靠性和维修性，从而降低设备的故障率和减少维修时间及费用，而后者的目的在于局部补偿设备的无形磨损，从而提高设备的性能和精度。

3. 事后维修

设备发生故障，或性能、精度降低到合格水平以下时所进行的非计划性修理，称为事后维修，又称为故障修理。

生产设备发生故障后，往往会给生产造成较大损失，也会给修理工作造成被动和困难。但对故障停机后再修理并不会给生产造成损失的设备，则采用事后维修方式往往更经济。例如，对利用率低、修理技术不复杂、能及时提供备件、实行预防维修经济上不合算的设备，便可采用这种维修方式。

二、修理类别

修理类别是根据修理内容和要求以及工作量的大小，对设备修理工作的划分。预防维修的修理类别有大修、项修、小修、定期精度调整。

1. 大修

设备的大修是工作量最大的一种计划修理。大修时，对设备的全部或大部分部件拆卸分解；修复基准件；更换或修复全部不合用的零件；修理、调整设备的电气系统；修复设备的附件以及翻新外观等，从而达到全面消除修前存在的缺陷，恢复设备的规定精度和性能。

2. 项修

项目修理（简称项修）是根据设备的实际技术状态，对状态劣化已达不到生产工艺要求的项目，按实际需要进行针对性的修理。项修时，一般要进行部分拆卸、检查，更换或修复失效的零件，必要时对基准件进行局部修理和校正，从而恢复所修部分的性能和精度。项修的工作量视实际情况而定。

项修是在总结我国过去实行设备计划预修制正反两方面经验的基础上，随着状态监测维修的推广应用，在实践中不断改革而产生的。过去在实行设备计划预修制中，往往忽视具体设备的出厂质量、使用条件、负荷率、维护优劣等情况的差异，而按照统一的修理周期结构及修理间隔期安排计划修理，从而产生以下两种弊病：一是设备的某些部件技术状态尚好，却到期安排了中修或大修，造成过剩修理；二是设备的技术状态劣化已难以满足生产工艺要求，因未到修理期而不安排计划修理，造成失修。采用项修可以避免上述弊病，并可缩短停修时间和降低修理费用。特别是对单一关键设备，可以利用生产间隙时间（节假日）进行项修，从而保证生产的正常进行。因此，目前我国许多企业已较广泛地实行项修，并取得良好的效益。

3. 小修

设备的小修是工作量最小的一种计划修理。对于实行状态（监测）维修的设备，小修的工作内容主要是针对日常点检和定期检查发现的问题，拆卸有关的零部件，进行检查、调整、更换或修复失效的零件，以恢复设备的正常功能。

对于实行定期维修的设备，小修的工作内容主要是根据掌握的磨损规律，更换或修复在修理间隔期内失效或即将失效的零件，并进行调整，以保证设备的正常工作能力。

由上可见，两种预防维修方式的小修工作内容，均主要为更换或修复失效的零件，但确定失效零件的依据不同。显然，状态（监测）维修因针对性更强，故更为合理。

设备大修、项修与小修工作内容的比较见表 7-3。

4. 定期精度调整

定期精度调整是指对精、大、稀设备的几何精度定期进行调整，使其达到（或接近）规定标准，精度调整的周期一般为 1~2 年。调整时间最好安排在气温变化较小的季节。例如在我国北方，以每年的 5、6 月份或 9、10 月份为宜。

表 7-3 设备大修、项修与小修工作内容的比较

标准要求	修理类别		
	大修	项修	小修
拆卸分解程度	全部拆卸分解	针对检查部位,部分拆卸分解	拆卸、检查部分磨损严重的机件和污秽部位
修复范围和程度	修理基准件,更换或修复主要件、大型件及所有不合格的零件	根据修理项目,对修理部位进行修复,更换不合格的零件	清除污垢,调整零件间隙及相对位置,更换或修复不能使用的零件,修复达不到完好程度的部位
刮研程度	加工和刮研全部滑动接合面	根据修理项目决定刮研部位	必要时,局部修刮,填补划痕
精度要求	按大修理精度及通用技术标准检查验收	按预定要求验收	按设备完好标准要求验收
表面修饰要求	全部外表面刮腻子、打光、喷漆,手柄等零件重新电镀	补漆或不进行	不进行

实行定期精度调整,有利于保持设备精度的稳定性,以保证产品质量。

第四节 设备维修工艺基础

设备维修主要内容包括机械设备及主要零部件的精度检测、拆卸与装配、零件的修复工艺及刮研技术等。本节只介绍机械设备的拆卸和零件的修复工艺。

一、机械设备的拆卸

任何机械设备都是由许多零部件组合成的。需要维修的机械设备,必须经过拆卸才能对失效了的零部件进行修复或更换。如果拆卸不当,往往造成零部件损坏,设备精度降低,有时甚至无法修复。机械设备拆卸的目的是便于检查和修理机械零、部件,拆卸工作约占整个修理工作量的 20%。因此,为保证修理质量,在动手拆卸机械设备前,必须周密计划,对可能遇到的问题有所估计,做到有步骤地拆卸,一般应遵循下列规则和要求:

1. 拆卸前的准备工作

(1) **拆卸场地的选择与清理** 拆卸前应选择好工作地点,不要选在有风沙、尘土的地方。工作场地应是避免闲杂人员频繁出入的地方,以防造成意外的混乱。不要使泥土、油污等弄脏工作场地的地面。机械设备进入拆卸地点之前应进行外部清洗,以保证机械设备的拆卸不影响其精度。

(2) **保护措施** 在清洗机械设备外部之前,应预先拆下或保护好电气设备,以免受潮损坏。对于易氧化、锈蚀等零件要及时采取相应的保护保养措施。

(3) **拆卸前放油** 尽可能在拆卸前将机械设备中的润滑油趁热放出,以利于拆卸工作的顺利进行。

(4) **了解机械设备的结构、性能和工作原理** 为避免拆卸工作中的盲目性,确保修理工作的正常进行,在拆卸前,应详细了解机械设备各方面的状况,熟悉机械设备各个部分的结构特点、传动系统,以及零部件的结构特点和相互间的配合关系,明确其用途和相互间的作用,以便合理安排拆卸步骤和选用适宜的拆卸工具或设施。

2. 拆卸的一般原则

(1) **根据机械设备的结构特点,选择合理的拆卸步骤** 机械设备的拆卸顺序,一般是先由整体拆成总成,由总成拆成部件,由部件拆成零件,或由附件到主机,由外部到内部。在拆卸比较复杂的部件时,必须熟读装配图,并详细分析部件的结构以及零件在部件中所起的作用,特别应注意那些装配精度要求高的零部件。这样,可以避免混乱,使拆卸有序,达到有利于清洗、检查和鉴定的目的,为维修工作打下良好的基础。

(2) 合理拆卸　在机械设备的维修拆卸中，应坚持"能不拆的就不拆，该拆的必须拆"的原则。若零、部件不必拆卸就合要求，就不必拆开，这样不但可减少拆卸工作量，而且还能延长零、部件的使用寿命。对于过盈配合的零、部件，拆装次数过多会使过盈量消失而致使装配不紧固；对于较精密的间隙配合件，拆后再装，很难恢复已磨合的配合关系，从而加速零件的磨损。但是，对于不拆开难以判断其技术状态，而又可能产生故障的，或无法进行必要保养的零、部件，则一定要拆开。

(3) 正确使用拆卸工具和设备　在弄清楚了拆卸机械设备零、部件的步骤后，合理选择和正确使用相应的拆卸工具是很重要的。拆卸时，应尽量采用专用的或选用合适的工具和设备，避免乱敲乱打，以防零件损伤或变形。例如，拆卸轴套、滚动轴承、齿轮、带轮等时，应该使用顶拔器或压力机；拆卸双头螺柱或螺母时，应尽量采用尺寸相符的呆扳手。

3. 拆卸时的注意事项

在机械设备维修中，拆卸时还应考虑到维修后的装配工作，为此应注意以下事项：

(1) 对拆卸零件要做好核对工作或做好记号　机械设备中有许多配合的组件和零件，因为经过选配或重量平衡等原因，装配的位置和方向均不允许改变。如汽车发动机中各缸的挺杆、推杆和摇臂，在运行中各配合副表面得到较好的磨合，不宜变更原有的匹配关系；如多缸内燃机的活塞连杆组件，是按重量成组选配的，不能在拆装后互换。因此在拆卸时，有原记号的要核对，如果原记号已错乱或有不清晰者，则应按原样重新标记，以便安装时对号入座，避免发生错乱。

(2) 分类存放零件　对拆卸下来的零件存放应遵循如下原则：同一总成或同一部件的零件应尽量放在一起；根据零件的大小与精密度分别存放；不应互换的零件要分组存放；怕脏、怕碰的精密零部件应单独拆卸与存放；怕油的橡胶件不应与带油的零件一起存放；易丢失的零件，如垫圈、螺母要用钢丝串在一起或放在专门的容器里；各种双头螺柱应装上螺母存放。

(3) 保护拆卸零件的加工表面　在拆卸的过程中，一定不要损伤拆卸下来的零件的加工表面，否则将给修复工作带来麻烦，并会引起漏气、漏油、漏水等故障，也会导致机械设备的技术性能降低。

4. 常用零部件的拆卸方法

常用零部件的拆卸应遵循拆卸的一般原则，并结合其各自的特点，采用相应的拆卸方法来达到拆卸的目的。

(1) 主轴部件的拆卸　在图7-1中，高精度磨床主轴部件在装配时，其左右两组轴承及其垫圈、轴承外壳、主轴等零件的相对位置是以误差相消法来保证的。为了避免拆卸不当而降低装配精度，在拆卸时，轴承、垫圈、磨具壳体及主轴在圆周方向的相对位置上都应做上记号，拆卸下来的轴承及内外垫圈各成一组分别存放，不能错乱。拆卸处的工作台及周围场地必须保持清洁，拆卸下来的零件放入油内以防生锈。装配时仍需按原记号方向装入。带轮与砂轮轴套可用顶拔器拆卸，主轴可用拔销器拆卸。

(2) 齿轮副的拆卸　为了提高传动链精度，对传动比为1的齿轮副通常采用误差相消法装配，即将一外齿轮的最大径向圆跳动处的齿间与另一个齿轮的最小径向圆跳动处的齿间相啮合。为避免拆卸后再装配误差不能相消除，拆卸时在两齿轮的相互啮合处做上记号，以便装配时恢复原精度。

(3) 轴上定位零件的拆卸　在拆卸齿轮箱中的轴类零件时，必须先了解轴的阶梯方向，进而决定拆卸轴时的移动方向，然后拆去两端轴盖和轴上的轴向定位零件，如紧固螺钉、圆螺母、弹簧垫圈、保险弹簧等。先解除装在轴上的齿轮、套等不能通过轴盖孔的零件的轴向紧固关系，并注意轴上的键能随轴通过各孔，才能用铜锤击打轴端面或用铁锤通过垫铜棒敲击拆卸轴。否则不仅拆不下轴，还会造成对轴的损伤。

(4) 螺纹连接的拆卸　螺纹连接在机械设备中是最为广泛的连接方式，它具有结构简单、调整方便和多次拆卸装配等优点。其拆卸虽然比较容易，但往往因重视不够、工具选用不当、拆卸方法不正确等而造成损坏。因此拆卸螺纹连接件时，一定要注意选用合适的呆扳手或一字旋具，尽量不用活扳手。对于较难拆卸的螺纹连接件，应先弄清楚螺纹的旋向，不要盲目乱拧或用过长的加力杆。拆卸双头螺柱时，要用专用的扳手。

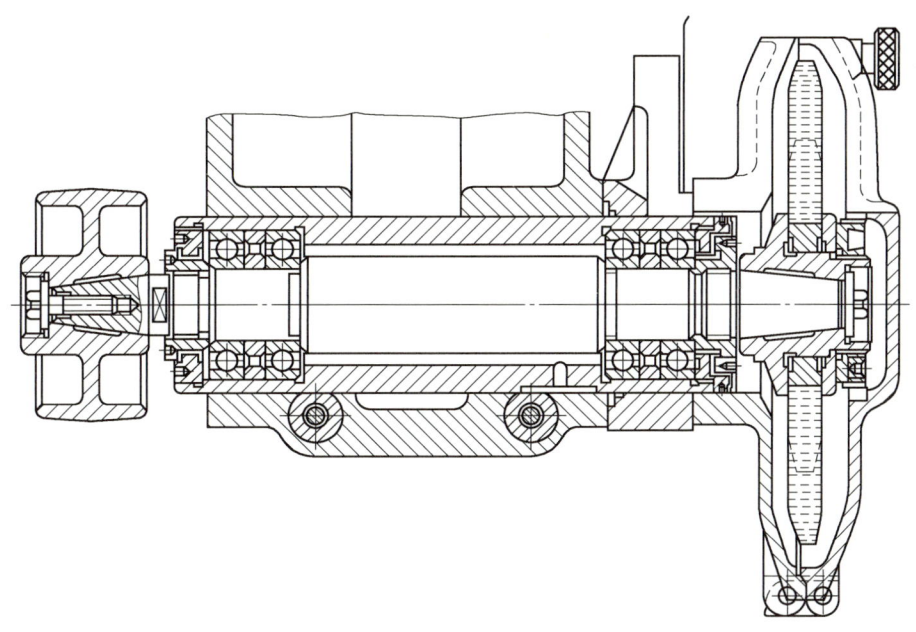

图 7-1 磨床主轴部件

1）断头螺钉的拆卸。断头螺钉有断头在机体表面及以下和断头露在机体表面外一部分等情况，根据这些情况，可选用不同的方法进行拆卸。

如果螺钉断在机体表面及以下时，可以采用下列方法进行拆卸：

① 在螺钉上钻孔，打入多角淬火钢杆，将螺钉拧出，如图 7-2 所示。注意打击力不可过大，以防损坏机体上的螺纹。

② 在螺钉中心钻孔，攻反向螺纹，拧入反向螺钉旋出，如图 7-3 所示。

③ 在螺钉上钻直径相当于螺纹小径的孔，再用同规格的螺纹刃具攻螺纹；或钻相当于螺纹大径的孔，重新攻一比原螺纹直径大一级的螺纹，并选配相应的螺钉。

④ 用电火花在螺钉上打出方形或扁形槽，再用相应的工具拧出螺钉。

如果螺钉的断头露在机体表面外一部分时，可以采用下列方法进行拆卸：

① 在螺钉的断头上用钢锯锯出沟槽，然后用一字螺钉旋具将其拧出；或在断头上加工出扁头或方头，然后用扳手拧出。

② 在螺钉的断头上加焊一弯杆或加焊一螺母拧出，如图 7-4 所示。

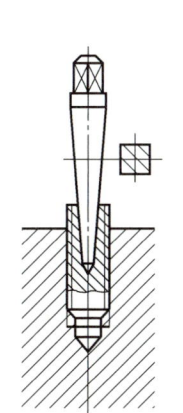

图 7-2 多角淬火钢杆
拆卸断头螺钉

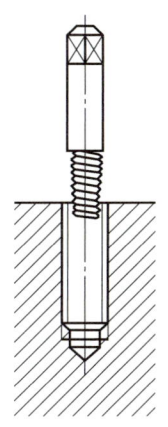

图 7-3 攻反向螺纹拆卸
断头螺钉

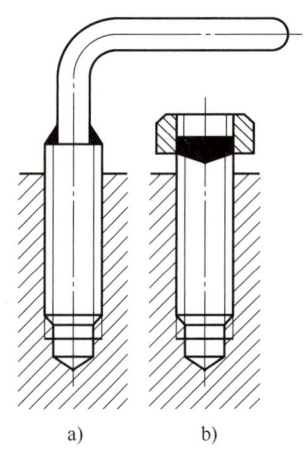

图 7-4 露在机体表面外
断头螺钉的拆卸
a）加焊弯杆 b）加焊螺母

③ 断头螺钉较粗时，可用扁錾子沿圆周剔出。

2）打滑内六角圆柱头螺钉的拆卸。六角螺钉用于固定连接的场合较多，当内六角磨圆后会产生打滑现象而不容易拆卸，这时用一个孔径比螺钉头外径稍小一点的六方螺母，放在内六角圆柱头螺钉头上，如图7-5所示，然后将螺母与螺钉焊接成一体，待冷却后用扳手拧六方螺母，即可拧出螺钉。

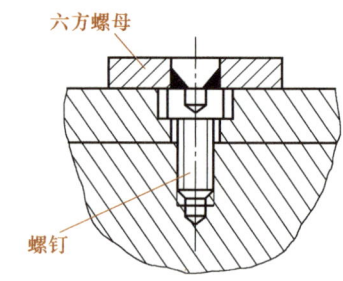

图 7-5 打滑内六角圆柱头螺钉的拆卸

3）锈死螺纹件的拆卸。锈死的螺纹件有螺钉、双头螺柱、螺母等，当其用于紧固或连接时，由于生锈而很不容易拆卸，这时可采用下列方法进行拆卸：

① 用锤子敲击螺纹件的四周，以振松锈层，然后拧出。

② 可先向拧紧方向稍拧动一点，再向反方向拧，如此反复拧紧和拧松，逐步拧出为止。

③ 在螺纹件四周浇些煤油或松动剂，浸渗一定时间后，先轻轻锤击四周，使锈蚀面略微松动后，再行拧出。

④ 若零件允许，还可采用快速加热包容件的方法，使其膨胀，然后迅速拧出螺纹件。

⑤ 采用车、锯、錾、气割等方法，破坏螺纹件。

4）成组螺纹连接件的拆卸。成组螺纹连接件的拆卸，除按照单个螺纹件的方法拆卸外，还要做到如下几点：

① 首先将各螺纹件拧松1～2圈，然后按照一定的顺序，先四周后中间按对角线方向逐一拆卸，以免力量集中到最后一个螺纹件上，造成难以拆卸或零部件的变形和损坏。

② 处于难拆部位的螺纹件要先拆卸下来。

③ 拆卸悬臂部件的环形螺柱组时，要特别注意安全。首先要仔细检查零部件是否垫稳，起重索是否捆牢，然后从下面开始按对称位置拧松双头螺柱进行拆卸。最上面的一个或两个双头螺柱，要在最后分解吊离时拆下，以防事故发生或零部件损坏。

④ 注意仔细检查在外部不易观察到的螺纹件，在确定整个成组螺纹件已经拆卸完后，方可将连接件分离，以免造成零、部件的损伤。

(5) 过盈配合件的拆卸　拆卸过盈配合件时，应视零件配合尺寸和过盈量的大小，选择合适的拆卸方法和工具、设备，如顶拔器、压力机等，不允许使用铁锤直接敲击零部件，以防损坏零部件。在无专用工具的情况下，可用木锤、铜锤、塑料锤或垫以木棒（块）、铜棒（块）用铁锤敲击。无论使用何种方法拆卸，都要检查有无销、螺钉等附加固定或定位装置，若有应先拆下；施力部位必须正确，以使零件受力均匀不歪斜，如对于轴类零件，力应作用在受力面的中心；要保证拆卸方向的正确性，特别是带台阶、有锥度的过盈配合件的拆卸。

滚动轴承的拆卸属于过盈配合件的拆卸范畴。滚动轴承的使用范围较广泛，又有其拆卸特点，所以在拆卸时，除遵循过盈配合件的拆卸要点外，还要考虑到它自身的特殊性。

1）拆卸尺寸较大的轴承或其他过盈配合件时，为了使轴和轴承免受损害，要利用加热来拆卸。图7-6所示是使轴承内圈加热而拆卸轴承的情况。加热前把靠近轴承的那一部分轴用石棉隔离开来，然后在轴上套上一个套圈使零件隔热，再将拆卸工具的抓钩抓住轴承的内圈，迅速将加热到100℃的油倒到轴承内圈上，使轴承内圈加热，然后开始从轴上拆卸轴承。

2）齿轮两端装有圆锥滚子轴承的外圈，如图7-7所示，如果用顶拔器不能拉出轴承的外圈时，可同时用干冰局部冷却轴承的外圈，然后迅速从齿轮中拉出圆锥滚子轴承的外圈。

3）拆卸滚动球轴承时，应在轴承内圈上加力拆下。拆卸位于轴末端的轴承时，可用小于轴承内径的铜棒、木棒或软金属抵住轴端，轴承下垫以垫块，再用锤子敲击，如图7-8所示。

若用压力机拆卸位于轴末端的轴承，可用图7-9所示的垫法将轴承压出。用此方法拆卸轴承的关键是必须使垫块同时抵住轴承的内、外圈，且着力点正确。否则，轴承将受损伤。垫块可用两块等高的方铁或U形和两半圆形垫铁。

第七章 设备的维护

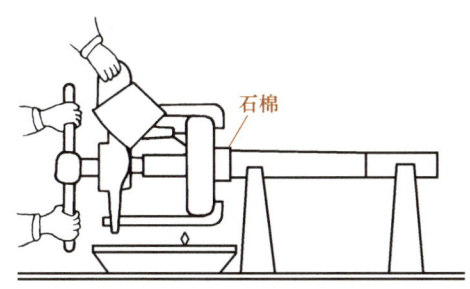

图 7-6 滚动轴承的加热拆卸

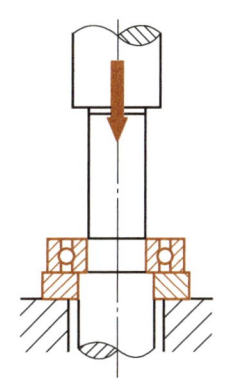

图 7-7 轴承的冰冷拆卸

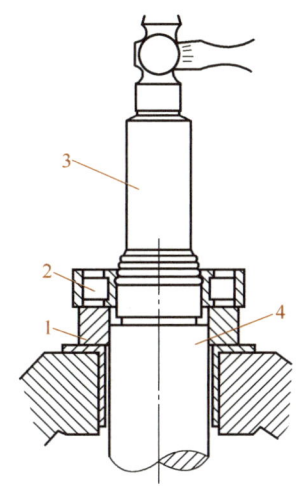

图 7-8 用锤子、铜棒拆卸轴承
1—垫块　2—轴承　3—铜棒　4—轴

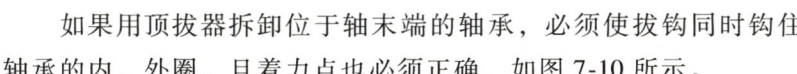

图 7-9 用压力机拆卸轴承

如果用顶拔器拆卸位于轴末端的轴承，必须使拔钩同时钩住轴承的内、外圈，且着力点也必须正确，如图 7-10 所示。

4）如果因轴承内圈过紧或锈死而无法拆卸，则应破坏轴承内圈而保护轴。可使用氧炔焰气割等方法将轴承内圈切割掉或者将轴承内圈加热退火，然后将其车掉。操作时应注意安全。

（6）不可拆连接件的拆卸　不可拆连接件有焊接件和铆接件等，焊接、铆接属于永久性连接，在修理时通常不拆卸。

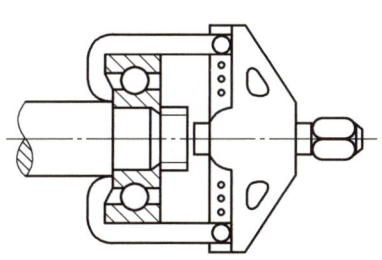

图 7-10 用顶拔器拆卸轴承

1）焊接件的拆卸可用锯削、扁錾子切割或用小钻头排钻孔后再锯、再錾，也可用氧炔焰气割等方法。

2）铆接件的拆卸可用錾子切割掉铆钉头，或用锯割掉铆钉头，或气割掉铆钉头，或用钻头钻掉铆钉等。操作时，应注意不要损坏基体零件。

二、机械零件的修复工艺

图 7-11 所示为目前在机械修理行业已经广泛采用的各种修复工艺，它们都取得了明显的经济效果。下面着重介绍一般常用的零件修复技术——机械修复法。机械修复法可分为修理尺寸法、镶加零件修复法和局部修换法。

1. 修理尺寸法

对机械设备的动配合副中较复杂的零件修理时可不考虑原来的公称尺寸，而采用切削加工和其他

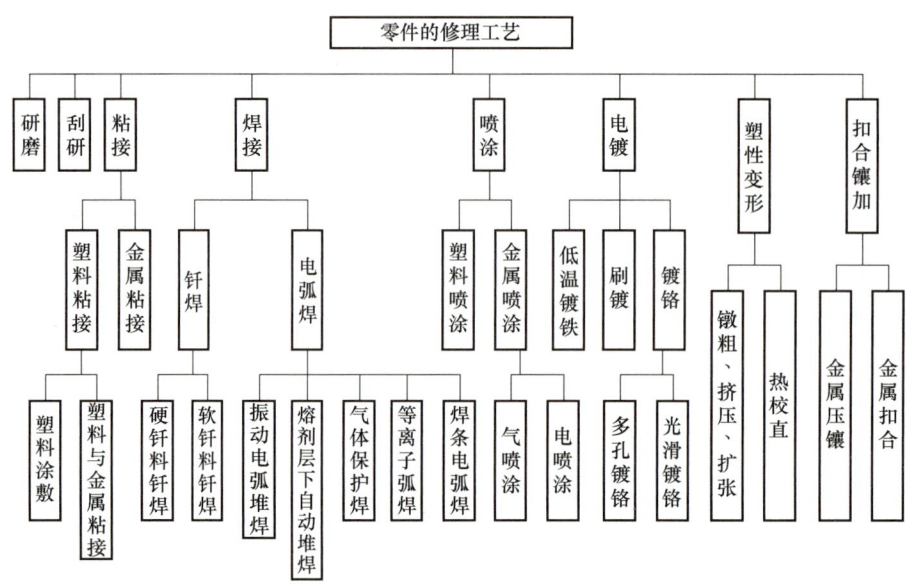

图 7-11 机械零件的修复工艺

加工方法恢复其磨损部位的形状精度、位置精度、表面粗糙度和其他技术条件，从而获得一个新尺寸（这个新尺寸，对轴来说比原来公称尺寸小，对孔来说则比原来公称尺寸大），称为修理尺寸，而与此相配合的另一个较简单的零件则按相应尺寸制作新件或修复，保证原有的配合性质不变，这种方法称为修理尺寸法。

轴颈、传动螺纹、键槽和滑动导轨等结构都可以采用这种方法修复。但必须注意，修理后零件的强度和刚度仍应符合要求，必要时要进行验算，否则不宜使用该法修理。对于表面热处理的零件，修后仍应具有足够的硬度，以保证零件修理后的使用寿命。

修理尺寸法的应用极为普遍，为了得到一定的互换性，便于组织备件的生产和供应，大多数修理尺寸均已标准化，各种主要修理零件都规定有它的各级修理尺寸。如内燃机气缸套的修理尺寸，通常规定了几个标准尺寸，以适应尺寸分级的活塞备件。

零件修复中，机械加工是最基本、最重要的方法。多数失效零件需要经过机械加工来消除缺陷，最终达到配合精度和表面粗糙度等要求。它不仅可以作为一种独立的工艺手段获得修理尺寸，直接修复零件，而且是其他修理方法修前工艺准备和最后加工必不可少的手段。

修复旧件的机械加工与新制件加工相比较有不同的特点，它的加工对象是成品旧件，除工作表面磨损外，往往会有变形；一般加工余量小；原来的加工基准多数已经破坏，给装夹定位带来困难；加工表面性能已定，一般不能用工序来调整，只能以加工方法来适应它；多为单件生产，加工表面多样，组织生产比较困难等。了解这些特点，有利于确保修理质量。要使修理后的零件符合制造图样规定的技术要求，修理时不能只考虑加工表面本身的形状精度要求，而且要保证加工表面与其他未修表面之间的相互位置精度要求，并使加工余量尽可能小。必要时，需要设计专用的夹具。因此要根据具体情况，合理选择零件的修理基准和采用适当的加工方法来加以解决。

加工后零件表面粗糙度对零件的使用性能和寿命均有影响，如对零件工作精度及保持性、抗疲劳强度、零件之间配合性质、耐腐蚀性等的影响。对承受冲击和交变载荷、重载、高速的零件更要注意表面质量，同时还要注意轴类零件的圆角半径，以免形成应力集中。另外，高速运转的零件修复时，还要保证其应有的静平衡和动平衡要求。

使用机械加工的修理方法，简便易行，修理质量稳定可靠，经济性好，在旧件修复中应用十分广泛。缺点是零件的强度和刚度削弱，需要更换或修复相配件，使零件互换性复杂化。今后应加强修理尺寸的标准化工作。

2. 镶加零件修复法

配合零件磨损后，在结构和强度允许的条件下，增加一个零件来补偿由于磨损及修复而去掉的部分，以恢复原有零件精度，这样的方法称为镶加零件修复法。常用的有扩孔镶套、加垫等方法。如图 7-12 所示，在零件裂纹附近局部镶加补强板，一般采用钢板加强，使用螺钉连接。脆性材料裂纹应钻止裂孔，通常在裂纹末端钻直径为 3~6mm 的孔。

图 7-13 所示为镶套修复法。对于损坏的孔，可镗大后镶套，镗孔尺寸应保证套有足够刚度，套的外径应保证与孔有适当过盈量，套的内径可事先按照轴径配合要求加工好，也可留有加工余量，镶入后再镗削加工至要求的尺寸。对于损坏的螺纹孔，可将旧螺纹孔扩大，再切削螺纹，然后加工一个内外均有螺纹的螺纹套拧入螺纹孔中，螺纹套内螺纹即可恢复原尺寸。对损坏的轴颈也可用镶套法修复。

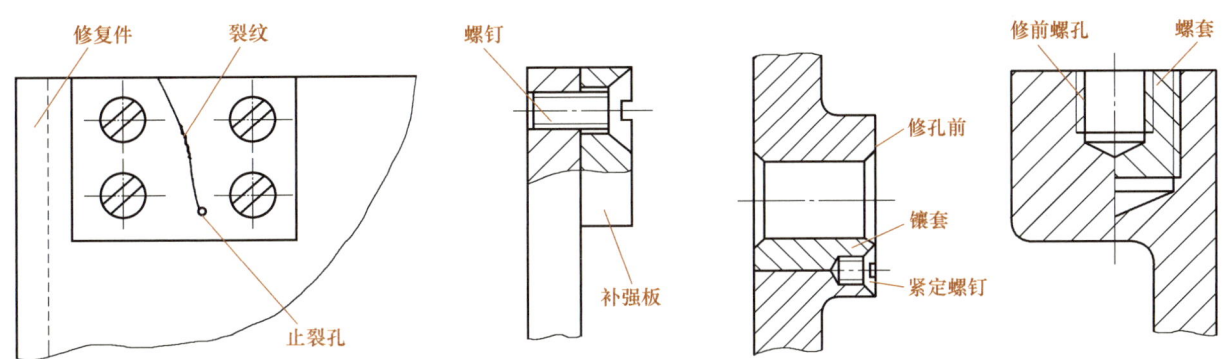

图 7-12　镶加补强板　　　　　图 7-13　镶套修复法

镶加零件修复法在维修中应用很广，镶加件磨损后可以更换。有些机械设备的某些结构，在设计和制造时就应用了这一原理。对于一些形状复杂或贵重零件，在容易磨损的部位，预先镶装上零件，以便磨损后只需更换镶加件，即可达到修复的目的。

在车床上，丝杠、光杠、操纵杠与支架配合的孔磨损后，可将支架上的孔镗大，然后压入轴套。轴套磨损后可再进行更换。

汽车发动机的整体式气缸磨损到极限尺寸后，一般都采用镶加零件法或用修理尺寸法修理。

箱体零件的轴承座孔，磨损超过极限尺寸时，也可以将孔镗大，用镶加一个铸铁或低碳钢套的方法进行修理。

图 7-14 所示为机床导轨的凹坑，可采用镶铸铁塞的方法进行修理。先在凹坑处钻孔、铰孔，然后制作铸铁塞，该塞子应能与铰出的孔过盈配合。将塞子压入孔后，再进行导轨精加工。如果塞子与孔配合良好，加工后的接合面非常光整平滑。严重磨损的机床导轨，可采用镶加淬火钢镶条的方法进行修复，如图 7-15 所示。

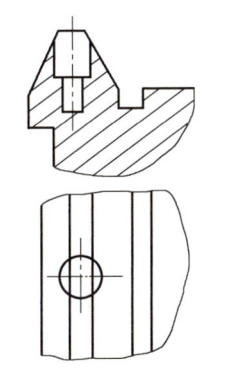 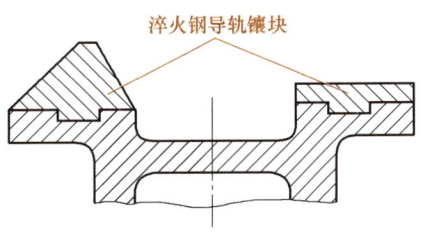

图 7-14　机床导轨镶铸铁塞　　　　　图 7-15　床身镶加淬火钢导轨

应用这种修复方法时应注意：镶加零件的材料和热处理，一般应与基体相同，必要时选用比基体性能更好的材料。为了防止松动，镶加零件与基体零件配合要有适当的过盈量，必要时可在端部使用加黏结剂、止动销、紧定螺钉、骑缝螺钉或点焊固定等方法定位。

3. 局部修换法

有些零件在使用过程中，往往各部位的磨损量不均匀，有时只有某个部位磨损严重，而其余部位尚好或磨损轻微。在这种情况下，如果零件结构允许，可将磨损严重的部位切除，将这部分重制新件，用机械连接、焊接或粘接的方法固定在原来的零件上，使零件得以修复的方法称为局部修换法。图 7-16a 所示是将双联齿轮中磨损严重的小齿轮轮齿切去，重制一个小齿圈，用键连接，并用骑缝螺钉固定的局部修换。图 7-16b 所示是在保留的轮毂上，铆接重制的齿圈的局部修换。图 7-16c 所示是局部修换牙嵌离合器以粘接法固定。局部换修法应用很广泛。

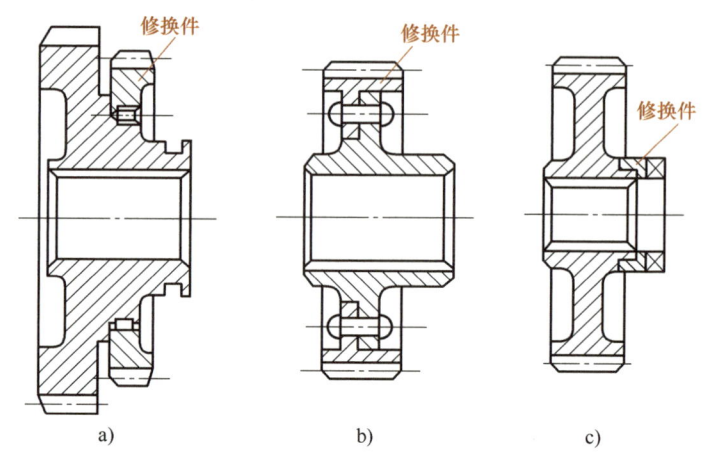

图 7-16 局部修换法

以上只是零件修复工艺方法的几种，一些典型零件和典型表面的修复工艺选择见表 7-4～表 7-7。

表 7-4 轴的修复工艺选择

序号	零件磨损部位	修理方法	
		达到公称尺寸	达到修配尺寸
1	滑动轴承的轴径及外圆柱面	镀铬、镀铁、金属喷涂堆焊并加工至公称尺寸	车削或磨削提高几何形状精度
2	装滚动轴承的轴径及过盈配合面	镀铬、镀铁、堆焊、滚花、化学镀铜（0.05mm 以下）	
3	轴上键槽	堆焊修理键槽,转位加工键槽	键槽加宽,不大于原宽度的 1/7,修配键
4	花键	堆焊重铣或镀铁后磨,最好用振动焊	
5	轴上螺纹	堆焊,重车螺纹	车成小一级的螺纹
6	外圆锥面		磨到较小尺寸
7	圆锥孔		磨到较大尺寸
8	轴上销孔		较大一些
9	扁头、方头及球面	堆焊	加工修理几何形状
10	一端损坏	切削损坏的一段,焊接一段,加工至公称尺寸	
11	弯曲	校正并进行低温时效处理	

表 7-5 孔的修复工艺选择

序号	零件磨损部位	修理方法	
		达到公称尺寸	达到修配尺寸
1	孔径	镶套、堆焊、电镀、粘补	镗孔
2	键槽	堆焊处理,转位另插键槽	加宽键槽

（续）

序号	零件磨损部位	修理方法	
		达到公称尺寸	达到修配尺寸
3	螺纹孔	镶螺纹套，可改变零件位置，转位重钻孔	加大螺纹孔至大一级的螺纹
4	圆锥孔	镗孔后镶套	刮研或磨削修整形状
5	销孔	移位重钻，铰削孔	铰孔
6	凹坑、球面窝及小槽	铣掉重镶	扩大修整形状
7	平面组成的导槽	镶垫片、堆焊、粘补	加工槽形

表7-6 齿轮的修复工艺选择

序号	零件磨损部分	修理方法	
		达到公称尺寸	达到修配尺寸
1	轮齿	1）利用花键孔，镶新轮圈插齿 2）齿轮局部断裂，堆焊加工成形 3）内孔镀铁后磨	大齿轮加工成负变位齿轮（硬度低，可加工者）
2	齿角	1）对称形状的齿轮掉头倒角使用 2）堆焊齿角后加工	锉磨齿角
3	孔径	镶套、镀铬、镀镍、镀铁、堆焊	磨孔配轴
4	键槽	堆焊加工或转位另开键槽	加宽键槽、另配键
5	离合器爪	堆焊后加工	

表7-7 其他典型零件的修复工艺选择

序号	零件名称	磨损部分	修理方法	
			达到公称尺寸	达到修配尺寸
1	导轨、滑板	滑动面研伤	粘补或镶板后加工	电弧冷焊补、钎焊
2	丝杠	螺纹磨损 轴径磨损	1）掉头使用 2）切除损坏的非螺纹部分，焊接以后重车 3）堆焊轴径后重车	1）校直后车削螺纹进行时效处理，另配螺母 2）轴径部分车削或磨削
3	滑移拨叉	拨叉侧面磨损	铜焊、堆焊后加工	
4	楔铁	滑动面磨损	铜焊接长、粘接及钎焊巴氏合金、镀铁	
5	活塞	外径磨损镗缸后与气缸的间隙增大，活塞环槽磨宽	移位、车活塞环槽	喷涂金属，着力部分浇注巴氏合金，按分级修理尺寸车宽活塞环槽
6	阀座	阀门结合面磨损		车削及研磨结合面
7	制动轮	轮面磨损	堆焊后加工	车削至较小尺寸
8	杠杆及连杆	孔磨损	镶套、堆焊、焊堵后重新加工孔	扩孔

第五节 判断、分析和排除设备常见故障的方法

设备故障是多种多样的,可以从不同角度对其进行分类。一般按故障发生状态,可分为:

(1) 渐发性故障 渐发性故障是由于设备初始参数逐渐劣化而产生的,大部分机器的故障都属于这类故障。这类故障与材料的磨损、腐蚀、疲劳及蠕变等过程有密切的关系。

(2) 突发性故障 突发性故障是各种不利因素以及偶然的外界影响共同作用而产生的,这种作用超出了设备所能承受的限度。这类故障的例子有:机器使用不当或超负荷引起的零件折断;设备各项参数达到极值引起的零件变形和断裂。此类故障往往是突然发生的,事先无任何征兆。

突发性故障多发生在设备初期使用阶段,往往是由设计、制造、装配以及材质等缺陷,或者操作失误、违章作业造成的。

每一种故障都有其主要特征,即所谓故障模式,或故障状态。各种设备的故障状态是相当繁杂的,但可归纳出以下数种:异常振动、磨损、疲劳、裂纹、破裂、过度变形、腐蚀、剥离、渗漏、堵塞、松弛、绝缘老化、异常声响、油质劣化、材料劣化、粘合、污染及其他。不同类型设备的各种故障模式所占比例见表7-8。

表7-8 回转设备和静止设备故障率统计表

故障模式	回转设备(%)	静止设备(%)	故障模式	回转设备(%)	静止设备(%)
异常振动	30.4	—	油质劣化	3	3.6
磨损	19.8	7.3	材料劣化	2.5	5.8
异常声响	11.4	—	松弛	3.3	1.5
腐蚀	2.5	32.1	异常温度	2.1	2.2
渗漏	2.5	10.2	堵塞	—	3.7
裂纹	8.4	18.3	剥离	1.7	2.9
疲劳	7.6	5.8	其他	4	4.4
绝缘老化	0.8	2.2	合计	100	100

一、故障分析与故障排除程序

为确保故障分析与排除的快捷、有效,必须遵循一定的程序,这种程序大致如下:

第一步,保持现场的情况下进行症状分析。

(1) 询问操作人员

1) 发生了什么故障?在什么情况下发生的?什么时候发生的?

2) 设备已经运行了多久?

3) 故障发生前有无任何异常现象?有何声响或声光报警信号?有无烟气或异味?有无误操作(注意询问方式)?

4) 控制系统操作是否正常?操作程序有无变动?在操作时是否有特殊困难或异常?

(2) 观察整机状况及各项运行参数

1) 有无明显的异常现象?零件有无卡阻或损伤?管线有否松动或泄漏?电缆(线)有无破裂、擦伤或烧毁?

2) 设备运行参数有何变化?有无明显的干扰信号?有无明显的损坏信号?

(3) 检查监测指示装置

1) 检查所有读数值是否正常,包括压力表及其他仪表读数,油面高度情况。

2）检查过滤器、报警器及联锁装置、打印输出或显示器是否正常。

（4）点动设备检查（在允许的条件下） 检查间歇情况、持久情况、快进或慢进时的情况，看在这些情况下是否影响输出，是否可能引起损坏或其他危险。

第二步，检查设备（包括零、部件或线路）。

（1）利用感官检查（继续深入观察的过程）

1）看。插头及插座有无异常，电动机或泵的运转是否正常，控制调整位置是否正确，有无起弧或烧焦的痕迹，电子管灯丝亮不亮，液体有无泄漏，润滑油路是否畅通等。

2）摸。设备振动情况，元（组）件的热度，油管的温度，机械运动的状态。

3）听。有无异常声响。

4）嗅。有无焦味、漏气味、其他异味。

5）查。工件的形状与位置变化，设备性能参数的变化，线路异常检查。

（2）评定检查结果 评定故障判断是否正确，故障线索是否找到，各项检查结果是否一致。

第三步，故障位置的确定。

（1）识别系统结构及确定测试方法 查阅设备说明书，识别设备是哪一种结构，用什么方法进行测试，需要什么测试手段，可能获得什么测试参数或性能参数，在什么操作条件下进行测试，必须遵守哪些安全措施，是否需要操作许可证。

（2）系统检测 采用最适合于系统结构的技术检测，在合适的测试点，根据输入和反馈所得结果与正常值或性能标准进行比较，查出可疑位置。

第四步，修理或更换。

（1）修理 查找故障原因，针对设备故障进行修理并采取预防措施；检查相关零件，防止故障扩散。

（2）更换 正确装配调试更换零件，并注意相关件。对换下的零件修理或报废。

第五步，进行性能测定。

（1）起动设备 零部件装配调试后起动设备，先手动（或点动），然后进行空载和负载测定。

（2）调节负载变化 速度由低到高，负载由小到大，按规定的标准测定性能。

（3）扩大性能试验范围 根据需要，由局部到系统逐步扩大性能试验范围。注意非故障区系统运行状况。如果性能满足要求，则交付使用；如果不满足要求，则重新确定故障部位。

第六步，记录并反馈。

（1）收集有价值的资料及数据 如故障发生的时间、故障现象、停机时间、花费修理工时、修换了哪些零件、修理的效果、待解决的问题、结算费用等，按规定要求存入档案。

（2）统计分析 定期分析设备使用记录，分析停机损失，修订备件目录，寻找减少维修作业的重点措施，研究故障机理，提出改进措施。

（3）按程序反馈 有关故障上报主管部门，反馈给设备制造单位。

二、典型常见故障排除案例

为了帮助大家加深对故障分析的理解、对排除故障一般具体措施的了解与掌握，现从常见的故障类型中选择三个典型案例，供大家参考，见表 7-9。

表 7-9 典型常见故障排除案例

序号	故障现象	原因分析	排除方法
1	CA6140 车床主变速箱温度太高时，机床产生热变形	1）齿轮啮合时，由于摩擦而产生热量 2）轴承运转时，由于摩擦产生的热量被润滑油所吸收而成为一个较大的"次生热源"，使机床主变速箱发热变形	1）提高齿轮的传动精度，合理调整装配间隙，降低齿面的表面粗糙度值 2）调整好轴承的间隙和润滑油的油量

(续)

序号	故障现象	原因分析	排除方法
2	Z3040 摇臂钻床切削负荷增大时,主轴突然停转	1）主传动离合器摩擦片磨损间隙大,摩擦力减小,使传递转矩不足 2）拨叉脚磨损。轴向压紧环移动距离减小,压不紧摩擦片,传递转矩不足	1）调整、增加或更换摩擦片 2）焊补拨叉脚恢复原有尺寸,或更换叉脚
3	M1432B 磨床主轴"抱轴"	1）主轴与轴瓦间隙太小 2）主轴的前后轴承不同轴 3）润滑油中有杂物 4）轴瓦的方向装错	1）主轴与轴瓦间隙一定要控制好,即前轴承处间隙为 0.008mm,后轴承处间隙为 0.012mm 2）检查和测量主轴箱前后轴承的同轴度 3）检查并保持润滑油的清洁度 4）轴瓦对号入座,轴瓦上的箭头方向必须与主轴旋转方向一致。轴瓦上的球面要与球头螺钉的球部接触良好,轴瓦与球头螺钉要配对,不能互换

【知识与技能拓展】

7-1　设备操作维护规程的基本内容是什么？

7-2　断头螺钉怎样拆卸？锈死或不可拆连接件又怎样拆卸？

7-3　用修理尺寸法修复零件有什么优缺点？举例说明怎样用修理尺寸法修复零件。

7-4　故障分析与故障排除程序是怎样的？

7-5　设备状态监测有什么优缺点？

第八章 先进加工技术简介

【学习目标】

1. 准确理解有关概念，如精密加工、微细加工、纳米技术、特种加工、柔性制造系统、绿色制造等。
2. 理解精密和超精密加工的特点、重要性及发展途径，电火花加工的原理与优缺点，柔性制造系统的基本组成和绿色制造的关键技术等。
3. 学会精密加工、超精密加工与特种加工的加工方法、原理和特点。
4. 理解先进加工技术与绿色制造的现状与发展趋势。

【素养目标】

1. 围绕知识点，树立职业素养理念，弘扬工匠精神、提升科学素养，培养德技并重、爱岗敬业的职业精神。
2. 拥有扎根岗位、坚定目标、苦练本领、追求卓越的优良品质。

第一节 机械零件的精密加工技术

所谓精密加工，是指加工精度和加工表面质量达到很高精度的加工工艺，不同的制造技术发展时期的精密加工，其具体技术参数指标有所不同。在20世纪60年代，一般加工精度为100μm，精密加工精度为1μm，超精密加工精度为0.1μm；在20世纪90年代，一般加工精度达到了5μm，精密加工为0.05μm，超精密加工精度达到了0.005μm；进入21世纪，一般加工精度已经达到了1μm，精密加工衡量水平为0.01μm，超精密加工已经达到了0.001μm（即1nm）甚至Å级（读作埃级）的水平。为了进一步对超精密加工进行细分，把毫微米级（即纳米级，1nm）加工水平称为微细加工，而再高一级的精度为亚毫微米级（即埃米级，0.1nm，Å级），接近于分子级，到了机械加工的理论最小界限（晶体材料的机械加工精度理论极限是1.42~5.25Å）。

机械制造技术的发展

超精加工和微细加工技术已经成为目前尖端科学发展的关键技术之一。超精加工技术现在已经被广泛应用于航天技术、微电子技术、遥感遥测技术和射电天文技术等尖端科学领域，成为现代制造技术的前沿技术。

精密和超精密加工技术目前主要包括精密和超精密磨削、精密和超精密切削、精密研磨与抛光、微细加工技术和纳米加工技术。

一、精密与超精密磨削

1. 高精度磨削有关概念

磨削加工是目前大多数工件精加工和获得高质量表面的传统工艺手段,经过淬硬的工件,其精加工更是如此,对于不同的磨削质量要求,其磨削机理和磨削规律、磨削参数会有很大的不同,所以,在这里对几种磨削工艺加以定义:

工件表面经加工后,其表面粗糙度值达到 $Ra0.2 \sim 0.8 \mu m$ 的磨削工艺称为普通磨削。

工件表面粗糙度值 $<Ra0.16 \mu m$ 的磨削称为高光度磨削。

工件表面粗糙度值达到 $Ra0.04 \sim 0.16 \mu m$ 的磨削称为精密磨削。

工件表面粗糙度值达到 $Ra0.02 \sim 0.04 \mu m$ 的磨削称为超精磨削。

工件表面粗糙度值 $\leq Ra0.01 \mu m$ 的磨削称为镜面磨削。

2. 超精磨削机理及磨削参数

在超精磨削加工领域,要获得高精度表面,除了必须具备高刚度的机床、工艺系统、强劲而稳定的砂轮系统、平稳而精细的微细进给系统等基本条件外,磨削工艺参数的合理选择、砂轮的合理选择及精细修整极其重要。

(1) 超精磨削表面的形成机理 超精磨削表面的产生要借助于砂轮相对于工件精细而严格的相对运动,而更为重要的是砂轮工作表面的精细修整。所谓砂轮的精细修整,是指用极细小的纵向修整进给率和很小的切深来修整砂轮,砂轮上硬而脆的磨粒表面经金刚石修整笔的撞击切割,产生极微细的破碎,因而使得每一粒外露的磨粒上都产生等高的微细切削刃,如图 8-1 所示,这种切削刃称为微刃。用这种布满微刃的砂轮对工件进行精细磨削,可以得到表面粗糙度值为 $Ra0.02 \mu m$ 的精细表面。

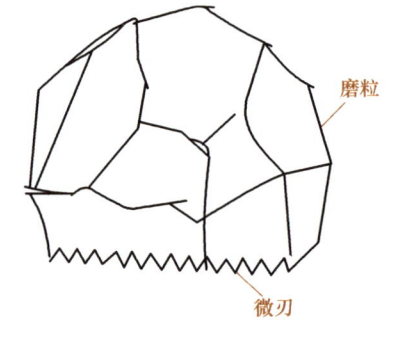

图 8-1 磨粒的微刃

用砂轮表面的微刃进行磨削时,开始的切削刃比较锋利,切削作用较强,随着磨削的进行,微刃开始钝化,微刃间的等高性得到进一步的改善,砂轮表面逐渐趋于光滑,微刃的切削作用开始减弱,而磨粒的摩擦抛光作用逐渐增强,经过多次的光磨后,材料表面被反复地滑擦、碾平,形成了光滑的抛光表面。所以,这种超精磨削加工表面的切削作用是极小的。得到超精磨削表面的关键是砂轮的微刃和半钝状态微刃的摩擦抛光作用。

(2) 磨削参数 为了得到理想的微刃,砂轮的粒度可以选得稍微粗一些(F80 就可以)。为了维持较理想的半钝微刃状态,应考虑选用低脆性、高韧性的刚玉砂轮。砂轮速度一般控制在 $14 \sim 30 m/s$ 范围内;工作台纵向进给速度为 $0.06 \sim 0.25 mm/r$;由于超精磨削的加工余量都很小(在 0.01mm 以内),所以横向进给一般取 0.0025mm/单程,光磨次数一般取 5~10 次即可。

3. 镜面磨削机理及磨削参数

要想进一步得到镜面质量,还是要借助于微刃的光磨抛光作用,与超精磨不同的是镜面磨削中的微刃要求更为细致。在砂轮工作表面上,微刃的分布要求更为均匀一致,所以,镜面磨削中采用的砂轮粒度更细、磨料硬度更软。由于镜面磨削中主要依靠半钝微刃对工件的挤压抛光和熨光作用,所以要求砂轮的磨粒相互之间要具有一定的退让性,以保证磨粒之间的微刃等高性,所以常选用含有石墨填充剂的树脂砂轮或橡胶结合剂砂轮,使砂轮结合剂具有一定的弹性。

镜面磨削主要是借助于砂轮与工件表面间反复的挤压抛光,所以要求砂轮与工件之间要保持一定的磨削压力,类似于抛光和研磨工艺中的研磨压力一样。另外,镜面磨削强调反复光磨,所以,一般的光磨次数都在 20 次以上。

镜面磨削中的磨削参数基本上与超精磨相同,只是砂轮选择要更细、更软,稍有弹性。

二、精密和超精密切削

1. 精密和超精密切削的应用情况

在精密和超精密切削中,加工精度直接受到加工方法、加工设备条件、工件材料、切削刀具、测量技术等条件的制约。根据超微量切削原则,如果要达到 $0.01\sim0.1\mu m$ 的加工精度,切削刀具必须具备能够切除 $0.01\mu m$ 以下的切削厚度的极其锋利的切削刃,也就是说,切削刃的最小钝圆半径 ρ 应该小于 $0.01\mu m$。这样小的切削刃钝圆半径 ρ 值,一般的硬质合金是很难达到的,硬质合金的颗粒大小一般有数微米,即使经过再精细的研磨,硬质合金切削刃的 ρ 值也很难小于 $1\mu m$。目前的超精密切削加工中的刀具材料主要是金刚石刀具。被切削的材料主要有各类铝合金、无氧铜和其他铜合金、脆性陶瓷、硅晶体材料、铁氧体、非电解镀镍层等,加工的零件对象主要有计算机磁盘、录像机磁头、复印机硒鼓、激光打印机的多面棱镜、红外反射镜、制导陀螺仪、激光反射镜等。其加工精度一般在 $0.01\sim0.1\mu m$ 范围,表面粗糙度值达到 $Ra0.005\sim0.02\mu m$。

2. 金刚石刀具

目前精密和超精密切削中使用的刀具材料主要是金刚石。目前工业应用中的金刚石刀具主要有天然金刚石和人造金刚石两种。人造聚晶金刚石价格虽便宜一些,但性能远比不上天然金刚石,因其切削刃钝圆半径 ρ 很难小于 $1\mu m$。超精密切削中应用的天然金刚石颗粒一般在 $0.5\sim1.5$ 克拉(1 克拉 = 0.2g),其切削刃钝圆半径 ρ 可以精研到 $0.01\sim0.05\mu m$。切削刃极其锋利。由于天然金刚石单晶体呈各向异性,不同晶格方向上的物理性能差异很大,切削刃需要开在高硬度值方向上,所以刀具在制造和研磨时需要进行仔细地选向和定向。金刚石在小刀头上的固定方法有机械夹固法(对较大颗粒)、粉末冶金烧结固定法、黏结或钎焊固定法。

3. 超精密切削机床条件

精密和超精密切削加工对机床的精度要求较高,目前的超精密切削机床一般都采用空气轴承主轴结构(主轴的振摆量在 $0.5\mu m$ 以下),导轨采用再循环滚动体结构、液体静压或气浮导轨结构,进给驱动丝杠副采用滚动或气、液静压丝杠副驱动。机床运动的定位精度可达 $1\sim3\mu m$。为了满足微量切削的要求,机床配备有微量进给装置,以实现 $0.01\mu m$ 以下的微量进给要求。可控微量进给机构一般有机械或液压传动式、弹性变形式、热变形式、流体膜变形式、磁致伸缩式和电致伸缩式,技术比较成熟的是弹性变形式和电致伸缩式微量进给机构。

超精密切削加工要求极平稳的高速切削条件,由于刀具的硬度和耐磨性很高,所以切削速度的提高不会对刀具寿命形成很大的制约,金刚石刀具的切削速度一般在 $1000\sim2000m/min$ 内,所以切削加工易选用主轴的高速区域。对刀具寿命影响最大的是工艺系统的振动,在振动条件下,切削刃很容易产生微细的崩碎刃,所以工作时应注意避开主轴转速的激振区。另外,由于金刚石刀具在高温条件下化学性不稳定,所以工作时一般应注意进行强制风冷。

4. 超精密切削的工作环境条件

超精密切削加工需要有一个极为稳定的工作环境,在极精密的加工过程中,人的走动、说话、咳嗽甚至呼吸和人的体温都会对加工区带来干扰,在加工过程中,一般不允许操作者进入加工区,更不允许用手或身体去接触机床。

机床及工作区除了需要进行恒温控制外,还要注意进行严格的除尘处理,工作区域的尘埃密度及颗粒度会严重影响超精密加工的表面质量,落入加工表面的尘埃会把工件表面拉毛,使工作表面失去光泽。一般空气尘埃的分布中,$1\mu m$ 以下的小尘埃占绝大多数,而在超精密加工区内,要求空气中颗粒度 $0.3\mu m$ 以上的尘埃密度在 $10^2/m^3$ 以下,即达到百级的净化程度。一般环境的尘埃度多在百万级($10^6/m^3$)以上,要达到百级净化程度需要逐级提高。净化间多为套间结构,由走廊、恒温室、风浴室、预备间、气锁间、净化间到工作区,要进行多级净化。

三、精密研磨与抛光

1. 研磨与抛光机理

研磨和抛光是一种较为传统的精加工工艺手段，传统的研磨抛光是完全靠微细磨粒的机械作用去除被研磨材料的，磨粒被碾压得越细小，机械去除作用越小，所获得的研磨加工表面质量越高。传统的研磨方法分为干研、湿研和悬浊液中研磨三种方法。

（1）研磨加工机理　传统研磨加工是利用附着或嵌压在研具上的磨粒及游离于研具和工件之间的磨粒，借助于研具与工件的相对运动产生细微的切削、挤压、滑擦作用，将两个相对运动表面间的高点接触突起部分擦研掉，从而把研具的表面形态复映到工件上去的精细加工方法。研磨加工中的机械作用主要有两种情况：一种是嵌压在研具上的磨粒对工件的滑擦、耕犁作用；另一种是游离于两表面间的磨粒在挤压滚动过程中的滚轧切削作用，在研磨压力的作用下，磨粒被不断碾碎、细化，使得两表面间的复映精度越来越高，最后得到精细加工表面。

研磨加工要求在研磨初期，大颗粒磨粒不对工件产生大的损伤，同时又要追求一定的研磨效率，对不同的工件材料，在研磨用量、研磨剂、研磨压力等参数选用上有所不同。

（2）抛光加工机理　抛光加工是在抛光盘上加一定的抛光剂，在一定的抛光压力和高速运动过程中，借助于极细微（1μm以下）的磨粒和抛光液在高温、高压条件下所产生的机械化学作用，使工件表面不断地产生化学反应，并将化学生成物不断抛擦掉的过程。所以抛光加工要求抛光盘质地要软些，工作面要具有弹性，对磨粒具有良好的嵌容性，抛光盘工作面一般多用沥青、石蜡、合成树脂、人造革等材料制作。由于抛光加工伴随着高温，容易使工件产生热变形和表面变质层，故在对电子陶瓷材料和集成电路基片的加工中都有很严格的加工参数要求。

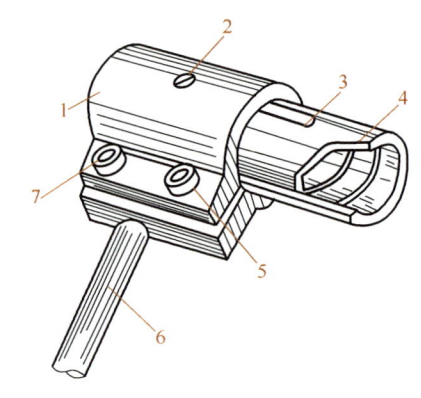

图 8-2　手工研具
1—夹套　2—螺纹孔　3—凹坑　4—研磨套
5、7—螺钉　6—手柄

2. 研磨加工方法

（1）手工研磨　传统研磨工艺多是通过手工研磨，利用手工研具和简单的机械传动方式来进行研磨。图 8-2 所示为一种对轴类零件进行研磨的手工研磨工具，进行研磨时，在工件表面上涂一层研磨剂，套入研磨套，螺钉 5 和 7 用来调节研磨压力。当工件轴被机械带动回转时，手持手柄 6，沿着工件的纵向平稳往复移动，来研磨工件的外圆。

研磨平面时，一般是在高磷铸铁平研盘或聚氨酯研具上进行的。由于研磨加工是一种形状复映加工，所以要求研具加工表面精度要高，研磨盘要磨损均匀，工件表面上的每一个工作点运动行程要相等，且轨迹不重合。图 8-3 所示为常用的研磨运动轨迹。

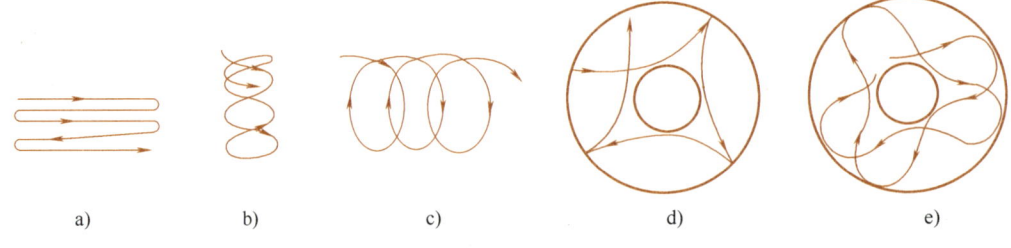

图 8-3　常用的研磨运动轨迹

（2）机械研磨　图 8-4 所示为一种双面研磨机的原理，工作时，工件 6 被放置在隔离辐板 2 的隔离槽中，上研盘通过钢球 K 被螺杆 7 压紧，可以通过螺杆 7 来调节研磨压力；下研磨盘 3 做驱动回转，在摩擦力作用下，工件在两摩擦盘之间做复杂的行星滚动（轨迹如图 8-3c 所示），上研盘在工件摩擦力作用下做随动转动，每隔一段时间，把工件掉头换位，多次重复，以保证均匀研磨。

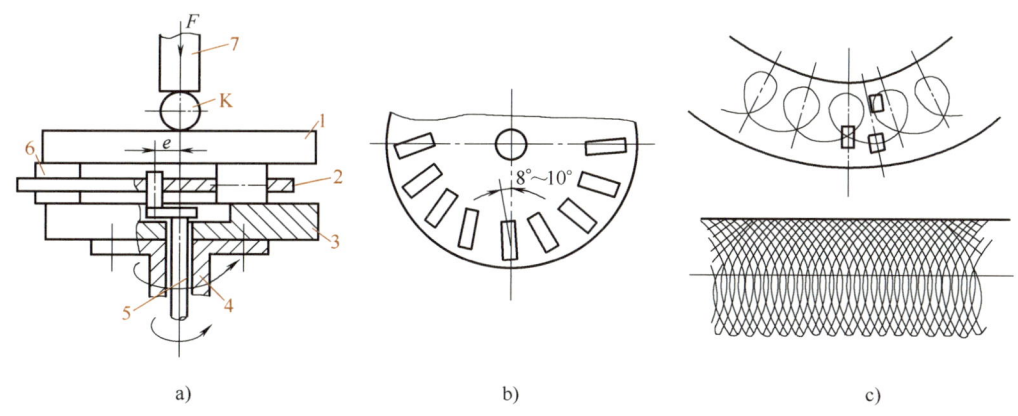

图 8-4 双面研磨机的原理

1—上研磨盘 2—隔离辐板 3—下研磨盘 4—底座 5—偏心轴 6—工件 7—螺杆

(3) 磁性研磨 如图 8-5 所示，工件放在两磁极之间，工件和极间放入含铁的刚玉等磁性磨料，在直流磁场的作用下，磁性磨料沿磁力线方向整齐排列，如同刷子一般对被加工表面施加压力，并保持加工间隙。研磨压力的大小随磁场密度及磁性磨料填充量的增大而增大，因此可以调节。研磨时，工件一面旋转，一面沿轴线方向振动，使磁性磨料与被加工表面之间产生相对运动。这种方法可以研磨轴类零件内、外圆表面，也可以用来去毛刺，对钛合金的研磨效果较好。

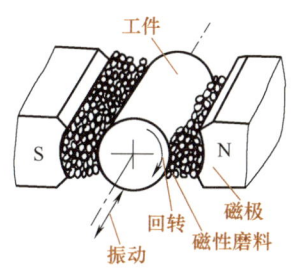

图 8-5 磁性研磨原理

研磨精度及表面粗糙度在很大程度上与研磨前道工序的加工质量有关，所以要求严格控制前工序的尺寸精度和几何精度。研磨加工余量一般很小，多在 0.01~0.02mm 以下，若要求表面粗糙度值为 $Ra0.02~0.08\mu m$ 时，一般需要分 2~3 次研磨，若在 $Ra0.01\mu m$ 以下，则需要进行 4~5 次研磨。

研磨剂由磨料、研磨液和辅料混合而成，常用磨料有白刚玉、绿色碳化硅、金刚石微粉等。碳化硅主要用于研磨硬质合金、铸铁等脆性材料，而对于半导体硅片及光学玻璃的精研和抛光可以采用氧化铬和氧化铈。粒度选择：对于普通研磨，一般粗研用 P24~P40（原 200#~400#粒度），半精研用 P60~P100（原 400#~800#粒度），精研和抛光常用 P120 及更细粒度（原 1000#以上的粒度），或者采用微粉；在精密研磨和超精密研磨中多采用 F28~F500（原 W28~W3.5）。

常用研磨液一般采用煤油和机油按 1:1 的比例混合，为了加速研磨氧化，提高研磨速度，可以在研磨液中加质量分数为 2.5% 的硬脂酸或油酸。

研磨压力和研具的运动速度是两项主要的研磨用量。手工研磨时，研具的运动速度在研磨平面时可取 30~100m/min，研磨内外圆时取 20~70m/min，速度过大会增大表面粗糙度值，不利于顺利精研。研磨压力一般控制在 12~40N/cm²，粗研时可取得稍高些，以提高生产率，但表面粗糙度值会增大。

3. 超精密研磨

超精密研磨精度可达 $0.1\mu m$，表面粗糙度值可达 $Ra0.006~0.1\mu m$。但研磨工艺较为复杂。半导体硅片、石英晶体、高级测量平晶、光学镜头和压电陶瓷等现代晶体材料和高精度零件的最终加工常采用超精密研磨。在超精密研磨中，磨料都为微粉级 F230~F1200（原 W1~W1.5），切除过程为微量去除，在一些新型超精密研磨中，甚至可以达到分子级和原子级去除水平。

超精密研磨都在恒温±0.5℃的恒温室内进行，工件在进入研磨加工之前需要提前在恒温室内放置 12h。为了避免由于研磨升温而产生热变形和表面变质层，新型超精密研磨多在恒温研磨液中进行，借助于水波作用，利用游离的微细磨料的悬浮冲击作用，可以得到极高的镜面质量。

新型的机械-化学抛光加工在对蓝宝石和集成电路硅片表面的研磨中使用了可以形成边界摩擦润滑薄膜状态的胶态二氧化硅研磨液，利用研磨液的凝胶化作用使得微细磨料对工件表面产生轻微的机械刷除作用，得到了极高质量的表面和高的研磨抛光效率。

4. 研磨加工注意事项

1) 研磨加工要求研磨运动轨迹均匀、不重复。
2) 研磨盘应具有很精密的工作表面，并具有微孔结构，以便嵌容微粉磨料。
3) 当把研磨和抛光工序合一时，应在研磨剂中加进一定量的化学活性剂。
4) 高精度研磨时，应避免粗颗粒的磨粒和尘埃混入，以防拉伤轨迹表面。

四、微细加工技术与纳米级加工技术简介

微细加工技术是指现代制造业中对微小零件的生产加工技术，在医疗、生物工程、微电子工程中已经显现出极广阔的应用前景。微细加工技术是一个很大的题目，从广义角度来说，它包含了各种传统的超精密级加工方法以及一些全新的加工方法，例如，化学加工、超声波加工、微波加工、激光加工、光刻加工、电铸加工、电子束加工等新型加工方法，而本书所讨论的微细加工技术主要是指随半导体集成电路制造技术而发展起来的电子束、离子束、光子束加工技术，即习惯所说的"三束技术"。它们是微细加工的基础技术。

1. 电子束加工（Electron Beam Machining，EBM）

电子束加工是利用电子束的高能量密度来进行钻孔、切槽、光刻等加工。电子是非常小的粒子，具有极高的能量（高达几百万电子伏）。一束电子束可以被聚焦到 $1\sim2\mu m$ 的直径，可以达到极高的能量密度（达 $10^9 W/cm^2$）。如此高能量密度的粒子束冲击到工件表面时，与材料原子相互碰撞，在几分之一微秒时间内产生极大的热能，使得工件被冲击的局部迅速气化、蒸发成为雾状粒子而飞散，这是电子束的热效应。利用电子束的热效应可以对材料进行钻孔、切割、焊接、淬火等加工。

如果用密度很低的电子束来照射某些高分子材料，会使这些高分子材料发生化学性质变化，这就是电子束的化学效应，利用这一效应可以在半导体硅片上进行电子束光刻。将电子束聚焦到 $1\mu m$ 以内，直接在集成电路硅片的光致抗蚀剂涂层上进行扫描曝光，并把未经扫描曝光的涂层部分腐蚀掉，即制成了所需的电路；或者利用电路图形投影版，把电子束作为光源，可以在硅片涂层上产生缩小的曝光图形。利用这种方法可以在硅片上得到 $0.01\sim0.1\mu m$ 宽度的微细线路。

电子束加工有很多特点：利用电子束的极高能量，可以直接对各种脆、硬、韧性金属材料和非金属材料，半导体材料，热敏材料，易氧化金属材料等进行无应力加工；可以加工长径比达几十倍的深孔；电子束可以进行极其微细的聚焦，进行极微细加工；可以通过磁场和电场对电子束进行强度、束径、位置等迅速准确地控制，适于加工狭缝、异形孔、不通孔、弯孔、图形、型腔等；加工效率高，速度快。

2. 离子束加工（Ion Beam Machining，IBM）

离子束加工是指在真空条件下，将氩（Ar）、氪（Kr）、氙（Xe）等惰性气体通过离子源产生离子束，经过集束、聚焦、加速后射到被加工的表面上，来实现所需加工的目的。

原子由原子核和围绕原子核转动的各层轨道上的电子组成，呈中性。原子被电离后，若失去了外层电子，就变成带正电荷的正离子（阳离子），若获得多余的电子，就变成带负电荷的负离子（阴离子）。离子具有比电子大得多的质量，例如，一个氩离子的质量是电子质量的7.2万倍。所以，被加速后的离子具有远比电子大得多的动能（可以高达百亿电子伏）。质量大、动能高的离子束在一定入射角条件下冲击工件的加工表面时，对工件材料的表面原子、分子产生弹性碰撞，并迅速将能量传递给对方，致使一部分原子、分子被抛出工件表面，这称为离子束溅射。材料的溅射率与离子束的入射角有很大关系。

当入射角为0°（即离子束与表面垂直）时，溅射率最低，此时高能离子会深入到材料内部一定深度，并在那里进行能量交换，被置换成为原子；若控制离子能量，使它打入工件浅表层，使工件材料

的化学成分、结构、性能发生变化，就形成了离子注入加工，用这种办法可以对半导体材料进行掺杂，如在单晶硅中注入磷、硼等杂质，制作晶体管、集成电路、太阳能电池等，还可以利用离子注入对金属材料表面进行强化处理。

当入射角接近60°时，溅射率最高，可以用来对陶瓷、硅片、金刚石刀具材料进行原子、分子级的加工，对大规模集成电路芯片进行图形的刻蚀加工。

由于离子束的能量能够被集成电路的抗蚀剂充分吸收，所以用离子束对集成电路图形进行光刻的曝光灵敏度要比电子束高出一个量级，所以集成电路的制作多采用离子束来曝光。

把离子束加速后打到某种靶材上，可以把靶材的原子和分子溅出来，再把靶材原子和分子打到工件的表面，可以对工件进行表面溅射镀膜加工。这种镀膜比电镀和蒸镀的附着力要强得多，效率也高，属于一种干式镀覆工艺。如在表壳上离子镀氮化钛，在硬质合金刀具表面镀氮化钛，在金属或非金属表面镀覆金属化合物薄膜、合金薄膜和氧化薄膜等，都是利用了离子束的溅射镀膜技术。

3. 光子束加工（Photon Beam Machining，PBM）

光子束（如激光、X射线）技术也称光刻技术，是微细加工中用于在基板上创建图案的关键工艺。它通常包括以下组件和流程。

1）光源：光子束是光源产生的，如汞弧灯、激光或发光二极管（LED）。光的波长根据光刻工艺的要求和光刻胶材料的灵敏度来选择。

2）掩模：掩模是一种图案化模板，用于定义要在基板上创建的特征。它被放置在基板附近，并使用光子束转移图案。

3）光刻胶：光刻胶是一种涂在基材上的光敏材料。当通过掩模暴露于光子束时，光刻胶会发生化学变化，在显影液中变得更易溶解（正性光刻胶）或变得更难溶解（负性光刻胶）。

4）曝光：将涂有光刻胶的基板通过掩模暴露于光子束下。光刻胶暴露在光线下的区域会发生化学变化，而被掩模屏蔽的区域则保持不变。

5）显影：曝光后，使用显影液对基材进行显影，这会去除曝光区域的光刻胶，露出从掩模转移的图案。

6）蚀刻和沉积：图案化的光刻胶可以用作蚀刻或沉积工艺的掩模，以在基板上创建所需的特征。

4. 纳米级加工技术简介

纳米级加工技术是纳米技术的一个部分，纳米技术一般是指有关纳米级（0.1~100nm）的材料、设计、制造、测量、控制及微型产品的技术。纳米技术目前主要包括纳米级测量技术、纳米级精度的加工（原子、分子的去除、移迁和重组）、纳米材料、纳米生物学等几方面的技术。

纳米级加工与传统机械加工有很大的不同，要达到1nm的加工精度，加工的最小单位应是原子、分子级，由于原子间的距离为0.1~0.3nm，纳米级加工的物理本质在于切断原子间的结合，从而实现原子和分子的去除。物质以共价键、金属键、离子键或分子结构的形式结合而成，其结合能量密度是很大的。表8-1给出了几种材料的原子结合能量密度，要切断原子间的结合需要 $10^5 \sim 10^6 J/cm^3$ 的能量密度，而传统的切削加工中能量密度都较小，实际上只是利用了原子、分子或晶体之间的连接缺陷来进行分离加工，但使用传统的加工方法切断原子结合是相当困难的，必须利用电子、离子、光子等基本能子来进行加工。如何对基本能子进行有效的控制，以达到原子级的去除，是实现原子去除的加工关键。

近年来纳米级加工技术有了很大的突破，如用电子束对超大规模集成电路进行光刻，已经能够达到0.1μm线宽的加工；离子刻蚀已经实现了微米级和纳米级表层材料的去除；利用扫描隧道显微技术已经可以实现单个原子的去除、迁移、增添和重组。

随着纳米级加工技术的不断发展，各种微型机件和机电系统也逐渐研制成功，纳米级器件和微型机械的开发研究已经成为各国微型机械发展的热门课题。

表 8-1　几种材料的原子结合能量密度

材料	结合能/(J/cm^3)	备注	材料	结合能/(J/cm^3)	备注
Fe	$2.6×10^3$	拉伸	SiC	$7.5×10^5$	拉伸
SiO_2	$5×10^2$	剪切	B_4C	$2.09×10^6$	拉伸
Al	$3.34×10^2$	剪切	CBN	$2.26×10^8$	拉伸
Al_2O_3	$6.2×10^5$	拉伸	金刚石	$1.02×10^7 \sim 5.64×10^8$	晶体的各向异性

第二节　机械零件的特种加工技术

特种加工是用来泛指那些不使用刀具和磨料的加工，或使用刀具或磨料的同时还必须利用像热能、化学能、电化学能、光能等能量来去除材料的新加工方法，如电火花加工、电解加工、超声加工、激光束加工、液体喷射加工、挤压珩磨加工、化学加工和各类复合加工等工艺方法。

目前，特种加工技术在各类难加工材料（如耐热钢、不锈钢、硬质合金、钛合金、陶瓷、金刚石等高强度、高硬度、高韧性的难加工材料）的加工方面，对复杂型腔、型面（如模具型腔、涡轮机叶片、喷油嘴微孔等工件）的加工，已经成为主要的甚至是唯一的加工方法。表 8-2 所列为目前常用的特种加工方法的大致分类情况。其中的三束加工已经在超精密加工中讨论过，这里主要讨论电火花加工、电火花线切割加工和超声加工技术。

表 8-2　常用的特种加工方法的大致分类情况

主要能量形式	加工方法	表示符号	对工件材料的适用性
电、热能	电火花加工	EDM	任何导电材料
	电火花线切割加工	WEDM	
	电子束加工	EBM	任何材料
	等离子弧加工	PAM(C)	
电、化学能	电解加工	ECM	任何导电材料
电、化学、机械能	电解磨削	ECG	
	电解珩磨	ECH	
电、机械、光、热能	离子束加工	IBM	任何材料
	激光加工	LBM	
声、机械能	超声加工	USM	任何硬脆材料
化学能	化学加工（铣削）	CHM	与化学溶剂作用的材料
光、化学能	光化学加工	PCM	
液流、机械能	水射流切割（水刀）	WJC	任何材料
	磨料喷射加工	AJM	

一、电火花加工

电火花加工是一种利用电、热能量对金属进行加工的方法。在加工过程中，使工具和工件之间不断产生脉冲性的火花放电，靠放电时局部、瞬时产生的高温把金属蚀除掉。

电火花加工基本工艺参数如下：

1）脉冲电源。在电火花加工中，火花放电必须是在不断的瞬间放电中蚀除材料的，所以需要放电延续时间极短的脉冲电源,一般为 $10^{-7} \sim 10^{-3}$ s。

由于火花放电是在工件和工具电极之间进行,为了减少工具电极的损耗,加快工件的蚀除,一般电火花加工的电源应选择直流脉冲电源,目前都采用新型的低电极损耗脉冲电源。

2) **工具电极材料**。由于电火花加工中工具电极与工件并不接触,所以可以用较软的电极材料来加工高硬度的导电金属材料及半导体材料。目前,工具电极多采用纯铜、铜-钨电极或石墨电极。当采用钢制电极时,电极要作正极,工件作负极,以减少电极的损耗。

3) **工作液**。电火花加工中,工作液的作用是形成击穿放电通道、冷却并抛出电蚀物、快速消电离恢复绝缘、冷却工件及电极。目前主要采用油类介质作为工作液,在粗加工中一般采用介电性能好的润滑油,精加工中采用黏度小、渗透性好的煤油作为工作液。

4) **加工精度**。电火花加工中,影响加工精度的参数很多,电火花加工精度一般可达 0.01 ~ 0.05mm,放电间隙粗加工一般可达 0.5mm,精加工可达 0.01mm(单面)。由于"二次放电"现象和电极尖角电蚀的作用,较深的型腔加工会使工件的侧壁产生上大下小的斜度,减小斜度的办法一是强化工作液的循环,二是加强工作液的消电离作用。表面质量与脉冲能量大小及生产率有很大关系,采用强脉冲加工时,表面粗糙度值较大,而采用较弱的脉冲进行精加工时,生产率很低。一般情况下,电火花加工的粗加工表面粗糙度值可达 $Ra80\mu m$,半精加工达 $Ra10\mu m$,精加工可达 $Ra1.25 \sim 2.5\mu m$。

5) **电火花加工特点及应用**。由于电火花加工是一种非接触性电蚀加工,所以可以利用较软的电极材料来复映各种难加工材料,例如硬质合金、耐热合金、淬火钢、不锈钢、磁钢和金属陶瓷类材料等;由于加工时不产生切削力,所以可以加工各种刚性很差的薄壁类、弹性类、狭深类工件;利用电极的形状复映作用,可以对不通孔、型孔、型腔进行加工,所以,电火花加工非常适合于模具制造业中对各种复杂型腔模、冲模、挤压模、压铸模进行加工。

日常生活中,插头或电器开关触点开、闭时,往往产生火花而将接触部分熔化、腐蚀。利用这种电腐蚀现象作为一种加工方法,即为"电火花加工"。要达到尺寸加工的目的,必须创造条件解决下列问题:

1) 必须使工具电极和工件被加工表面之间保持一定的间隙,通常为几微米至几百微米。间隙太大,无法产生火花放电,间隙太小,容易形成短路接触,所以电火花加工过程中必须具有工具电极的自动进给和调节装置。

2) 火花放电必须是瞬时的脉冲性放电,放电延续一段时间后(一般为 $10^{-7} \sim 10^{-3}$ s),需停歇一段时间。否则若像持续电弧放电那样,会造成表面烧伤而无法进行尺寸加工。为此电火花加工必须采用脉冲电源。

3) 火花放电必须在有一定绝缘性能的液体介质中进行,如煤油、皂化液或去离子水等,以利于产生脉冲性的火花放电,并排出火花放电时产生的金属小屑等电蚀产物。

图 8-6 所示为电火花加工原理示意图。工件 1 与工具 4 分别与脉冲电源 2 的两极相连接。自动进给调节装置 3(液压缸)使工具和工件间经常保持一很小的放电间隙,当脉冲电压加到两极之间,便在某一相对最小间隙处击穿介质,在该局部产生火花放电,瞬时高温(10000~12000℃)使工具和工件表面都蚀除掉一小部分金属,各自形成一个小凹坑,如图 8-7a 所示。脉冲放电结束后,经过一段间隔

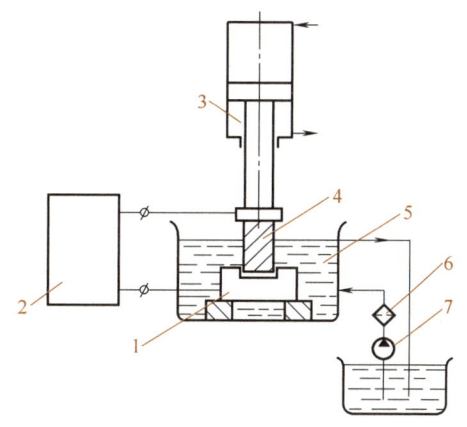

图 8-6 电火花加工原理示意图

1—工件 2—脉冲电源 3—自动进给调节装置
4—工具 5—工作液 6—过滤器 7—液压泵

时间，工作液恢复绝缘后，第二个脉冲电压又加到两极上，又会在当时相对最小间隙处击穿放电，电蚀出一个小凹坑。这样，随着相当高的频率，连续不断地重复放电，工具电极不断地向工件进给，就可将工具的形状复制在工件上，加工出所需要的零件，整个加工表面将由无数个小凹坑组成，如图8-7b所示。

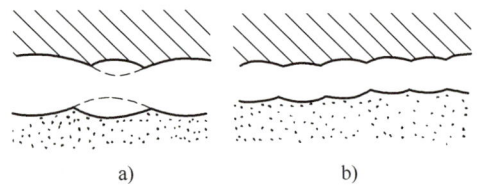

图8-7 电火花加工局部放大图

电火花加工与一般的切削加工相比具有以下特点：

1）"以柔克刚"，即用软的工具电极来加工任何硬度的导电性工件材料，如淬火钢、不锈钢、耐热合金和硬质合金等。

2）加工过程中无显著的"切削力"，因而加工小孔、深孔、弯孔、窄缝和薄壁弹性件，可以不致因工具或工件刚度太低而无法加工。各种复杂的型孔、型腔和立体曲面，都可以采用成形电极一次加工成形，不会因为加工面积过大使切削力过大而切削变形。

3）脉冲参数可以任意调节。加工中只要更换工具电极，就可以在同一台机床上通过改变电规准（指电压、电流、脉冲宽度、脉冲间隔等电参数）连续进行粗加工、半精加工和精加工。精加工尺寸精度可达到0.01mm，表面粗糙度值为$Ra0.8\mu m$；微精加工尺寸精度可达到0.002mm，表面粗糙度值为$Ra0.05\sim 0.1\mu m$。

1. 电火花穿孔加工

电火花穿孔加工是应用最广的一种加工方法，常用来加工冲模、拉丝模和喷嘴等各种小孔。

电火花穿孔加工的精度取决于工具电极的尺寸和放电间隙。工具电极的横截面形状和加工的型孔横截面形状相一致，其轮廓尺寸比相应的型孔尺寸周边均匀地内缩一个值，即单边放电间隙。影响放电间隙大小的因素主要是加工中采用的电规准，当采用单个脉冲能量大（指脉冲峰值电流与电压大）的粗规准时，被蚀除的金属微粒大，放电间隙大；反之，当采用精规准时，放电间隙小。电火花加工时，为了提高生产率，常用粗规准蚀除大量金属，再用精规准保证加工质量。为此，可将穿孔电极制成阶梯形，其头部尺寸周边缩小0.08~0.12mm，缩小部分长度为型孔长度的1.2~2倍，先由头部电极进行粗加工，而后改变电规准，接着由后部电极进行精加工。

穿孔电极常用的材料有钢、铸铁、纯铜、黄铜、石墨及铜钨、银钨合金等。钢和铸铁机械加工性能好，价格便宜，但电加工稳定性差；纯铜和黄铜的电加工稳定性好，但电极损耗较大；石墨电极的损耗小，电加工稳定性较好，但电极的磨削加工困难；铜钨、银钨合金电加工稳定性好，电极损耗小，但价格贵，多用于硬质合金穿孔及深孔加工等。

电火花穿孔加工是不能加工不通孔或阶梯孔类零件表面的。用电火花加工较大的孔时，应先开预孔，留适当的加工余量，一般单边余量为0.5~1mm。若加工余量太大，则生产率低；若加工余量太小，则加工时电极定位困难。

2. 电火花型腔加工

电火花型腔加工包括锻模、压铸模、挤压模、塑料模等型腔以及整体式叶轮、叶片等曲面零件的加工。

电火花加工型腔比穿孔难得多。其原因是：型腔属不通孔，所需蚀除的金属多，工作液难以有效地循环，以至电蚀产物排除不净而影响加工的稳定性；型腔各处深浅不一，圆角半径不等，加工面积多变，使工具电极各处损耗不一，故工具电极损耗大且影响尺寸仿形加工的精度；不能用阶梯电极来实现粗、精规准的转换加工，影响生产率的提高。

电火花型腔加工主要有单电极平动法和多电极更换法。单电极平动法采用一个电极完成型腔的粗、精加工，利用平动头，使电极做圆周平面运动，如图8-8所示，电极轮廓线上的小圆是平动时电极表面上各点的运动轨迹，δ为放电间隙。加工时按粗、精顺序逐级改变电规

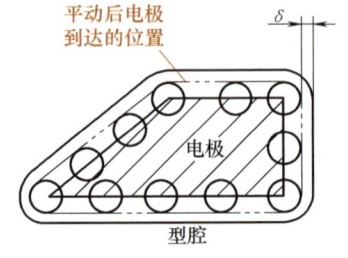

图8-8 平动头加工原理图

准，同时依次加工电极的平动量，以补偿更换电规准时的放电间隙之差，完成整个型腔的加工。多电极更换法采用多个电极加工同一型腔，依次更换电极进行粗、精加工。其加工精度高，尖角清晰。但要求多个电极一致性好，重复定位要求严，一般只用于精密型腔加工。

用电火花加工型腔时，为了有效地排除电蚀产物，通常在工具电极上开有冲油孔，用压力油将电蚀产物强迫排出。为减少工具电极损耗，提高加工精度，首先要选择耐蚀性高的电极材料，如铜钨、银钨合金及石墨等。铜钨、银钨合金成本高，机械加工困难，故应用较少；常用的为纯铜和石墨，石墨电极损耗小，易加工成形，但易塌角，广泛用于各种型腔加工；纯铜电加工稳定性好，精加工时，电极损耗小，不易塌角，用于精度要求高的型腔加工。

3. 电火花线切割加工

电火花线切割加工简称线切割，是在电火花穿孔成形加工的基础上发展起来的。它采用连续移动的细金属丝（$\phi 0.05 \sim \phi 0.3 mm$ 的钼丝或黄铜丝）作为工具电极，与工件间产生电蚀而进行切割加工。其加工原理如图 8-9 所示。电极丝 4 穿过工件 5 上预先钻好的小孔，经导轮 3 由滚丝筒 2 带动做往复交替移动。工件通过绝缘板 7 安装在工作台上，由数控装置 1 按加工要求发出指令，控制两台步进电动机 11，以驱动工作台在水平 x、y 两个坐标方向上移动而合成任意曲线轨迹。电极丝与高频脉冲电源负极相接，工件与电源正极相接。喷嘴 6 将工作液以一定压力喷向工作区，当脉冲电源击穿电极丝与工件之间的间隙时，两者之间即产生火花放电而蚀除金属，便能切割出一定形状的工件。还有一种线切割机床，电极丝单向低速移动，加工精度高，但电极丝只一次性使用。

常用的线切割机床控制方式是数字程序控制，其加工精度在 0.01mm 之内，表面粗糙度值为 $Ra 0.6 \sim 0.8 \mu m$。

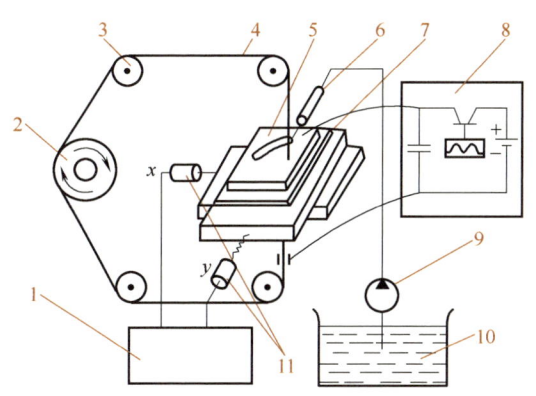

图 8-9 数控线切割加工原理图
1—数控装置 2—滚丝筒 3—导轮 4—电极丝
5—工件 6—喷嘴 7—绝缘板 8—高频脉冲发生器 9—泵 10—工作液 11—步进电动机

线切割加工广泛用于加工各种硬质合金和淬火钢的冲模、样板、各种形状复杂的精细小零件、窄缝等，并可多件叠加起来加工，能获得一致的尺寸。因此，线切割工艺为新产品试制、精密零件和模具制造开辟了一条新的途径。

随着生产的发展，电火花加工领域不断地扩大，除了电火花穿孔加工，电火花线切割加工外，还出现了许多其他方式的电火花加工方法，如电火花磨削、金属电火花表面强化、电解电火花加工等。

二、电解加工与电解磨削

1. 电解加工

电解加工是利用金属在电解液中可以产生阳极溶解的电化学原理来进行尺寸加工的。这种电化学现象在机械工业中早已被用来实现电抛光和电镀。电解加工是在电抛光的基础上经过重大的革新而发展起来的，其加工原理如图 8-10 所示。加工时工件 3 连接于直流电源的正极（阳极），工具 2 连接于直流电源 1 的负极（阴极）。两极之间的电压一般为低电压（$5 \sim 25V$）。两极之间保

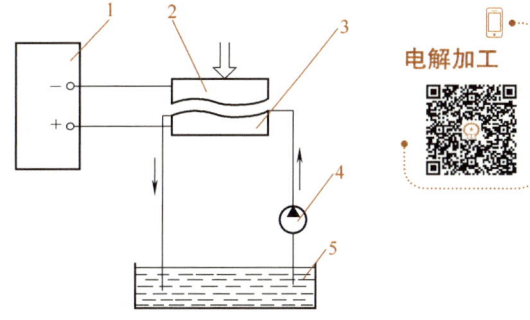

图 8-10 电解加工示意图
1—电源 2—工具 3—工件
4—泵 5—电解液

持一定的间隙（$0.1 \sim 0.9 mm$）。电解液 5 以较高的速度（$5 \sim 60 m/s$）流过，使两极间形成导电通路，并在电源电压下产生电流，于是工件被加工表面的金属材料将不断产生电化学反应而溶解到电解液中，

电解的产物则被电解液带走。加工过程中工具阴极不断地向工件恒速进给，工件的金属不断溶解，使工件与工具各处的间隙趋于一致，工具阴极的形状尺寸将复制在工件上，从而得到所需要的零件形状。

电解加工成形的原理如图8-11所示。电解加工刚开始时工件毛坯的形状与工具形状不同，电极之间间隙不相等，如图8-11a所示，间隙小的地方电场强度高，电流密度大（图中竖线密），金属溶解速度也较快；反之，工具与工件较远处加工速度就慢。随着工具不断向工件进给，阳极表面的形状逐渐与阴极形状相近，间隙大致相同时，电流密度趋于一致，如图8-11b所示。

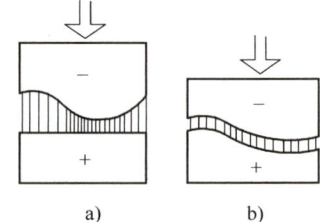

图8-11 电解加工成形的原理

（1）电解穿孔　对于一些形状复杂、尺寸较小的型孔（四方孔、六方孔、椭圆、半圆等形状的通孔和不通孔）是很难采用机械加工方法加工的。但如果采用电解加工，则往往很容易解决，既可保证加工质量，又可提高生产率。目前，电解穿孔工艺已广泛应用于炮管、枪管内孔和膛线（来复线）的加工，以及各种型孔、深孔的加工。

型孔加工大多采用端面进给的方式，为了避免形成锥度，阴极（工具）侧面必须绝缘，一般用环氧树脂作为绝缘层与阴极侧面粘牢。电解穿孔时工作液均匀地进入工作区，使工件和工具都浸在电解液中，接通电源后发生电化学反应加工出型孔。

（2）电解成形　电解加工可以使用成形阴极（工具）对复杂的工件型腔一次成形，生产率高，表面粗糙度值小，可以节省大部分修磨工时，但其加工精度不太高，所以目前多应用于锻模型腔加工，尺寸精度可控制在0.1~0.2mm，如汽车、拖拉机制造中的连杆、曲轴、十字轴、凸轮轴等零件以及汽轮机和发动机的叶片、链轮以及摆线齿轮等复杂形状零件的加工。

电解加工的特点如下：

1）加工范围广，不受材料硬度与强度的限制，能加工任何高强度、高硬度、高韧性的导电材料，如硬质合金、淬火钢、不锈钢、耐热合金等难加工材料。

2）生产率高，是特种加工中材料去除速度最快的方法之一，为电火花加工的5~10倍。

3）加工过程中无机械切削力和切削热，故没有因为力与热给工件带来的变形，可以加工刚性差的薄壁零件。加工表面无残余应力和毛刺，能获得较小的表面粗糙度值和一定的加工精度。表面粗糙度值一般为$Ra0.2~0.8\mu m$，平均尺寸精度为±0.1mm。

4）加工过程中工具阴极基本无损耗，可保持工具的精度长期使用。

5）电解加工不需要复杂的成形运动，可加工复杂的空间曲面。

6）只能加工导电的金属材料，加工窄缝、小孔及棱角很尖的表面则比较困难，加工精度受到限制。

7）对复杂加工表面的工具电极的设计和制造比较费时，因而在单件、小批生产中的应用受到限制。

8）电解加工附属设备较多，占地面积大，投资大，电解液腐蚀机床，容易污染环境，需采取一定的防护措施。

电解加工主要用于切削加工困难的领域，如加工难加工材料，形成复杂的表面、刚性较差的薄板等。常用的工艺有：电解穿孔、电解成形、电解去毛刺、电解切割、电解抛光、电解刻印、充气电解加工等。

为了减小加工余量对精度的影响，可先进行粗加工，然后进行电解精加工，如用电火花加工机床进行粗加工，再用电解加工机床进行精加工。

2. 电解磨削

电解加工具有很高的生产率，但由于它是靠电化学阳极溶解去除金属材料的，加工精度不易控制。电解磨削则是电化学腐蚀与机械磨削作用相结合的一种复合加工方法。

（1）电解磨削的基本原理　电解磨削是一种特殊形式的电解加工。其加工原理如图8-12所示。高速旋转的导电砂轮与直流电源的负极相连接，工件接电源的正极。在磨削加工区送入电解液。砂轮上不导电的磨粒凸出在外表面上，因而在工件和砂轮的导电基体（一般为石墨或金属粉末）之间形成一个很小的间隙，其中充满了电解液。电流接通后通过工件和砂轮形成回路，于是工件表面发生电化学阳极溶解，其表面形成一层氧化膜，然后由高速旋转的砂轮的磨削作用去除，并随电解液流走，新的工件表面继续进行电解。这样，电解作用与磨削作用交替进行，直至达到加工要求。在加工中，大部分（95%～99%）材料靠电解去除，但有少量（2%～5%）材料是由磨粒的机械作用去除的，因此电解磨削是电解和机械磨削的复合加工。

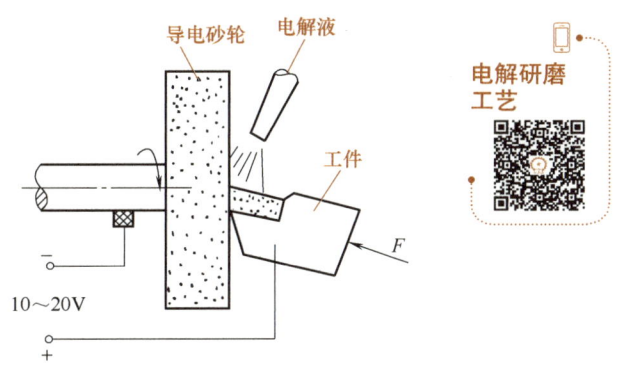

图 8-12　电解磨削加工原理

电解磨削用的砂轮通常有两种：一种是不含磨料的导电砂轮，通常采用石墨做砂轮，成形方便，可用车刀修整成各种复杂形状，但其磨削效率低，加工精度低，使用寿命短，故多用于成形磨削的粗加工；另一种是含磨料的导电砂轮，用石墨或金属粉末做导电基体，掺入刚玉或碳化硅磨料颗粒。磨料颗粒不仅可以防止磨削时发生短路（能稳定地保持两极间的距离），并可机械地刮除工件的阳极膜。因此，不仅生产率高，而且可达到很高的加工精度，常用于内、外圆磨削和成形磨削的精加工。

（2）电解磨削的特点和应用　电解磨削有以下特点：

1）加工范围广、效率高。由于它主要是电解作用，因此只要选择合适的电解液及加工参数就可以加工任何高硬度与高韧性的金属材料，如硬质合金、不锈钢、耐热合金等。磨削硬质合金时，与机械磨削相比，加工效率要高3～5倍。

2）磨削的加工精度和表面质量较高。因为电解磨削靠砂轮磨去的金属量很少，因此磨削力很小，磨削热很少，不会产生残余应力、变形、烧伤、裂纹和毛刺等缺陷。一般磨外圆尺寸精度可控制到 0.01mm，表面粗糙度值为 $Ra0.2～0.4\mu m$。

3）砂轮损耗少、寿命长。与普通金刚石砂轮磨削相比，消耗体积仅为其 1/10～1/5，可大大地降低成本。

4）所需的辅助设备较多，投资费用高。电解液腐蚀机床，污染环境，需加防护措施。

电解磨削的应用范围很广，可进行内、外圆磨削，平面磨削，工具磨削和成形磨削，适合磨削高强度、高硬度、热敏性和磁性材料等，如淬硬钢、硬质合金等普通磨削很难加工的小孔、深孔、薄壁件、细长轴等零件，以及精密、复杂形状的模具、齿轮和刃磨各种硬质合金刀具等。

三、超声加工

超声加工是随着机械制造和仪器制造中，各种脆性材料和难加工材料的不断出现而得到应用和发展的。它较好地弥补了在加工脆性材料方面的某些不足，并显示出其独特的优越性。

1. 超声加工的原理和特点

超声加工也称超声波加工，是利用产生超声振动的工具，带动工件和工具间的磨料悬浮液，冲击和抛磨工件的被加工部位，使局部材料破坏而形成粉末，以进行穿孔、切割和研磨等，如图 8-13 所示。加工中工具以一定的静压力压在工件上，在工具和工件之间送入磨料悬浮液（磨料和水或煤油的混合物），超声换能器产生 16kHz 以上的超声频轴向振动，借助于变幅杆把振幅放大到 0.02～0.1mm，迫使工作液中悬浮的磨粒以很大的速度不断地撞击、抛磨被加工表面，把加工区域的材料粉碎成很细的微粒，并从工件上去除下来。虽一次撞击去除的材料很少，但由于每秒钟撞击的次数多达 16000 次以上，所以仍有一定的加工速度。工作液受工具端面超声频振动作用而产生的高频、交变的液压冲击，使磨料悬浮液在加工间隙中强迫循环，将钝化了的磨料及时更新，并带走从工件上去除下来的颗粒。

随着工具的轴向进给，工具端部形状被复制在工件上。

由于超声加工是基于高速撞击原理，因此越是硬脆材料，受冲击破坏的作用也越大，而韧性材料则由于它的缓冲作用而难以加工。超声加工具有以下特点：

1) 适用于加工硬脆材料（特别是不导电的硬脆材料），如玻璃、石英、陶瓷、宝石、金刚石、各种半导体材料、淬火钢、硬质合金等。

2) 由于是靠磨料悬浮液的冲击和抛磨作用去除加工余量，所以可以采用比工件软的材料作为工具。加工时不需要使工具和工件做比较复杂的相对运动。因此，超声加工机床的结构比较简单，操作维修也比较方便。

3) 由于去除加工余量是靠磨料的瞬时撞击，工具对表面的宏观作用力小，热影响小，不会引起变形和烧伤，因此适合于加工薄壁零件及工件的窄槽、小孔等。

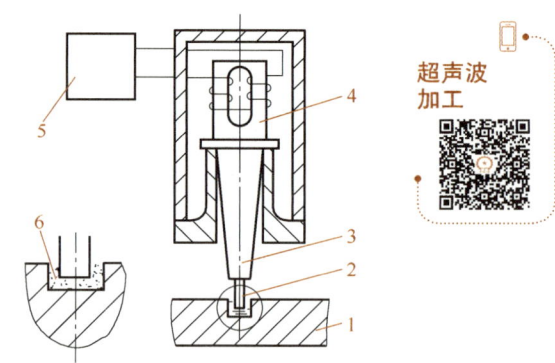

图 8-13 超声加工原理示意图
1—工件 2—工具 3—变幅杆
4—换能器 5—超声发生器
6—磨料悬浮液

超声加工的精度，一般可达 0.01~0.02mm，表面粗糙度值可达 $Ra0.4\mu m$ 左右，在模具加工中用于加工某些冲模、拉丝模以及抛光模具工作零件的成形表面。

2. 影响加工速度和质量的因素

（1）加工速度及其影响因素　超声加工的加工速度（或生产率）是指单位时间内被加工材料的去除量，其单位用 mm^3/min 或 g/min 表示。相对其他特种加工而言，超声加工生产率较低，一般为 1~50mm^3/min。加工玻璃的最大速度可达 400~2000mm^3/min。影响超声加工的加工速度的主要因素有：

1) 工具的振幅和频率。提高振幅和频率，可以提高加工速度。但过大的振幅和过高的频率会使工具和变幅杆产生大的内应力，因此振幅与频率的增加受到机床功率以及变幅杆、工具材料疲劳强度的限制。通常振幅为 0.01~0.1mm，频率为 16~25kHz。

2) 进给压力。加工时工具对工件所施加的压力的大小，对生产率影响很大，压力过小则磨料在冲击过程中损耗于路程上的能量过多，致使加工速度降低；而压力过大，则使工具难以振动，并会使加工间隙减小，磨料和工作液不能顺利循环更新，也会使加工速度降低，因此存在一个最佳的压力值。此值与工具形状、材料、横截面面积，以及磨粒大小等因素有关，一般由实验决定。

3) 磨料悬浮液。磨料的种类、硬度、粒度、磨料和液体的比例及悬浮液本身的黏度等，对超声加工都有影响。磨料硬、磨料粗则生产率高，但在选用时还应考虑经济性与表面质量要求。一般用碳化硼、碳化硅加工硬质合金，用金刚石磨料加工金刚石和宝石材料。至于一般的玻璃、石英、半导体材料等则采用刚玉（Al_2O_3）作为磨料。最常用的工作液是水，磨料与水的较佳配比（重量比）为 0.5~1。为了提高表面质量，有时也用煤油或润滑油。

4) 被加工材料。超声加工适于加工脆性材料，材料越脆，承受冲击载荷的能力越差，越容易被冲击碎除，即加工速度越快。如把玻璃的可加工性作为 100%，则石英为 50%，硬质合金为 2%~3%，淬火钢为 1%，而锗、硅半导体单晶则为 200%~250%。

除此之外，工件加工面积、加工深度、工具面积、磨料悬浮液的供给及循环方式对加工速度也都有一定影响。

（2）加工精度及其影响因素　超声加工的精度除受机床、夹具影响外，主要与工具制造及安装精度、工具的磨损、磨料粒度、加工深度、被加工材料性质等有关。

超声加工精度较高，可达 0.01~0.02mm，一般加工孔的尺寸精度可达±(0.02~0.05)mm。磨料越细，加工精度越高。尤其在加工深孔时，采用细磨粒有利于减小孔的锥度。

工具安装时，要求工具质量中心在整个超声振动系统的中心线上，否则在其纵向振动时会出现横向振动，破坏成形精度。

工具的磨损直接影响圆孔及型腔的形状精度。为了减少工具磨损对加工精度的影响,可将粗、精加工分开,并相应地更换磨料的粒度,还应合理选择工具材料。对于圆孔,采用工具或工件旋转的方法,可以减少圆度误差。

(3) 表面质量及其影响因素　超声加工具有较好的表面质量,表面层无残余应力,不会产生表面烧伤与表面变质层,表面粗糙度值可达 $Ra0.1 \sim 0.8 \mu m$。

加工表面质量主要与磨料粒度、被加工材料、工具振动的振幅、磨料悬浮液的性能及其循环状况有关。当磨粒较细、工件硬度较高、工具振动的振幅较小时,被加工表面的表面粗糙度将得到改善,但加工速度也随之下降。工作液的性能对表面粗糙度的影响比较复杂,用煤油或润滑油作为工作液可使表面粗糙度有所改善。

四、激光加工

激光是 20 世纪 60 年代出现的一种新光源。与普通光源相比,它具有高方向性(几乎是一束平等准直的光束)、高亮度(比太阳表面的亮度还高 10^{10} 倍)、高单色性(光的频率单一)和能量高度集中等特点,因此它从问世以来就获得了重视,发展十分迅速,在工农业生产、国防、通信、医学、科学研究等各个领域得到了广泛的应用。本书仅从机械制造工业的角度来介绍激光加工的加工原理、特点和应用,简介如下。

1. 激光加工的原理

人们知道,太阳光经凸透镜聚集后,焦点处温度可达 300℃以上,能使易燃物冒烟燃烧,然而利用其进行机械加工是十分困难的。而激光不同,由于它具有高方向性、高亮度、颜色单纯的特点,所以可以通过光学系统把激光束聚焦成一个极小的光斑(直径仅有几微米或几十微米),使光斑处获得极高的能量密度($10^7 \sim 10^{11} W/cm^2$),产生很高的温度(可达上万摄氏度)。在此高温下,任何坚硬的材料都将瞬时(千分之几秒或更短的时间)被熔化和气化,产生很强的冲击波,使熔化物质爆炸式地喷射去除。因此,激光的聚焦点可以作为一种有效的工具,用来对任何材料进行去除加工。

激光加工的原理如图 8-14 所示。激光器由激光工作物质 2、激励能源 3 和由全反射镜 1 与部分反射镜 4 构成的光谐振腔组成。当工作物质被光或放电电流等能源激发后,在一定的条件下可以使光得到放大,并通过光谐振腔的作用产生光的振荡,由部分反射镜输出激光束,通过透镜 5 聚焦到工件 6 的待加工表面,从而达到加工的目的。

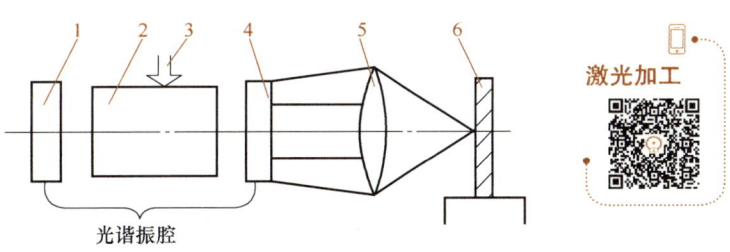

图 8-14　激光加工的原理
1—全反射镜　2—工作物质　3—激励能源
4—部分反射镜　5—透镜　6—工件

能辐射激光的物质称为工作物质。目前已发现几百种能用来产生激光的材料,如红宝石、钕玻璃等,并制成了各种各样的激光器。

能使工作物质辐射激光的能源称为激励能源(或激发能源)。常用的激励能源有氙灯和氪灯照射等。

光谐振腔的功用是使激光在输出轴方向上来回多次反射,从而通过互相激发造成光放大,以加强激光的输出。反射镜为镀在工作物质两端的反射膜,一般由两块组成:一块是反射率为 100% 的全反射镜,能使激光全部反射;另一块能部分反射,使一部分激光透过,形成激光输出。

激光器按其产生激光的工作物质类型可分为固体激光器、气体激光器、液体激光器和半导体激光器四大类。在机械加工中,由于固体激光器体积小,调整方便,故应用较广。

2. 激光加工的特点与应用

(1) 激光加工的特点

1) 加工范围广。由于激光加工的功率密度是各种加工方法中最高的一种,所以几乎能加工任何金属和非金属材料，如高熔点材料、耐热合金、硬质合金、有机玻璃及陶瓷、宝石、金刚石等硬脆材料。

2）操作简便。激光加工不需要真空条件，可在各种环境中进行。

3）适合于精密加工。激光聚焦后的焦点直径小至几微米，形成极细的光束，所以可以加工深而小的微孔和窄缝。

4）无工具损耗。激光加工不需要加工工具，是非接触加工，工件不受明显的切削力，可对刚性差的薄壁零件进行加工。

5）加工速度快、效率高，可减少热扩散带来的热变形。

6）可控性好，易于实现加工自动化。

7）激光加工装置小巧简单，维修方便。

（2）激光加工的应用　在机械加工中利用激光能量高度集中的特点，可进行打孔、切割、焊接、雕刻、表面热处理，利用激光的单色性还可以进行精密测量。分别介绍如下：

1）激光打孔。激光打孔是激光加工中应用最广的。它是利用凸镜将激光在工件上聚焦，焦点处的高温使材料瞬时熔化、气化、蒸发，好像一个微型爆炸。气化物质以超音速喷射出来，它的反冲击力在工件内部形成一个向后的冲击波，在此作用下将孔打出。激光打孔速度极快，打一个孔只需0.1s左右，效率高。目前常用于微细孔与超硬材料打孔，如柴油机喷嘴加工、金刚石拉丝模、钟表宝石轴承、化纤喷丝头等。

2）激光切割。激光切割与激光打孔的原理基本相同，都是将激光能量聚焦到很微小的范围内把工件"烧穿"，但切割时要移动工件或激光束，沿切口连续打一排小孔即把工件割开。激光可以切割各种金属、陶瓷、玻璃、半导体材料、布、纸、橡胶、木材等材料，切割效率很高，切缝很窄，并可十分方便地切割出各种曲线形状。

3）激光焊接。激光焊接与激光打孔的原理有所不同，不需将材料"烧穿"，只需把材料烧熔，使其熔合在一起即可，因此所需的能量比打孔小些。激光焊接时间短，生产率高，没有焊渣，被焊材料不易氧化，热影响小，不仅能焊接同种材料，而且可焊接不同种的材料，这是普通焊接无法实现的。

4）激光雕刻。激光雕刻与切割基本相同。只是工件的移动由两个坐标数控系统传动，可在平板上蚀除成所需图样，一般多用于印染行业及美术作品。

5）激光的表面热处理。激光的表面热处理主要是用激光对金属工件表面进行扫描，根据其扫描速度所决定的时间长短而引起的工件表面金相组织发生的变化，激光的表面热处理分为表面淬火、粉末黏合等。此外还包括激光除锈、激光消除工件表面沉积物等。用激光进行表面淬火，工件表面的加热速度极快，内部受热极少，工件不产生热变形，特别适合于对齿轮、气缸筒等复杂零件的表面淬火。国外已应用于自动生产线上对齿轮的表面淬火。同时由于不必用炉子加热，是敞开式的，故也适合于大型零件的表面淬火。

激光加工在机械制造中还有许多其他的应用，在此不一一介绍。总之，激光加工是一门较新的技术，是一种极有发展前途的新工艺。今后，随着我国工业和科学事业的发展，它会逐渐摆脱加工精度不够高、激光器的输出功率稳定性不足、光束质量有待提高等缺点的限制，获得更为广泛的应用。

第三节　柔性化制造系统

一、柔性制造系统的基本组成

柔性制造系统（Flexible Manufacturing System，FMS）一般由计算机控制系统、自动加工系统、物料流控制配送系统和自动监视系统四大部分组成。图8-15所示为柔性制造系统的组成结构框图。图8-16所示为一个典型FMS系统及其主要设备组成示意图。

第八章 先进加工技术简介

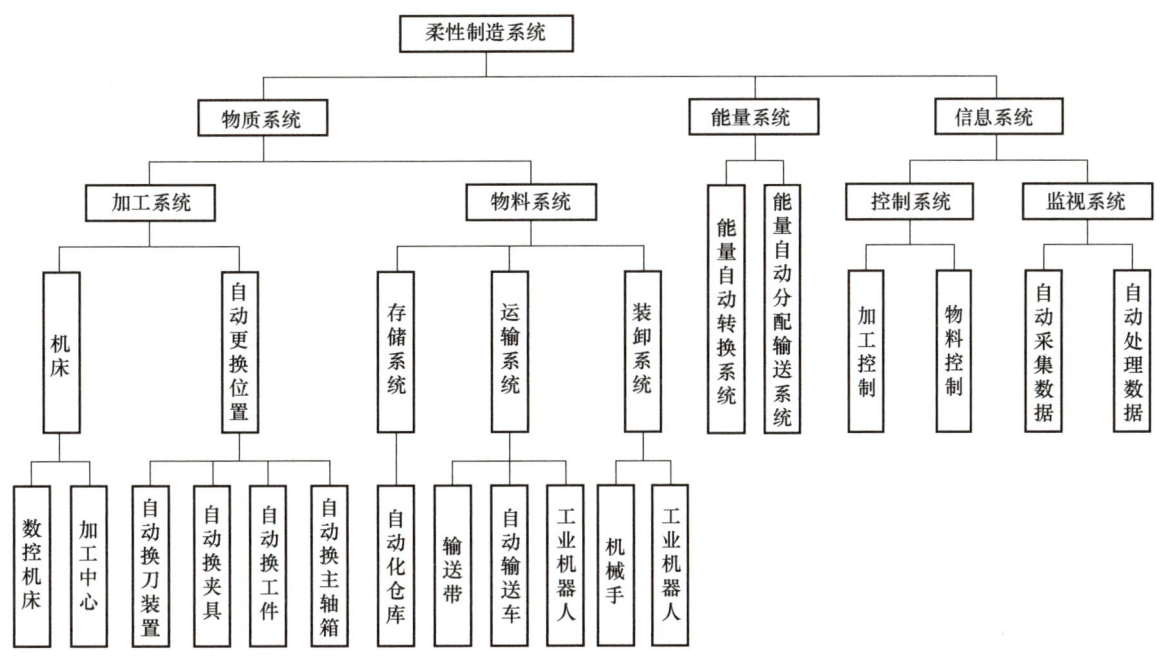

图 8-15 柔性制造系统的组成结构框图

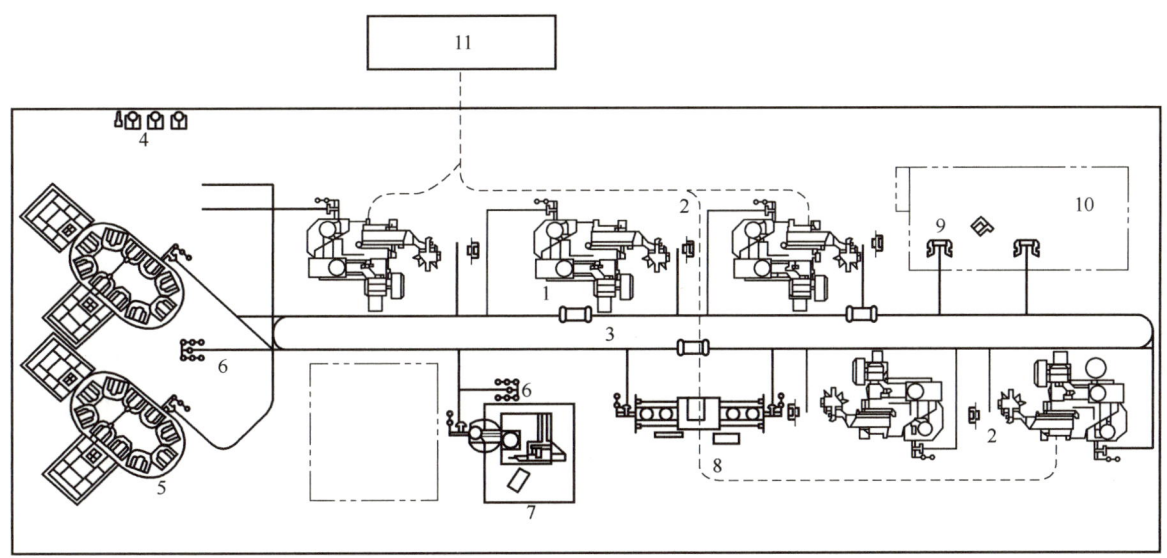

图 8-16 典型 FMS 系统及其主要设备组成示意图

1—五台 NC 加工中心 2—五个刀具交换站，刀具输送由小车完成 3—三台自动运输车 4—小车维护站
5—自动工件交换站 6—工件检查站 7—工件监测站 8—清洗站 9—刀具装卸站、测量站
10—中央计算机 11—中央切屑、切削液收集清除系统

1. 自动加工系统

自动加工系统一般以一台或者几台数控加工中心为切削加工核心，并配以其他数控机床和必要的加工辅助设备（如刀具更换装置、工件装卸装置、自动清屑及零件清洗装置等），它是完成切削加工的基础硬件系统。

2. 物料流系统

物料流系统一般由自动化仓储库、缓冲站、自动装卸和输送系统、托盘交换和输送装置、刀具交换输送系统等组成。它是各个工作单元之间相互联系的纽带。

在 FMS 中的物流系统与传统自动线和 FMC 的工件输送有很大的不同，它不按固定的生产节拍来强行输送工件，它完全根据整个系统的工作需要来统一调度物流，输送小车运送的可以是工件、刀具，也可以是夹具等工装设备，各个切削加工点或工位都设有缓冲站。大多数 FMS 中的工件多提前在工件装卸站装夹到托盘的夹具上，然后由物料传送系统送往加工工位进行等候；FMS 中的刀具系统一般较庞大，除了各个加工中心具有单元刀库外，FMS 中还备有中央刀库，以便随时对各个单元用刀具进行自动补充。

自动化立体仓库是 FMS 物流系统中的重要存储部分，一般的自动化立体仓库多半设置在 FMS 系统的一侧，其主要功能是根据计算机系统的指令及时准确地发送和存储物料，并随时提供各种物料的库存情况。

3. 自动监控系统

自动监控系统主要完成对系统各部的实时监控，包括对刀具、工件等物流的运行情况的监测和实时控制。

4. 计算机控制系统

整个 FMS 系统由中央计算机统一进行指挥和调度，自动完成高效生产的控制工作。整个控制系统是一个计算机网络系统，所有的受控制单元都与这个控制网络相连接，接受中央计算机的统一调度。中央计算机实行分层、分级管理，在车间生产管理层，计算机主要完成生产计划管理和加工过程控制，计算机控制系统一般是把各种控制任务分成相互独立的功能模块或者功能单元，由专门的应用模块软件系统控制，其中包括任务管理模块、作业计划模块、运行控制模块、NC 数据管理模块、工况数据模块、质量控制与管理模块、系统自诊断和维护模块、人机交换控制模块等，而中央计算机则把这些模块的工作加以集成和协调，完成统一高效自动化生产的指挥和调度。

二、柔性自动化加工零件的工艺处理

在选用数控加工机床或其他柔性自动化加工方法及设备加工工件时，编程人员应对该工件进行工艺分析，并且必须认真地阅读该机床或该系统的操作说明书、程序编制指南、切削用量、标准工夹具手册以及有关技术参考资料。

1. 数控加工的工艺特点

（1）工艺内容十分具体　在数控加工工艺中必须对工步划分、刀具路线、对刀点、换刀点、切削用量等具体的工艺问题做出确定和正确的选择。

（2）工艺设计非常严密　数控加工工艺的设计必须注意加工过程中的每一个细节，如切削液使用状况、排屑情况等。在对工件图形进行数字处理和编程时，都要准确无误。

（3）加工的适应性好　由于数控机床的特点，适合采用数控加工的零件主要是：形状复杂、加工精度要求高，用普通机床无法完成或难以完成的零件；用数学模型描述的复杂曲线或曲面轮廓零件；难以测量、控制尺寸的内型腔零件；必须在一次装夹中完成多工序加工内容的零件。

2. 柔性自动化加工对零件工艺性的要求

为了发挥数控加工优势，根据数控加工的工艺特点，对工件的工艺性进行审查、分析，并向设计人员提出改进建议。

1）编程是否方便是衡量一个工件数控加工工艺性好坏的一个指标。由于零件图样上的尺寸标注方法对工艺性影响较大，为此，对零件的设计图样应提出不同的要求，凡采用数控加工的零件，图样上尺寸数据的标注以方便编程为原则。

2）零件的外形、内腔最好采用统一的几何形状或尺寸，对一些主要的数控加工零件，推荐规范化设计结构及尺寸，如空刀槽等。这样可以减少刀具数目，从而减少换刀次数，还有可能应用控制程序或专用程序，以缩短程序长度。

3）改进加工面的形状，以改善加工条件，提高加工精度。

3. 确定数控加工工艺时应注意的问题

（1）确定刀具路线和工步顺序　刀具路线应尽量选择最短路线，以减少空行程；轮廓的最后精加工应在一次进给中连续完成；刀具的切入和切出要尽量避免划伤工件表面，还要尽量使工件在加工后变形最小。因此，应根据工件的加工精度和表面粗糙度要求，以及机床、刀具等的具体情况加以考虑。例如图 8-17 所示，在铣削凸轮时刀具的切入方向要与工件轮廓表面相切，实现切入、切出平滑过渡，避免在工件上留下刀痕。

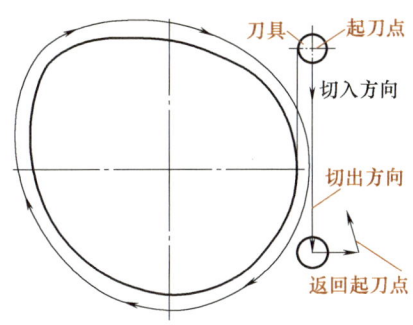

图 8-17　铣削时刀具路线的平滑过渡

（2）定位与夹紧方案　尽量做到基准统一，减少装夹次数，避免采用占机的人工调整方案。夹具结构力求简单，尽可能采用组合夹具、可调夹具等标准化、通用化夹具，避免设计、制造夹具，以节省费用和缩短生产周期；加工部位要敞开，不致因夹紧机构或其他元件而影响刀具进给；夹具在机床上的安装要准确可靠，以保证工件在正确位置上按程序操作。

（3）刀具的选择　与普通机床相比，数控机床对刀具的要求要严格得多。一般来讲，数控机床使用的刀具必须精度高，刚性好，寿命长，同时安装调整方便。在编程时，都要规定刀具的结构尺寸和调整尺寸，刀具安装到机床上之前，应根据编程时确定的尺寸和参数，在对刀仪上调整好，如图 8-18 所示。

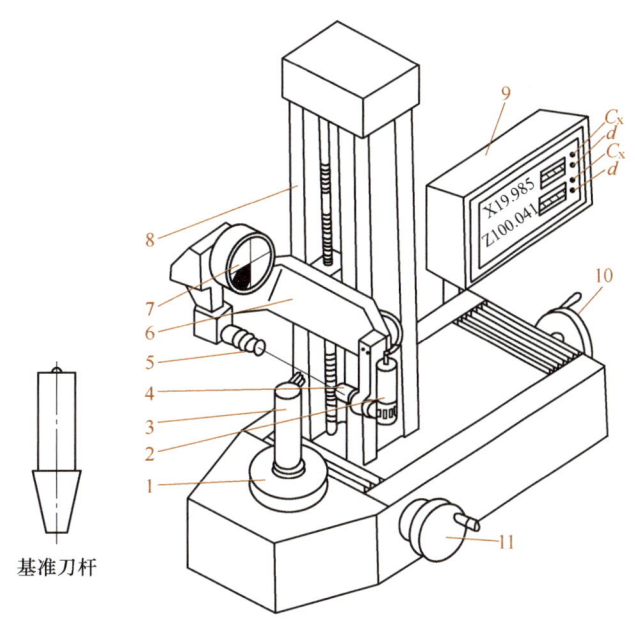

图 8-18　刀具预调仪

1—刀座　2—光源　3—刀具　4—光源镜头　5—接收镜头　6—滑板　7—对刀镜　8—立柱　9—数显表
10—径向手轮　11—轴向手轮

（4）对刀点与换刀点的确定　对刀点是在数控机床上加工零件时，刀具相对工件运动的起点，又称为程序起点。对刀点可以设在工件上，也可以设在夹具上，但必须与零件的定位基准有一定的关系。为了提高零件的加工精度，对刀点尽量选在零件的设计基准或工艺基准上。例如，以孔定位的零件，以孔的中心作为对刀点较为合适；对于车削加工，常将对刀点设在工件外端面的中心上。

对刀点找正的准确度直接影响加工精度。对刀时，应使刀位点与对刀点一致。所谓刀位点，对立铣刀来说应是刀具轴线与刀具底面的交点；对车刀来说是刀尖；对钻头来说是钻尖。在加工过程中如果需要换刀，还要规定换刀点。换刀点应在工件的外部，以免换刀时碰伤工件。

（5）切削用量的确定　切削用量的数值应在相应机床允许的范围内选取，而且要考虑刀具的寿命。在数控机床上，精加工余量可小于普通机床上的精加工余量，主轴的转速可按刀具允许的切削速度选取。选取进给量的主要依据是：粗加工时考虑系统的变形和保证高效率；精加工时主要是保证精度，尤其是表面粗糙度。选取切削用量的具体数值，可依据数控机床使用说明书和切削原理中介绍的方法结合实际加以确定。

第四节 绿色制造

绿色制造是指在保证产品的功能、质量、成本的前提下，综合考虑环境影响和资源效率的现代制造模式。它使产品从设计、制造、使用到报废整个产品生命周期中不产生环境污染或环境污染最小化，符合环境保护要求，对生态环境无害或危害极少，节约资源和能源，使资源利用率最高、能源消耗最低。从"大制造"的概念来讲，制造的全过程一般包括：产品设计、工艺规划、材料选择、生产制造、包装运输、使用和报废处理等阶段。如果在每个阶段都考虑到有关绿色的因素，就会产生相应的绿色制造技术。绿色制造技术（Green Manufacturing Technology）是以绿色理念为指导，综合运用绿色设计、绿色工艺、绿色包装、绿色生产等为一体的科学技术。其目标是使得产品从设计、制造、包装、运输、使用到报废处理的整个生命周期中，对环境负面影响最小，资源利用率最高，并使企业经济效益和社会效益协调优化。绿色制造技术涵盖了多个方面，其中包括：

1. 绿色设计

传统的产品设计，很少考虑环境属性，在其使用寿命结束后，回收利用率低，资源浪费严重，毒性物质严重污染生态环境，形成一个"从摇篮到坟墓"的过程。绿色设计是从可持续发展的高度审视产品的整个生命周期，注重消除潜在的、对环境的负面影响，力求形成"从摇篮到再现"的过程。

2. 绿色材料选择

绿色产品首先要求构成产品的材料具有绿色特性，即在产品的整个生命周期内，这类材料应有利于降低能耗，环境负荷最小。宝马（BMW）公司生产的 Z1 型汽车，其车身全部由塑料制成，可在 20min 内从金属底盘上拆除，车上的门、保险杠和前、后、侧面的操纵板都由通用公司生产的可回收利用的热塑性塑料制成。还有福州某科学技术研究所与福建省某测试技术研究所已成功研制出用可控光塑料复合添加剂生产的一种新型塑料薄膜，这种薄膜在使用后的一定时间内即可降解成碎片，溶解在土壤中被微生物吃掉，从而起到净化环境的作用。在汽车和电子工业中，最常用的是含铅和锡的焊料。但是铅的毒性极大，所以近年来，已经在油漆、汽油和其他诸多产品中限制或禁止使用它。

3. 清洁生产

要想为绿色制造做出贡献，需从绿色制造工艺技术、绿色制造工艺设备与装备等入手，改进工艺，提高产品合格率；采用合理工艺，简化产品加工流程，减少加工工序，谋求生产过程的废料最少化，避免不安全因素；减少产品生产过程中的污染物排放。

（1）干式加工技术　干式加工是一种在加工过程中不使用切削液的方法，简化了工艺，减少了成本，并消除了切削液带来的一系列问题，如废液排放和回收等。

（2）工艺模拟技术　工艺模拟技术结合数值模拟、物理模拟和专家系统，用于确定最佳工艺参数、优化工艺方案，预测加工过程中可能产生的缺陷和防止措施。

（3）新型制造技术　如快速原型制造技术、增材制造技术，采用材料逐层叠加方式，简化了设计和制造过程；如敏捷制造技术，将网络技术和虚拟现实技术与制造业相结合，用于在虚拟环境中生成软产品模型，进行试验和评估，以减少损耗和降低成本。

4. 绿色包装

现代商品的营销有五大要素，即产品、价格、渠道、促销和包装。而在重视环境保护的世界氛围里，消费者更是对商品包装提出了"4R1D"原则：Reduce（减少包装材料消耗）、Reuse（包装容器的再充填使用）、Recycle（包装材料的循环利用）、Recover（能源的再生），及 De-gradable（包装材料的可降解性）。

5. 绿色处理技术

将废弃的产品中有用的部分合理地利用起来，既能节约资源，又可有效地保护环境。如此一来，整个制造过程也会形成一个闭环的系统，能有效减轻对环境的危害，这也正是与传统制造过程开环特性最不同的一点。

【知识与技能拓展】

8-1　超硬磨料砂轮精密和超精密磨削有什么特点？

8-2　超硬磨料砂轮的修整方法有哪些？

8-3　比较闭式砂带磨削和开式砂带磨削的特点和应用场合。

8-4　精密加工与超精密加工的发展途径有哪些？

8-5　简述电火花线切割加工的原理和应用。

8-6　电解磨削与电解加工有何区别？

8-7　何谓超声加工？简述其加工原理及应用。

8-8　柔性自动化加工的概念和特点如何？

8-9　什么是柔性制造系统（FMS）？

8-10　确定应用数控加工工艺时应注意哪些问题？

参 考 文 献

[1] 杜玉雪，朱焕池. 机械制造工艺学 [M]. 3版. 北京：机械工业出版社，2024.
[2] 朱正心. 机械制造技术：常规技术部分 [M]. 北京：机械工业出版社，2014.
[3] 李云程. 模具制造工艺学 [M]. 2版. 北京：机械工业出版社，2018.
[4] 肖继德，陈宁平. 机床夹具设计 [M]. 2版. 北京：机械工业出版社，2018.
[5] 薛源顺. 机床夹具设计 [M]. 2版. 北京：机械工业出版社，2018.
[6] 薛源顺. 机床夹具图册 [M]. 2版. 北京：机械工业出版社，2015.
[7] 韩步愈. 金属切削原理与刀具 [M]. 3版. 北京：机械工业出版社，2015.
[8] 王明耀，李海涛. 机械制造技术 [M]. 3版. 北京：机械工业出版社，2021.

机械加工技术　第3版

练　习　册

班　级_____

姓　名_____

学　号_____

机械工业出版社

第一章　机械加工的概念

一、单选题

1. 一个或一组工人，在一个工作地或一台机床上对同一个或同时对几个工件连续完成的那一部分工艺过程称为（　　）。
   A. 工步　　　　B. 走刀　　　　C. 工序　　　　D. 安装

2. 工件经一次装夹后所完成的那一部分工序称为（　　）。
   A. 走刀　　　　B. 工步　　　　C. 工位　　　　D. 装夹

3. 产品数量很大，大多数工作地点长期按一定节律进行某一个零件的某一个工序的加工是（　　）。
   A. 大量生产　　B. 成批生产　　C. 单件生产　　D. 前三种都不是

4. 零件缺乏互换性的生产类型属于（　　）。
   A. 大量生产　　B. 成批生产　　C. 单件生产　　D. 前三种都不是

二、判断题

1. 制订工艺规程的原则是在保证产品质量的前提下，尽可能提高生产率和降低成本。（　　）

2. 在加工过程中，先车一个工件的一端，然后掉头装夹，再车另一端，应算作两道工序。（　　）

3. 当设计基准和工序基准不重合时，必须应用尺寸链原理对工序尺寸进行换算。（　　）

4. 生产过程包括生产技术准备过程、生产工艺过程、辅助生产过程和生产服务过程四部分。（　　）

5. 一般单件、小批生产多遵循工序集中原则组织工艺过程。（　　）

三、简答题

1. 什么是生产过程和工艺过程？

2. 什么是工序、装夹、工位及工步？怎样区分加工内容是否属于同一工序？

3. 什么是基准？按其作用如何分类？什么是工序基准？什么是定位基准？

4. 工件的技术要求主要有哪几方面？

第二章 金属切削基础知识

一、单选题

1. 车削加工中，（　　）的作用主要是减少切削过程中刀具后面与过渡表面之间的摩擦，减轻刀具磨损。
   A. 后角　　　　B. 前角　　　　C. 楔角　　　　D. 主偏角
2. 确定刀具标注角度的参考系选用的三个主要基准平面是（　　）。
   A. 切削表面、已加工表面和待加工表面
   B. 前面、后面和副后面
   C. 基面、切削平面和正交平面
   D. 法平面、工作平面、背平面
3. 若背吃刀量、进给量相同，刀具的主偏角变小，则切削层面积（　　）。
   A. 变小　　　　B. 不变　　　　C. 变大　　　　D. 变大、变小均有可能
4. 切削塑性材料时，切削速度在（　　）时易产生积屑瘤。
   A. 高速　　　　B. 低速　　　　C. 中速　　　　D. 中、高速
5. 切削用量对刀具寿命的影响不同，刀具寿命受（　　）的影响最大。
   A. 切削力　　　B. 工件材料　　C. 刀具材料硬度　　D. 切削速度

二、判断题

1. 在切削运动中，一般主运动只有1个，进给运动可有1个或几个。　　　　　（　　）
2. 切削用量对切削热产生的影响，背吃刀量最大，进给量次之，切削速度最小。
   　　　　　　　　　　　　　　　　　　　　　　　　　　　　　　　　（　　）
3. 一般积屑瘤对切削加工过程的影响是不利的，但在粗加工时，有时可充分利用积屑瘤。　　　　　　　　　　　　　　　　　　　　　　　　　　　　（　　）

三、简答题

1. 试用图表示普通外圆车刀车外圆时的 γ_o、α_o、κ_r、κ_r'、λ_s 和 v_c、f、A_D、b_D、h_D。

2. 切屑有哪些类型？各类切屑在什么情况下形成？

3. 分析积屑瘤产生的原因及其对生产的影响。

第三章 机械加工工艺系统

一、单选题

1. 某机床型号为 CA6140，其中 C 表示（　　）。
   A. 车床　　　　B. 铣床　　　　C. 磨床　　　　D. 镗床
2. 在机床类别代号中，"S" 代表（　　）。
   A. 车床　　　　B. 铣床　　　　C. 螺纹加工机床　　D. 齿轮加工机床

二、多选题

1. 车床传动链包括（　　）。
   A. 主运动传动链　　　　　　　B. 纵、横向进给运动传动链
   C. 车螺纹运动传动链　　　　　D. 快速运动传动链
2. 下列机床中适合于加工平面的机床有（　　）。
   A. 车床　　　　B. 铣床　　　　C. 刨床　　　　D. 镗床
3. 铣床的工艺范围很广，可以加工（　　）燕尾槽等。
   A. 水平面　　　B. 垂直面　　　C. 形槽　　　　D. 键槽

三、判断题

1. 车削加工是在车床上利用工件的旋转运动和刀具的直线移动来加工工件。（　　）
2. CA6140 型卧式车床可加工的最大工件回转直径是 140mm。（　　）
3. 车床溜板箱中有互锁机构，避免了运动干涉。（　　）
4. 车床开合螺母机构的作用是接通或断开从丝杠传来的运动。（　　）
5. 铣床结构复杂，铣刀的制造和刃磨比较困难。一般来说，铣削加工成本较高。（　　）
6. 夹具由定位装置和夹紧装置两部分组成。（　　）
7. 在定位元件中，辅助支承能起消除工件自由度的作用。（　　）
8. 四腿的桌椅属于过定位，当地面平整时可以采用，保证定位稳定性。（　　）
9. V 形块对外圆柱面的定位，与外圆柱面的尺寸精度有关，计算时需要运用三角函数公式及几何学知识，推演出的公式是可以通用的。（　　）
10. 工件的定位一般只需限制足以影响加工精度的自由度即可。（　　）

四、简答题

1. 金属切削机床是怎样分类的？

2. 试指出下列机床型号的含义：M7475B；C1312；C6150。

3. 指出在车床上车端面时需要的成形运动。

4. 下列情况中，应采用何种分级变速机构为宜？
1）不需经常变速的专用机床。
2）需经常变速的通用机床。

5. 列出CA6140型卧式车床主轴反转的运动平衡式，并计算其最高和最低转速值。

6. 在FW250型分度头上分别铣削齿数 $z_A = 50$、$z_B = 68$、$z_C = 76$ 的直齿圆柱齿轮，请分别进行分度计算。

7. 摇臂钻床由哪几个部分组成？各个部分有何作用？

8. 试说明插床的主运动和进给运动。

9. 刨床主要有哪些类型？

10. 指出卧式镗床的表面成形运动及辅助运动。

11. 在万能外圆磨床上磨削圆锥面有哪几种方法？各适用于什么场合？机床应如何调整？

12. 刀具材料应具备哪些性能？常用的刀具材料有哪些？

13. 简述刀具寿命与刀具总寿命的关系。

14. 工件在夹具中夹紧的任务是什么？

15. 试举例说明什么是完全定位、不完全定位、欠定位和过定位。

16. 试分析图 3-1 所示的各工件需要限制的自由度、工序基准及选择定位基准（用定位符号在图上表示）。

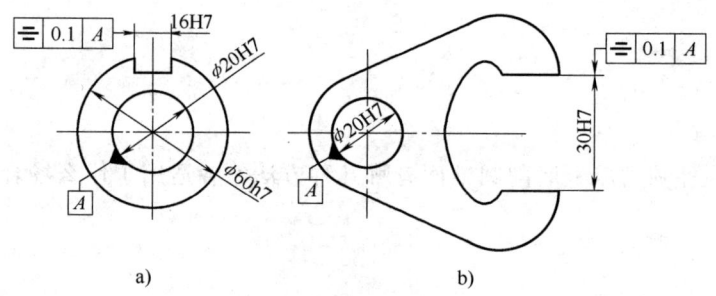

图 3-1　题 16 图

17. 图 3-2 中夹紧力的作用点与方向是否合理？为什么？如何改进？

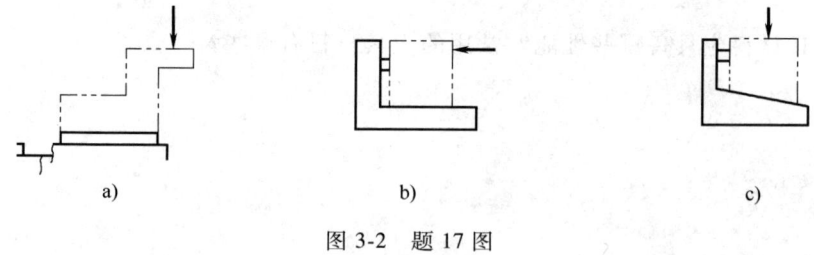

图 3-2　题 17 图

第四章 机械加工工艺规程

一、单选题

1. 夹具装夹法适合于（　　）生产。
   A. 小批量　　　B. 中批量　　　C. 大批量　　　D. 单件
2. 切去大部分加工余量和为以后的工序提供定位基准的阶段是（　　）。
   A. 粗加工阶段　B. 半精加工阶段　C. 精加工阶段　D. 以上三个阶段均可
3. 加工时，用来确定工件在机床上或夹具中正确位置所使用的基准为（　　）。
   A. 定位基准　　B. 测量基准　　C. 装配基准　　D. 工艺基准
4. 选择定位基准时，粗基准可以使用（　　）。
   A. 一次　　　　B. 二次　　　　C. 三次　　　　D. 多次
5. 工序集中的优点是减少了（　　）的辅助时间。
   A. 测量工件　　B. 调整刀具　　C. 装夹工件　　D. 刃磨刀具
6. 对所有表面都需要加工的零件，在定位时，应当根据（　　）的表面找正。
   A. 加工余量小　B. 光滑平整　　C. 粗糙不平　　D. 加工余量大
7. 在确定加工余量的方法中，目前应用最广的是（　　）。
   A. 查表修正法　B. 经验估算法　C. 分析计算法　D. 综合分析法

二、判断题

1. 制订工艺规程的原则是在保证产品质量的前提下，尽可能提高生产率和降低成本。　　　　　　　　　　　　　　　　　　　　　　　　　　　　　（　　）
2. 一般单、小批生产多遵循工序集中原则组织工艺过程。　　　　　（　　）
3. 工序加工余量是指某一表面在多道工序中所切除的金属层厚度。（　　）
4. 机械加工工艺规程是用来规定产品或零件制造工艺过程和操作方法等的工艺文件。　　　　　　　　　　　　　　　　　　　　　　　　　　　　　（　　）
5. 生产过程包括生产技术准备过程、生产工艺过程、辅助生产过程和生产服务过程四部分。　　　　　　　　　　　　　　　　　　　　　　　　　　　（　　）
6. 零件的技术要求对零件的每一加工表面采用的加工方法和加工方案影响不大，应视生产条件而定。　　　　　　　　　　　　　　　　　　　　　　　（　　）
7. 磨削与铰孔的加工余量都很小，故均用作精加工。　　　　　　　（　　）
8. 各种面的加工余量均为单边余量。　　　　　　　　　　　　　　（　　）

三、简答题

1. 拟订工艺路线时，为什么一般应划分粗、精加工阶段进行？

2. 什么是加工余量、工序余量和加工总余量？加工余量和工序尺寸与公差之间有何关系？

3. 试分析下列情况的定位基准。
1) 浮动铰刀铰孔。
2) 珩磨连杆大头孔。

4. 图 4-1 所示为箱体零件简图。试选择该零件加工时的粗、精基准（标有符号的为加工面，其余为不加工面），并简要说明选择理由。

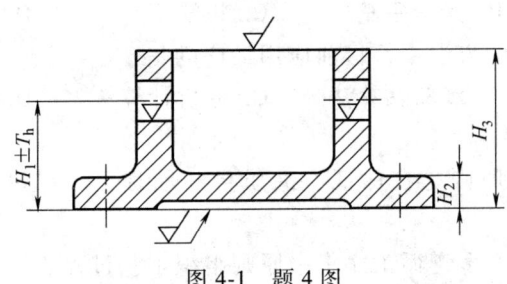

图 4-1　题 4 图

第五章 典型零件的加工

一、单选题

1. 箱体的加工路线一般为（　　）。
   A. 主要孔的加工—平面加工—孔系加工—次要表面加工
   B. 平面加工—孔系加工—次要表面加工
   C. 平面加工—次要表面加工—孔系加工
   D. 粗加工—精平面加工—孔系精加工—细节完善与表面处理
2. 加工套类零件时，采用的定位基准是（　　）。
   A. 端面　　　　B. 外圆　　　　C. 内孔　　　　D. 外圆或内孔
3. 齿轮加工中生产率较高、应用最广的一种加工方法是（　　）。
   A. 滚齿　　　　B. 插齿　　　　C. 珩齿　　　　D. 磨齿
4. 利用与被加工齿轮的齿槽断面形状一致的刀具，在齿坯上加工出齿面的方法是（　　）。
   A. 试切法　　　B. 顺铣法　　　C. 成形法　　　D. 展成法
5. 通过精车可以达到的尺寸公差等级是（　　），表面粗糙度值为 $Ra0.4\mu m$。
   A. IT7　　　　B. IT4　　　　C. IT10　　　　D. IT12
6. 外圆表面的加工顺序是：先加工大直径的外圆，然后加工小直径的外圆，以免降低工件的（　　）。
   A. 强度　　　　B. 刚度　　　　C. 硬度　　　　D. 韧性

二、多选题

1. 轴类零件的主要作用有（　　）。
   A. 支承传动零件　B. 传递转矩　　C. 承受载荷　　D. 保证一定的回转精度
2. 轴类零件的技术要求包括（　　）。
   A. 尺寸精度　　B. 形状精度　　C. 位置精度　　D. 表面粗糙度

三、判断题

1. 箱体类零件常选用锻件毛坯。　　　　　　　　　　　　　　　　　　（　　）
2. 箱体上的孔系分为同轴孔系、垂直孔系和平行孔系。　　　　　　　　（　　）
3. 展成法加工齿轮是利用一对齿轮的啮合原理来实现的。　　　　　　　（　　）
4. 齿轮传动噪声大，不适于大距离传动，制造装配要求高。　　　　　　（　　）

四、简答题

1. 轴类零件的功用是什么？其结构有什么特点？

2. 轴类零件常选择顶尖孔作为较多表面加工的定位基准，这样做是如何体现精基准选择原则的？它们在保证加工精度方面起何作用？

3. 安排轴类零件加工工艺时，应注意哪些问题？

4. 套类零件的毛坯常选用哪些材料？其毛坯的选择具有哪些特点？

5. 标准麻花钻由哪几部分组成？切削部分包括哪些几何参数？

6. 镗削加工有何特点？常用的镗刀有哪几种类型？其结构和特点如何？

7. 编制图 5-1 所示零件的机械加工工艺规程。材料为 45 钢，小批生产。

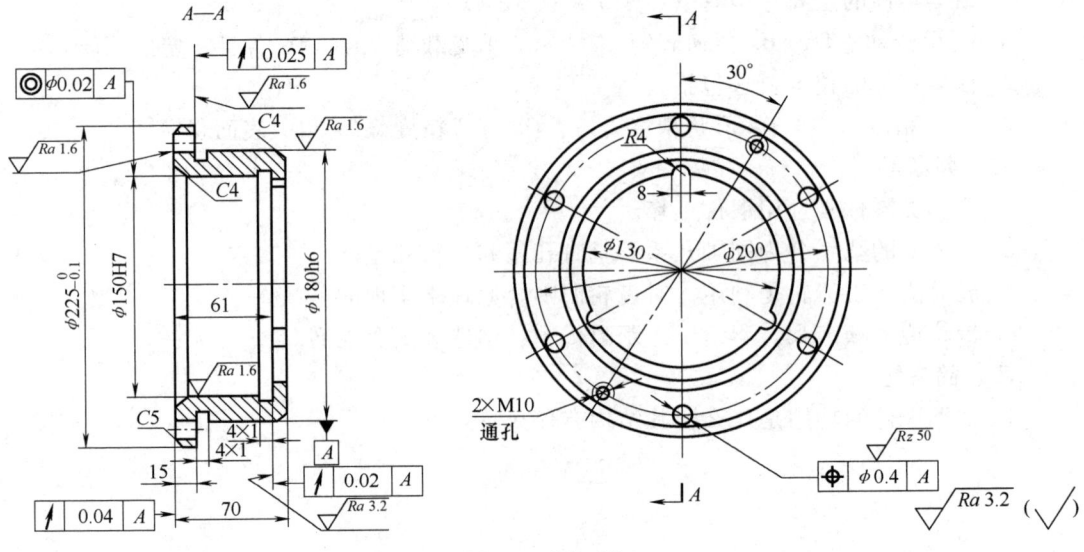

图 5-1　题 7 图

8. 试比较平面刨削与铣削的特点有何区别。

9. 举例说明安排箱体加工顺序时，一般遵循哪些主要原则？

10. 工件在夹具中定位后为什么还要求夹具在机床上定位及刀具在夹具上进行对刀和引导？

11. 在不同的生产条件下，齿坯加工方案应如何选择？重点注意保证哪些表面的精度？

12. 齿轮经淬火后，是否要对定位基准进行修整？修整方法有哪几种？各适用于哪些齿轮？

第六章 机械装配工艺基础

一、单选题

1. 互换装配法对装配工艺技术水平要求（　　　）。
 A. 很高　　　　　B. 高　　　　　C. 一般　　　　　D. 不高
2. 调整装配法是在装配时改变可调整件的（　　　）。
 A. 尺寸　　　　　B. 形状精度　　　C. 表面粗糙度　　D. 相对位置
3. 装配尺寸链的封闭环是（　　　）。
 A. 精度要求最高的环　　　　　　B. 要保证的装配精度
 C. 尺寸最小的环　　　　　　　　D. 基本尺寸为零的环

二、判断题

1. 固定调整法采用改变调整件的相对位置来保证装配精度。（　　）
2. 修配法装配时，修配环尽量选择结构简单、重量轻、加工面积小、易加工的零件。（　　）
3. 采用固定调整法装配时，选择的补偿环要形状简单，便于拆装，常用的补偿环有垫片、挡环、套筒等。（　　）

三、简答题

1. 什么是装配？它包括哪些内容？

2. 什么是装配尺寸链？

3. 保证产品精度的装配工艺方法有哪几种？各用在什么情况下？

第七章　设备的维护

1. 什么是定人、定机和凭证操作制度？

2. 设备的三级保养制包括哪些内容？

3. 卧式车床一级保养内容有哪些？

4. 设备维修方式可分为哪些？各有什么特点？

5. 机械设备拆卸的一般原则是什么？拆卸时应注意什么事项？

第八章 先进加工技术简介

1. 简述精密加工和超精密加工的概念、特点及其重要性。

2. 分析金刚石刀具精密切削的机理、条件和应用范围。

3. 简述磁性研磨的特点和应用场合。

4. 什么是特种加工？与传统的切削加工相比有何特点？常见的有哪几种？

5. 简述电火花加工的原理。

6. 电火花加工有哪些优缺点？

7. 为什么电火花加工一般都要在液体介质中进行？常见的工作液有哪些？

8. 电解加工有哪些优缺点？在机械制造中有何应用？

9. 简述激光加工的原理和特点。

10. 绿色制造技术有哪些？

综合测验一

一、单选题

1. 将大量生产、成批生产和单件生产的成本进展比较，正确的选项是（　　）。
   A. 单件生产成本较高　　　　B. 成批生产成本较高
   C. 大量生产成本较高　　　　D. 三种成本一样高

2. 以下铣削加工的工艺特点，不正确的选项是（　　）。
   A. 铣刀是一种多刃刀具
   B. 铣削时每个刀齿的切削都是断续的
   C. 铣削加工主要用于零件的精加工
   D. 铣削加工排屑方便

3. 刃磨车刀时，错误的操作是（　　）。
   A. 刃磨时不能用力过大　　　B. 刃磨时人站在砂轮的正面
   C. 砂轮旋转平稳后才能磨刃　D. 必需戴上防护眼镜

4. 适用于精基准较小接触平面的定位元件是（　　）。
   A. 固定支承钉　B. 可调支承钉　C. 支承板　D. 平头支承钉

5. 在大量生产中，确定加工余量的方法应力求使用（　　）。
   A. 查表修正法　B. 分析计算法　C. 阅历估算法　D. 查表和分析法

6. 汽车自动装配线的装配组织形式是（　　）。
   A. 集中装配　B. 分散装配　C. 自由移动装配　D. 强制移动装配

7. 麻花钻切削部分的切削刃共有（　　）。
   A. 6个　　　B. 5个　　　C. 4个　　　D. 3个

8. 在加工内齿轮和小间距的多联齿轮时，可以用（　　）。
   A. 插齿的方法　B. 滚齿的方法　C. 铣齿的方法　D. 拉齿的方法

9. 单件小批生产时，一般采用（　　）。
   A. 工序的分散
   B. 工序集中
   C. 据具体情况确定工序的集中与分散
   D. 工序的集中与分散相结合

10. 下列刀具材料中，综合性能最好，适宜制造形状复杂的刀具的材料是（　　）。
    A. 碳素工具钢　B. 合金工具钢　C. 高速钢　D. 硬质合金

11. 在加工小孔或中孔时，采用的加工路线是钻孔→（　　）→铰孔。
    A. 磨孔　　　B. 沉孔　　　C. 回孔　　　D. 扩孔

12. 箱体零件的材料常用铸铁，一般主轴箱的材料选用（　　）。
    A. 白口铸铁　B. 球墨铸铁　C. HT400　D. HT200

二、判断题
1. 机械运动中的摩擦不仅会带来能量损耗，还会引起振动和噪声，所以摩擦是有害的。（   ）
2. 机械零件的精度只包括尺寸精度和几何精度。（   ）
3. 机械加工是转变加工工件尺寸和外形的一种加工方法。（   ）
4. 切削加工中可凭阅历目测切屑的颜色来推断切削温度。（   ）
5. 台式钻床由主轴箱、进给箱、主轴、工作台、立柱、底座和操纵手柄等组成。（   ）
6. 夹紧机构包括动力源、中间传力机构和夹紧元件。（   ）
7. 加工高精度工件，在缺乏周密设备时，可通过设备改造，以粗干精。（   ）
8. 加工深孔零件的刀具，刀头上应设置支承导向。（   ）
9. 箱体类零件的孔系加工方法有找正法、镗模法和坐标法。（   ）
10. 产品的装配精度完全靠零件加工精度来保证。（   ）

三、填空题
1. 安装在密封箱体内润滑良好的齿轮传动，齿轮的主要失效形式是齿面_____和轮齿_____。
2. 我国生产的磨床有一般磨床、_____和_____三个分类。
3. 机床主轴回转运动误差包括轴向窜动、_____和_____三种根本形式。
4. 外圆的周密加工包括研磨、超精加工、_____和_____加工。
5. 镗削加工时，_____是主运动，工件或镗刀的移动为进给运动。
6. 钻床和镗床都属于_____机床。
7. B6065 型牛头刨床的最大刨削长度为_____ mm。
8. 为了保证加工精度，使工件相对于机床和刀具占有正确的加工位置，这一过程称为_____。

四、简答题
1. 提高机械加工生产率的工艺措施有哪些？

2. 简述切削热的来源和传出情况。

3. 对夹紧装置的基本要求有哪些？

4. 比较滚齿与插齿加工，剃齿与珩齿加工，珩齿与磨齿加工的工艺特点及适用场合。

5. 为什么铣削的加工质量一般不太高？

6. 轴类零件的常用材料有哪几种？根据使用要求，应安排哪些热处理工序？

7. 机器产品的装配精度与零件的加工精度、装配工艺方法有什么关系？

综合测验二

一、单选题

1. 砂轮由（　　）、结合剂、气孔三部分组成。
   A. 磨料　　　　B. 砂粒　　　　C. 石英砂　　　　D. 金刚石
2. （　　）是用钻头或扩孔钻在工件上加工孔的方法。
   A. 插削　　　　B. 镗削　　　　C. 钻削　　　　D. 铣削
3. 背吃刀量一般指工件已加工表面和待加工表面间的（　　）。
   A. 水平距离　　B. 横向距离　　C. 垂直距离　　D. 直线距离
4. 自定心卡盘能自动定心，装夹工件一般（　　）找正。
   A. 需要　　　　B. 不需要　　　C. 不确定　　　D. 根据具体情况而定
5. 螺纹零件是机械设备中应用较广泛的一种零件，按其用途可分为两大类：紧固螺纹和（　　）。
   A. 连接螺纹　　B. 单线螺纹　　C. 传动螺纹　　D. 密封螺纹
6. Z5135型钻床的最大钻孔直径是（　　）mm。
   A. 13　　　　　B. 35　　　　　C. 350　　　　　D. 50
7. 安装车刀时，车刀悬伸部分要尽可能缩短，一般悬伸长度约为车刀厚度的（　　）倍。
   A. 1~1.5　　　B. 1.5~2.5　　C. 2.5~3.5　　D. 0.5~1
8. （　　）是提供车削可能性的运动。
   A. 主运动　　　B. 进给运动　　C. 直线运动　　D. 旋转运动
9. 切削用量包括切削速度、（　　）和背吃刀量三个要素。
   A. 主运动　　　B. 进给量　　　C. 进给运动　　D. 切削深度
10. 机床一般是由执行件、动力源和（　　）所组成的。
    A. 工作部分　　B. 动力部分　　C. 传动装置　　D. 控制系统
11. 工序集中是零件的加工集中在少数工序内完成，每道工序的加工内容（　　）。
    A. 很多　　　　B. 较少　　　　C. 较多　　　　D. 很少
12. 中心孔是轴类零件加工时最常用的定位基准面，其质量对（　　）有着重大影响。
    A. 表面精度　　B. 表面质量　　C. 加工质量　　D. 加工精度

二、判断题

1. 在一个尺寸链中，可以有一个封闭环，也可以有几个封闭环。（　　）
2. 确定加工余量的方法有三种，其中分析计算法在实际生产中应用广泛。（　　）
3. 在盘形砂轮上磨刀时，应尽量避免使用砂轮的侧面。（　　）
4. 与封闭环反向变动的组成环称为增环。（　　）

5. 在杯形砂轮上磨刀时，一般使用砂轮的内圈。（   ）
6. 磨硬质合金刀具时，要及时进行冷却，否则会失去其硬度。（   ）
7. 磨碳素钢、合金钢刀具时，不能进行冷却，突然冷却会使刀片碎裂。（   ）
8. 磨高速钢刀具时，要经常进行冷却，不能让刀头烧红。（   ）
9. 铰孔是应用较普遍的孔加工方法之一，但是铰孔不能纠正孔的位置误差，对孔的形状误差纠正能力也不强。（   ）
10. 刨削加工成本低，并且切削是连续的。（   ）

三、填空题

1. 工程材料一般可分为_____和_____两大类。
2. 机械加工工艺过程是由一系列的_____工序组成。
3. 生产纲领是指包括_____的该产品的年产量。
4. 根据作用和应用场合的不同，基准可以分为_____和_____两大类。
5. 根据铣削时切削层参数的变化规律不同，圆周铣削有_____和_____两种。
6. 尺寸链具有的两个特点是：_____和_____。
7. 加工余量是指_____。
8. 为了便于组织生产，常将工艺路线划分为若干工序，划分的原则可采用_____和_____的原则。

四、简答题

1. 刀具磨损的过程一般分为哪三个阶段？

2. 检查砂轮是否存在裂纹的方法是什么？

3. 什么是金属切削加工？其主要方法有哪些？

4. 设备操作维护规程的基本内容是什么？

5. 为加工以下平面选用合适的加工设备。
1）尺寸 100mm×300mm、表面粗糙度值为 $Ra3.2\mu m$ 的矩形平面。
2）单件小批生产齿轮内孔的键槽。
3）光轴上加工平键槽。
4）车床的导轨面。
5）单件小批生产箱体上 $\phi100mm$ 的孔，表面粗糙度值为 $Ra3.2\mu m$。

6. 电解磨削与电解加工有何区别？

7. 断头螺钉怎样拆卸？锈死或不可拆连接件又怎样拆卸？

8. 什么是柔性制造系统？

9. 确定应用数控加工工艺时应注意哪些问题？

综合测验三

一、单选题

1. CA6140型车床的工件最大回转直径为（　　）mm。
   A. 4　　　　　B. 40　　　　　C. 400　　　　　D. 4000

2. 自动定心卡盘的三个卡爪能同步径向移动，所以在装夹工件时能自动定心，但夹紧力（　　）。
   A. 较小　　　B. 较大　　　C. 适中　　　D. 极大

3. 下列特别适合加工箱体、机架等结构复杂、尺寸较大工件的机床是（　　）。
   A. 车床　　　B. 刨床　　　C. 镗床　　　D. 铣床

4. 铣削加工主要用于零件的粗加工和半精加工，其尺寸公差等级一般在（　　）之间。
   A. IT14~IT17　　B. IT11~IT14　　C. IT8~IT11　　D. IT5~IT8

5. 万能分度头是铣床的主要附件，其常用的分度方法有（　　）和角度分度法两种。
   A. 单向分度法　　B. 单式分度法　　C. 双向分度法　　D. 直接分度法

6. 台式钻床结构简单，多放置在工作台上工作，钻孔直径一般在（　　）mm以下，最大不超过16mm。
   A. 13　　　　B. 14　　　　C. 15　　　　D. 20

7. TP619型镗床的直径为（　　）mm。
   A. 19　　　　B. 9　　　　C. 90　　　　D. 619

8. 用（　　）作为工具对工件表面进行切削加工的机床，统称为磨床。
   A. 磨具　　　B. 砂轮　　　C. 油石　　　D. 研磨膏

9. 通常切削加工中的主运动只有一个，而进给运动可能有（　　）。
   A. 一个　　　B. 数个　　　C. 一个或数个　　　D. 零个

10. （　　）是根据某一工件的某道工序的加工要求，由一套事先制造好的标准元件和部件组装而成的专用夹具。
    A. 可调夹具　　B. 组合夹具　　C. 自动线夹具　　D. 专用夹具

11. 插齿的分齿运动存在（　　）。
    A. 插齿的开始阶段　　　　　B. 插齿的结束阶段
    C. 插齿的全过程　　　　　　D. 插齿的间歇阶段

12. 用搓丝板搓制普通螺纹时，上、下搓板的螺纹槽应错开（　　）。
    A. 2个螺距　　B. 1.5个螺距　　C. 1个螺距　　D. 0.5个螺距

二、判断题

1. 刚玉系砂轮的硬度较高，主要用于磨削硬质合金、宝石、陶瓷和玻璃等。
（　　）

2. 操作工人班前检查的对象为全部开动的设备。( )
3. 刀具材料的硬度必须高于工件材料的硬度,一般在 60HRC 以上。( )
4. 为了保证工件的位置在加工过程中稳定不变,就必须对工件施加一定的夹紧力,这一过程称为夹紧。( )
5. 过定位一般是不允许的,因为它可能产生破坏定位、工件不能装入、工件或夹具变形等后果。( )
6. 表面淬火或渗碳处理可以提高零件表面的硬度和耐磨性,一般放在精加工之后进行。( )
7. 通常把零件直径 D 与长度 L 的比值 D/L 大于 20 的轴称为细长轴。( )
8. 发动机中活塞销与活塞销孔的装配,可采用分组装配法保证配合精度。( )
9. 相邻两工序尺寸之差为工序加工余量。( )
10. 一般单件、小批生产多遵循工序集中原则组织工艺过程。( )

三、填空题

1. 数控车床的加工功能与普通车床相比,其突出特点为_____和_____。
2. 柔性制造系统是由一组_____或一组_____,通过一个公用的自动物料输送系统和计算机控制系统相结合的加工综合体。
3. 尺寸链中在装配过程或加工过程最后形成的一环叫作_____。
4. _____是指规定产品或零部件制造工艺过程和操作方法等的工艺文件。
5. _____是制订工艺规程最基本的原始资料之一。
6. 镗削加工时,_____是主运动,工件或镗刀的移动为进给运动。
7. 钻床和镗床都属于_____机床。
8. B6065 型牛头刨床的最大刨削长度为_____ mm。

四、简答题

1. 工件加工时如何获得尺寸、形状、位置精度?

2. 内孔的磨削加工有什么特点?珩磨与一般内孔磨削有什么不同?

3. 影响工件加工质量的因素有哪些?举例说明。

4. 简述电火花线切割加工的原理和应用。

5. 故障分析与故障排除程序是怎样的？

6. 根据所学知识，试分析拟订工艺路线的主要工作是什么？

7. 齿轮常用哪些材料制造？一般需安排什么热处理工序？

8. 举例说明下列有关选择基准的原则。
1）基准重合原则。
2）基准统一原则。
3）互为基准原则。
4）自为基准原则。

9. 什么是六点定位？

综合测验四

一、单选题

1. 在背吃刀量和进给量一定的条件下，切削厚度与切削宽度的比值取决于（　　）。
   A. 刀具前角　　　B. 刀具后角　　　C. 刀具主偏角　　　D. 刀具副偏角
2. 垂直于过渡表面度量的切削层尺寸称为（　　）。
   A. 切削深度　　　B. 切削长度　　　C. 切削厚度　　　D. 切削宽度
3. 普通车床的主参数是（　　）。
   A. 车床最大轮廓尺寸　　　　　　B. 主轴与尾座之间最大距离
   C. 中心高　　　　　　　　　　　D. 床身上工件最大回转直径
4. 大批量生产中广泛采用（　　）。
   A. 通用夹具　　　B. 专用夹具　　　C. 成组夹具　　　D. 组合夹具
5. 箱体零件的材料常用铸铁，一般主轴箱的材料选用（　　）。
   A. 白口铸铁　　　B. 球墨铸铁　　　C. HT400　　　D. HT200
6. 齿轮的加工过程中，常用（　　）和展成法。
   A. 样板法　　　B. 成形法　　　C. 仿形发　　　D. 靠模法
7. 为了提高零件材料的硬度和耐磨性，常采用（　　）。
   A. 淬火处理　　　B. 退火处理　　　C. 回火处理　　　D. 正火处理
8. 一个零件从毛坯变成成品所去除掉的余量称为（　　）余量。
   A. 加工总　　　B. 产品　　　C. 成品　　　D. 零件
9. 为获得较好的综合力学性能，轴类零件要求进行调质处理，一般安排在粗车之后、（　　）之前，以便消除粗车时生产的残余应力。
   A. 精车　　　B. 半精车　　　C. 粗磨　　　D. 精磨
10. 单件小批量生产一般选择通用设备，大批量生产宜选高生产率的（　　）。
    A. 独立设备　　　B. 高精度设备　　　C. 专业设备　　　D. 不知道
11. 轴类零件加工过程一般要进行表面粗糙度、表面硬度、表面几何形状精度、尺寸精度和相互位置精度（　　）。
    A. 测验　　　B. 测试　　　C. 检验　　　D. 检查
12. 在一般情况下，单件小批生产时，多将工序（　　）。
    A. 分散　　　B. 集中　　　C. 多样化　　　D. 随便

二、判断题

1. 为了使制订的工艺规程切实可行，一定要考虑现场的生产条件、设备状况、设备制造能力及工人的技术水平。（　　）
2. 零件技术要求分析包括精度分析、表面粗糙度与表面精度分析、热处理分析等。（　　）

3. 毛坯的形状和尺寸与零件的设计形状和尺寸无关。（　　）
4. 精基准的原则包括基准统一原则、基准重合原则、互为基准原则和独立基准原则。（　　）
5. 根据零件的加工质量要求，整个加工过程分为粗加工阶段、半精加工阶段、精加工阶段和光整加工阶段。（　　）
6. 在工件加工过程中，粗加工余量较大，易造成加工误差，可通过半精加工和精加工逐步纠正，以保证加工的质量。（　　）
7. 加工余量过大，零件生产过程中会造成工时浪费，耗材增加；加工余量过小，可以消除前道工序的缺陷和误差，不会造成废品。（　　）
8. 轴类零件的作用是支承传动零件，传递转矩，承受载荷，保证装在轴上的零件具有一定的回转精度。（　　）
9. 深孔加工比一般孔加工难度大，生产率低，加工时工件装夹常用一顶一夹方式。（　　）
10. 轴类零件的检验分为加工中检验和加工后检验。（　　）

三、填空题

1. 机械加工是在机床上改变工件_____和_____的一种加工形式。
2. 刀具切削部分中的三个刀面是指_____、_____、_____。
3. 机床主要有_____、_____、_____三个基本部分组成。
4. 车床主轴箱主要有支承主轴部件，并使主轴部件及_____以所需速度_____。
5. 铣床可以加工_____、_____、_____零件等。
6. 磨床切削加工中，加工精度可选_____，表面粗糙度值可达_____。
7. 机械加工工艺规程是指产品或零部件机械加工_____和_____等的工艺文件。
8. 毛坯的种类有：_____、_____、焊接件、_____、其他毛坯。

四、名词解释

1. 工艺过程

2. 走刀

3. 生产纲领

4. 六点定位原理

5. 机械加工工艺规程

五、简答题
1. 粗基准选择原则是什么？

2. 选择表面加工方法时应考虑的因素有哪些？

3. 划分加工阶段时应考虑的因素有哪些？

4. 何谓超声加工？试述其加工原理及应用。

综合测验五

一、单选题

1. 设计基准是指（　　）。
   A. 零件图中所用基准　　　　　　B. 加工时用于确定工件位置的基准
   C. 工序图中所用的基准　　　　　D. 用于测量工件尺寸、位置的基准
2. 在一道工序中，可以有（　　）。
   A. 多个工步　　B. 多个工位　　C. 多次安装　　D. 多次走刀
3. 切削脆性金属材料一般产生（　　）切屑。
   A. 带状　　　　B. 节状　　　　C. 崩碎　　　　D. 单元
4. 零件在加工过程中允许出现的情况是（　　）。
   A. 过定位　　　B. 欠定位　　　C. 不完全定位　D. 合理定位
5. 在单动卡盘上装夹工件对毛坯面进行找正时，一般采用（　　）。
   A. 划线盘　　　B. 卡尺　　　　C. 千分尺　　　D. 百分表
6. 零件在设计过程中使用的基准叫作（　　）。
   A. 设计基准　　B. 装配基准　　C. 定位基准　　D. 测量基准
7. 主运动是由工件执行的机床有（　　）。
   A. 镗床　　　　B. 车床　　　　C. 磨床　　　　D. 牛头刨床
8. 车细长轴时，为增强工件强度宜用（　　）。
   A. 前顶尖　　　B. 鸡心夹头　　C. 固定顶尖　　D. 中心架
9. 主运动不是旋转运动的机床有（　　）。
   A. 车床　　　　B. 磨床　　　　C. 牛头刨床　　D. 钻床
10. 下列属于数控机床的是（　　）。
    A. 牛头刨床　　B. 拉床　　　　C. 摇臂钻床　　D. 线切割
11. 工艺尺寸链是有封闭环、组成环两种，其中组成环分为增环和（　　）。
    A. 封闭环　　　B. 环　　　　　C. 减环　　　　D. 增环
12. 轴类零件的常用材料是（　　），在高精度要求下选用轴承钢等材料。
    A. 45　　　　　B. 20　　　　　C. 60Mn　　　　D. 合金钢

二、判断题

1. 确定加工余量的方法有三种，其中分析计算法在实际生产中应用广泛。（　　）
2. 车床的主轴是带动工件旋转的，而铣床的主轴是带动铣刀旋转的。（　　）
3. 牛头刨床的刨刀是做往复运动的，而龙门刨床的刨刀是做间歇移动的。（　　）
4. 自定心卡盘的三个卡爪是联动的，有自动定心作用。（　　）
5. X5020型立式升降台铣床的工作台面宽度为200mm。（　　）
6. 立铣的主运动和进给运动是由同一台电动机带动的。（　　）
7. 铣床的主运动是刀具的旋转运动，进给运动是工件的运动。（　　）

8. 在一个尺寸链中，可以有一个封闭环，也可以有几个封闭环。（ ）
9. 切削过程中，若产生积屑瘤，会对精加工有利，对粗加工有害。（ ）
10. CA6140型卧式车床代号中，"6140"代表机床的导轨长度为6140mm。（ ）

三、填空题

1. 机械加工工艺过程的组成包括工序、_____、_____、_____和_____。
2. 切削运动是指在切削过程中刀具与工件之间的相对运动，它包括_____和_____。
3. 切削用量包括_____、_____和_____三个要素。
4. 切削液分为_____、_____和_____三大类。
5. CA6140型卧式车床的代号中，"40"代表_____。
6. 根据作用的不同，基准可以分为_____和_____两大类。
7. 车床主要由_____、_____、溜板箱三个箱体构成。
8. 机床的传动必须由_____、_____和_____基本部分组成。

四、名词解释

1. 粗基准

2. 加工余量

3. 尺寸链

五、简答题

1. 主轴加工顺序的安排应注意的问题有哪些？

2. 套筒零件常用的热处理方法有哪些？

3. 箱体加工的粗基准选择主要考虑哪些问题？生产批量不同时工件的装夹方式有何不同？

4. 结合所学知识，简述箱体类零件的主要检验项目有哪些。

5. 在齿轮加工的各种方法中，你能说出几种常用方法，并简单说明各加工方法的特点。

6. 试编制下图所示双联齿轮的机械加工工艺过程（小批生产），参数见下表。

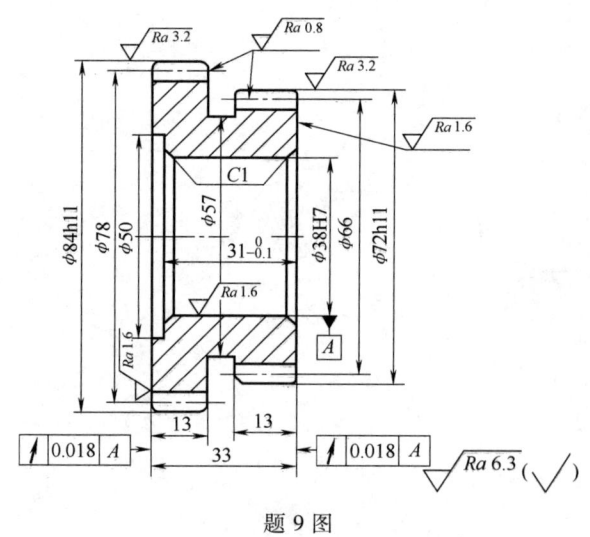

题 9 图

题 9 表

齿号	模数 /mm	齿数	精度等级	齿圈径向圆跳动 /mm	公法线平均长度 /mm	公法线长度变动 /mm	跨齿数	齿形公差 /mm	齿向公差 /mm
Ⅰ	3	26	7	0.036	$23.15_{-0.06}^{0}$	0.028	3	0.008	0.009
Ⅱ	3	22	7	0.036	$22.98_{-0.06}^{0}$	0.028	3	0.008	0.009